普通高等教育国际经济与贸易专业规划教材

世界经济概论

第 2 版

主　编　魏　浩
副主编　代中强　梁俊伟　樊　英
参　编　陈基平　张　瑞　张　昊（小）
　　　　张　昊　刘　云　程　琤
　　　　唐　炜

机械工业出版社

随着经济全球化的不断发展,国际经济关系、世界经济格局等都在发展变化中出现了一些新现象和新特点,甚至出现了一些重大变化。我国必须高度关注世界经济发展的重大变化和新特点,把握世界经济变化的规律和趋势,以确保我国经济发展的稳定性和可持续性。

本书是根据世界经济发展的最新态势,结合多年的教学实践经验以及对世界经济领域的深入研究编写而成的。全书共计16章,不仅介绍了世界经济的基本理论、宏观经济问题,还对国别经济、世界经济发展趋势和重大问题进行了详细分析。本次修订对经济数据、政策变化、新事件进行了更新或补充,每章增加了导入案例,并增加了10个专题。

本书可作为高等院校国际经济与贸易、世界经济、国际金融、经济学、国际商务、企业管理等专业的教材。

图书在版编目（CIP）数据

世界经济概论/魏浩主编. —2版. —北京：机械工业出版社，2017.10
（2025.1重印）

普通高等教育国际经济与贸易专业规划教材

ISBN 978-7-111-58231-1

Ⅰ.①世⋯　Ⅱ.①魏⋯　Ⅲ.①世界经济—高等学校—教材　Ⅳ.①F112

中国版本图书馆CIP数据核字（2017）第245595号

机械工业出版社（北京市百万庄大街22号　邮政编码100037）
策划编辑：常爱艳　　责任编辑：常爱艳　刘鑫佳
责任校对：黄兴伟　　封面设计：鞠　杨
责任印制：张　博
北京建宏印刷有限公司印刷
2025年1月第2版第3次印刷
184mm×260mm・25.75印张・624千字
标准书号：ISBN 978-7-111-58231-1
定价：59.80元

电话服务　　　　　　　　　网络服务
客服电话：010-88361066　　机　工　官　网：www.cmpbook.com
　　　　　010-88379833　　机　工　官　博：weibo.com/cmp1952
　　　　　010-68326294　　金　书　网：www.golden-book.com
封底无防伪标均为盗版　　　机工教育服务网：www.cmpedu.com

第2版前言

本书自第1版出版以来，在全国高校引起了一定的反响，很多高校纷纷将本书作为经济类、管理类特别是国际经济与贸易专业、国际商务专业的授课教材或参考用书。为了进一步反映世界经济的最新发展动态，编者对第1版进行修订。

本书的修订工作主要体现在：

（1）对经济数据、政策变化、新事件等内容进行更新和补充。编者尽可能地把数据更新到2016年；同时加入了G8会议最新动态、G20峰会最新动态、世界500强企业最新排名、英国脱欧、美国退出《巴黎协定》、美国退出TPP等事件。

（2）新增"导入案例"模块。编者为每章都增加了一个导入案例。例如，第四章"世界经济格局"新增了导入案例"2050年世界格局将会发生怎样的变化？"，第十章"区域经济一体化"新增了导入案例"英国脱欧"，第十四章"低碳经济问题"新增了导入案例"特朗普宣布美国将退出《巴黎协定》"，第十六章"第三次工业革命"新增了导入案例"中国制造2025"等。

（3）新增10个专题。结合不同内容与背景，新增了反映最新发展动态的10个专题。例如，新增了"推动共建丝绸之路经济带和21世纪海上丝绸之路的愿景与行动""亚投行：完善国际金融体系的新平台""国际组织中的权利计算——以IMF份额与投票权改革为例的分析""'特朗普主义'下的逆全球化冲击与新的全球化机遇""互联网技术"等专题。

本书第2版由魏浩担任主编，负责统稿和定稿。具体修订工作分工如下：第一~三章由陈基平修订，第十一章由张昊（大）修订，第十二章由张瑞修订，其余各章均由张昊（小）修订。

在编写与修订过程中，我们参阅了大量国内外相关教材、专著、学术论文以及众多网站的内容，并引用了其中许多观点和资料，我们尽可能地把引用的内容都进行了标注，但是由于种种原因，可能有所疏漏，在此对相关作者一并感谢。

由于编者水平有限，本书的修订难免有疏漏之处，诚恳地希望广大读者，特别是任课教师和使用本书的同行提出宝贵意见，以便今后进一步完善。

我们为选择本书作为授课教材的老师免费提供配套电子课件（PPT）、课后习题答案和教学大纲。有需要的老师请联系责任编辑索取：changay@126.com。

魏　浩

第1版前言

自第二次世界大战以后，世界进入了和平时代，绝大部分国家和地区关注的重点由军事战争逐渐转变为经济发展。在此背景下，世界各国政府和学者对世界经济的研究日益重视，世界经济学科迅猛发展起来。我国对世界经济的研究起步较晚，20世纪60年代初，学术界提出关于世界经济学科建设的问题，并就世界经济学的研究对象、范围及其具体内容展开了讨论。但是，由于各种原因，直到20世纪80年代初，我国才全面展开对该领域的学科建设。到20世纪90年代初，我国世界经济学科体系才基本形成。

随着经济全球化发展速度的日益加快，越来越多的国家参与国际分工、参与全球化，不同类型国家的经济发展、各种经济关系、世界经济格局等都在发展变化中出现了一些新现象和新特点，甚至出现了一些重大变化。这就需要对现有的教材体系和内容适当地进行调整，把世界经济领域中的一些新理论、新规则、新问题等写入教科书中。对于我国来说，我国参与全球化的程度日益加深，其他国家和地区的经济发展变化对我国经济的影响越来越大，为了保证经济发展的稳定性、可持续性，我国必须时刻关注世界经济发展的重大变化和新特点，把握世界经济发展变化的规律和趋势。因此，深入学习和研究世界经济是非常必要的。

本书是根据世界经济发展的最新态势，结合多年的教学实践经验以及对世界经济领域的深入研究编写而成的。本书可作为高等院校国际经济与贸易、世界经济、金融学、经济学、国际商务、企业管理等专业的教材。

与其他同类教材相比，本书的特色主要体现在：

（1）前沿性。本书包含了世界经济的新理论、新事件、新变化、发展趋势等内容。例如，在第二章中，对国际分工理论的新发展进行了详细的阐述；在第五章中，对美国次贷危机、欧洲债务危机等新事件进行了详细的阐述。另外，本书对世界人口问题、自然资源贸易、低碳经济问题、中等收入陷阱、第三次工业革命等重要的世界经济新问题进行了专门介绍。

（2）可读性。为了避免泛泛而谈，本书对很多重要的问题都进行了具体的、详细的阐述，大大提高了内容的可读性。例如，在第三章中，对世界市场上的商品流通渠道、商品销售渠道进行了细致的分析；在第八章中，对国际经济组织的发展历程、类型和功能进行了分析。

（3）全面性。本书不仅介绍了世界经济的基本理论，分析了世界经济格局、世界经济周期、国际经济关系等宏观经济问题，还对部分发达国家、发展中国家的国别经济进行了分析。最后，对自然资源贸易、低碳经济等世界经济发展的趋势和重大问题进行了详细分析。

（4）实用性。本书每章的开始都有"本章学习目标"，每章都插入至少一个相关背景的阅读材料或者专题，同时，在每章的结尾都提供了该章的"复习思考题"和"参考文献"。这样的结构安排，能够尽可能地吸引学生的注意力，引导学生对重点内容的把握，方便学生在课后对所学内容的进一步深入学习和研究。

本书由魏浩负责拟定大纲、统稿、修改和定稿。本书编写人员分工如下：第一章初稿由魏浩、程琤编写；第二～五章、第十二章、第十四～十六章初稿由魏浩编写；第六～八章、第九章第一节初稿由代中强编写；第九章第二～四节初稿由梁俊伟编写；第十章初稿由唐炜编写；第十一章初稿由刘云编写；第十三章初稿由樊英编写。在全部初稿完成以后，由罗时超、游曼琳、金晓琪、刘士彬、付天、耿圆等对初稿进行了修改、删减、补充和校对。最后，由魏浩对全书内容进行了统稿和定稿。

另外，我的同事，特别是赵春明教授、曲如晓教授等对本书的出版给予了大力支持，在此深表感谢！

在编写过程中，我们参阅了大量国内外相关教材、专著、论文、期刊以及众多网站的内容，并引用了其中许多观点和资料。我们尽可能地把引用的内容都进行了标注，但是由于种种原因，可能有所疏漏，在此对相关作者一并表示感谢。

由于编者水平和能力有限，书中难免存在一些不足甚至错误之处，恳请读者批评指正，多提宝贵意见，以便再版时修改。

我们为选择本书进行教学的老师免费提供教学用 ppt 课件，请联系编辑索取：changay@126.com。

魏　浩

目　录
CONTENTS

第 2 版前言
第 1 版前言

第一章　世界经济 ··· 1
　　本章学习目标 ··· 1
　　导入案例 ·· 1
　第一节　世界经济的内涵 ·· 2
　第二节　世界经济的形成 ·· 5
　第三节　第二次世界大战后世界经济的新发展 ····································· 9
　　复习思考题 ·· 13
　　参考文献 ··· 13

第二章　国际分工 ·· 15
　　本章学习目标 ··· 15
　　导入案例 ··· 15
　第一节　国际分工的形成和发展历程 ··· 16
　第二节　产品内分工形成的原因 ··· 19
　第三节　产品内分工的效应 ·· 24
　第四节　发展中国家的经济发展战略 ··· 32
　　复习思考题 ·· 38
　　参考文献 ··· 38

第三章　世界市场 ·· 40
　　本章学习目标 ··· 40
　　导入案例 ··· 40
　第一节　世界市场的内涵 ·· 41
　第二节　世界市场的演进过程 ·· 42
　第三节　世界市场的运行 ·· 47
　　复习思考题 ·· 56
　　参考文献 ··· 56

第四章　世界经济格局 ……………………………………………………………… 57

本章学习目标 …………………………………………………………………… 57
导入案例 ………………………………………………………………………… 57
第一节　世界经济格局的形成和演变 …………………………………………… 58
第二节　世界经济发展的不平衡性 ……………………………………………… 63
第三节　后金融危机时代的世界经济格局 ……………………………………… 68
复习思考题 ……………………………………………………………………… 75
参考文献 ………………………………………………………………………… 75

第五章　世界经济危机 ……………………………………………………………… 76

本章学习目标 …………………………………………………………………… 76
导入案例 ………………………………………………………………………… 76
第一节　经济周期 ………………………………………………………………… 77
第二节　经济危机 ………………………………………………………………… 80
第三节　东南亚金融危机 ………………………………………………………… 91
第四节　美国次贷危机 …………………………………………………………… 97
第五节　欧洲债务危机 …………………………………………………………… 102
复习思考题 ……………………………………………………………………… 106
参考文献 ………………………………………………………………………… 106

第六章　国际经济关系 ……………………………………………………………… 107

本章学习目标 …………………………………………………………………… 107
导入案例 ………………………………………………………………………… 107
第一节　国际经济关系的产生与发展 …………………………………………… 108
第二节　国际经济关系的基本原则 ……………………………………………… 110
第三节　发达国家之间的经济关系 ……………………………………………… 112
第四节　发展中国家之间的经济关系 …………………………………………… 115
第五节　发达国家与发展中国家之间的经济关系 ……………………………… 118
复习思考题 ……………………………………………………………………… 128
参考文献 ………………………………………………………………………… 128

第七章　国际经济协调 ……………………………………………………………… 130

本章学习目标 …………………………………………………………………… 130
导入案例 ………………………………………………………………………… 130
第一节　国际经济协调的基础和作用 …………………………………………… 131
第二节　国际经济协调的类型 …………………………………………………… 134
第三节　国际经济协调的产生与发展 …………………………………………… 138
第四节　国际经济协调的传导机制 ……………………………………………… 143
第五节　国际经济协调的局限性 ………………………………………………… 144
复习思考题 ……………………………………………………………………… 146
参考文献 ………………………………………………………………………… 147

第八章 国际经济组织 ... 148
  本章学习目标 ... 148
  导入案例 ... 148
 第一节 国际经济组织的发展历程 ... 149
 第二节 国际经济组织的类型 ... 150
 第三节 国际经济组织的功能 ... 151
 第四节 重要的国际经济组织 ... 152
  复习思考题 ... 173
  参考文献 ... 173

第九章 经济全球化 ... 174
  本章学习目标 ... 174
  导入案例 ... 174
 第一节 经济全球化概述 ... 175
 第二节 国际贸易 ... 180
 第三节 国际金融 ... 186
 第四节 国际投资 ... 193
 第五节 经济全球化对世界经济的影响 ... 205
  复习思考题 ... 211
  参考文献 ... 211

第十章 区域经济一体化 ... 212
  本章学习目标 ... 212
  导入案例 ... 212
 第一节 区域经济一体化概述 ... 213
 第二节 区域经济一体化与经济全球化的关系 ... 216
 第三节 区域经济一体化的组织 ... 218
  复习思考题 ... 244
  参考文献 ... 245

第十一章 国别经济 ... 246
  本章学习目标 ... 246
  导入案例 ... 246
 第一节 发达国家经济 ... 247
 第二节 发展中国家经济 ... 259
  复习思考题 ... 281
  参考文献 ... 281

第十二章　世界人口发展问题 ·· 283
　　本章学习目标 ·· 283
　　导入案例 ·· 283
　第一节　世界人口发展的基本情况 ···································· 284
　第二节　世界人口变化对世界经济的影响 ······························ 295
　　复习思考题 ·· 306
　　参考文献 ·· 306

第十三章　国际自然资源贸易 ·· 307
　　本章学习目标 ·· 307
　　导入案例 ·· 307
　第一节　国际自然资源贸易的基本情况 ································ 308
　第二节　全球治理难题 ·· 313
　第三节　中国的应对策略 ·· 316
　　复习思考题 ·· 322
　　参考文献 ·· 322

第十四章　低碳经济问题 ·· 323
　　本章学习目标 ·· 323
　　导入案例 ·· 323
　第一节　低碳经济的界定及发展历程 ·································· 324
　第二节　低碳经济对世界经济的影响 ·································· 331
　第三节　低碳经济在世界各国的发展 ·································· 338
　　复习思考题 ·· 347
　　参考文献 ·· 347

第十五章　中等收入陷阱 ·· 348
　　本章学习目标 ·· 348
　　导入案例 ·· 348
　第一节　"中等收入陷阱"的界定 ····································· 349
　第二节　应对"中等收入陷阱"的国际经验 ····························· 354
　　复习思考题 ·· 374
　　参考文献 ·· 375

第十六章　第三次工业革命 ·· 376
　　本章学习目标 ·· 376
　　导入案例 ·· 376
　第一节　第三次工业革命的兴起 ······································ 377
　第二节　第三次工业革命的特征与影响 ································ 382
　　复习思考题 ·· 400
　　参考文献 ·· 400

第一章

世界经济

本章学习目标

1. 了解世界经济的内涵、形成与发展。
2. 从整体上把握当代世界经济的基本特性和发展趋势。

【导入案例】

未来世界经济展望

国际货币基金组织（IMF）在《世界经济展望》更新报告中指出，在活跃的金融市场以及制造业和贸易领域期待已久的周期性复苏支持下，全球经济增长预计将从2016年的3.1%上升至2017年的3.5%和2018年的3.6%。

IMF认为，全球经济自2016年第四季度开始加速，这一势头一直在持续。IMF首席经济学家莫里斯·奥伯斯费尔德称，IMF不只看到实际增长数据提高，也看到采购经理指数上涨，未来全球经济表现可能会超过IMF预期。作为全球两个最大的经济体，美国的财政刺激政策正在取得进展，中国经济也具有相当强势的表现。

IMF认为，美国新政府的财政刺激政策将使美国经济增长在2017年升至2.3%、2018年升至2.5%。同时，IMF上调了日本、德国、西班牙和英国及欧元区2017年的增长预测。

报告显示，2017~2018年全球经济增长前景向好的主要支撑因素是新兴市场和发展中经济体经济增长预期加快。IMF预计新兴市场和发展中经济体2017年、2018年经济增长率将分别达到4.5%、4.8%，与今年1月份的预测相同。IMF认为，中国的政策支持力度大于预期，因此将中国2017年、2018年经济增长预测分别上调至6.6%、6.2%，相较今年1月份预测分别上调了0.1个、0.2个百分点，中国仍是全球经济增长的主要驱动力。

报告认为，全球经济增长面临的下行风险，一是贸易保护主义趋势加剧，导致全球经济增长因贸易和跨境投资减少而放缓；二是美国加息步伐快于预期，可能导致全球金融政策更快收紧，美元大幅升值，从而对脆弱经济体造成不利影响；三是金融监管不断放松，可能刺激过度冒险并增加未来发生金融危机的可能性；四是新兴市场经济体金融政策收紧；五是在部分产能大量过剩的发达经济体中，需求疲软、通胀低迷、资产负债表薄弱以及生产率增长乏力之间形成了负面反馈循环；六是非经济因素风险，包括地缘政治紧张局势、国内政治分歧、治理薄弱和腐败猖獗、极端天气事件以及恐怖主义和安全问题等。

（资料来源：http://finance.sina.com.cn/roll/2017-04-20/doc-ifyepsra4784795.shtml。）

世界经济不仅仅是世界上所有国家或地区的国民经济的简单加总，还是由各种经济纽带把各国和各地区联结起来的一个既互相依赖又互相矛盾的世界经济体系。在这个体系中，既包括国际经济关系，又包括构成这种体系的各国内部的经济关系。这种经济关系既涉及生产领域，也涉及商品交换、资金流动、技术转让等各个领域。总之，世界经济是商品经济发展的必然结果，是资本主义生产方式的直接产物，并且随着社会生产的不断发展，经历着由低级向高级演进的动态过程，在演进过程中形成了自身的基本特性。

第一节 世界经济的内涵

一、世界经济的定义

世界经济是世界各国经济相互联系、相互依存而构成的世界范围的经济整体。更确切地说，它是在国际分工和世界市场的基础上，通过商品流通、劳务交换、资本流动、外汇交易、国际经济一体化等多种形式和渠道，把世界范围内各国的生产、生活和其他经济方面联系在一起的有机整体，是超越民族、国界的一种经济体系。

在理解和把握这一概念的时候，应当注意：首先，世界经济是一个经济范畴，是经济概念体系中的一种，是人类生产、分配、交换、消费活动的一种方式。其次，世界经济还是一个历史范畴，是人类社会发展到一定历史阶段的产物，并随着人类社会的发展不断地发生变革。作为人类历史的一个特殊阶段，世界经济镶嵌于人类社会发展的历史背景之中，其自身也有形成、发展的历史规律性。最后，世界经济还是一个地理的范畴。毕竟，人类的经济活动总是要在一定的地域范围内发生的。随着人类认识自然和改造自然能力的提高，人类经济活动的地域范围也在不断扩大，最终突破国家的界限，在整个世界形成相互联系的有机整体，即世界经济[1]。

二、世界经济的基本特性

世界经济主要有五个基本特性，具体如下[2]：

（一）本质的市场性

世界经济是在市场经济的基础上形成和发展的。参与世界经济的主体大多推行市场经济体制，而且世界经济的运行机制也遵循着市场经济的一般规则。具体来说，它具有交易自由化、市场主体平等化、运行机制市场化和市场管理法制化的特性。这些特性都从本质上揭示了世界经济的市场性特点。

（1）交易自由化。在世界经济中，交易主体本着自主和互利的原则，在自愿的基础上，共同达成各种交易协议，议定交易条件，发生各种经济联系。尤其是在国际贸易中，自由化的趋向反映了市场化的特性。它要求参与交易的国家和地区打破彼此的各种壁垒，不搞贸易保护主义，并通过友好协商和谈判的方式解决各种贸易争端，逐步使世界市场的交易趋向自

---

[1] 庄宗明：《世界经济学》，科学出版社，2007年版。
[2] 张幼文、金芳：《世界经济学》，立信会计出版社，2004年版。

由化。

（2）市场主体平等化。作为世界市场的主体，不论国家、地区还是企业，都应当处于平等的地位。政府奉行的方针政策和提供的经济环境都应体现平等互利的精神。市场主体平等化主要表现在两个方面：①对来自不同国家的进口产品都应一视同仁，而不应厚此薄彼，这就是世界贸易组织（WTO）中最惠国待遇的规定；②对国内外产品都应一视同仁、平等相待，这就是国民待遇问题。市场主体平等化是世界经济健康发展的前提条件。

（3）运行机制市场化。首先，这一特性具体体现在经济参数形成的市场化。在一个开放的世界经济体系中，各国的利率、主要商品价格、汇率等重要经济参数主要是靠市场供求自由调节，而不是靠政府干预形成的。虽然目前世界经济一体化还在发展中，但重要的经济参数并不是由某一主体单独操纵的。因而，目前这种参数可以体现市场的客观规律性，能够引导各个经济主体按照市场的变化做出经济决策。

其次，经济运行的市场化还表现为各类市场因经济原因形成，以经济联系为纽带，各种经济参数相互作用。在全球信息相当发达的今天，外汇市场的汇率、资金市场的利率、商品市场的价格、证券市场的指数等，都呈现出规律性的联系，牵一发而动全身。这都是经济运行市场化的标志。总之，市场化的运行机制极大地促进了世界经济的新发展。

（4）市场管理法制化。市场经济，说到底是法制经济。市场运行中的各个方面，要依靠制度来规范，要依靠法律来保护。法律具有规范性、公平性和公开性的特点，在世界经济的各个领域中发挥着越来越重要的作用。这突出地表现为世界各国之间签订了越来越多的双边或多边条约，以及更加严格地承担起各自相应的义务。同时，世界贸易组织等国际性的经济组织，在依据国际条约协调各方利益以及仲裁经济摩擦中也具有越来越大的权威。

（二）空间的广阔性

在空间的概念上，世界经济是一个最广的经济范畴。它是由世界上的所有国家（除绝对闭关自守的国家外）的国民经济组成的，是由各国国民经济所构成的有机整体。在这个整体中，有大到包括十多亿人口的大国，也有小到只有几万人口的小国；有高度集权的计划经济国家，也有放任自由的市场经济国家；有人均年收入少到100多美元的贫穷国家，也有人均年收入多达2万多美元的富裕国家⊖。总之，在世界经济的整体运转中，各个部分运行机制的差异是巨大的，它们各自对世界经济的影响也是不同的。

（三）历史的短暂性

在经济、国民经济和世界经济这三个范畴中，世界经济的历史是最短的。自从有了人类的生产活动以来，就有了"经济"的概念。在古代中国，经济是"经世济民"；在古希腊，经济是家庭管理术；亚里士多德又赋予了经济"谋生手段"的含义。国民经济至少在国家产生之后才诞生。事实上，在交通和交换不发达的古代，一国经济被分割成大大小小的自给自足的区域，并不存在以国家为范围的生产、交换、分配和消费，因而不存在现代意义上的国民经济。至于世界经济，则只是各经济联系和相互依赖高度发展的产物。世界经济非但不与人类活动共始点，而且也不与各国国民经济共始点。世界经济只是市场经济发展的产物，只是在市场经济高度发展的基础上产生和发展起来的。它的完全形成只有几百年的历史，并且还处在不断演变的过程中。随着跨国公司的出现，经济一体化组织的形成以及各种

⊖ 数据来源：商务部网站。

类型的国际贸易和合作形式的发展，世界经济的总模式也发生了极大的改变。

（四）整体的统一性

世界经济能作为一个有机整体存在，根本原因在于它的统一性。这个统一性就是世界经济的商品性。换句话说，世界经济是一种高度发达的商品经济。

（1）它表现在世界经济的全部活动规律都是商品经济的规律。世界市场中涉及的生产、交换、分配、消费的规律，都表现着高度发达的商品经济的特性。

（2）这种统一性还在于任何一个国家、国家集团或国际企业，即使在其内部实行计划经济或不发达的商品经济，但在与其他国家、国家集团或者国际企业的关系中，却总是奉行商品经济的原则。

（3）它还体现在商品经济是世界上各种生产方式的共性所在。第二次世界大战后的特殊历史条件一度使得世界分裂为两个平行的世界市场，即资本主义世界市场和社会主义世界市场。在当时，资本主义体系和社会主义体系在经济上只存在微弱的联系，长期处于一种分离状态。这种分离状态除了政治上的原因外，经济上的原因在于：两类国家的内部经济体制存在巨大的差异，即中央集权的计划经济和市场经济之间的差异。这种差异虽然不能绝对排斥两者之间的联系，但是却排除了两者的统一性。然而，之后进行的社会主义国家的经济体制改革为这种统一性的产生创造了条件。社会主义市场经济的建立和发展，使两种不同社会制度的联系发生了重大的变化。商品经济成为社会主义国家经济体制不可分割的一部分，并使得社会主义市场开始真正融入到世界市场中。可以说，商品经济的统一性创造了更完整意义上的世界经济。

（五）一体化的必然性

过去几十年，世界经济活动最显著的变化之一就是经济一体化的浪潮不断推进和扩展。技术进步带来的运输和信息交流成本的下降，各国经济开放政策的自由化效应，使得国际生产、投资、贸易和人员流动的规模不断扩大，并呈现出与以前各个一体化阶段不同的特征。一体化的主导者——跨国公司通过在全球范围内整合资源，构建链条对链条的竞争、网络对网络的竞争，进而提高自己的核心竞争力，使得一体化不断向纵深发展[1]。与此同时，世界各国的经济联系和相互依赖关系日益增强，逐步形成有组织、可协调、高效率运转的国际经济体系，不仅使世界经济成为一个有机的整体，而且在微观、中观和宏观三个层次上都体现了一体化的趋势。

在微观层次上，企业经营国际化迅速发展。跨国公司在纵横交错的内部化市场中根据全球战略目标，实现了内部分工、贸易、资金转移、人员流动、资源调配、技术转让、信息交流、国际管理和生产活动，从而在公司范围内实现全部再生产过程的国际化和一体化。

在中观层次上，区域经济一体化方兴未艾。随着各国经济发展中相互依赖和影响的日益增强，区域集团间的经济关系大有取代国际间经济关系的趋向，并日益成为国际经济关系的主体。区域经济一体化正呈现出"洲域经济一体化"的新趋势。

在宏观层次上，全球经济一体化正向纵深发展。随着世界经济政治形势的发展和格局的变化，世界经济的宏观管理体制及其协调机制不断地调整和创新，适用于全球范围内统一的行为规则和准则，即国际规范正在逐步形成和完善，并被用来规范、协调和管理世界经济的

---

[1] 张少军、李东方：《经济全球化指数的构建》，世界经济研究，2009年第3期。

有序运行,同时建立了相应的国际协调机构作为监督和组织的保证。例如,国际货币基金组织、世界银行和世界贸易组织等国际贸易与金融协调组织和机构的建立,为协调全球经济运行和实现全球经济一体化做出了重要贡献。虽然从总体上来看,全球层面的宏观协调机制还比较薄弱,但它的形成和发展毕竟在一定程度上抑制了世界经济自发运行的负面影响,为世界经济一体化的发展奠定了基础。实质上,世界经济的协调过程就是全球经济一体化发展的过程。

第二节 世界经济的形成

世界经济是一个历史范畴,是在资本主义机器大工业以及由此引起的国际分工和世界市场的基础上形成的,是人类社会发展到一定阶段的历史产物。在原始社会后期,就出现了社会分工和部落之间的商品交换。到了奴隶社会和封建社会,又出现了国家间的商品交换。但是,因为那时生产力水平低下,自然经济占统治地位,社会分工不够发达,所以,商品交换的范围和内容极其有限,国内贸易和国际贸易都不发达,几乎没有社会生产的固定分工。由于那时并不存在真正的国际分工和世界市场,世界经济也就没有形成。14~15世纪,围绕地中海进行的东、西方贸易才发展起来。但是,参与并依赖于经常性国际商品流通的仅仅是个别商业城市,以及在封建时代的中介贸易中成长起来的为数不多的城市共和国。而且,其商品交换的数量微不足道,种类仅限于那些具有资源优势或生产成本差别很大的少数商品,贸易的地理范围也极其有限。那个时候也并不是真正意义上的世界经济。世界经济是社会生产力发展到一定阶段后,随着国际分工和世界市场的发展而逐渐形成的。概括起来,世界经济的形成大体分为三个阶段:萌芽时期、初步形成、最终形成[1]。

一、世界经济的萌芽时期

世界经济的萌芽发生在15世纪末16世纪初这个时间段。15世纪末16世纪初的"地理大发现"为世界市场的形成准备好了地理条件。随着新航路开辟和新大陆的相继发现,国际贸易中心由地中海转向大西洋,国际贸易领域扩大到世界各地,国际贸易的商品种类也相继增加。美洲的金银、非洲的奴隶、亚洲的香料、欧洲的工业品纷纷卷入到国际商品流转中来,世界市场产生了。地理大发现最重要的意义是给世界经济带来了延续了几个世纪的长远影响,改变了世界的经济格局和发展路径,从此使世界真正紧密地联系在一起,推动了世界经济的全球化进程。

国际贸易在地域上的扩大和商品种类上的增加,引起了西欧商业革命性的变化,促进了以分工为特征的工场手工业的发展。从16世纪开始,西欧的封建专制国家大力推行重商主义政策,积极鼓励发展航海业和对外贸易,促进了为出口而生产的国际间分工。与此同时,西欧商业强国纷纷在亚洲、非洲、拉丁美洲地区争夺殖民地和市场,建立起以国际分工为特征的早期的资本主义专业化生产,把原来只具有地域色彩的国际分工逐渐扩展到世界各地。

但是,这时的国际分工还不是真正意义上的国际分工,只不过是宗主国与殖民地之间强制性的特殊分工。这一时期的国际贸易对各国的再生产过程都不起决定性作用,各国间的经

---

[1] 崔日明、刘文革:《世界经济概论》,北京大学出版社,2009年版。

济联系是局部和松散的。因此，这一时期出现的国际分工和世界市场只是一种早期的原始形式。这种早期的国际分工和世界市场的出现，标志着世界经济的萌芽。

【背景知识】

"地理大发现"对世界经济的影响

"地理大发现"是指15~18世纪欧洲航海者开辟新航路和"发现"新大陆的通称。它是地理学发展史中的重大事件。

"地理大发现"对欧洲的经济生活产生了巨大的影响。首先是引起了"商业革命"。这表现为世界市场的形成和扩大，流通商品种类和数量的增多，商路及贸易中心的转移变化，商业经营方式的改变和商业组织的发展。随着世界市场的初步形成，世界贸易获得了发展，新的商品开始在欧洲市场上出现。新航路的开辟使欧洲的贸易中心从地中海沿岸转移到大西洋沿岸。意大利各城市的商业地位逐渐被葡萄牙的里斯本、西班牙的加的斯和塞维利亚、尼德兰①的安特卫普、荷兰的阿姆斯特丹、英国的伦敦和利物浦、法国的波尔多和南特所代替。

"地理大发现"带来的另一经济影响便是西欧的"价格革命"。西欧人先在非洲，接着在美洲掠夺和使用奴隶劳动开采了大量成本低廉的金银，这些金银不断流入西欧。16世纪以前，西欧的物价在数百年内一直是比较稳定的，只有当出现战争、歉收、瘟疫时才发生暂时波动。但在16世纪，欧洲各国流通的贵金属重量增加了3倍，相应的，从16世纪30年代起，物价一直迅速上涨。16世纪末，西班牙的物价比16世纪初平均上涨了4.2倍。

"地理大发现"以前，世界各文明之间的交流受到各种条件和因素的限制，呈现出十分明显的闭塞性。全面的文明交流是不可能的，局部文明交流的传播速度也十分缓慢，辐射的强度受到很大限制。"地理大发现"以后，打破了以往的闭塞性，各大洲传统的地区性海上贸易转变为面向世界市场的全球贸易，交流的内容与数量急剧增加。

世界各地区经济联系的加强，给西欧带来无限的经济利益，西欧是世界贸易的指挥者和受益者，他们从奴隶贸易、甘蔗及烟草种植业以及东方贸易中获取最大的利润。最重要的是，新的全球贸易刺激了欧洲经济，正是在这个时期，欧洲在世界经济中跃居领先地位。

海路畅通所促成的全面交往除了物质文明以外，还有思想、制度、观念、宗教、文艺、科技等精神文明。因此，新的世界交往的广度和深度是以往的交往所无法比拟的。"地理大发现"使得世界成为"一个经济单位"，各方面的联系从此加强了。

（资料来源：萧国亮、隋福民：《世界经济史》，北京大学出版社，2007年版，有改动。）

---

① 指莱茵河、马斯河、斯海尔德河下游及北海沿岸一带地势低洼的地区，相当于今天的荷兰、比利时、卢森堡和法国东北部的一部分。

二、世界经济的初步形成

世界经济的初步形成发生在18世纪60年代到19世纪70年代这一时间段。第一次科技革命促成了世界经济的初步形成。第一次科技革命用蒸汽机代替人力、畜力和水力等自然力,用机器代替了手工操作,完成了工场手工业向机器大工业的过渡,使社会生产力产生了质的飞跃。这时的商品经济高度发展,进而促进了国际分工和世界市场的发展,为世界市场的初步形成准备了条件。这一时期世界经济的形成,是在机器大工业的基础上,以国际分工体系的建立和世界市场的开拓为主要标志的。

(一) 国际分工体系的建立

18世纪后半叶从英国开始的产业革命,使人类的生产力获得空前的发展。蒸汽机、纺纱机、织布机等的发明和应用,使工场手工业发展到机器大工业,于是以小生产为基础的自然经济开始崩溃。机器大工业使社会生产的规模不断扩大,原先自然经济条件下的民族孤立性开始消失,各国开始被纳入到国际分工的轨道。正如马克思所指出的那样:"劳动分工的伟大成就开始于机器发明后的英国……由于机器和蒸汽机的运用,分工已经具有了这样的规模,以致大工业与国土无关,只有依靠世界市场、国际交换和国际分工。"

大机器工业巨大的生产能力产生了两方面的要求:一方面是大量生产出来的商品很快会使国内市场饱和,因此迅速扩大的生产能力需要不断扩大的销售市场与之相匹配;另一方面,大机器工业又引起了对生产原料的大量需求,要求开辟新的廉价的原料来源。大机器工业生产出来的价廉物美的商品,高效率的新的运输工具和方法,成为资产阶级征服外国市场的有力武器。它打破了一些落后国家闭关锁国的企图,打开了一个又一个的新的国外销售市场,建立了一个又一个新的国外原料来源地。由于英国最早完成了产业革命,当时英国与殖民地之间的国际分工是最具代表性的。当时的印度已成为向英国提供棉花、羊毛、亚麻、黄麻、蓝靛的地方;澳大利亚则成为专门为英国生产羊毛的殖民地。英国生产的棉纱、棉布、毛呢则行销世界各地。原来在一国范围内的城市与农村的分工、工业部门与农业部门之间的分工,现在逐渐变成世界城市与世界农村的分离与对立,英国是农业世界的工业中心,日益增多的生产谷物和棉花的其他国家都围着它运转。

这是一种世界城市和世界农村对立下的"垂直式"的国际分工。少数资本主义发达国家利用这种国际分工剥削世界农村,积聚了大量财富。当时的英国作为"世界的工厂",它所生产的钢铁、煤炭、机器、纺织品均在世界上占有极大的比重;它的商船队几乎垄断了当时世界的航运;它的工业产品畅销全球;而其殖民地、附属国则成为英国工业品的销售市场和专门向它提供原料、农产品的基地。这是一种资本主义宗主国对殖民地半殖民地国家与地区进行侵略、掠夺、剥削结合在一起的不平等的国际分工。正如马克思所指出的那样:"一种和机器生产中心相适应的新国际分工产生了,它使地球的一部分成为主要进行农业的生产区域,以便把另一部分变为主要是进行工业的生产区域。"⊖到19世纪中期,欧美发达国家与亚非拉等相对落后地区既对立又相互依存的垂直型国际分工体系基本形成。

(二) 世界市场的形成

国际分工体系的建立,标志着世界市场进入到一个崭新的历史发展阶段。新的世界市场

⊖ http://course.shufe.edu.cn/course/gjmyx/dzjc/chapter1/3_2.htm。

形成于19世纪60年代。世界市场的产生和发展是资本主义生产方式发展的结果，它随着地理大发现而产生，并随着工业社会的出现而形成。

机器大工业对开拓世界市场具有极大的促进作用：

（1）机器大工业使世界市场的范围不断扩大。激烈的竞争促使它不间断地扩大生产，从而把市场从国内扩大到国外。机器大工业不仅需要不断扩大海外销售市场，同时也需要日益扩大原料供应的来源。机器大工业用廉价商品摧毁落后国家的手工产品，从而使这些国家变成工业国的原料产地。广大亚非拉国家沦为西方国家商品销售市场和原料产地的过程，就是这些国家日益卷入世界市场的过程。

（2）机器大工业使世界市场的内容不断丰富。随着机器大工业对世界市场的开拓，进入世界市场的商品数量和种类也大幅度增加，从过去仅限于欧洲手工产品和热带农产品的交换，演变为种类繁多的大宗商品交换。

世界市场供求关系的任何变动都会对世界各国的经济生活产生不同程度的影响。这一时期的世界市场已经成为资本主义再生产必不可少的条件，这也是它区别于早期世界市场的本质特征之一。19世纪的历史证明，每一次的工业浪潮都与海外市场的开辟，即世界市场的扩大相联系。19世纪40～60年代，世界贸易的增长速度超过世界工业的增长速度，就是机器大工业促使世界市场不断扩大的有力例证。

到19世纪60～70年代，随着资本主义国际分工体系的建立和世界市场的发展，世界经济体系已经初步完成。之所以说是初步完成，一方面是因为世界上还有相当多的国家和地区仍处在闭关自守甚至与世隔绝的状态，世界经济覆盖的人口仅占全球人口的10%；另一方面，世界经济联系的纽带主要还是国际贸易，生产和资本的国际流动还很有限。

三、世界经济的最终形成

从19世纪70年代开始的第二次科技革命促成了世界经济的最终形成。第二次科技革命是以电的发明和使用为主要标志、以内燃机和电动机为核心、以重化工业为经济发展中心的科技革命。第二次科技革命不仅为自由竞争资本主义过渡到垄断资本主义奠定了物质基础，同时也为世界经济的最终形成提供了强大的动力。

（一）促进了国际分工的深化和世界市场的扩大

第二次科技革命对社会生产力产生了巨大的推动作用。世界工业产量在1850—1870年的20年间增长了1倍，在1870—1900年的30年间增长了2.2倍，在20世纪初的13年间又增长了66%。

生产力的发展促进了垄断资本和金融寡头的产生，使国际分工日益深化。垄断使大垄断组织迅速聚敛起巨额资本，当大量资本在国内找不到有利可图的投资场所，形成大量的过剩资本后，资本输出便迅速增长起来。工业国的资本纷纷跨出国界，在世界范围内寻找最佳投资场所。资本输出开始成为这一时期主要的经济特征之一。资本输出深化了国际分工，形成了以资本为媒介的国际分工，从而实现了生产国际化，进一步加强了各国经济之间的联系。

生产力的发展扩大了世界市场的内涵。世界市场不仅包括国际商品市场，还包括国际资本市场。由于世界市场上两大国际流通领域（商品流通和资本流通）交织，世界市场的机制更加完善了。

生产力的发展使发达国家加快了对世界市场的瓜分。由于资本主义的生产能力和生产规模不断扩大，生活和消费之间的矛盾尖锐起来，各发达国家加快了对世界市场的瓜分。19世纪中后期，美国、德国、日本三个国家抓住第二次科技革命的机遇先后崛起。19世纪70年代兴起的世界第二次科技革命，起源于欧洲，完成在美国。美国是第二次科技革命的最大受益国。1860年，美国已成为世界第二制造业大国。美国抓住第二次科技革命的机遇，通过大幅度提高生产率，缩小了与英国制造业的成本差距。美国制造业占世界制造业的比例由1870年的23.3%提高到1913年的35.8%①，一跃成为世界上最大的经济强国。在1871年以后的20年左右时间里，德意志帝国的实际国民收入总值翻了一番②，并于1914年超过了英国。日本在1867—1868年明治维新之后的短短半个世纪内，抓住国际贸易开放的机遇，通过范围广泛的现代化政策，成为世界上除欧美以外的唯一工业强国。到20世纪初，世界市场被瓜分完毕，世界市场已经囊括了全球③。

（二）交通运输和通信业变革将世界连成了一个整体

第二次科技革命使交通运输和通信业产生了真正意义上的革命，火车、轮船、电报得以普及和发展。世界船舶总吨位在1870—1910年期间增加了1倍多，其中，轮船吨位所占的比重从16%增至76%。铁路建筑的速度则更为迅速，1870—1913年间，世界铁路线的长度增长了4倍。1870年，94%以上的铁路分布在欧、美两洲；到20世纪初，铁路开始大规模向落后国家普及，并在南美大陆、南亚次大陆以及远东地区形成建设铁路的高潮。铁路连接港口从沿海延伸到内陆腹地，而轮船又以海运把世界各地的铁路系统连接成一个跨洲的、庞大的国际交通运输网。与此同时，电报的使用已经遍及全球，电话开始在欧美国家应用，1901年无线电波飞跃大西洋并迅速普及。通信革命使世界市场形成了迅捷的信息网络。总之，交通和通信的革命使越来越多不同经济发展水平的国家融入到世界经济体系中。

第三节　第二次世界大战后世界经济的新发展

一、世界贸易的新发展④

（一）国际贸易增长迅速

第二次世界大战后，世界贸易以有史以来前所未有的速度高速增长。"二战"后40多年的时间，世界贸易始终保持着不衰的增长势头，世界商品贸易额的增长超过世界生产总值的增长率。"二战"后以来，世界出口额从1950年的61亿美元，增加到1970年的3150亿美元、1990年的34470亿美元，2005年世界贸易总额达到125740亿美元，其中货物贸易出口额达101590亿美元。世界贸易的高增长率是科技进步、生产力提高、国际分工深化的结果，同时，它又促进了国际生产，各国生产的扩大逐渐发展为以提高世界市场份额为导向。这说明，随着经济的发展，各国和地区对世界市场和世界经济的依存度在不断提高。

---

① 樊勇明：《西方国际政治经济学》，上海人民出版社，2001年版。
② 瞿宛文：《全球化与后进国之经济发展》，台湾社会研究（季刊），2000年第37期。
③ 宋玉华、江振林：《从"外围"走向"中心"：潜力及战略——新一轮国际战略机遇期研究》，世界经济研究，2003年第9期。
④ 庄宗明：《世界经济学》，科学出版社，2007年版。

（二）国际贸易商品结构的改变及服务贸易的发展

从世界贸易商品结构来看，制成品贸易，尤其是大量中间产品、零部件在贸易总量中所占的比重明显提高，超过初级产品，占据主导地位。20世纪90年代，世界制成品出口年增长率达7%，在世界货物出口中的比重上升到76.5%。进入21世纪，制成品贸易进一步增长，年增长率提高到9%。此外，制成品的内部结构也发生了显著变化，表现为资本货物及高薪技术产品比重上升，传统的轻工产品比重下降。

20世纪90年代以来，国际贸易的另一个发展趋势便是服务贸易的迅速增长。科学技术的发展，一方面大大拓展了服务贸易的领域和范围，使服务的"可贸易性"成分显著提高，产生了许多新型的服务贸易项目；另一方面简化了交易过程，降低了交易费用，增加了服务贸易的流量。

（三）国际贸易发展格局

虽然大多数国家都被纳入到全球贸易中，但是，不同国家在贸易中的地位和作用是不同的。从贸易数量上看，发达国家一直主导着第二次世界大战之后的世界贸易；相应地，发展中国家在世界贸易中的份额一直不大。直到20世纪90年代，发达国家和发展中国家之间的贸易、发展中国家之间的贸易才有所增长。由于过去主要工业生产过程都集中在工业发达国家，现在某些过程却被转移到成本更加低廉的亚洲或者拉丁美洲，从而导致发达国家和发展中国家之间的贸易往来大幅增加。发展中国家工业的兴起与资源的开发，也大大促进了发展中国家之间的贸易。但发展中国家贸易增长却很不平衡，增长较快的是石油输出国组织与新兴工业化国家和地区。

总之，由于世界范围内的运输和通信基础设施的发展，全球贸易格局发生了变化。近20年来，中国的对外贸易发展迅速，已逐步成为一个重要的贸易大国。同时，战后国际贸易格局变化的另一个重要表现就是区域化贸易的急剧增长。

二、国际金融的新发展⊖

第二次世界大战之后，世界经济最重要的变化就是建立了世界经济秩序。联合国、国际货币基金组织（IMF）、世界贸易组织（WTO）等国际组织成立，制定了游戏规则，为国际社会的制度化创造了条件。1945年之后，在金融体系上，出现了以布雷顿森林体系为主的国际经济秩序，为经济全球化提供了制度保障。

1. 全球金融体系建设：布雷顿森林体系

布雷顿森林体系是指第二次世界大战后以美元为中心的国际货币体系。当时美国大约有250多亿美元的黄金储备，约占世界黄金储备的75%，这就使建立一个以美元为支柱的有利于美国经济发展的国际货币体系成为可能。在这一背景下，1944年7月，44个国家或政府的经济特使聚集在美国新罕布什尔州的布雷顿森林，商讨第二次世界大战后的世界经济发展。会议通过了《国际货币基金协议》，决定成立国际复兴开发银行、国际货币基金组织以及一个全球性的贸易组织。

布雷顿森林体系以黄金为基础，以美元作为最主要的国际储备货币。美元直接与黄金挂

⊖ 萧国亮、隋福民：《世界经济史》，北京大学出版社，2007年版。

钩，各国货币则与美元挂钩，并可按 35 美元一盎司⊖的官价向美国兑换黄金。在布雷顿森林体系下，各国实行可调整的钉住汇率制，但不得随意变动本国货币与美元的比价，一般只能在法定汇率上下 1% 的范围浮动。各国政府或中央银行有义务干预汇率市场，以维持汇率的稳定，但是，变动比价必须与国际货币基金组织协商，并经该组织同意。国际货币基金组织就是维持这一体系正常运转的中心机构，它有监督国际汇率、提供国际信贷、协调国际货币关系三大职能。

布雷顿森林体系的建立，改变了第二次世界大战后金融体系混乱的局面，建立了一个国际经济新秩序，促进了国际贸易的发展，提高了全球经济的相互依存度。但是，从 20 世纪 50 年代后期开始，随着美国经济竞争力逐渐削弱，其国际收支开始趋向恶化，出现了全球性"美元过剩"的情况，各国纷纷抛出美元兑换黄金。到了 1971 年，美国的黄金储备已不足以支付各国的兑换，尼克松政府被迫于这年 8 月宣布放弃按 35 美元一盎司的官价兑换黄金的美元"金本位制"，实行黄金与美元比价的自由浮动。欧洲经济共同体和日本、加拿大等国宣布实行浮动汇率制，不再承担维持美元固定汇率的义务。这标志着布雷顿森林体系的基础已全部丧失，该体系完全崩溃，让位于牙买加体系⊜。牙买加体系在 1978 年正式确立，它使特别提款权逐步代替黄金成为国际货币制度的储备资金。世界金融体系又进入了一个新的发展阶段。

2. 金融全球化发展概况

国际金融的全球化是国际资本市场快速发展的必然结果。20 世纪六七十年代，缘于欧洲货币市场的出现、布雷顿森林体系的崩溃和石油价格的冲击，全球范围的金融交易量迅速上升。在 20 世纪 50 年代，受冷战影响，苏联将其拥有的美元存入西欧的银行。接受美元存款的欧洲银行发现贷出这些美元有利可图，于是就形成了一个巨大的欧洲货币市场。另外，美国国内严重的通货膨胀和巨大的贸易赤字，不仅瓦解了布雷顿森林体系，而且使得美国通过美元贬值来改善其日益恶化的贸易地位，进一步增加了国际上流通的美元数量。20 世纪 70 年代，石油价格上涨，大大增加了石油输出国组织的收入。石油输出国把大量资本盈余投放到国际金融市场上，这些资本加大了国际银行的流动资金规模。在 1974—1976 年，大约 500 亿美元在世界经济中流动。全球金融的一体化便利了资本流动，但是也给参与其中的国家带来了金融风险。尤其是 20 世纪 90 年代以来，由于通信技术的进步，大数量、多种类的产品交易可以以相对较低的成本即时完成，使得金融市场上的金融衍生产品越来越多。资本的大量流动以及金融工具的不断发展创新，使得一个国家控制本国金融风险的难度加大。为了应对共同的风险，各个国家的金融当局开始了国际层面上的合作。

三、资本主义国家的新发展

在第二次世界大战后的半个多世纪里，世界经济的年平均增长率接近 4%，世界国民生产总值达 30 万亿美元，其中西方发达国家所占比重为 3/4；同 20 世纪初相比，资本主义国家劳动生产率提高了约 100 倍。现代资本主义取得的成就及其优势地位，主要是通过科技进步和技术创新实现的。据统计，西方发达国家第二次世界大战以来经济增长的 70% ~ 80%

⊖ 1 盎司 = 31.1034768g。
⊜ 继布雷顿森林体系以后，出现的以美元为中心的国际储备资产多元化和浮动汇率制度的国际货币制度。

产生于科学技术创新。战后发达资本主义国家充分利用现代科技成果，强化军事和政治，发展经济和教育，争夺科技人才，抢占科技制高点，使战后资本主义社会出现了新的变化。

这主要表现在以下几个方面：①现代科技的发展提高了生产力水平，改变了生产力的规模和结构，使战后资本主义社会生产力诸要素及其结构、产业结构、经济形态发生根本性变化，出现了经济区域集团化趋势；②现代科技革命的发展促使战后资本主义生产关系进行了重大调整，出现了国际垄断资本主义、垄断资本国际化、中产阶层队伍扩大、劳资关系缓和等一系列新现象、新特点；③战后资本主义社会的上层建筑在现代科技革命的影响和作用下，在军事、国家职能、民主形式、阶级结构、政权结构及运行机制等方面都发生了一系列新的变化；④现代科技革命促使战后资本主义世界中的发达国家之间、发达国家与发展中国家之间、资产阶级与无产阶级之间、失业和经济危机等社会矛盾呈现出新特点和新形式。

总之，第二次世界大战后，以美国为首的西方主要资本主义国家出现了迅猛的发展态势。美国经济作为世界经济中的最大经济体，经过长期的结构调整，成为20世纪90年代以来世界经济增长的"火车头"。借着第三次科技革命，美国经济更是首先迈进了新经济时代。同时，借助美国的指挥，日本经济也开始异军突起，成为亚太地区经济发展的"一枝独秀"。20世纪50~70年代，日本进入了一个经济高速发展时期。1973年，日本已经成为资本主义世界的第二大经济国[一]。

四、社会主义国家的新发展

第二次世界大战后，新科技革命向当代社会主义提出了严峻的挑战。20世纪40年代末，美国等资本主义国家率先掀起了以原子能和电子信息技术的发明与应用为先导的第三次科技革命。战后新科技革命的发展极大地改变了世界社会主义发展的外部条件，从而既向世界社会主义提出了严峻的挑战，也为世界社会主义的发展提供了新的契机和动力。

在第三次科技革命到来之初，由于历史的原因，主要资本主义国家走在了前头，社会主义国家暂时落后。但到20世纪50年代中期，社会主义国家普遍感受到这次科技革命的挑战，纷纷发起"向科学的进军"，进行改革调整的尝试，初期颇见成效。

到了20世纪70年代末80年代初，在第三次科技革命的基础上，全世界范围内的新科技革命再次掀起高潮。这场新技术革命使任何一个国家或地区都难以脱离科技和经济发展的潮流，国与国之间的竞争日益从军事对抗和较量转入经济领域，尤其是高科技方面的竞争日趋激烈和重要。而中国的社会主义建设经受住狂风巨浪的吹打，呈现出欣欣向荣的局面。中国抓住了世界新科技革命再次来潮的时代大机遇，进行了改革开放，使社会主义制度增添了活力和吸引力，并且发展了社会主义理论。

五、第三世界和新兴工业化国家的新发展[二]

第二次世界大战后，广大第三世界国家获得民族独立后，面临的首要任务就是实现国家工业化，发展经济。不同国家和地区选择了不同的发展模式，也得到了不同的效果。东亚出现了一批新兴工业化国家，印度经济也呈上升趋势，但是拉丁美洲却陷入了泥潭。

[一] 黄梅波：《世界经济学》，复旦大学出版社，2010年版。
[二] 萧国亮、隋福民：《世界经济史》，北京大学出版社，2007年版。

（一）印度模式

第二次世界大战后，印度经济呈现明显的上升趋势。独立后的印度政府领导人决定把印度建成"社会主义类型社会"，同时要把印度建成一个现代化工业国家，并选择了具有本国特色的发展道路，公私并存的混合经济体制，计划与市场相结合的宏观管理机制，现代工业与农业相结合的经济模式，现代产业与传统产业相结合的发展战略，利用国外资源与自力更生相结合的发展方针。经过50多年的实践，印度模式获得了一定成功，但也存在一些问题。20世纪90年代以来，印度开始实行以自由化、市场化、全球化为导向的经济改革，经济增长速度明显加快，但具有印度特色的经济模式并没有发生根本性变化。

（二）东亚模式

第二次世界大战以后，特别是20世纪60年代中期以来，东亚许多地区、许多国家有了很大发展，取得了举世瞩目的经济增长，这种增长被誉为"东亚奇迹"。据世界银行和国际货币基金组织统计，1980—1990年间，整个世界经济增长为3%，而东亚地区的经济增长率为7.9%。特别是20世纪90年代，整个世界经济增长速度只有1.1%，而东亚经济增长速度却高达8.3%。这一时期，新加坡、韩国、中国香港、中国台湾等新兴工业化国家和地区经济取得飞速发展，被誉为"亚洲四小龙"。

东亚模式的成功，是因为突破了"新古典经济学"中政府的作用仅限于补充市场体制不足的局限，建立了政府与市场进行有机协调，形成政府适当干预下的市场经济体制。"亚洲四小龙"正是通过建立这样的体制，进行强有力的经济干预：引进外资、出口导向、高储蓄及人力资源的开发，在近30年内就走完了资本主义100多年的历程，跻身新兴工业化国家和地区的行列。

（三）拉美模式

经过第二次世界大战独立后，拉丁美洲各国把初级产品为主的出口导向政策作为经济发展的动力。这种发展战略却没有达到预期的效果，相反，使拉美地区的社会矛盾加剧。在20世纪20~30年代的经济"大萧条"时期，美国和欧洲都减少了对拉美原材料和初级产品的进口，由此带来的出口减少、资金短缺问题一度造成了拉美的经济破坏和社会震荡。拉美国家开始转变发展战略，由出口导向变为进口替代。很快进口替代战略又出现了弊端，一些国家又转向一种基于非传统产品出口的、与世界经济接轨的新型发展模式，经济发展出现一些转机。但是纵观历史，拉丁美洲的经济增长速度远不如东亚地区，而且贫富分化严重。人们将这种现象称为"拉美陷阱"。

复习思考题

1. 试分析世界经济的形成与发展过程。
2. 怎样理解重要历史事件与世界经济发展的关系？

参考文献

[1] 张幼文，金芳. 世界经济学 [M]. 上海：立信会计出版社，2004.
[2] 庄宗明. 世界经济学 [M]. 北京：科学出版社，2007.
[3] 崔日明，刘文革. 世界经济概论 [M]. 北京：北京大学出版社，2009.
[4] 萧国亮，隋福民. 世界经济史 [M]. 北京：北京大学出版社，2007.

［5］董君．世界经济格局演变中的国际货币格局调整［J］．当代经济管理，2011(9)．
［6］宋玉华，江振林．从"外围"走向"中心"：潜力及战略——新一轮国际战略机遇期研究［J］．世界经济研究，2003(9)．
［7］姜跃春．新兴经济体崛起及其对世界经济格局的影响［J］．国际问题研究，2011(6)．
［8］金碚．论经济全球化3.0时代——兼论"一带一路"的互通观念［J］．中国工业经济，2016(1)．
［9］屠新泉，刘洪峰．WTO 20年：未来趋势与中国贸易战略选择［J］．国际贸易，2015（8）．

第二章

国 际 分 工

本章学习目标

1. 了解国际分工的概念、形成与发展。
2. 掌握产业内分工及其产生的原因。
3. 掌握产品内分工对世界经济的影响。
4. 了解产品内分工背景下发展中国家的发展战略。

◆【导入案例】

波音公司的全球国际分工

波音公司（Boeing Company）总部设在美国伊利诺伊州芝加哥市，是世界上最大的航空航天制造企业，在商用喷气式飞机、军用飞机、导弹、空间飞行器等产品的设计、开发、制造、销售和服务领域居世界主导地位，产品主要包括737窄体客机和747、767、777以及787宽体客机。波音公司主要业务在美国完成，但合作伙伴和供应商遍布世界许多国家和地区。

飞机制造业包括机身制造、发动机制造、航空电子设备制造、零部件制造及飞行管理、控制等系统研制。该产业要求高水平设计和工程创新能力，几十年来一直是美国出口的重要产业。大型民用飞机供应链由世界数千家公司构成，这些公司提供制造飞机和发动机的材料和零部件。但从地理分布看，大型民用飞机及其零部件制造高度集中在美国、德国、法国、英国、意大利、西班牙、加拿大、日本、中国、韩国、俄罗斯等少数几个国家。尽管西方国家过去几十年在商用飞机制造领域一直拥有很强的竞争优势，但这种优势面临巴西、俄罗斯、中国等国家竞争的压力越来越大。

20世纪60年代制造的波音727飞机设计、开发、制造均依靠波音公司自主投资，独立完成，按价值计算进口零部件只有2%。20世纪70年代为了顺利出口飞机，飞机制造企业开始将一些零部件生产转移到国外，进口零部件比重逐步提高。波音飞机外购从747机型的简单结构部件发展到777机型的复杂中心机翼。波音787梦想飞机的零部件和子系统依靠全球采购，主要部件供应企业包括澳大利亚、加拿大、中国、意大利和日本。

（资料来源：刘戒骄：《生产分割与制造业国际分工——以苹果、波音和英特尔为案例的分析》，中国工业经济，2011年第4期，第148-157页。）

国际分工是指各国在从事商品生产时，相互间实行的劳动分工和产品分工，它是社会分工向国际范围扩展的结果。国际分工属于历史范畴，是社会分工发展到一定阶段的产物，是社会分工超越国界的结果，是生产社会化向国际化发展的结果。

第一节　国际分工的形成和发展历程

国际分工的形成与发展大致可以分为两个阶段。一般说来，国际分工是国际贸易和世界市场的基础，也是维持世界经济发展秩序的基石。但是每一个分工阶段对应的国际贸易形式也不一样。

一、产业间分工与产业间贸易

从人类社会的发展历史来看，最初的社会分工是原始社会部落内部按性别和年龄实行劳动分工，以提高劳动效率。各个部落用自己多余的产品与其他部落多余的产品进行交换，就形成了最初的交换。这就是国际分工和国际贸易最初的发展雏形。一旦不同部落之间的交换发展到不同国家和地区之间的交换，就形成了国际分工和国际贸易。

国际分工的发展萌芽于15世纪末16世纪上半期的"地理大发现"。"地理大发现"为近代国际分工提供了地理条件，在一定程度上推动了世界市场的形成与发展，形成了早期的国际分工。在这个时期，虽然国际交换的种类和数量、参与国际交换的国家和地区都有了一定的增加，但是，此时沟通各地区的主要手段是骆驼、马驴、徒步等陆上交通，海上交往虽然有一些，但基本上都属近海近岸航行。因此，由于远洋运输等交通运输方面的限制，此时的国际分工和国际贸易具有明显的地域局限性。从商品交换来看，旧大陆的家畜、家禽、谷物、苹果进入了美洲、澳大利亚，美洲的农作物也广泛地移植于旧大陆和澳大利亚。美洲的烟草、可可，中国的茶叶、瓷器，印度的甘蔗、香水，北亚和北美的毛皮，都成了国际贸易的重要商品[1]。此时的国际贸易基本上都是产业间贸易。在此期间，西班牙和葡萄牙通过对各洲贸易的垄断以及对亚非拉地区各种形式的殖民掠夺，成为最早的殖民帝国。

真正意义上的国际分工正是伴随着产业革命和机器大工业的形成而建立和发展起来的。在18世纪70年代，影响整个世界经济发展的工业革命首先在英国兴起，从18世纪60年代到19世纪中叶，英国、法国、德国、美国等主要资本主义国家完成了工业革命。工业革命使传统的农业经济开始被新兴的工业经济所取代，人类进入了一个全新的时代。工业革命加速了人类社会生产力和经济的发展，不仅生产出可供世界市场消费的工业品，而且产生了世界市场所需要的交通方式（海洋轮船、铁路、公路和运河等）和通信工具（电报、海底电缆等），把处于世界市场之外的一切民族和国家统统卷入了世界贸易的漩涡。

工业革命对国际分工和国际贸易的形成起到了特别重要的作用。当机器大工业取代了手工制造业之后，自然经济让位于商品经济，随着商品经济的不断发展，商人在满足国内市场的同时，日益开拓国外市场，另外，生产扩大引起了对原料需求的急剧增长。因此，生产的民族性和地域性日益消失，国际市场日益形成，国际分工日益明显和深化。国际分工日益演变成以先进技术为基础的工业国与以自然条件为基础的农业国之间的分工。这一时期国际分

---

[1] 萧国亮、隋福民：《世界经济史》，北京大学出版社，2007年版。

工的基本格局是少数发达国家变为工业国，广大殖民地国家成为农业国。例如，印度成了为英国生产棉花、羊毛、亚麻的地方；澳大利亚成为英国的羊毛殖民地。可见，"由于机器和蒸汽的应用，分工的规模已使大工业脱离了本国基地，完全依赖于世界市场、国际交换和国际分工"㊀，这个时期的国际贸易形态主要是产业间贸易。

从19世纪70年代到第二次世界大战，是国际分工的形成时期。从19世纪70年代开始，主要资本主义国家发生了第二次产业革命。在这一时期内，发电机和电动机、内燃机等开始广泛使用，一些新兴的工业部门，如电力、石油、化工、汽车制造等纷纷建立，促进了社会生产力和国际分工的发展。在19世纪70年代之前，在整个世界工业体系中，轻工业占据主导地位，到了19世纪末20世纪初，重工业发展迅速，取代了轻工业的主导地位，美国、德国、英国、法国等国相继成为以重工业为主导的工业国。这一转变确立了资本主义工业在世界经济中的主导地位，为资本主义经济在世界范围的扩张、资本主义生产的国际化和资本的国际化，提供了更加现实的可能性。

与此同时，资本主义从自由竞争向垄断过渡，通过资本输出，进一步加深和扩大了国际分工。资本输出则把资本主义的生产方式移植到了殖民地和半殖民地国家，生产国际化和资本国际化的趋势日益增长，真正意义上的国际分工得以最终形成㊁。在这一时期建立了国际金本位制，形成了多边支付体系，为国际分工和国际贸易的发展奠定了制度基础，促进了国际分工的深化和国际贸易的迅速增长。参与分工的各个国家都有一些部门为世界其他国家生产，同时每个国家中的日用消费品和原材料、工业制成品等也都由不同国家生产和提供。

总的来说，由于殖民烙印太深，这个时期的国际分工基本上是宗主国和殖民地之间的垂直分工——发达国家等宗主国主导国际分工和世界市场、出口工业制成品，从发展中国家等殖民地廉价进口或掠夺原材料。也就是说，第二次世界大战以前，国际分工基本上是产业间国际分工，表现在发展中国家专门生产矿物原料、农业原料及某些食品，欧美国家专门进行工业制成品的生产，即宗主国与殖民地半殖民地之间、工业发达国家与初级产品生产国之间的分工日益加深㊂，国际贸易形态也都是典型的产业间贸易。

二、产业内分工与产业内贸易

第二次世界大战以后到20世纪80年代，国际分工发生了明显的变化。第二次世界大战以后发生的以原子能、电子计算机、空间技术为主要标志的第三次科技革命，出现了电子、信息、服务、软件、宇航、生物工程、新能源、新材料、海洋工程等高新技术产业。第三次科技革命对当代国际分工产生了深刻的影响，使国际分工的形式和趋向发生了很大的变化。"二战"前形成的传统型的国际分工是以工业制成品生产国同原料、食品生产国之间的国际分工为主导的，是一种工业国与农业矿业国之间的国际分工，是以自然资源为基础的。现在已经发展到以现代工艺和技术为基础的分工，各产业部门之间的分工发展到各产业部门内部的分工，进而发展到以制成品专业化为基础的分工。

㊀ 中共中央马克思恩格斯列宁斯大林编译局：《马克思恩格斯选集（第四卷）》，人民出版社，1958年版，第168-169页。

㊁ 张二震、马野青：《国际贸易学》，南京大学出版社，2007年版。

㊂ 《世界经济百科全书》编辑委员会：《世界经济百科全书》，中国大百科全书出版社，1987年版，第212-214页。

制成品一般分为四大类：①劳动密集型产业部门，如纺织业、服装业、钟表业等轻纺工业部门；②资本和能源密集型产业部门，如钢铁、有色金属冶炼、水泥、石油化工等部门；③一般资本和技术密集型产业部门，如一般机械制造、金属加工制品、运输设备等工业部门；④高级资本和技术密集型产业部门，如精密仪器、宇航设备、电子计算机、尖端通信设备、核能工业部门。这个时期的国际分工不仅在部门之间展开，而且在部门内部展开，出现了部门内部生产国际专业化，即产品专业化。一般情况是，发达国家把劳动密集型产业、环境污染较大的产业等或本国夕阳产业转移到其他国家去，发达国家进行产业结构升级，致力于高级资本和技术密集型产业的发展。此时国际贸易的形态主要是发达国家的高档品与发展中国家的低档品之间的交换，即典型的产业内贸易。

国际分工从产业间分工转变为产业内分工，主要是由于：①战后整体的国际环境与战前不同。战后国际环境主导因素从战争因素转变为和平因素，大部分国家致力于国家重建，集中力量恢复经济或发展经济，有利于国际贸易的发展。②发展中国家相继独立，逐渐摆脱了以往被奴役和剥削的地位。在政治上独立之后，也开始寻求经济上的独立。一部分发展中国家也开始致力于经济的发展，并逐渐摆脱成为发达国家原材料来源地的态势，开始发展自己的工业。有的国家实施了进口替代战略，有的国家实施了出口导向战略。③经过一段时间的发展，发达国家内部出现了过时的产业或技术，为了继续创造利润，发达国家往往把这类技术和产业相继转移到独立发展经济的发展中国家。④技术的发展速度日益加快，产品升级速度也日益加快，交通运输手段日益多样化和廉价化，大大降低了运输成本。这些都为发达国家的企业在海外生产提供了动力。

三、产品内国际分工的兴起

自从20世纪90年代以来，国际分工进一步细化，由产品层面深入到工序层面，很多产品的生产过程被拆分为不同的阶段，分散到不同的国家或地区进行，并以跨国界的产品内贸易相连接。在经济全球化不断发展、国际市场日益一体化与生产日益分散化的今天，产品内国际分工快速兴起并得到迅速发展。

早在20世纪60~70年代就有学者注意到了国际分工从产业内向产品内转变，并从不同层面先后对此问题进行了研究。不同学科背景的学者们使用不同的概念来描述这一现象。主要概念有：垂直专业化、价值链分解、外包、生产分离、国际化生产网络、生产非一体化、多阶段生产、生产过程的分裂化、要素分工等。虽然概念不同，但是实际观察和表达的内容都是同一个国际化生产现象，只是关注的视角和重点不同而已，关注的都是国际分工体系的新变化，即美国、日本和欧洲一些发达国家的跨国公司通过在亚洲、拉丁美洲新兴工业化国家和地区的大量加工组装业的投资，建立起"世界工厂"或"制造飞地"，而各加工组装点之间产生大量的零部件或中间品贸易。这种变化表明国际分工已经从产业内分工走向产品内分工、从水平型分工走向垂直型分工，国际贸易也从产业内贸易走向产品内贸易、零部件和中间产品贸易，有时也称之为公司内贸易。

"产品内分工"（Intra-product Specialization）是指特定产品生产过程中不同工序、不同区段、不同零部件在空间上分布到不同国家和地区，每个国家和地区专业化于产品生产价值链的特定环节进行生产的国际现象。一般认为，产品内分工必须具备以下三个方面的条件[一]：①产

[一] 田文：《产品内贸易的定义、计量及比较分析》，财贸经济，2005年第5期。

品的生产需要经过两个或两个以上的连续阶段；②两个或两个以上的国家参与产品的生产过程，提供价值增值，每个国家专业化于一个以上的生产阶段，但不是完成所有的生产阶段；③至少超过一次的跨越国界，也就是说至少一个国家必须在它所从事的生产阶段使用进口投入品，或出口的产品作为另一国家生产中的投入品。

产品内分工是产业内分工的进一步深化和细化，是同一产品的不同生产阶段（生产环节）之间的国际分工，其实质是生产布局的区位选择。其既可以在跨国公司内部实现，也可以通过市场在不同国家之间的非关联企业间完成。产品内分工既可以通过横向扩展方式来实现，表现为发达国家之间的中间产品贸易，又可以通过纵向延伸方式来建构，表现为处于不同发展阶段的国家之间的中间产品贸易。如果说传统国际分工的边界是产业的话，产品内分工的边界则在于价值链和生产环节、生产工序。分工边界的改变，导致了贸易形态的变化，贸易形态也从产业内贸易转变为产品内贸易、公司内贸易。自从20世纪90年代以来，零部件产品的国际贸易得到前所未有的发展，其增长速度大大超过世界贸易的平均水平。1992—2003年，零部件产品的出口贸易额由4100亿美元增至10400亿美元，年均增幅达到14%，而同期世界出口贸易额的平均增幅仅为9%㊀。

虽然传统的比较优势理论通常被视为产业间分工的理论，但是，对于产品内分工，传统的比较优势理论依然适用。同一产品的价值链上具有劳动密集、资本密集、技术密集的各个环节，因而各国根据自己的要素禀赋，在不同的价值链上具有比较优势。正因如此，跨国公司把不同的生产工序安排在不同的国家（地区），以充分利用各地的要素禀赋。以通用汽车公司的庞蒂亚克品牌莱曼斯车型的轿车为例。该车由韩国组装，销往美国。其发动机与电子器件等核心零部件在日本生产，其他小型零部件则在中国台湾、马来西亚等地生产。韩国进口这些零部件，采用本国产钢板，完成轿车的组装，然后出口到美国市场。在莱曼斯轿车的生产阶段中，韩国、日本、中国台湾、马来西亚各自承担了不同阶段的生产环节。这些生产环节中，属于技术密集型生产阶段的发动机制造安排在日本，属于资本密集型产业的车身组装安排在韩国，属于劳动密集型生产阶段的小型零部件生产则安排在中国台湾和马来西亚。

第二节　产品内分工形成的原因

自20世纪90年代以来，产品内分工和产品内贸易飞速发展。产品内分工兴起以及快速发展的原因，既有世界经济环境方面的原因，也有技术进步等方面的原因。具体来看，主要有以下原因：

一、环境基础：世界经济环境

第二次世界大战结束后，第三世界国家的民族独立和解放运动、世界范围内的非殖民地化运动轰轰烈烈地开展，世界殖民体系逐渐土崩瓦解。但是，殖民地时代遗留下来的旧的不平等的国际经济秩序和发达国家对发展中国家经济命脉的控制，仍然严重束缚着发展中国家的经济发展，甚至危害着它们的政治独立。在这种情况下，新独立的国家和大部分发展中国家为了保持政治独立和经济独立，虽然会引进国外先进技术与设备发展自己的工业，但对发

㊀　徐康宁、王剑：《要素禀赋、地理因素与新国际分工》，中国社会科学，2006年第6期。

达国家跨国公司的投资一般还是保持较强的抵制情绪。与此同时，基于这些国家内部的政治风险和经济风险较高，发达国家跨国公司的投资积极性也不高。再加上在20世纪90年代以前，美国和苏联一直在进行争霸，整个世界经济环境还不是很稳定，发生世界性战争的可能性还是存在的。因此，在"美苏争霸"结束以前，世界整体环境还没有达到产品内分工快速发展的要求。在这个时期，以"亚洲四小龙"为代表的东亚国家和地区及部分拉丁美洲的发展中国家和地区，较早地实施了利用外资、承接发达国家的产业转移发展经济的战略。但是，产业转移规模较小，且一般以整体产业转移为主，即以产业间分工为主。

自"美苏争霸"结束以后，战争因素在世界环境中基本消失，经济对抗代替军事对抗，和平发展成为世界的主题，世界各国都致力于发展经济。在这种宏观背景下，发达国家开始大力发展电子信息等新兴工业，出于节约成本或接近销售市场等目的，逐渐把劳动密集型产品整体或者部分生产工序转移到海外进行生产；与此同时，在"亚洲四小龙"创造的"东亚奇迹"和拉美国家创造的"拉美奇迹"的影响和带动下，部分已经开放的国家继续加大对外开放的力度，部分没有开放的国家也开始尝试对外开放，参与国际分工。由此，国际分工进入了一个快速发展的阶段：国际分工日益广化和深化，即参与国际分工的国家越来越多，不仅传统产业在国家间进行分工，新兴工业也开始在国家间形成分工。最终，产品内分工在短期内逐渐形成并日益凸显。

二、微观主体：跨国公司

国际分工的发展与经济全球化的发展是相辅相成的，国际分工的发展促进了经济全球化的发展，经济全球化的发展进一步促进了国际分工的广化、细化和深化。当今世界，全球经济的主体不是国家，而是跨国公司，特别是以世界500强为代表的国际大型跨国公司。因此，从一定程度上来说，推动产品内分工日益发展的主体也就是国际大型跨国公司。

自20世纪80年代后期以来，全球经济增长速度逐步减慢，国际竞争日益加剧。在此情况下，20世纪90年代以来，全球跨国公司纷纷实施全球战略和归核化战略，千方百计提高自身竞争力。所谓全球战略，是指跨国公司从全球角度出发，在全球范围内实行资源的最优化配置，抓住全球性机遇，进行全球性选择和部署，确定全球性战略目标，获得最大经济收益。所谓归核化战略，是指跨国公司为了提高核心竞争力，集中资源大力发展核心主业或工序，把主业做大、做强，把非核心的业务或生产工序剥离出去。由于实施这两种战略，跨国公司依据不同地区的区位优势和比较优势，在全球范围内组织生产分工和活动，把每一道生产工序都放到最佳的生产地点，然后在某个地区集中装配，最后再返销到各个国家。一般情况是，跨国公司把核心技术和品牌掌握在自己的手中，把较高技术含量的生产工序放到技术水平较高、生产成本较低的新兴工业化国家，把劳动密集型生产工序和组装放到劳动力价格便宜、投资环境好的发展中国家。越来越多的跨国公司把研发也外包了，自己只运作品牌，不参与产品的任何生产工序。20世纪80年代晚期以来，跨国公司采取垂直一体化模式的外商直接投资（FDI）开始大量流向发展中国家。1990—1995年，采用垂直一体化分工模式的外商直接投资每年增长了20%；而1996—2000年，则每年增长了40%[⊖]。

可见，跨国公司在产品内分工中扮演了生产网络的推进者、组织者和控制者的角色，很

⊖ UNCTAD, 2002, Trade and Development Report, 2002, United Nations, New York and Geneva.

少参与或者根本不参与生产，主要负责在世界各地配置最优的生产工序，使生产的总成本尽可能地降低。

跨国公司之所以能在全球范围内配置资源，是因为其在资金实力、研发能力、技术水平、管理水平、生产规模、营销水平、销售网络以及市场控制力等方面处于优势地位，具有很大的经济能量。1988年，跨国公司投资总额达9628亿美元，为当年全球对外直接投资10312亿美元的93%。全球已有2万余家跨国公司母公司，它们设立在世界各地的子公司已超过10万家。WTO的成立更加带动了跨国公司的发展，越来越多的跨国公司的经济规模比很多国家的经济规模还要大，很多国家，特别是发展中国家或较小的国家对跨国公司的控制力很小，反而受跨国公司的支配。

三、动力源泉：技术进步

技术进步是推动产品内分工发展的重要原因[1]。科技进步对国际分工的影响是多方面的，不仅影响了产品本身的技术特点、工艺的可分离性等生产技术，而且也改变了运输成本、信息交换成本等整合成本。具体来说，其主要表现在：

1. 技术进步导致生产过程具有可分离性

跨国公司在全球配置资源，把不同的生产工序放在最优的地方进行生产，前提条件是产品的生产过程在时间和空间上具有可分离性。不然，产品内分工根本不可能产生和发展。企业究竟采取哪种组织形式，主要取决于产业本身的技术特点和工艺的可分离性。如果生产过程的各个环节之间，技术工艺或者所使用的机器设备具有较强的不可分离性，必须将各个阶段的生产环节集中在一个企业内进行，跨国公司将采取一体化生产方式；如果生产过程的各个环节具有一定的可分离性，各个环节的生产能够由不同的企业分别来承担，则采取非一体化生产方式[2]。产品的生产过程在时间和空间上具有可分离性，就需要产品的生产过程在技术上具有被分解的可能，这就对技术提出了较高的要求。正是由于世界各国和跨国公司对研发的重视和大量的资金投入、技术的不断进步，把本来不可分离的生产过程日益分解，使生产过程在时间和空间上的可分离性日益显著和细化。不仅传统产业的生产过程具有可分离性，新兴工业的生产工序也具有可分离性。另外，科技革命提高了产品的技术水平，使一个企业、一个国家很少能全面开发新产品。这就使得国家之间或企业之间有必要进行产品零部件开发的国际合作，从而进一步促进了产品内部分工。

2. 技术进步导致交易成本大大降低

随着以信息技术为代表的新科技革命蓬勃兴起，信息服务业迅速崛起，由此带来资金技术密集型新兴服务贸易的蓬勃发展。金融、保险、证券、信息、法律、会计等服务行业伴随全球对外投资扩张而增长，快速进入全球贸易领域。全球信息技术革命的不断发展增强了服务活动及其过程的可贸易性，通信、计算机和信息服务、会计、咨询等新兴服务行业不断扩张。同时，与近年来出现的大型呼叫中心、数据库服务、远程财务处理等一样，新的服务贸易业务也将逐渐衍生出来。

交易成本降低主要体现在交易过程中所必需的物流、商流、信息流及资金流的成本大量

---

[1] Ronald Jones and Henryk Kierzkowski, A Framework for Fragmentation, Tinbergen Institute Discussion Paper, 2001.

[2] 刘志彪、吴福象：《全球化经济中的生产非一体化》，中国工业经济，2005年第7期。

降低。具体来说，主要表现为[1]：首先，由于交通工具的发达，产品内国际分工中中间产品的跨国物流成本急剧下降。其次，商流和信息流的交流成本下降。通信技术（如传真、电子邮件、可视会议等）的进步和信息传递成本的锐减，使得协调和监督处于不同地域的企业活动成为可能。最后，银行业的高度发达和银行卡技术、网络银行的发展为资金的划拨支付提供了足够的便利，降低了交易风险和交易成本。跨国的商品交易成本的锐减刺激了垂直专业化和产品内国际分工的发展。在产品生产过程中，为了保证产品质量，需要及时、高效的信息沟通，而现代信息技术，特别是互联网的发展，无疑为全球生产提供了现实条件。

四、利益动机：成本差异

跨国公司是产品内分工的主导者，其动机主要还是源于利益的诱惑。全球配置资源，充分利用各个地区的优势资源，会产生两种成本效应：额外成本效应和节约成本效应。因此，跨国公司是否建立全球生产网络，就要对由产品内分工产生的成本降低与空间转移产生的额外成本进行比较。

虽然技术进步大大降低了交易成本，但是，中间产品和零部件在空间上的变动必定还会导致生产成本之外的额外成本。额外成本效应主要包括：①关税和运输成本。对于跨国公司来说，任何一种中间产品或零部件在从一个国家转移到另一个国家时，都会发生关税和运输成本。转移次数越多，发生的关税和运输成本也就越大。②协调和组织成本。各个国家或地区的生产工厂可能是跨国公司的子公司或分公司，也可能是其外包给当地的企业，当地企业是其中间产品或零部件的特定供应商。不管当地企业与跨国公司是什么关系，跨国公司作为国际生产网络的主导者，都要协调各个生产点的生产行为，进行信息交换，负责中间产品的运输等。与全部产品都在同一个地方生产相比，这必定会产生更多的协调和组织成本。

其实，产品的不同生产工序和流程被分散在不同国家进行，会产生额外生产成本，但也会产生节约成本效应。节约成本效应主要表现在：①规模经济效应。从现实来看，跨国公司在世界各国分散生产工序，每一道生产工序都是其全球产量的一部分，这就注定每一个生产工序的产量都很大。这就形成了所谓的规模经济效应，所有零部件的边际生产成本在一定程度上降低了。②要素禀赋差异效应。资本要素的国际流动性日益增强，但是，劳动力、生产资源等要素的流动性却远远小于资本的流动性。作为资本要素的载体，跨国公司一般是把各道生产工序放到最佳生产区位进行生产。所谓最佳生产区位，要么是基于地理位置考虑运输成本最小化，要么是基于当地要素禀赋考虑生产成本最小化。从要素禀赋来说，各个国家的要素禀赋是有差异的，跨国公司一定是选择要素禀赋比本国丰富、便宜的地区进行零部件和中间品的生产，从而可以降低零部件和中间产品的生产成本。

可见，当节约成本大于额外成本时，跨国公司就会在全球范围内分散生产工序，以获得更多的利益，产品内分工也就产生了；当节约成本小于额外成本时，跨国公司就会在本国生产，然后出口制成品。技术进步使得额外成本日益下降，大大增加了"节约成本大于额外成本"的可能性，从而使得产品内分工日益凸显。

---

[1] 孙文远、魏昊：《产品内国际分工的动因与发展效应分析》，管理世界，2007年第2期。

五、制度保证：国际机构

产品内分工的产生和快速发展还得益于国际经济组织机构的不断发展和完善。世界经济的"三驾马车"是世界贸易组织、世界银行和国际货币基金组织。这三个国际组织机构分别为产品内分工的发展奠定了贸易制度、发展制度和金融制度的保障基础。

世界贸易组织（WTO）是一个独立于联合国的永久性国际组织，1995年1月1日正式开始运作，负责管理世界经济和贸易秩序。世界贸易组织是具有法人地位的国际组织，在调解成员争端方面具有更高的权威性。它的前身是1947年订立的关税及贸易总协定（GATT，简称关贸总协定）。与关贸总协定相比，世界贸易组织涵盖货物贸易、服务贸易以及知识产权贸易，而关贸总协定只适用于商品货物贸易。总的来说，世界贸易组织实施各项贸易协定，为成员方提供多边贸易谈判场所，并为多边谈判结果提供框架，解决成员间发生的贸易争端等，形成了一个更具活力、更持久的世界多边贸易体系。世界贸易组织不断吸纳更多的成员方，为产品内分工创造了更广阔的范围空间。世界贸易组织成员方之间关税大幅度下降，大大降低了产品内国际分工中的中间产品跨境交易成本，使世界贸易组织成员方之间的服务贸易快速增长，拓展了产品内分工的交易内容。这为产品内分工的发展奠定了贸易制度保障。

世界银行是国际复兴开发银行（IBRD）的俗称。其一开始的使命是帮助在第二次世界大战中被破坏的国家的重建。今天世界银行的主要帮助对象是发展中国家。世界银行向发展中国家提供长期贷款和技术协助来帮助这些国家实现它们的反贫穷政策，帮助它们建设教育、农业和工业设施。除财政帮助外，世界银行还在所有的经济发展方面提供顾问和技术协助，有利于发展中国家的经济发展，为发展中国家参与国际分工奠定了经济基础。这为产品内分工的发展奠定了发展制度保障。

国际货币基金组织（IMF）是政府间的国际金融组织。其宗旨是作为一个常设机构，在国际金融问题上进行协商与协作，促进国际货币合作；促进国际贸易的扩大和平衡发展；促进和保持成员国的就业、生产资源的发展和实际收入的高水平；促进国际汇兑的稳定，在成员国之间保持有秩序的汇价安排，防止竞争性的货币贬值；协助成员国在经常项目交易中建立多边支付制度。这为产品内分工的发展奠定了金融制度的保障基础。

六、政策保证：自由化政策

自20世纪90年代以来，在世界范围内掀起的自由化政策为产品内分工的发展提供了政策保障，为产品内分工的发展提供了宽松的环境。自由化政策主要包括贸易自由化和投资自由化。这两种自由化政策其实都是在三大国际组织机构的主导下以跨国公司为主体实施的。

从国际经济的现实来看，国际贸易和国际投资之间的关系已经从以前的替代型转变为互补型，即目前的国际贸易和国际投资日益融为一体，由跨国公司主导的公司内贸易、产品内贸易在国际贸易中所占的份额日益提高，全球的国际投资绝大部分都由跨国公司主导，跨国公司的全球投资是为国际贸易服务的，即在国际分工体系中，跨国公司通过在全球范围内配置和利用资源，进行全球化生产和全球化经营，使得越来越多的国际贸易和国际直接投资围绕着跨国公司的价值链活动。贸易和投资都是围绕跨国公司国际生产所进行的——贸易是跨国公司国际生产价值链上的贸易；投资是发生在价值链上各个生产环节上的投资。投资的目的就是通过贸易实现分工收益，是为贸易而投资的；而贸易则是实现投资行为最终目标的手段。因此,世界范围内的贸易自由化和投资自由化政策也是相互关联、互相促进的。

在各国关税水平日益下降、对外开放程度日益提升等贸易自由化发展的同时,投资自由化也在齐头并进。发展中国家,尤其是经济转型国家对 FDI 采取的措施大都是减少外资进入的部门限制,或者对原先限制或禁止外资进入的行业实行自由化。其中最为明显的是,能源、电信、机场、制药以及银行与保险等以往严格控制的垄断性行业也开始对外资开放,外汇管制也有所减弱。

以 2006 年为例,大多数政策变化仍有利于外国直接投资,各国政府继续采取措施促进外国直接投资。2006 年出台了 147 项使东道国环境更有利于外国直接投资的政策变化(见表 2-1),其中发展中国家占了大多数(74%)。这些政策变化包括旨在降低公司所得税(如在埃及、加纳与新加坡)和扩大投资促进方面的努力(如在巴西和印度)而采取的特定措施。各国正在对特定的行业采取进一步的自由化政策,如涉及专业服务(意大利)、电信(博茨瓦纳和佛得角)、银行(老挝人民民主共和国和马里共和国)和能源(阿尔巴尼亚和保加利亚)等行业的政策措施。

表 2-1 1992—2015 年国际直接投资国家监管变化情况　　　　　　　(单位:个)

年份 项目	1992	1995	2005	2006	2014	2015
实施改革的国家数目	43	63	93	93	41	46
监管变化的数目	77	112	184	184	72	96
更有利于外国直接投资	77	106	147	147	52	71
更不利于外国直接投资	0	6	37	37	11	13

(资料来源:《2016 世界投资报告》。)

第三节　产品内分工的效应

自 20 世纪 90 年代以来,产品内分工和产品内贸易飞速发展。产品内分工的产生和发展对世界经济产生了一定的影响,主要表现为贸易增长效应、经济发展效应、经济依赖效应、收入分配效应和贸易摩擦效应。具体分析如下:

一、贸易增长效应

产品内分工的产生和发展,促进了国际贸易的增长,传统的地区间最终制成品之间的贸易逐渐演变为零部件、半制成品之间的贸易,零部件和半制成品贸易量在世界贸易总额中所占的份额日益增加。贸易增长主要来源于:①贸易地区越来越多。越来越多的国家和地区融入国际分工,参与国际贸易。②贸易对象越来越细化。贸易对象由以前的最终制成品转变为半制成品,再转变为零部件。因此,以往一次贸易完成的交易,现在需要很多次交易才能完成。③国际服务贸易迅速发展。其实,目前贸易的本质已经发生了根本性的变化,传统的贸易是以消费目的为导向的,现在的贸易是以生产目的为导向的。也正因如此,在商品贸易蓬勃发展的同时,为国际生产提供服务的一些国际性活动也迅速发展起来,即国际服务贸易日益兴起。

各类产品的可分工程度不同。机械设备、电器、电子、汽车产品等产业的生产工序相对来说比较容易分割,产品内分工现象比较明显,电子产品尤为突出。从1980—1998年国际贸易的增长情况来看,从225个国际贸易标准分类3位数产品中挑选出口增长最快的20类产品,结果发现其中前3名均为电子产品。这3类产品在1980—1998年年均增长率为14.9%~16.3%,远远高于同期世界出口贸易整体年均8.4%的增长速度[1]。

世界服务贸易规模与货物贸易共同增长。自20世纪90年代以来,国际投资倾向于服务业,全球海外直接投资总额的一半以上流向了服务业,为服务贸易的发展提供了强劲动力。科技发展、服务外包等新的贸易方式的兴起,全球及区域服务贸易壁垒的逐渐削减,也为世界服务贸易的发展做出了贡献。1980—2011年,全球服务贸易总额从7670亿美元扩大到81250亿美元,其间增长了10.6倍。除了2009年受到全球金融危机的影响,服务贸易出现了负增长。大多数年份,全球服务贸易加速增长,服务出口与进口均保持了较高的年均增长率(见表2-2)。服务贸易的出口额从1980年的3650亿美元,上升到了2015年的48300亿美元,是1980年的13.2倍。服务贸易的进口额从1980年的4020亿美元,上升到了2015年的47300亿美元,是1980年的11.7倍。

表2-2　1980—2015年世界服务贸易发展情况　　　　（单位:10亿美元）

年份 项目	1980	1990	2009	2010	2011	2012	2013	2014	2015
服务出口	365	781	3350	3695	4170	4550	4820	5140	4830
服务进口	402	821	3145	3510	3955	4440	4700	5040	4730

(资料来源:WTO international trade statistics database。)

二、经济发展效应

产品内分工为发达国家和发展中国家的经济发展都提供了新的发展空间。在产业内分工时代,发达国家一般进行整体性产业转移,即一次把某些产业或某种产品的生产工序全部转移出去,转移出去的产业和产品一般都是技术含量较低、环境污染严重、处于产品生命周期末端的产品。此时,发展中国家只能被动地承接发达国家转移出来的产业。可见,在这个时代,国际产业转移的广度和深度、速度还是较低的,对发达国家和发展中国家的经济发展带动力较小。产品内分工的发展,大大促进了国际产业转移的范围、速度和形式,迅速提升了对发达国家和发展中国家的经济发展带动力。

对于发达国家来说,产品内分工的发展使其可以进行生产工序的转移,把污染环境的工序、劳动密集和技术简单的工序环节转移到其他最具优势的国家和地区,同时把资金、技术等要素密集的经济活动区段保留在国内进行,这些保留的工序环节所对应的生产活动,仍然符合发达国家的要素禀赋及比较优势结构,并且附加值比较高。同时,将一部分生产要素转移到新兴产业中,从而为新兴产业发展腾出了更大空间。相关新兴产业因而拥有更为丰富的物质和技术基础,有利于自身的长期成长和国际竞争力的提高。这样,发达国家就能利用全球资源提升传统产业的竞争力,获得更多的利益,并为发展新兴产

---

[1] 卢峰:《产品内分工》,经济学(季刊),2004年第1期。

业提供空间。

对于发展中国家来说，在国际市场和国际分工中，具有整体竞争优势的产业较少，但是，在原材料、能源、劳动力等生产要素禀赋方面具有很强的竞争力。这就是发展中国家参与国际分工、承接生产工序的优势。因此，在产品内分工条件下，发展中国家就可以凭借自身的优势参与并承接资源密集型、劳动力密集工序的生产而获利。也就是说，在产业内分工时代不能参与分工的国家，只要在某些产品的特定生产阶段上具有优势，就能参与国际分工和贸易，而且参与国际分工的程度越来越深。从现实情况来看，发展中国家虽然不具备技术、资金、人才等高端优势，但是却能承接高新技术产业的加工组装工序和部分零部件的生产工序。与承接产业相比，发展中国家承接工序更能发挥自身的优势，更有利于参与高端、新型产业价值链。其实，由生产工序转移派生的外商投资和国际贸易，也可以提高发展中国家的技术水平和生产效率，获得规模经济。

发展中国家带动经济发展、参与国际分工的途径之一就是利用外资。从表2-3 中的数据可以看出，在 1980—2015 年，整个世界的对外投资数量基本表现为增加的态势，流入发展中国家的外资额也日益增加。整个世界的对外投资数量从 1980 年的 541 亿美元增加到 2015 年的 17622 亿美元，其中，流入发展中国家的外资额从 1980 年的 75 亿美元增加到 2015 年的 7647 亿美元，在世界 FDI 中所占份额也从 13.81% 提高到 43%。

表 2-3　1980—2015 年世界 FDI 流动情况　　　　　　　　（单位：亿美元）

年份 项目	1980	1985	1990	1995	2000	2005	2006	2007
世界（1）	541	558	2074	3435	14132	9896	14806	20027
流入发展中国家（2）	75	142	348	1170	2645	3345	4321	5894
（2）/（1）（%）	13.81	25.37	16.76	34.04	18.72	33.80	29.19	29.43
年份 项目	2008	2009	2010	2011	2012	2013	2014	2015
世界（1）	18164	12165	14085	16515	15109	14272	12770	17622
流入发展中国家（2）	6684	5303	6371	7352	6588	6624	6985	7647
（2）/（1）（%）	36.80	43.59	45.23	44.52	44	46	55	43

（资料来源：http://unctadstat.unctad.org/TableViewer/tableView.aspx?ReportId=88。）

发展中国家利用外资的增加，加深了融入国际分工的深度，带动了本国国际贸易的发展，进而带动了本国经济的全面发展。从表 2-4 中的数据可以看出，在 1989—2009 年，发展中国家的贸易增长速度大于世界贸易增长速度，世界贸易增长速度大于发达国家的贸易增长速度。其中，发展中国家的出口和进口增长速度都比较大，具有典型的"大进大出"特点，与产品内分工条件下的产品内贸易状况相符。另外，在 1989—1998 年，发达国家的出口增长速度大于进口，发展中国家的出口增长速度小于进口；在 1999—2009 年，发达国家的出口增长速度小于进口，发展中国家的出口增长速度大于进口。这说明，产品内分工在不断发展，发达国家把更多的生产工序安排在国外，发展中国家参与国际分工的机会将更多。在 1999—2009 年期间，发达国家与发展中国家的贸易增长速度逐渐拉开了差距；2009—2015 年期间，发展中国家贸易增长速度有所降低，但是与发达国家的贸易增长速度差距仍然很大。

表 2-4 1989—2015 年世界贸易量增长情况（%）

项目	年份	1989—1998	1999—2009	2009—2015
进出口总额	世界平均水平	6.7	8.4	5.0
出口	发达国家	6.1	6.6	3.0
	其他国家	8.3	11.7	7.0
进口	发达国家	6.2	6.5	3.0
	其他国家	8.0	11.5	7.0

（资料来源：UNCTADstat 数据库整理所得。）

三、经济依赖效应

不可否认，产品内分工的发展使得发达国家和发展中国家的贸易日益增加，对贸易的国际投资也日益增加。国际贸易和国际投资使发展中国家和发达国家之间的经贸往来日益增多，彼此之间的依赖加强，日益成为经济共同体。但是，国际贸易利益的分配主导权、国际投资的主体、国际分工的支配权等都掌握在发达国家的手中。可见，在产品内分工时代，发展中国家对发达国家的经济依赖有日益加强的趋势。具体来说，主要表现在以下几个方面：

（1）从工序的配置来看，不是发展中国家想承接什么就承接什么，而是跨国公司根据发展中国家的自身优势来安排合适的工序。这是为了充分利用发展中国家的生产要素禀赋优势。一般跨国公司只是把少数工序放在同一个发展中国家里，这样发展中国家就无法在这个产业形成整体优势，也就难以对转移国形成较大威胁。而且，发展中国家需要经历较长时间才能逐步获得整套生产技术和生产能力，在此期间，不得不屈从于转移国。与此同时，发展中国家的优势具有较强的可替代性。为承接工序，发展中国家之间相互竞争，往往为产业转移提供特殊的优惠政策。可见，在工序的全球配置中，发达国家具有主动权。

（2）从工序的发展来看，跨国公司愿意扩散的技术都是成熟性技术，而对高端的核心技术往往严格保密。因此，无论处在产品内国际分工链条的哪个环节，发展中国家都无法获得最先进技术的扩散，往往被定位于低技术的环节。另外，由于发展中国家的生产是为发达国家的生产服务的，发展中国家的生产工序必须与发达国家控制的全球价值链保持匹配，因此，发展中国家承接的生产工序只能随着发达国家整体价值链的升级而升级，自主创新的可能性大大降低。长此以往，发展中国家就会形成专门与国际产业相匹配的"专用性资产"。资产的专用性越强，改变资产属性的沉淀成本就越大，因而发展中国家改变产业结构、生产体系和国际分工地位的难度就越大。这就导致依附关系长期存在。

（3）从工序的作用来看，由于分工和专业化的发展，加入产品内国际分工国际网络中的发展中国家通常只能专注于产品的特定生产工序。而这些工序只是产品价值链中的一环，这些局部的、片断的工序往往难以左右整个产品的发展方向。即使承接的是研发工序，由于发达国家实施知识产权战略，因而发展中国家不可能拥有新技术的知识产权。又由于技术研发的连续性，发展中国家一般不可能摆脱现有的技术研发出全新的技术。而现有的技术都被发达国家控制在手中，从而导致发展中国家对发达国家长期具有依附性，很难独立发展。

从表 2-5 可以看出，在 1995—2015 年期间，发达国家零部件贸易总额从 1995 年的 12952 亿美元增加到 2004 年的 16597 亿美元，但是 2015 年下降到 12680 亿美元。发展中国家零部件贸易总额从 1995 年的 3702 亿美元增加到 2015 年的 28305 亿美元，可见，发展中国家的增长速度远远大于发达国家。从比例来看，2015 年，发展中国家的进口与出口比重都维持了相当高的水平，说明产品的制造、装配环节逐步向发展中国家转移。

表 2-5　世界零部件贸易的地区格局

年份 项目	1995 年			2004 年			2015 年		
金额	进口	出口	贸易总额	进口	出口	贸易总额	进口	出口	贸易总额
发达国家/亿美元	5922	7030	12952	5706	10891	16597	5340	7340	12680
发展中国家/亿美元	1950	1751	3702	5904	4664	10568	9603	18602	28305
比例	进口	出口	贸易总额	进口	出口	贸易总额	进口	出口	贸易总额
发达国家（%）	75.2	80	75.6	49.1	70	52.9	35.7	28.3	30.9
发展中国家（%）	24.8	19.9	24.4	50.8	30	47.1	64.3	71.7	69.1

（资料来源：根据 UNCOM TRADE Database 计算整理。）

四、收入分配效应

产品内国际分工在促进发达国家和发展中国家经济发展的同时，也加剧了不同国家之间、国家内部不同地区和行业之间的差距。其主要表现在：

（1）加大了发达国家与发展中国家之间的经济差距。发达国家将劳动密集的工序与区段转移到劳动力成本便宜的发展中国家，而将资本和技术密集的工序与区段留在国内。可见，发达国家在产品内部分工的价值链中占据了对价值形成最具影响和支配力的环节，因而在价值和利润分配上处于垄断的有利地位。如果这种局面长期得不到改变，还会使发展中国家在产业结构上被"锁定"在低端环节，从而在收益分配上处于不利地位。另外，产品内分工形成了国际市场上、下游企业的纵向关系。上游企业提供给下游企业的中间投入品价格成为这种垂直关系利益分配的重要特征。发达国家是产品价值链的组织者和控制者，从而就可以影响中间投入品的世界市场价格，形成有利于自己的产品内贸易。总之，依据科技、知识的不同含量而形成的当代国际分工，以及在当代世界经济中财富的分配与科技、知识的占有状况相适应的国际经济秩序，必然导致南北差距进一步扩大的趋势[1]。往往发达国家与发展中国家之间的经济基础差距越大，发达国家与发展中国家差距发展的趋势就越剧烈[2]。

（2）加大了发展中国家和地区之间的经济差距。在产品内分工时代，有的发展中国家和地区实施了对外开放政策，积极参与并融入国际分工，有的发展中国家和地区由于各种原因继续自力更生；有的国家和地区参与国际分工的程度较深，有的较浅。这就导致各个国家和地区的受益程度不同，进而导致发展中国家和地区之间的差距也日益加剧。从现实情况来看，积极参与国际分工的发展中国家和地区经济发展速度较快。从表 2-6 可以看出，中国、

---

[1] 杨国亮、张元虹：《论当代国际分工的深化及其对世界经济格局的影响》，当代经济研究，2007 年第 7 期。

[2] 孟庆民、李国平、杨开忠：《新国际分工的动态：概念与机制》，中国软科学，2000 年第 9 期。

印度以及以中国台湾为代表的"亚洲四小龙"等国家和地区的经济发展较快,在世界中所占份额日益增加,而巴西、南非等国家经济发展较慢。

表 2-6 1980—2015 年基于购买力平价标准部分国家和地区 GDP 占世界 GDP 的份额(%)

年份 国家和地区	1980	1985	1990	1995	2000	2005
巴西	3.58	3.31	3.07	3.21	2.97	2.86
中国	2.01	2.92	3.58	5.72	7.25	9.62
印度	2.20	2.50	2.83	3.26	3.68	4.22
墨西哥	2.46	2.37	2.17	2.10	2.30	2.12
中国台湾	0.48	0.59	0.77	0.98	1.08	1.07
南非	0.91	0.86	0.78	0.73	0.70	0.72

年份 国家和地区	2010	2011	2012	2013	2014	2015
巴西	2.89	2.83	3.11	3.10	3.01	2.80
中国	13.52	14.26	15.35	16.02	16.64	17.26
印度	5.37	5.58	6.27	6.47	6.72	7.01
墨西哥	2.09	2.09	2.02	1.99	1.97	1.95
中国台湾	1.10	1.11	0.99	0.98	0.99	0.96
南非	0.71	0.70	0.66	0.66	0.65	0.64

(资料来源:www.imf.org,World Economic Outlook Database。)

参与国际分工,带动地区经济发展的途径主要是对外贸易,特别是出口。从表 2-7 可以看出,1983—2014 年,在世界货物贸易出口中,中国所占份额增加最快,墨西哥、巴西、印度等国增加较慢,这四个国家之间的差距日益扩大。这主要是由各个国家或地区参与国际分工和受益的程度不同导致的。由于各种原因,非洲地区融入国际分工的程度较低,亚洲各国参与国际分工的程度较高,先后出现了"东亚奇迹""中国奇迹"等现象。其中,中国自从 1978 年开始改革开放、印度自从 1991 年开始改革开放,积极地融入国际分工,中国成为世界制造业的生产基地,印度成为全球重要的外包中心,所以这两个国家的贸易发展较快,中国增加了 10 倍多,印度增加了 3 倍多。

表 2-7 1983—2014 年部分国家和地区在世界货物出口贸易中所占份额(%)

年份 国家和地区	1983	2003	2006	2014
墨西哥	1.41	2.24	2.13	2.09
巴西	1.19	0.99	1.17	1.18
中国	1.21	5.95	8.22	12.33
印度	0.50	0.80	1.02	1.69

(资料来源:WTO international trade statistics database。)

(3)加大了国家内部不同地区之间的经济差距。跨国公司在全球整合资源,不同国家凭借自身的优势参与国际分工,融入跨国公司的产业链。但是,对于任何一个国家来说,由于其优势资源在国家内部的不同省市具有不均匀性,有的省市占据较多,有的省市占据较少,这就导致国家内部各个省市受益国际分工的程度不同。一般来说,地理优势明显、参与国际分工程度较高的省市，其经济发展一般也较快。长此以往，一个国家内部的不同地区之间的经济差距会越来越明显。但随着经济发展与地区政策的倾向度不同，区域间参与国际分工的程度也可能不断缩小。

以中国为例，起初中国东、中、西部参与国际分工的程度不同，东部参与的程度最高，中部次之，西部最低。但近年来，随着中西部地区经济的不断发展，地区间国际贸易参与程度的差距在不断缩小。表2-8 的数据表明[⊖]：2006—2015 年，东部地区出口额占全国出口总额的比重不断下降，所占份额由 2006 年的 92.48% 下降到 2015 年 86.50%；中部地区出口额占全国出口总额的比重不断上升，所占份额由 2006 年的 3.71% 上升到 2015 年 6.21%；西部地区出口额占全国出口总额的比重不断上升，所占份额由 2006 年的 3.81% 上升到 2015 年 7.29%。

表 2-8　2006—2015 年东部、中部、西部地区出口额所占比重（%）

年份 地区	2006	2007	2008	2009	2010	2011	2012	2013	2014	2015
东部	92.48	91.99	90.56	92.11	91.89	90.32	88.57	87.89	86.34	86.50
中部	3.71	3.96	4.67	4.05	3.90	4.67	5.77	6.05	7.09	6.21
西部	3.81	4.05	4.77	3.84	4.22	5.01	5.66	6.06	6.56	7.29

（资料来源：根据历年《中国统计年鉴》整理计算。）

（4）加大了国家内部不同行业之间的经济差距。生产要素禀赋理论告诉人们：一个国家出口本国生产要素禀赋丰裕的密集型产品，进口本国生产要素禀赋稀缺的密集型产品。斯托尔帕-萨缪尔森定理（The Stolper-Samuelson Theorem）认为：出口行业中密集使用的本国生产要素的价格会逐渐提升，报酬逐渐提高；进口行业中密集使用的本国生产要素的价格会下跌，报酬也会降低。产品内分工的本质就是充分发挥各个国家的生产要素禀赋优势。所以，当一个国家参与产品内分工时，不同生产要素的受益程度不同，就会导致生产要素的流向发生改变，从而影响不同行业的发展。受益的行业发展速度加快，不受益的行业发展滞后。一般来说，工业的发展较快，农业的发展较慢，二者之间的差距日益扩大。

五、贸易摩擦效应

从理论上来讲，在产品内国际分工条件下，由于产品的生产过程中包含了多个国家生产的投入，国家之间相互依赖成为利益共同体，从而有利于减少彼此间贸易摩擦的发生。但是，从现实情况来看，并非如此。随着产品内分工的不断发展，全球贸易摩擦有日益加剧的态势。这主要是由于：

（1）产品内分工对不同国家、不同地区以及同一国家内部的不同省市、行业和阶层的影响是有差异的。国际分工，特别是产品内分工发展的过程，就是国际产业转移、淘汰、重组和整合的过程，必定会对不同的利益集团造成不同的影响。受益较多的地区和行业会加快对外开放，实施自由化的贸易政策和投资政策，推动产品内分工的发展；受益较少或受损的地区和行业为了防范外来冲击，就会选择贸易保护政策，对其他国家的产品实施贸易救济措施。

⊖ 魏浩：《中国对外贸易出口结构存在的问题》，经济理论与经济管理，2007 年第 10 期。

(2) 跨国公司利益和国家利益是有差异的。随着跨国公司的生产国际化、资本国际化、营销国际化，其经济能量日益加强，其母国和东道国对其控制力越来越小。跨国公司在全球配置资源，追求的是自身利益最大化，而不是其母国和东道国利益最大化。再加上跨国公司母国和东道国国家的利益也都是利己的，二者也存在差异。三者利益上的差异，就必定导致跨国公司在全球的经济活动受到各个国家的制约，每个国家都根据自身利益对跨国公司主导的产品内贸易（公司内贸易）实施一些限制措施。

(3) 产品内分工导致贸易流向不对称。在产品内分工时代，跨国公司在全球配置资源，把技术研发、品牌运营等高端生产工序放在发达国家，把技术和资本密集型零部件等中高端生产工序放在高收入经济体，而把劳动密集型等低端工序放在发展中国家。全球贸易流向变为：发达国家出口高端零部件给高收入经济体→高收入经济体出口半制成品给发展中国家→发展中国家出口制成品给发达国家。这就是所谓的"三角贸易"。在这个贸易体系中，发达国家和发展中国家之间的贸易流向是不对称的，主要表现为发达国家对发展中国家形成贸易逆差，发展中国家对发达国家形成贸易顺差。名义上发展中国家是顺差，实质上这种顺差是发达国家的跨国公司的。但是，由于跨国公司利益与国家利益存在差异性，必定会导致发达国家以此为借口对发展中国家实施贸易摩擦。一般来说，由于原产地规则等原因，导致承接加工组装工序的发展中国家遭受的贸易摩擦较多。

在全球范围内，贸易救济措施被频繁使用，反倾销措施成为主要手段。1995 年以前，全球有 19 个国家（地区）进行反倾销立法，采取反倾销措施的只有 12 个；而 2006 年反倾销立法的达到 120 多个，占世界贸易组织成员的 80% 以上，采取反倾销措施的达到 42 个。如果再加上反补贴和保障措施，贸易救济立法的国家或地区将涵盖世界上全部的主要贸易体，也就意味着 90% 以上的世界进出口贸易受到贸易救济措施的潜在影响。根据 WTO 的统计，从 1995 年到 2006 年年底，42 个 WTO 成员共提起反倾销立案 3044 起，反补贴立案 191 起，保障措施 155 起。当前，贸易摩擦的争执点已经从产品、企业等微观领域延伸到涉及政策、体制等根本性、全局性问题；贸易保护的作用点由货物贸易扩展到服务、投资、知识产权等多个领域；而贸易保护的手段更加花样翻新、种类繁多，除传统的反倾销、反补贴、保障措施外，环保、质量安全、标准、知识产权等成为新热点，尤其是技术贸易壁垒，成为贸易保护的焦点。据 WTO 统计，从 1995 年至 2007 年 5 月 31 日，各成员通报影响贸易的新规则总量 23897 件，其中技术贸易措施 16974 件，占总量的 71%[⊖]。

从 WTO 的统计数据来看（见表 2-9），在 1995—2015 年，遭受反倾销调查最多的 10 个国家和地区大部分是发展中国家，其中中国位居第一。从 1995 年至 2015 年年底，共有 42 个世界贸易组织成员发起 5132 起反倾销调查。针对中国产品发起的反倾销案件就有 1170 起，占全球反倾销立案总数的 22.8%。中国已经连续 21 年成为全球遭受反倾销最多的国家，与中国占世界出口总额的比重非常不对称。这主要是因为中国是世界利用外资的大国，是全球制造业生产和加工组装基地。一方面，由于中国长期保持贸易顺差，导致发达国家的制裁；另一方面，由于中国出口产品冲击其国内相关产业的发展，导致发展中国家的制裁。

⊖ 杨益：《全球贸易救济的现状、发展及我国面临的形势》，国际贸易，2007 年第 9 期。

表 2-9　1995—2015 年遭受反倾销调查最多的 30 个成员及案件数　（单位：件）

序号	成员	案件数	序号	成员	案件数	序号	成员	案件数
1	中国	1170	11	马来西亚	132	21	新加坡	54
2	韩国	384	12	欧盟	116	22	法国	52
3	中国台湾	279	13	德国	111	23	英国	49
4	美国	273	14	乌克兰	84	24	阿根廷	46
5	印度	208	15	土耳其	82	25	加拿大	44
6	泰国	208	16	墨西哥	72	26	罗马尼亚	41
7	日本	202	17	南非	70	27	中国香港	35
8	印度尼西亚	196	18	意大利	63	28	荷兰	35
9	俄罗斯	148	19	越南	60	29	智利	34
10	巴西	136	20	西班牙	56	30	沙特阿拉伯	34

（资料来源：根据 WTO 相关报告整理计算，引自 http://www.cacs.gov.cn。）

第四节　发展中国家的经济发展战略

随着经济全球化的发展，21 世纪的国际分工模式已经从产业间分工模式和产业内分工模式深化为产品内分工模式，贸易形态也从产业间贸易和产业内贸易转变为产品内贸易。跨国公司，特别是国际大型跨国公司日益成为产品内分工的主体，跨国公司的公司内贸易在产品内贸易中占据很高的份额。在这样的国际背景下，对于发展中国家来说，要想趋利避害，发展国家经济，要特别重视以下几个方面的问题：

一、积极参与产品内分工，谨慎防范各种风险

毫无疑问，经济全球化是一把"双刃剑"。从世界经济发展的历程和现实来看，发展中国家参与全球化不一定获得发展，但是，不参与全球化一定不会获得发展。同样，发展中国家参与产品内分工也同时存在着风险和收益。产品内分工是世界经济发展的必然趋势，抵制其发展的国家将被世界所抛弃。因此，根据以往的经验，发展中国家要想发展经济，必须把握国际分工的最新发展趋势，积极地融入产品内分工，但必须谨慎防范各种风险。

由于跨国公司是产品内分工的主体，因此，融入国际分工最快捷的方法就是融入跨国公司的价值链。融入跨国公司价值链的途径主要有利用外资、承接外包、与跨国公司配套等多种形式。这样，发展中国家不仅可以充分发挥自身优势，还可以利用跨国公司的各种优势，如跨国公司的资金和技术，以及通过各种形式合作所产生的示范效应、溢出效应、关联效应和竞争效应。

但是，最新的发展实践证明：在全球的经济活动中，占主导和支配地位的既不是私人垄断资本，也不是国家垄断资本，而是国际垄断资本。国际垄断资本就是垄断资本势力，或者垄断资本的经济权利，包括投资权、生产经营权、市场控制权、利润支配权等，突破国界，向国外扩张和延伸，从而在国际范围内对全球的生产要素进行合理的配置，利用国外廉价的资源和要素，获取高额垄断利润。国际垄断资本的主要形式是跨国公司，特别是国际大型跨国公司。它们以先进的科学技术、先进的生产设备、高质量的产品为武器进行对外直接投

资[1]。跨国公司的一切努力都是为了提高效益，从而获取最大限度的利润。利润最大化是其核心目标。也就是说，跨国公司在其他国家的投资，首要任务不是为了帮助东道国发展经济，而是为了获得利润，其不可能基于东道国国家经济的考虑，而自主放弃或牺牲自身利润。所以，东道国在利用外资的过程中，基于本国经济发展和经济安全的考虑，必须对外资加以监管和控制。

二、培育大型跨国公司，提升在国际分工中的地位

跨国公司，特别是国际大型跨国公司日益成为国际经济活动的主体，主导着产品内分工的发展。正因如此，全球的竞争模式已经发生了巨大的变化，从国家与国家之间的竞争发展到跨国公司之间的竞争。一个国家经济力量的强弱和在国际分工的地位，取决于这个国家拥有的国际大型跨国公司的数量和质量。也就是说，国家的强弱直接表现为在世界500强中所占的跨国公司的数量。可见，国家经济的发展取决于这个国家有没有国际大型跨国公司；国家经济发展的速度取决于这个国家拥有国际大型跨国公司的数量和质量。

随着经济全球化和国际分工的发展，跨国公司的国际化程度越来越高，其国籍有淡化的趋势，但是，跨国公司仍然具有很深的母国属性。跨国公司在世界各地开展经营活动都是以本国为依托和基地，每一个大型跨国公司的背后，在其发展过程中，都有本国政府的支持。这些公司深深地扎根于本国社会，在很大程度上是本国历史、文化和经济体系的产物[2]，最终都要依附于它们的母国。从另一个角度也可以说，跨国公司追根到底还是其母国国家利益的"代言人"。

基于此，对于发展中国家来说，在参与产品内分工时，获得较多的分工利益，提高在国际分工中的地位，提高整个国家的竞争优势，培育具有竞争力的国际大型跨国公司势在必行。其实，这也是充分利用国际和国内两种资源、两种市场的需要，是保障国家经济安全的需要。而培育大型跨国公司，就要求发展中国家在承接工序、利用外资的同时，要主动、有计划、有步骤地实施"走出去"战略。

大型跨国公司大体可以分为两类：①原始设备制造商，主要是指那些通过销售全球性品牌而获得市场地位的企业，它们并不在意产品的设计和生产是在企业内部进行的还是通过外包方式完成的；②全球性合同制造商，它们建立了自己的全球生产网络，以便为OEM（Original Equipment Manufacture，贴牌生产）提供一体化的制造服务和全球性的供应链服务。发展中国家的发展方向应该是培育全球性合同制造商。

利丰集团是全球性合同制造商的典型代表。创建于1906年的香港利丰有限公司是香港具有悠久历史的出口贸易商号，同时也是全世界规模最大的出口商之一，其业务分布在世界很多国家和地区。世界著名的《财富》杂志评选的全球最佳创意、最具有竞争力公司。利丰集团是一家以中国香港为基地的跨国商贸集团。从1906年至今，利丰贸易的业务角色经历了从简单的采购代理到全球性的供应链管理者的演变。假设现有一份10万件夹克的订单，利丰的运作情况可能是：从韩国买纱；到中国台湾纺织、印染；选用日本的纽扣；在中国大陆生产其衣用拉链，利丰会找到日本大型拉链制造商YKK，向其在中国的工厂定购拉链；

---

[1] 刘国平、范新宇：《国际垄断资本主义时代》，经济科学出版社，2004年版。
[2] （美）罗伯特·吉尔平：《全球政治经济学》，上海人民出版社，2003年版。

经过生产成本和运输成本等综合计算,最佳生产地是泰国,出于时间的考虑,利丰交给泰国的 5 个工厂同时生产。这样,利丰贸易通过制定客户供应链中的采购及生产流程,能将由接到订单至产品出厂的时间从 3 个月缩短到 5 个星期㊀。

三、做大、做强部分价值链,形成自身的核心竞争力

依据自身的优势,把现有的生产工序做大、做强,拓宽在全球价值链中的宽度,形成全球性产业集聚地,然后,逐渐向价值链的两端攀升,不断提升自身竞争力,这是发展中国家的现实选择。与发达国家相比,发展中国家具有自己的优势,并在部分价值链领域具有很强的优势。例如,非核心零部件生产和加工组装工序。这些生产工序虽然处于价值链的低端,且跨国公司主导产品内分工,发展中国家对发达国家有较强的经济依赖性。但是,发展中国家把其做大、做强,同样可以形成自身的核心竞争力。

产品内分工的发展会导致国际专业化分工网络的形成。一个国家或地区在某些领域的优势可能日益明显,同一产业的对应生产工序都会向此处汇集,从而形成聚集经济,进而使本地区成为在这一产业全球价值链中不可缺少的一环。随着产品内贸易和产品内分工的不断发展,不同产业的相似工序也会出现集聚现象,即属于不同产业但功能相同的工序会集中。例如,会计师事务所承接各产业的会计工作;计算机芯片不仅用于计算机,还嵌入了烤箱、激光设备等无数生产过程中㊁。这就为发展中国家拓宽在全球价值链中的宽度提供了可能。

目前,发达国家虽然控制着产品的高端生产工序和品牌运营,但是,仍然需要发展中国家合同制造商的稳定、及时供应,在技术标准确立和升级上也需要取得更多合同制造商的支持和配合。这样,发展中国家的合同制造商与发达国家的品牌商之间,在能力上就呈现出互补式、分享式关系结构。如果发展中国家能在全球价值链中占据一定的地位,在某些领域形成全球性的产业集聚地,即使是最低端的生产工序,也会对发达国家有一定的牵制力,从而有利于加快发展中国家产业结构的升级与在全球价值链中的攀升。

国际电子产业的发展便是成功的典型案例。20 世纪 90 年代至今,中国台湾的电子信息产业出现了宏碁集团、鸿海集团、台湾积体电路制造股份有限公司(台积电)等众多具有全球供货能力的合同制造商。它们通过集群发展,掌握了制造产能与供货,具有全球接单的综合能力,具有与美国硅谷创新活动互补的产品后段设计制造能力㊂,在全球电子信息产业分工中占有重要地位。

四、提高要素质量,优化要素结构,提升参与国际分工的层次

产品内分工的产生和发展,改变了国际经济环境。跨国公司生产价值链上不同环节的专业化分工成为国际分工的主要表现形式,任何国家参与国际分工的决定因素仍是本国的要素禀赋。在这样的分工环境中,决定一个国家现在和未来在国际分工交换中所获利益的,不再是进口什么、出口什么,而是参与了什么层次的国际分工,是以什么样的要素、什么层次的

㊀ 利丰研究中心:《供应链管理:香港利丰集团的实践》,中国人民大学出版社,2003 年版。
㊁ Ronald Jones, Henryk Kierzkowski, International Fragmentation and the New Geography, EIAS Working Paper, 2003.
㊂ 江小涓,等:《全球化中的科技资源重组与中国产业技术竞争力提升》,中国社会科学出版社,2004 年版。

要素参与国际分工，对整个价值链的控制能力有多少㊀。与此同时，要素的国际流动存在着结构性的偏向，主要表现为资本、技术、优秀人才等高级要素极易流动，而一般劳动力、土地、自然资源等低级要素的流动不充分甚至基本不能流动，由此导致要素流动主要表现为高级要素拥有国家的要素向某些低级要素拥有国家流动㊁。因此，发展中国家要特别重视本国要素质量的提升和结构的优化。

在工业经济时代，一个国家在国际分工中的主导地位，取决于这个国家拥有的资本以及机器数量的多少，而不取决于其他要素，如劳动力和自然资源（能源、气候、土质等）方面数量的多少。随着知识经济的到来，知识成为生产力要素中最重要的组成部分，成为驱动生产力发展的决定性因素，从而也成为国际分工的决定性因素。这样，一个国家在国际分工中的主导地位，从根本上来说，就取决于这个国家在知识方面的比较优势。谁拥有较多的知识，谁就拥有了经济增长的主动权，谁就会在国际分工体系中处于中心支配地位㊂。

因此，对于发展中国家来说，一方面要大力培育知识、技术、人力资本等高级生产要素，改变本国的要素结构；另一方面要对现有优势生产要素进行改造和升级，提升现有优势要素的质量。例如，通过加大教育投资、技能培训等形式提高本国劳动力素质，为价值链的攀升和产业结构的升级做好准备，以劳动密集型生产工序为突破点大力发展高新技术产业，以技术密集型工序为重点改造传统产业，最终提升参与国际分工的层次。

【专题】

美国"出口倍增计划"挑战现行国际分工

2010 年，美国经济政策的一个重大动向就是启动和推进"国家出口倡议"（National Export Initiatives），这是落实时任奥巴马总统当年国情咨文报告中所确定的重要目标。"国家出口倡议"实际上就是一个"出口倍增计划"，其核心内容是美国要用五年时间使其出口规模翻一番。美国是一个比较传统的市场经济国家，历史上很少由政府出面发布有明确目标的经济计划。这次高调宣布"出口倍增计划"，不仅有确定的时间表，而且要五年翻一番，采用了东方国家政府常用的做法，确实不同寻常。

美国宣布"出口倍增计划"，主要还是对后危机时代的反应。金融危机重创了美国经济，失业率不断走高。恢复经济增长和增加就业，是美国重整经济的首要任务。奥巴马知道美国民众在想什么，能够给他们多提供一些就业机会比多讲几种思想重要得多。因此，美国希望通过出口规模翻一番扩大 200 万个就业机会。

1. 美国制造业竞争力今非昔比

应该说，美国出口五年翻番，其任务并不十分现实。平均每年的增速就应该在 15% 左右，这对于美国而言绝非易事。虽然美国 2010 年上半年出口的情况不错，超过了 15%，

㊀ 张二震：《全球化、要素分工与中国的战略》，新华文摘，2005 年第 22 期。
㊁ 张幼文：《要素集聚：中国在全球化经济中的地位》，文汇报，2006 年 6 月 5 日。
㊂ 刘春生：《全球生产网络下新的国际分工格局》，软件工程师，2007 年第 1 期。

但这主要是因为去年同期的基数很低，实际上是对去年金融危机导致出口大幅度下滑的一种周期性恢复。美国官方的数据显示，2000—2008年，美国出口的年平均增速只有6%，2009年由于金融危机，则有14.6%的负增长，10年都未能实现翻番。

在最近60年的历史上，美国只有一次用五年时间实现了出口的倍增，即1969—1974年，美国的出口值五年内增长了170%。也正是因为有这次"辉煌"的记录，美国政界的高官对奥巴马的"出口倍增计划"有相当大的信心。但是，"彼时"与"此时"有很大的不同，40年前的世界经济还是处于第二次世界大战后难得的黄金发展时期（虽然已临近尾声），经济高速增长创造了巨大的需求，为扩大出口提供了有利条件。在那一时期，不仅美国出口实现了翻番，整个世界的出口也翻了一番半。此外，40年前美国经济远比今天强盛，虽然美元已经不能独霸世界，但其经济整体地位不可动摇，世界上缺乏能够与美国在世界市场上抗衡的力量。现在的情况和那时相比已不可同日而语。

依据国际分工的基本理论，各个国家都是出口能够反映本国资源禀赋或要素禀赋优势的产品。原料资源丰富的国家主要出口资源性产品，劳动力资源丰富的国家主要出口劳动密集型产品，知识和技术丰富的国家主要出口知识与技术密集型产品。美国的要素禀赋主要体现在知识和技术方面，高新技术产品出口一直是美国的优势；美国服务业的知识含量也很高，如金融、保险、艺术设计、电影制作等，美国这类服务性产品出口也很大。即便从国际分工中的竞争优势这一新的理论看，各国能够大量出口的产品也是来自代表本国竞争力不断提升的产业。例如，韩国的汽车产业原来竞争力不强，但在参与全球市场竞争的过程中竞争力不断得到提升，所以韩国的汽车出口规模也越来越大。

然而，对于美国而言，制造业的竞争力多年来不是逐年上升，而是持续下降。因为大量资金和人才已经游离出制造业，进入了金融保险、证券投资、互联网等虚拟经济领域。总体而言，目前美国在世界上有竞争力的主要产业已不是制造业，而是服务业。然而，服务业是以满足内需为主的产业。美国要实现"出口倍增计划"，必须主要靠扩大货物贸易出口，而美国恰恰是在制造业方面丧失了曾经的竞争力。过去60多年来，美国货物出口在全世界货物贸易中的地位持续下降。根据国际货币基金组织的数据，1948年，美国货物出口占全世界货物出口的比重在20%以上，然后逐年降低，20世纪最后20年已经下降到15%以下，进入21世纪后又进一步下降到10%以下，目前只占到全世界货物贸易的9%左右。

2. 美国靠什么实现出口翻番？

美国现在急需扩大出口。因为扩大出口既可以增加本国的就业，又可以增强美国民众对本国经济的信心，所以美国才会高调发布"出口倍增计划"。我们有理由相信，为了美国的国家利益，美国政界和商界都会不遗余力地推进"出口倍增计划"，努力实现这一目标。那么，美国未来五年将会靠什么来实现出口翻番？这是值得关注的问题。

（1）美国会通过自身科技创新的努力，推进国内"再工业化"进程，突出美国新技术、新产业和新产品的领先地位，为扩大出口创造技术优势。美国在今天仍然是世界上的强国，经济实力虽然因金融危机有所削弱，但其领先地位仍然不可替代。尤其是在科技创新方面，美国在世界上遥遥领先，金融危机并未破坏美国科技创新的基础和能力。美国推进"再工业化"，也不会简单地扩大工业部门和其他物质生产部门的规模，而是更多地通过科技创新来发展新的产业、新的技术和新的产品，并以此带动更多工业品出口。

(2) 美国会更多地动用政府资源，推动美国产品在全世界的销售。按照美国官方的说法，美国扩大出口的潜力很大。政府以前在推销美国产品方面做得不够，原先主要由美国企业自己做。现在政府要积极发挥应有的作用，充当起国家"推销员"的角色。美国商务部部长2010年访问中国时，就带了众多涉及新能源技术和产品的美国公司高层人士，希望通过美国高层的访问和政府的国家推销，带动美国新能源技术和产品对中国的出口。

(3) 美国会加强对出口重点市场的开拓和渗透，有目标地在一些国家和地区扩大美国的市场。值得特别一提的是，中国是美国扩大出口的重点市场。假设美国有一个出口重点市场的国家清单的话，中国一定在这份国家清单之中，而且会处在首选的位置。因为在美国看来，中国市场潜力之巨大，其他任何国家都难以替代。事实也是如此，按照美国的统计口径，中国目前是美国的第三大出口市场，而且增速惊人。2000—2009年，美国对中国的出口增长了330%，而对其第一大出口市场加拿大仅增长了14%，对第二大出口市场墨西哥仅增长了16%。在美国出口大幅下降的2009年，其他市场都大幅缩水，对加拿大的出口下降了21.6%，对日本的出口下降了21.4%，而美国产品在中国市场却仅仅下降了0.2%。

(4) 为了顺利实现"出口倍增计划"，美国将会长期采用"弱势美元"的政策，为扩大出口创造最佳的汇率工具。弱势美元对美国扩大出口、改善国际贸易收支状况，具有明显的好处。在贸易自由化的大背景下，美国有可能采用贸易保护主义的做法，但不会在这方面走得太远，因为这样做会遭到其他国家的报复。但美国会在主观上让美元变成一种弱势货币，并且把弱势美元当作一种长期目标。这对于包括中国在内的一些与美国贸易量大的国家而言，有可能因此而增加长期的不确定性。如果美元长期保持弱势状态，甚至进一步"弱"下去，人民币的升值压力就不会真正消除。这一点也是最值得关注和加强预警的。

3. 美国"出口倍增计划"的绩效评析

美国"出口倍增计划"的预期目标从数字上看，应为2010—2014年的出口数据翻倍。2014年美国出口总额为235万亿美元，与2009年的158万亿美元相比，未能实现翻倍目标。但是受其影响，美国各项经济指标在此期间均得到不同程度的改善，特别是对就业的促进作用，可能会实现奥巴马政府提出的新增200万人的就业目标。虽然"出口倍增计划"的出口规模翻倍目标未能实现，但其对2008年全球金融危机后美国经济的复苏起到了积极的作用。

4. 我国要密切关注国际分工变化因素

美国实施"出口倍增计划"并无一定的胜算，但会取得一定的效果。其政策效应绝不仅仅限于美国国内，而是会对世界经济格局、国际分工体系和国家间的贸易关系产生重要影响。按照国际分工的效率原则，美国的制造业并不代表国际范围的产业竞争力，也不具备全球的生产优势。如果美国大量出口制造业产品，其实不符合国际分工的效率优先原则。美国在未来五年内要把出口规模扩大一倍，必然要依靠制造业的出口扩张，实际上也是对现行的国际分工体系发起一场大的挑战。

我国是制造业出口大国，我国经济发展也与现行的国际分工体系密切相关，应当对有可能引起国际分工重要变化的一些因素加强研究，做好相应对策准备。一种不可更改的前景是：中国和美国之间，经济利益关系将会在两个国家的双边关系中变得更加重要。

(资料来源：徐康宁：《美国"出口倍增计划"挑战现行国际分工》，中国社会科学报，2010年10月12日；孙黎，李俊江：《美国"出口倍增计划"的实施及效果分析——基于双重差分模型的经验检验》，财经问题研究，2015年第9期。有改动。)

复习思考题

1. 什么是产品内分工？
2. 影响国际分工的因素是什么？
3. 试分析国际分工与世界各国经济的关系。

参考文献

[1] 罗伯特·吉尔平. 全球政治经济学［M］. 杨宇光，等译. 上海：上海人民出版社，2003.
[2] Alessia Amighini. China in the International Fragmentation of Production, Evidence from the ICT Industry［J］. the European journal of Comparative Economics，2005，2：203-219.
[3] Hummels D, Jun Ishii, Kei-Mu Yi. The Nature and Growth of Vertical Specialization in World Trade［J］. Journal of International Economics，2001，54.
[4] Robert C Feenstra. Ownership and Control in Outsourcing to China［J］. NBER Working Paper，2003（10198）.
[5] Ronald Jones, Henryk Kierzkowski. A Framework for Fragmentation［J］. Tinbergen Institute Discussion Paper,2001.
[6] Ronald Jones, Henryk Kierzkowski. International Fragmentation and the New Geography［J］. EIAS Working Paper，2003.
[7] Ronald Jones, Henryk Kierzkowski, Chen Lurong. What Does Evidence Tell Us about Fragmentation and Outsourcing［J］. HEI Working Paper，2004（8）.
[8] United Nations. Trade and Development Report［R］. New York and Geneva：UNCTAD，2002.
[9] 胡昭玲. 国际垂直专业化分工与贸易：研究综述［J］. 南开经济研究，2006(5).
[10] 江小涓，等. 全球化中的科技资源重组与中国产业技术竞争力提升［M］. 北京：中国社会科学出版社，2004.
[11] 利丰研究中心. 供应链管理：香港利丰集团的实践［M］. 北京：中国人民大学出版社，2003.
[12] 刘春生. 全球生产网络下新的国际分工格局［J］. 软件工程师，2007(1).
[13] 刘国平，范新宇. 国际垄断资本主义时代［M］. 北京：经济科学出版社，2004.
[14] 刘志彪，吴福象. 全球化经济中的生产非一体化［J］. 中国工业经济，2005(7).
[15] 卢峰. 产品内分工［J］. 经济学（季刊），2004(14).
[16] 孟庆民，李国平，杨开忠. 新国际分工的动态：概念与机制［J］. 中国软科学，2000(9).
[17] 孙文远，魏昊. 产品内国际分工的动因与发展效应分析［J］. 管理世界，2007(2).
[18] 田文. 产品内贸易的定义、计量及比较分析［J］. 财贸经济，2005(5).
[19] 魏浩. 中国对外贸易出口结构存在的问题［J］. 经济理论与经济管理，2007(10).
[20] 萧国亮，隋福民. 世界经济史［M］. 北京：北京大学出版社，2007.
[21] 徐康宁，王剑. 要素禀赋、地理因素与新国际分工［J］. 中国社会科学，2006(6).
[22] 杨国亮，张元虹. 论当代国际分工的深化及其对世界经济格局的影响［J］. 当代经济研究，2007(7).
[23] 杨益. 全球贸易救济的现状、发展及我国面临的形势［J］. 国际贸易，2007(9).
[24] 曾铮，王鹏. 产品内分工理论与价值链理论的渗透与耦合［J］. 财贸经济，2007(3).
[25] 张二震，马野青. 国际贸易学［M］. 南京：南京大学出版社，2007.
[26] 张二震. 全球化、要素分工与中国的战略［J］. 新华文摘，2005(22).

[27] 张幼文. 要素集聚：中国在全球化经济中的地位 [N]. 文汇报, 2006-06-05.
[28] 中华人民共和国商务部. 中国服务贸易发展报告 2006 [M]. 北京：中国商务出版社, 2006.
[29] 黎峰. 全球生产网络下的国际分工地位与贸易收益——基于主要出口国家的行业数据分析 [J]. 国际贸易问题, 2015, (6).
[30] 顾国达, 任祎卓. 要素分工对国际经济周期传导的影响——来自中国与东亚 9 国（地区）间的经验证据 [J]. 国际贸易问题, 2016, (4).

第三章

世界市场

本章学习目标

1. 了解世界市场的内涵与演进过程。
2. 理解世界市场的运行机制。

◆【导入案例】

华为公司走向世界市场

谈及国内的高新技术企业,华为公司无论是从研发、产品创新、售后服务还是整个公司的运营,都已俨然成为国际化经营的典范。作为世界电信网络通信领域的巨头,2015年,华为实现销售收入608亿美元,同比增长37.1%,其中58%的销售收入来自于海外市场。

华为的成长史,是一部催人奋斗的历史。短短二十几年,华为由深圳一家不知名的做代工产品的小公司,成长为一家实力雄厚的国际大企业,成为中国民营企业打造世界级自主品牌的一面旗帜,赢得了世界的关注和认可。

华为公司成立于1987年,企业成立初期,华为只是生产用户交换机(PBX)的香港公司的销售代理。1995年,华为成功兼并上海中外合资贝尔通信企业,获得了具有知识产权的基础性品牌产品,开始了自主品牌的国际化之路。

在市场推进战略上华为采取了"先易后难"的产业布局,先进入发展中国家、后进入发达国家的渐进式国际化发展策略。因为发展中国家市场潜力巨大,中国也处于发展中国家行列,市场需求接近,能让自主品牌更好地融入到东道国的市场中去。同时,华为品牌在发展中国家的市场上站稳脚跟,并且在国际上有了良好的品牌形象后,再逐步将自主品牌渗透到发达国家市场。华为因此采用了迂回侧翼战略,选择了布局俄罗斯—亚非拉—欧洲—美国市场的线路。

1995年,华为启动了自主品牌国际化的艰苦漫长旅程,首选的区位市场是俄罗斯。1997年,华为在俄罗斯境内建立合资公司,利用本土化来降低企业进入的壁垒。然后,国际市场选择转向东南亚、中东和非洲以及拉丁美洲等发展中国家。1998年,华为通过参加重要发展中国家地区展会的机会,对该地区进行重点人员的长期投入,之后通过设立研发中心等方式进入发展中国家市场。2001年,华为通过合资方式,包括与3COM、西门子、松下等合作成立合资公司,进入发达国家市场,在稳定的发展中国家市场的基础上，步步渗透，各个突破。华为的自主品牌国际化市场布局很清晰，但走起来也非易事，华为的可贵之处在于能够坚持到底，并最终取得国际化的成功。

（资料来源：刘欣：《华为自主品牌产品走向世界市场的国际化战略及实施路径》，对外经贸实务，2016年第8期，第23-26页。）

人类社会进入21世纪以后，世界市场在经济、政治、军事等方面都出现了许多新的变化。一个突出的现象是美国在全方位构建自己的全球霸主地位，这与十多年前美国的状况截然不同。在20世纪80年代到90年代初期，一股"出售美国"的浪潮兴起，纽约曼哈顿岛上许多著名的不动产都卖给了日本人。而今天的美国公司、银行纷纷到韩国、日本等国进行并购，真是今非昔比。在未来的10~20年，随着各大洲经济和政治一体化的发展，洲际竞争的重要性将超越国家竞争的重要性。到那时，在世界市场上角逐的重心将在欧洲、美洲、亚洲和非洲这些大洲，以强国为核心的各大洲区域市场的竞争与合作将全面推动世界市场进入一个全球化的新时代[①]。

第一节 世界市场的内涵

一、世界市场的定义

世界市场是指世界范围内各国商品、劳务、资本、技术等交换的场所和机制。它是商品和货币关系在世界范围内发展的结果，与国际分工和国际贸易相适应，直接地反映世界各国商品交换的关系，间接地反映世界各国的生产和分配关系[②]。世界市场的概念有狭义和广义之分。狭义的世界市场是指通过对外贸易与国际分工将各个国家和地区的商品交换联系起来的世界各国市场的总体；广义的世界市场是指商品、劳务和资本等的国际流通场所，包括世界商品市场、世界服务市场和世界金融市场[③]。

世界市场主要包括三层含义：①世界市场是交换机制，是各国的国民价值转换为国际价值并实现价值增值的重要环节；②世界市场是由世界商品市场、世界劳务市场、世界金融市场、世界技术市场和世界信息市场等有机结合而成的市场体系；③就交换的规模来看，世界市场是囊括了世界各国的具有全球性的商品交换关系。

对世界市场含义的理解，需要特别注意以下两个方面：

（1）世界市场是一个动态和发展的概念。世界市场最初仅指世界商品市场，因为资本主义商品经济发展初期，世界流通领域只限于商品的国际交换。随着世界经济的形成和发展，特别是资本国际化之后，世界流通领域逐步演化为多个领域，除了商品市场之外，还包括国际货币市场、国际资本市场、外汇市场、国际技术市场、国际劳务市场等领域。

[①] 郑宝银：《世界市场的新特点与新格局》，国际贸易问题，2004年第3期。
[②] 庄起善：《世界经济新论》，复旦大学出版社，2009年版。
[③] 刘金质，梁守德，杨淮生：《国际政治大辞典》，中国社会科学出版社，1994年版。

（2）世界市场是在各国国内市场的基础上形成的，但世界市场并非各国国内市场的简单加总。两者之间既相互联系，又有所区分。第一，国内市场的形成是世界市场形成的前提，只有各国国内市场发展到一定程度，商品交换关系才有可能扩大到世界市场。但是，世界市场只包括各国国内市场中进入国际交换的部分，不包括国内市场中不作为国际交换的部分。第二，国内市场是一个国家内部交换关系的反映，而世界市场是以国家作为媒介并超越国家界限的商品交换关系的反映。正因为如此，国内市场受到各国政治与经济制度的制约和影响，而世界市场则受到世界各国政治与经济状况的相互牵制和影响㊀。

二、世界市场的分类㊁

世界市场是由十分复杂的相互关联而又相互区别的部分构成的。其中，不仅有各种类型的国家和地区、身份各异的买方和卖方，还有难以数计的商品和纷繁多样的购销方式。相应地，世界市场可以按不同标准进行分类。

按地区划分，世界市场可分为西欧市场、东欧市场、北美市场、南美市场、中东市场、东亚市场、南亚市场、东南亚市场、西非市场等。

按重要程度，世界市场可分为世界主要商品市场和次要商品市场。主要商品市场是国际贸易大量、集中进行的场所；次要市场是相对主要市场而言的，是规模稍小一些的交易场所。例如，世界天然橡胶的主要市场是东南亚市场，尤其是新加坡橡胶交易所。非洲的尼日利亚和利比亚虽然也生产并出口天然橡胶，但数量都很少，所以不能认为这些国家是主要市场。

按商品种类，世界市场可分为生产资料市场和消费品市场。而生产资料市场又可进一步分为制成品市场（如机器设备、机床、工业装置、工具、成套设备等）和原料、半成品市场（如石油、煤炭、天然气、黑色和有色金属、矿砂、铁钒土和其他矿产品、化学原料、化肥等）；世界消费品市场也可细分为生活必需消费品市场（如衣服、鞋、食品等）和耐用工业消费品市场（如电视机、录像机、电冰箱、家具、小汽车等）。

第二节 世界市场的演进过程

一、世界市场的萌芽㊂

世界市场萌芽于 16~17 世纪。"地理大发现"以前，人们对世界的认识是很不全面的，因此当时只有区域性市场，还没有世界市场。在各个区域性市场之间，产品的价格是不统一的，即使在一个国家的不同市镇之间，同种产品的价格也可能会有很大差异。例如，在中世纪的英国，在两个相隔只有十几英里的城市里，小麦的价格可以相差 40%。一个国家只有在形成统一的民族市场之后，才可能逐步形成统一的国内市场价格。当然，这并不意味着全

㊀ 苏杭：《世界经济学》，科学出版社，2009 年版。
㊁ 张二震、马野青：《国际贸易学》，南京大学出版社，2003 年版。
㊂ 资料来源：http://course.shufe.edu.cn/course/gjmyx/dzjc/chapter1/4_1.htm。

国各地的价格完全相同，而是指全国各地通过国内市场的流通使各地的价格维持一种动态的平衡。

"地理大发现"为世界市场的产生和形成奠定了基础。欧洲航海事业的发展，使各个区域性的市场不断扩大范围，并使各个区域性的市场彼此联系起来。于是，亚洲、美洲、非洲、大洋洲的许多商品都开始到欧洲市场上来了，而其他地方对欧洲国家的各种产品，特别是工场手工业产品的需求也增加了。这导致国际贸易额的迅速增加，并开始形成了世界市场。欧洲各国为了争夺市场而展开激烈竞争，最终大西洋沿岸的一些城市取代了原来地中海沿岸的一些城市，成为当时世界市场的中心。里斯本、安特卫普、阿姆斯特丹、伦敦变成具有世界商业意义的大都市。与世界性的贸易相适应的海上运输、银行、保险公司、交易所和股份公司相继出现。这时候在世界市场上交易的商品大多数是奢侈品，占支配地位的是商业资本，它对开拓市场和资本的原始积累起了很大的作用，并促使封建主义生产方式向资本主义生产方式过渡。我们把这一时期看作是世界市场的萌芽期。

二、世界市场的发展

世界市场在资本主义生产方式确立时期得到了空前的发展。从18世纪60年代到19世纪中叶，随着英国、法国等国先后完成了产业革命，建立起大机器大工业生产，各国日益被卷入世界市场网，从而使资本主义制度日益具有国际的性质。这时，世界市场主要表现在：世界各国都被纳入资本主义国际分工体系；世界各国的产品都被纳入世界商品流转范围；有了为世界市场服务的现代交通运输（如海洋轮船、铁路）和通信工具（如电报、电话等）。可见，正是在机器大工业建立、社会生产力发展、资本主义生产方式占统治地位的情况下，真正意义上的世界市场才发展起来。

三、统一的世界市场形成⊖

产业革命以后的100年间，世界市场已有了很大的发展，但一直到19世纪中叶，世界市场上还只有英国处于支配地位。西欧、北美诸国属于刚开始工业革命的阶段。这些国家刚刚开始大修铁路，使本国的内地和国际市场更紧密地联系起来。而从全世界的角度看，资本主义生产关系对于像中国等亚洲大陆的国家来说才刚刚开始，此时还不能认为统一的世界市场已经完全形成。到19世纪末20世纪初，资本主义进入垄断时期，才可以认为最终形成了统一的、无所不包的世界市场。其标志为：

（一）帝国主义列强已把世界瓜分完毕

20世纪初，全球任何一个国家或地区都已处在资本主义生产关系的支配之下。欧洲一些国家和美国在19世纪中期开始的新科技革命中迅速地发展了自己的生产力，使生产力水平开始接近最早实现工业化的英国。到19世纪末20世纪初，美国、德国的经济实力已超过英国。这些发达资本主义国家进入垄断阶段以后，加强了资本输出。为了保证本国产品的销售市场和原料产地，帝国主义纷纷掠夺殖民地，在世界上划分势力范围。到20世纪初，世界上已经没有什么国家和地区可以脱离世界市场进行经济活动了。

⊖ 资料来源：http：//course.shufe.edu.cn/course/gjmyx/dzjc/chapter1/42.htm。

（二）多边贸易、多边支付体系的形成

19 世纪末，随着国际分工的发展，西欧大陆各国和美国这些发达国家从不发达的国家和地区进口的农产品和原材料越来越多，而不发达国家和地区从西欧大陆工业国和美国进口的数量则相对较少，因而欧洲大陆的工业国和美国对不发达国家有大量的贸易赤字。与此同时，英国因实行自由贸易政策，从西欧大陆工业国和美国输入的工农业产品持续增长，出现了英国对这些新兴工业化国家的贸易赤字。当时世界上不发达国家和地区进口的工业品，有很大一部分来自英国，因此又存在着不发达国家和地区对英国的贸易赤字。这样就出现了对多边支付的需求。英国需要用其对不发达国家的贸易顺差来弥补对西欧大陆和美国的贸易逆差；不发达国家和地区需要用它们对西欧大陆工业国和美国的贸易顺差来弥补其对英国贸易的逆差；西欧大陆工业国和美国则需要用它们对英国贸易的顺差，来弥补对不发达国家和地区的贸易逆差。由于英国作为一个老牌资本主义国家，在海外有大量的投资收入需要汇回，它的航运业、银行业、保险业每年也要从世界各地赚得大量收入，这就使当时的英国成为世界多边贸易、多边支付体系的中心，伦敦因此而成为国际金融中心。这使得国际贸易参与国都可以在伦敦完成国际之间债权债务的清偿，有助于资本输出和国际间的资金流动。

（三）国际金本位制度的建立与世界货币的形成

世界市场与世界货币是密切相关的，两者相互促进、相辅相成。所谓世界货币，是指在世界各国都能通用的、担任一般等价物的商品。它为参与世界市场的人们所接受。早期的世界货币是黄金和白银并用，是一种复本位制。1816 年，英国过渡到单一的金本位制。但国际金本位制的建立则是在 1873—1897 年。当时，欧洲许多国家和美国、日本等主要资本主义国家纷纷放弃复本位制而采用单一的金本位制。到 20 世纪初，世界上大多数国家都实行了金本位制。国际金本位制的好处在于：它使世界市场上各国货币价值的相互比较有了一个尺度，并使各国货币之间的汇率保持稳定；它给世界市场上各国的商品价格提供了一个互相比较的尺度，使人们很容易把商品价格从用一种货币表示转换为用另一种货币表示，有利于把各国的价格结构联系在一起。这个国际金本位货币制度使当时的多边支付体系顺利发挥作用，是世界市场机制的一个重要组成部分。

（四）各国均受世界市场行情变化的影响

19 世纪末 20 世纪初，世界上已形成了许多大型的商品交易所，不少地方举办的博览会把世界各地的客商及产品汇集到一起。这一切都使世界各地的同类产品的价格有趋于一致的倾向，形成了许多产品的世界市场行情。这有利于航运、保险、银行及各种机构的健全，以及交通设施和运输工具的进一步完善。并且，人们通过长期的实践，已在世界市场上大体形成了一整套有利于各国贸易往来的规则和惯例，保障了国际贸易的顺利进行。这一切都使世界市场的各个部分紧密结合在一起，各国的进出口贸易，无不受到世界市场行情变化的影响。

四、当代世界市场发展的主要特征

第二次世界大战后，随着第三次科技革命的兴起，世界政治经济形势发生了巨大的变化，世界市场的发展也随之出现了一些新的特征。

(一) 世界市场的容量迅速扩大

世界市场容量的扩大主要表现在三个方面：①世界市场参与主体的扩大。"二战"后半个多世纪以来，资本主义强国之间没有发生大规模战争，原殖民地和半殖民地国家纷纷独立，并与众多发展中国家一道，逐步建立起市场经济体制，甚至原奉行计划经济体制的多个社会主义国家也转变为市场经济体制。所有这些，使得世界市场的范围第一次在全球大体一致的市场经济体制的基础上扩大到了全世界⊖。②各国卷入世界市场的深度也在增加。深度增加的表现为各国对外贸易额占其国内生产总值的比重，即外贸依存度有升高的趋势。自1980年以来，世界各经济体的对外贸易依存度都有显著的提升趋势：1980年，世界对外贸易依存度为38.81%，进入21世纪上涨尤其迅速，截至2015年世界整体对外贸易依存度为55.96%；发展中经济体的对外贸易依存度一直在高位徘徊，2005年还上涨到73.41%的程度，2005年之后开始下降；转型经济体与发展中经济体类似，2000年对外贸易依存度高达78.24%；发达国家的对外贸易依存度在近30多年来，一直处于较为平稳的增长趋势，截至2015年，达53.18%，仅仅略低于世界整体的对外贸易依存度（见图3-1）。③国际贸易的方式也呈现多样化。战后的各国间贸易除了传统的商品贸易之外，还在国际之间开展多种形式的资金、技术、服务等合作和联合投资，共同开发生产各种新产品，开发新市场已屡见不鲜。国际经济合作形式的多样化促进了国际贸易方式的多样化，补偿贸易、来料加工贸易、租赁贸易等新的贸易形式在战后得到很大发展。

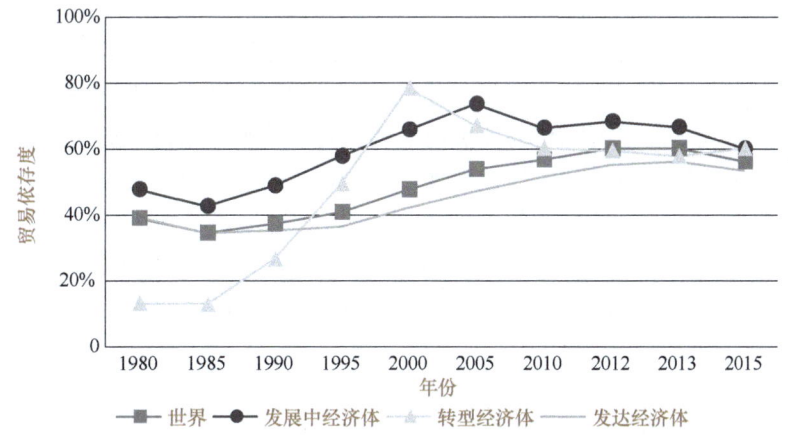

图 3-1　各经济体对外贸易依存度的变化趋势（1980—2015年）
（资料来源：UNCTAD, Handbook of Statistics On-line。）

(二) 世界市场的商品结构发生重大变化

由于第二次世界大战后国际分工格局的变化，国际贸易商品结构也发生了相应的变化。1937年，初级产品的比重约为63.3%，但是其后逐步下降，到2007年，在世界出口贸易中的份额仅为14.4%；而工业制成品的比重得到了突飞猛进的发展，1937年比重仅占36.7%，2007年在世界出口贸易中的比重已经达到71.9%，成为主要的出口商品。截至2015年，国际贸易商品中初级产品份额回升到25.3%，工业制成品份额也回落到了71.4%（见表3-1）。

⊖　郭宝宏：《世界市场：变化、原因、启示》，世界经济研究，1998年第3期。

造成上述现象的原因主要有：①科学技术的发展、产业结构的变化使制造业的发展速度高于世界农业、矿业的发展速度。②产品内分工的发展，使得国际贸易中的中间产品大大增加。③发达资本主义国家推行农业保护政策使农产品贸易受到限制。④合成代用品的大量出现。⑤原料使用率的提高与废料回收和利用能力的加强⊖。这些因素都导致了世界市场的商品结构发生了根本性的变革。

表3-1　初级产品和工业制成品在世界出口贸易中的比重（%）

年份 项目	1937①	1955①	1960①	1970①	1990②	1995②	2001③	2003③	2007④	2010⑤	2011⑤	2012⑤	2013⑤	2014⑤	2015⑤
总计	100.0	100.0	100.0	100.0	100.0	100.0	100.0	100.0	100.0	100.0	100.0	100.0	100.0	100.0	100.0
初级产品	63.3	51.0	45.0	42.6	26.0	22.5	18.9	22.5	14.4	29.1	30.2	30.3	31.0	29.7	25.3
工业制成品	36.7	49.0	55.0	55.1	71.1	74.7	78.0	74.5	71.9	66.8	66.2	65.9	65.4	66.5	71.4
其他	—	—	—	1.0	2.9	2.8	3.1	3.0	13.7	4.1	3.6	3.8	3.6	3.8	3.3

① P.L. 耶茨：《对外贸易四十年》；联合国贸易与发展会议：《国际贸易与发展统计手册》，1989年。
② 联合国贸易与发展会议：《国际贸易和发展统计手册》1991年，1995年。
③ 《国际统计年鉴2003》，中国统计出版社，2004年。
④ 世界银行数据库：《出口货物构成》，2008年。
⑤ 《国际统计年鉴2013》《国际统计年鉴2014》，中国国家统计局。

（三）国际服务贸易发展迅速

第二次世界大战后的科技革命和经济高速增长，在加深国际分工的同时，也使各种生产要素在国家间的流动加强。于是，国际服务贸易迅速发展起来，不但传统的服务贸易项目，如银行、保险、运输等随着国际贸易发展而发展，其他的服务项目，如国际租赁、国际咨询和管理服务、国际旅游等也得到了快速发展，服务贸易的增长速度大于同期商品贸易的增长速度。服务贸易的出口额从1980年的0.4万亿美元上升到了2015年的4.83万亿美元，2015年是1980年的12倍，服务贸易的进口额从1980年的0.45万亿美元上升到了2015年的4.73亿美元，2015年是1980年的10.5倍，2015年服务贸易占商品贸易的比重已经达到29%（见表3-2）。

表3-2　世界服务贸易进出口额的变化趋势（1980—2015年）

（单位：万亿美元）

年份 项目	1980	1990	2000	2010	2011	2012	2013	2014	2015
服务出口（1）	0.40	0.83	1.52	3.91	4.43	4.55	4.82	5.14	4.83
商品出口（2）	2.05	3.50	6.45	15.25	18.33	18.46	18.99	18.98	16.61
比重：（1）/（2）（%）	19	24	24	26	24	25	25	27	29
服务进口（3）	0.45	0.88	1.52	3.82	4.29	4.44	4.70	5.04	4.73
商品进口（4）	2.09	3.61	6.65	15.38	18.35	18.48	18.82	18.86	16.57
比重：（3）/（4）（%）	21	24	23	25	23	24	25	27	29

（资料来源：UNCTAD, Handbook of Statistics On-line。）

⊖ 张锡嘏、唐宜红：《国际贸易》，对外经济贸易大学出版社，2008年版。

（四）世界市场的区域化趋势增强

世界各国经济联系日益加强，有一部分国家通过结成地区性经济集团，在一个区域的范围内追求更加紧密的国际经济联系。于是，在一个世界市场的范围内，存在许多跨国家的区域性市场。这些地区性经济集团，对内实行程度较高的自由贸易，对外则实行一定程度的歧视或排斥，如欧盟、北美自由贸易区等就是这样的区域经济一体化组织。全球有 174 个国家和地区至少参加了 1 个区域贸易协议[1]，这些国家或地区中，平均每个国家或地区参加了 5 个区域贸易协议，最多的一个国家参加了 29 个区域贸易协议[2]。

第三节 世界市场的运行

一、世界市场上的商品流通渠道[3]

商品流通渠道是指商品由各国生产领域进入他国消费领域所采取的购销形式。按照这种购销业务形式的不同，世界市场可分为有固定组织形式的市场和无固定组织形式的市场。

（一）有固定组织形式的市场

有固定组织形式的世界市场是指在特定地点按照一定组织规章进行的交易。这种市场主要有商品交易所、国际商品拍卖、博览会和展览会等。

1. 商品交易所

商品交易所是指根据货样进行大宗批发交易的场所。交易所中通常没有商品，买卖时无须出示和验看商品，而是根据规定的标准和货样进行交易。成交是在交易所制定的标准合同的基础上进行的。

早在 17 世纪，阿姆斯特丹就出现了第一个商品（粮食）交易所。商品交易所发展的原因主要有：大宗商品生产的增长；世界市场的扩大；农产品（投放在市场上的一定牌号的标准化农产品）生产和初级加工技术的进步。海上运输的发展和电报、电话的普及，增强了交易所在国际贸易中的作用。同时，交易所中进行的期货交易，有利于生产者转移风险、套期保值，使生产者免受市场价格风险的干扰而安心生产，保证再生产过程的正常运行。由于交易所同时集中大量的商品，因此可根据商品的供求情况确定交易所价格。这使得交易所在国际贸易中具有调节价格的作用。世界性的商品交易所，每天开市后的第一笔交易的成交价格（即开盘价）和最后一笔交易的成交价格（即收盘价）以及全天交易中的最高、最低价格，均被刊载于重要报纸上，作为市场价格动态的重要资料。后来，交易所价格即交易牌价，成了交易所以外进行交易的依据。随着垄断的加强，商品交易所作为世界贸易中心和价格"调节器"的作用在下降，但从世界市场上商品流通的绝对额来看，交易所的作用仍然

---

[1] 区域贸易协定（Regional Trade Agreement，RTA）是一种具有法律效力、贸易自由化程度较高的区域经济合作形式。其核心是通过取消成员之间的贸易壁垒，创造更多的贸易机会，促进商品、服务、资本、技术和人员的自由流动，实现区内经济的共同发展。区域贸易协定从低级到高级大致有六种形式：特惠贸易安排、自由贸易区、关税同盟、共同市场、经济同盟和政治经济一体化。目前，绝大多数区域贸易协定是自由贸易区，只有欧盟、南方共同市场等少数区域经济一体化组织超越了这个阶段，并在向更高阶段迈进。

[2] 资料来源：世界银行数据库。

[3] 张二震、马野青：《国际贸易学》，南京大学出版社，2003 年版。

不小：在交易所进行交易的商品仍有 50 多种，约占世界出口贸易额的 15%~20%，交易所价格仍然是交易所外交易的价格依据。

在交易所买卖的商品，往往具有同质性，即特征一样、质量相同。它们主要有：有色金属、谷物、纺织原料、食品和油料等。

在交易所进行的商品买卖，基本上可分为实物和期货交易两种。实物交易是进行实际商品的买卖活动，合同的执行以卖方交货、买方收货付款来进行。实物交易可以是现货交易，也可以是未来交货。后者是指对正在运输途中或需经过一定时间后才能装运的货物进行的交易。期货交易是一种按期货合同达成交易后，远期进行交割（执行）的交易。期货交易合同的执行可以交付实物来进行，但更多的却是买定卖定的投机性业务或套期保值业务。目前，商品交易所中的交易有 4/5 是期货交易。

最大的交易所贸易中心是纽约和伦敦。在纽约商品交易所进行有色金属、橡胶、咖啡、食糖、可可、棉籽油、棉花等商品的交易。在伦敦商品交易所进行可可、咖啡、椰干、毛皮、橡胶、食糖等商品的交易。

随着国际生产专业化程度的提高，交易所中的商品交易也日趋专业化。例如，伦敦最初的皇家交易所是综合性的，包括各类商品，后来分立各种专业性交易所。

目前，各种商品交易所贸易的主要贸易对象和贸易中心是：有色金属——伦敦、纽约、新加坡（锡）；天然橡胶——新加坡、伦敦、纽约、吉隆坡；可可豆——纽约、伦敦、巴黎、阿姆斯特丹；谷物——芝加哥、温尼伯、伦敦、利物浦、鹿特丹、安特卫普、米兰；食糖——伦敦、纽约；咖啡——纽约、新奥尔良、芝加哥、亚历山大、圣保罗、孟买；棉籽油——纽约、伦敦、阿姆斯特丹；黄麻——加尔各答、卡拉奇、伦敦；净毛——纽约、伦敦、安特卫普、墨尔本；大米——米兰、阿姆斯特丹、鹿特丹；豆油和向日葵——伦敦；生丝——横滨、神户。

2. 国际商品拍卖

国际商品拍卖是指经过专门组织的、在一定地点定期举行的现货市场。在这种市场上，通过公开竞购的方式，在事先规定的时间和专门指定的地点销售商品。这些商品预先经过买主验看，并且卖给出价最高的买主。在拍卖交易中，出售的商品具有单批的性质，它不能代替成批的名称相同的商品。这是因为这些商品的质量、外形、味道有所不同。因此，在拍卖前，买主须进行验看。事先验看是拍卖贸易的必要条件，因为在商品拍卖以后，无论是拍卖的举办人还是卖主，对商品的服务都不接受任何索赔（隐蔽缺点除外）。

进入拍卖市场交易的商品大多具有不易标准化、易腐不耐储存、生产厂家众多或需经过较多环节才能逐渐集中到中心市场等特点。例如，毛皮、原毛、鬃毛、茶叶、烟草、蔬菜、水果、花卉、观赏鱼类、热带木材、牲畜（主要是马）。其中，拍卖是国际市场上销售毛皮、原毛、茶叶和烟草交易最重要的方式。例如，通过国际拍卖出售的毛皮占美国和加拿大总出售额的 70%，占瑞典和挪威的 95%；通过国际拍卖出售的茶叶占印度茶叶总出售量的 80%，占斯里兰卡的 95%。

拍卖交易过程大约可以划分为以下几个阶段：

（1）准备阶段。在这一阶段，卖方按照拍卖举办人（如拍卖行）的要求，将拍卖物运至指定的仓库，由拍卖举办人对拍卖物进行分类、分级、分批（件），以备逐批（件）拍卖。拍卖举办人将货物情况印制成拍卖目录，列明商品的种类、各批的批号和件数、拍卖的次序以及详细的拍卖条件，在举行拍卖前的 10 天左右送交竞购者。买方得到目录后，持目录到仓库听取商品介绍，抽检、验看拍卖物。

（2）成交阶段。在规定的日期和指定地点，拍卖举办人举行拍卖活动，按照拍卖目录的次序逐批（件）对货物进行拍卖。拍卖通常通过叫价（即喊价和还价）的方式进行。叫价的方式一般有增价、减价和密封递价三种。增价拍卖又可分为买方叫价和卖方叫价。**买方叫价**是由拍卖举办人首先宣布底价，竞购者根据拍卖条件所规定的加价额竞相叫价，当他们停止继续提高叫价时，拍卖人即将货物售与出价最高者，这种方式又称为有声拍卖；卖方叫价由举办人根据卖方意图逐步提高叫价，竞购者用某种约定的手势表示接受，当价格高到只有一个竞购者时，即为成交，这种方式又称为无声拍卖。**减价拍卖**又称荷兰式拍卖，其特点是举办人先喊出最高价，然后逐步降低喊价，直至有人接受为止。密封递价拍卖又称投标或拍卖，它不属公开喊价竞购，而是由拍卖举办人根据买方的投标价择优成交。因这种方式夹杂许多竞争外因素，故不常使用。拍卖举办人在进行拍卖活动时，从法律意义上讲是卖方代理，应对所拍卖货物负责，有义务为卖方获得最高价格；而击锤成交后，举办人则代表买方签署文件，这时其转而成为买方的代理，替买方对商品负责。

（3）交货阶段。拍卖成交后，买方应开立认购书或正式签订合同，并缴付部分货款。一般要求买方在成交后数日内按照仓库交货的条件，限期到指定仓库凭提货单或栈单提货并付清其余货款。

进行拍卖的商品一般都有自己的拍卖中心。在全世界，毛皮和毛皮原料的国际拍卖每年进行150多次。水貂皮的主要拍卖中心是纽约、蒙特利尔、伦敦、哥本哈根、奥斯陆、斯德哥尔摩、圣彼得堡；羊羔皮的主要拍卖中心是伦敦和圣彼得堡；羊毛拍卖的最重要中心是伦敦、利物浦、开普敦、墨尔本和悉尼；茶叶的主要拍卖中心是伦敦、加尔各答、科伦坡、科钦；烟草的主要拍卖中心是纽约、阿姆斯特丹、不来梅、卢萨卡；花卉的主要拍卖中心是阿姆斯特丹；蔬菜和水果的主要拍卖中心是安特卫普和阿姆斯特丹；马匹的主要拍卖中心是多维尔、伦敦、莫斯科。一些产品的拍卖中心有向产地转移的特点。例如，原毛的拍卖逐渐从伦敦转移到生产地点进行。茶叶拍卖的中心也从伦敦转移到茶叶产地进行。例如，印度通过加尔各答和科钦的拍卖出售的茶叶占全国茶叶销售总量的70%，通过伦敦拍卖的只占30%。

3. 博览会和展览会

博览会是定期地聚集在同一地点、在一年中的一定时候和规定期限内举行的有众多国家、厂商参加的展销结合的市场。其目的是使博览会的参加者能够展出自己产品的样品，显示出新的成就和技术革新，以便签订贸易合同，发展业务联系。博览会又称国际集市。

工商业展览会不同于博览会，是不定期举行的。其目的是展示一个国家或不同国家在生产、科学和技术领域中所取得的成就，促成会后交易。

按展览会举办的方法，可分为以下几种：短期展览会、流动展览会、长期样品展览会、贸易中心和贸易周。

国际博览会和展览会在市场中的地位日益重要，它为买卖双方了解市场、商品和建立联系提供各种有利条件，成为签订贸易合同的重要场所。

国际博览会和展览会发展的特点是：数量继续增加，展览面积扩大，专业化程度加强，机器和设备在展览会展品中的比重显著增加。

发达国家在举办国际博览会和展览会方面占有重要地位。仅德国、英国、美国、法国和意大利所举办的博览会和展览会就约占全部国际博览会和展览会的 2/3。其中，占重要地位的是下述地方的博览会：德国的汉诺威、法兰克福、莱比锡；法国的巴黎、里尔、里昂、波尔多；奥地利的维也纳；比利时的布鲁塞尔；瑞典的哥德堡；意大利的帕多瓦、米兰、的里雅斯特；荷兰的乌得勒支；日本的东京；加拿大的温哥华；新西兰的惠灵顿；澳大利亚的悉尼。

随着发展中国家的经济发展，其举办的国际博览会的作用也有所增强。其中，大型的博览会举办地有：叙利亚的大马士革；利比亚的黎波里；加纳的阿克拉；印度的马德拉斯；摩洛哥的卡萨布兰卡；智利的圣地亚哥等。

东欧国家组织的国际博览会主要有：克罗地亚的萨格勒布；匈牙利的布达佩斯；波兰的波兹南；保加利亚的普罗夫迪夫等。

中国除了有选择地参加上述博览会外，还从 1957 年起在广州定期举办交易会。目前，中国规模和影响较大较成形的交易会有广交会、哈尔滨的夏季交易会、上海的华东出口商品交易会等。

【专题】

中国进出口商品交易会（广交会）

1. 广交会简介

中国进出口商品交易会，又称广交会，创办于 1957 年春季，每年春、秋两季在广州举办，迄今已有 56 年历史，是中国目前历史最长、层次最高、规模最大、商品种类最全、到会采购商最多且分布国别地区最广、成交效果最好、信誉最佳的综合性国际贸易盛会。

广交会出口展区由 48 个交易团组成，有来自全国 24000 多家资信良好、实力雄厚的外贸公司、生产企业、科研院所、外商投资/独资企业、私营企业参展。

广交会以进出口贸易为主，贸易方式灵活多样，除传统的看样成交外，还举办网上交易会，开展多种形式的经济技术合作与交流，以及商检、保险、运输、广告、咨询等业务活动。

2. 历史沿革

（1）突破封锁禁运，扩大对外交往。新中国成立不久，对外交往增加，工业化进程加快，急需外汇进口设备与生产资料，却遭到西方国家的全面经济封锁、贸易禁运。1956年，国家外贸部（今商务部）、广东省尝试举办了全国出口商品展览会，获得成功。之后，首届中国出口商品交易会于 1957 年 4 月 25 日至 5 月 25 日在广州举办。从此，中国与世界的贸易打开了一扇新的窗口。

（2）围绕开放大局，担当改革先锋。广交会始终围绕中国改革开放的大局、围绕中国对外经济贸易发展战略而发展创新，在推动中国外贸增长方式转变过程中充当"排头兵"。

计划经济时代，全国只有 8 家进出口总公司以及上海、天津、广州等地为数不多的几家公司能够从事进出口贸易业务，出口产品数量不多、结构单一。

改革开放之后,封闭的市场环境不复存在,广交会不断与国际贸易对接、融入世界经济潮流。20世纪80年代,广交会打破外贸专业总公司垄断局面,吸纳各类企业参展,实现参展企业多元化;90年代,广交会结束专业总公司组团历史,实行各省市组团参展,并不断完善为"省市组团、商会组馆、馆团结合、行业布展"。

中国加入 WTO 后,越来越多的企业获得了外贸经营权,迫切希望利用广交会便捷的渠道,获得开展对外贸易的机会。2002年春,第91届广交会大胆改革,实行"一届两期、分期举办"。此后,广交会的摊位迅猛扩展,从8153个增加到15676个。第115届广交会展位已增加到59708个。

(3) 增加进口职能,致力实现双赢。从第101届开始,广交会的全称"中国出口商品交易会"更名为"中国进出口商品交易会"。从此,广交会将从单一出口交易平台转变为进口和出口双向交易平台。这是中国实施互利共赢的开放战略和实现进出口基本平衡的重要举措,将有效发挥广交会在扩大进口方面的作用,吸引更多的海外企业和国际知名品牌商品参展。

3. 发展情况

广交会自1957年创办以来,已连续举办了121届。每届成交额从几千万美元增加到几百亿美元,成为举世瞩目的"中国第一展"。

从到会采购商人数来看,1957年,第一届广交会只有1000多采购商参加,而到1971年的秋季,采购商人数突破1万。到2000年秋季,又突破10万。第115届广交会境外采购商到会18.8119万人,来自214个国家和地区。2016年第120届广交会展位总数达60250个,境内外参展企业24553家。可见,广交会的规模不断扩大,影响也不断增强。

从成交金额来看,1957年,广交会春、秋两季总成交金额8700万美元,此后迅速增加。1989年,广交会全年成交额突破百亿美元大关。第120届广交会累计出口成交额559.74亿美元。总的来说,广交会成交金额发展速度惊人。自1957年创立以来,60年中只有16年出现负增长(2010年秋交会数据缺失,2年无法计算增长率),且幅度不大;其余年份全年成交额均为正增长,有的年份增幅很大,如1958年高达221.3%、2004年高达107.4%。

4. 广交会的重要意义

数十年来,广交会充当中国出口贸易的主力。20世纪70年代,广交会每年出口成交额占全国外贸出口总额40%以上。广交会迄今累计洽谈成交额达到5183亿美元。

此外,中国产品快速实现换代、升级、转型,广交会起到了不可替代的引导作用。第86届广交会,机电产品成交量首次超过轻工工艺品,居第一位;第99届广交会,机电产品成交额占总成交额的比例高达四成;第95届广交会,首次设立品牌展区,设立保护知识产权机构,鼓励企业自主创新,促进外贸增长方式的转变,推动"中国制造"向"中国创造"转变。

(资料来源:广交会官网。)

(二)没有固定组织形式的世界商品市场

除了有固定组织形式的世界市场以外,通过其他方式进行的国际商品贸易都可以纳入没有固定组织形式的世界商品市场。这种市场大致可以分为两类:一类是单纯的商品购销形式；另一类则是与其他因素结合的商品购销形式。

1. 单纯的商品购销形式

单纯的商品购销形式是指买卖双方不通过固定的市场进行的单纯买卖。其原则是买卖双方自由选择交易对象，对商品的规格、数量、价格以及付款条件进行谈判，谈判可通过面谈、电话与电报进行，在相互同意的基础上签订合同，据以执行。

它是世界市场最通行的购销形式，可随时随地进行。

2. 与其他因素结合的商品购销形式

这种形式主要有补偿贸易、加工贸易和租赁贸易等。

（1）补偿贸易。补偿贸易是与信贷相结合的一种商品购销形式。其方式就是买方在信贷基础上从卖方进口机器、设备、产品、技术或劳务，然后用商品与劳务支付货款。

补偿贸易的方式大致有三种：①买方以进口的设备开发和生产出来的产品去偿还进口设备的货款，称为回购（或返销）。②买方不用上述商品，而是用双方商定的其他产品或劳务偿付货款，称为互购。③除上述两种补偿办法以外，买方对进口设备的货款还可以部分用商品补偿，部分用现汇支付，此为部分补偿；也有第三方参与，负责接受、销售补偿产品或提供补偿产品，此为多边补偿。

在第二次世界大战前，资本主义经济大危机以后，一些欧洲国家开始采用补偿贸易。第二次世界大战后，补偿贸易开始盛行。补偿贸易之所以得到发展，在于贸易双方都可以从中得到好处。对于进口方来说，可以在外汇资金不足的情况下，引进国外比较先进的技术设备、管理经验，提高自己的生产技术水平，扩大生产规模，另外还可以利用对方的销售渠道，开辟本国产品的国际市场，扩大产品的出口；而对于出口方来说，采用补偿贸易方式可以推销自己多余的机械设备，缓和商品和资金的过剩，还可以借此取得比较廉价的"回头"产品或原材料。但是，如果返销商品是原出口方市场上竞争比较激烈或者需占用原进口方出口额度的，则贸易双方较难达成协议。

（2）加工贸易。加工贸易是把加工与扩大出口或收取劳务报酬相结合的一种购销方式。其方式主要有三种：①来料加工。来料加工就是甲国家按照乙国家的要求，把乙方国家商人提供的原料、辅料加工后，把成品交给乙方，收取加工费用。②进料加工。进料加工就是进口原料进行加工，把成品销往国外，它又称为"以进养出"。③来件装配。来件装配就是甲国商人向乙国厂商提供零件与元件，由乙国厂商装配，再交给甲国商人，收取装配费。进料加工与来料加工的区别是：前者是自进原料，自行安排加工和出口，自负盈亏；后者是按提供原料商人的要求进行加工。前者的原料与出口没有必然联系，两国商人之间是买卖关系；后者则密切相关，双方是委托加工关系。

（3）租赁贸易。租赁贸易是把商品购销与一定时间内出让使用权相联系的购销方式。它是指出租人把商品租给承租人在一定时期内专用，承租人要付与出租人一定数量租金。租赁贸易依租期分为：长期租赁（3～5年或15～20年）；中期租赁，又称租用（1～2年）；短期租赁（几小时到1年）。其中，长期租赁比较盛行。

租赁贸易在20世纪50年代起源于美国，其后不断发展。现代租赁主要以企业为主，租赁的商品通常是标准的工业设备和产品，如工厂、成套设备、筑路机械、起重运输设备、航空发动机、船只、飞机、汽车、集装箱、电子计算机等。

与直接购买商品相比，租赁贸易具有如下优点：由于承租人实际上只是购买使用权，可以节约直接购买商品本身的资金,又可使用比较先进的机器和运输等设备;可以缩短供货期限,解决季节性或急需性的生产设备;由于出租人始终对商品拥有所有权,故承租人往往不负责租用商品的维修与保养,还可避免因设备快速更新而遭受的无形磨损。

二、世界市场上的商品销售渠道[一]

商品销售渠道是指商品从生产者到消费者手中所要经过的路线。一国的出口商品要想顺利地到达外国消费者手中,就必须选择适宜的商品销售渠道,以节约企业推销所需的人力、物力,缩短商品的销售时间,并分担销售过程中可能遇到的各种风险。

1. 世界市场商品销售渠道的构成与类型

世界市场上的商品销售渠道通常由三部分构成:第一部分是出口国国内的销售渠道,包括生产企业或贸易企业本身;第二部分是出口国与进口国之间的销售渠道,包括双方的中间商;第三部分是进口国国内的销售渠道,包括经销商、批发商和零售商。

常见的世界市场商品销售渠道类型见表3-3。

表3-3 常见的世界市场商品销售渠道类型

序号	出口国	进口国
1	出口企业→	→国外顾客
2	出口企业→出口商→	→进口商→国外顾客
3	出口企业→中间商→出口商	→进口商→零售商→国外顾客
4	出口企业→中间商→出口商	→批发商→零售商→国外顾客
5	出口企业→中间商→出口商	→进口商→批发商→零售商→国外顾客
6	出口企业→中间商→出口商	→零售商→国外顾客
7	出口企业→	→零售商→国外顾客

表3-3中,第1种类型是国内企业自行出口,到进口国直接卖给顾客。例如,企业接受国外顾客的直接订货,向其直接发货。第2种类型是出口企业避开中间商,直接交给出口商出口到进口国,进口国进口商也避开中间商直接卖给顾客。这种类型多用于大宗商品交易,因为其买主与卖主都比较集中,交易难度不太大,而且此类商品一般有统一的世界市场价格,不宜太多的中间商插手分享利润。第3、4、5种类型大半适用于消费品的销售。为便于销售,多使用中间商,但使用中间商数目的多寡视商品而定。第6、7种类型一般适用于出口国与进口国的大百货公司、超级市场、连锁店等的贸易。

2. 进口国销售渠道的参与者

一个国家进口一种商品后,在国内大致要经过进口商、批发商和零售商等几个环节,最后到达消费者手中。

(1)进口商。进口商是进口国与国外出口者直接打交道的购买者。发达国家的大企业在出口时,往往愿意在有销售业务的地区设立分支机构或联号,从事直接经营,以节约流通费用,及时了解市场动向。而发达国家的中小企业和发展中国家的众多企业,却很难在国外

[一] 张二震、马野青:《国际贸易学》,南京大学出版社,2003年版。

组织起客户网和消费网进行直接推销,因此,不得不借助于国外进口商。

按照对进口货物是否拥有物权,进口商可以分为以下两类:

1)进口兼批发商。这类进口商在进口货物以后,将货物存入仓库,然后再向下面的渠道进行分销。这种进口商因为需要买断货物,取得物权,因而大多资金雄厚,并有自己的客户网,在市场上有一定影响力,经验比较丰富,信誉也好,很少出现违约现象。与这类进口商打交道一般比较放心,不少初涉国际市场的企业,出于稳妥,多与之打交道,借助他们的渠道将自己的商品介绍到对方市场。

2)订货公司。订货公司大多只是代客向国外订货,他们一般在国外有较广泛的业务联系,可以找到供货渠道,在国内也有比较固定的客户网,接受委托代办进口。客户委托订货公司订货时,需要自付货款、自办投保。订货公司既不承担货款责任、商品风险,也不取得物权,其正常收入只是向国内外客户收取一定比例的佣金。订货公司由于长年专营订货交易,对国际市场情况熟悉,是西方国家广泛存在的正规商业机构,信誉一般都比较好。

(2)批发商。批发商有两种情况:一类是向进口商订货,另一类则兼营进口,直接向国外订货。批发商订货后,要自办一切进口手续,如支付货款、取得货物所有权、办理报关等,最后将货物存入自备或租用的仓库,分配给自己的客户网(二级批发商或零售商)。

批发商负担的费用和风险比进口商或零售商都要大。他们除支付进口货款外,还负担着直至将货物分配到自己客户手中的费用,以及大部分的推销费用(如广告费等)。这些费用虽然最终会通过零售商转嫁到消费者头上,但批发商至少要承担一段时间的货款和利息费用。因此,批发商的资金实力必须比较雄厚,并且有相当的经营能力。

(3)零售商。在销售渠道中,零售商直接与最终顾客打交道,最了解商品、市场及消费者的状况,因此,正确选择使用零售渠道非常重要。

零售商之间差异悬殊,有的拥有亿万资产,实行全球经营,分号遍布世界,经营的商品无所不包;有的则是小本买卖,勉强维持。概括起来,世界市场上的零售商大抵有百货公司、连锁商店、超级市场、专业商店、邮购商店、折扣商店、摊商等。一般认为,耐用消费品(又称选购商品)应进入百货公司、连锁商店或专业商店;而日常消费品(又称便购商品)则应充分利用超级市场等零售商家,以便消费者就近购买。不同的零售渠道应实行差别经营,以免"撞车"。

三、世界市场的运行机制⊖

1. 价格机制

价格机制是世界市场运行的重要机制之一。价格机制不仅促进了商品的国际流动,而且还调节着世界经济利益在各国间的分配。首先,世界市场的价格机制把商品的国别价值统一为世界价值,把国别价格转换为世界价格。其次,与国内市场一样,世界市场的商品交换依然要求遵循等价交换的原则。再次,世界市场的价格机制是世界各国经济利益分配的重要渠道。由于各国劳动生产率及其他条件的差异,各国同种、同量产品的要素投入量各不相同,因而生产成本也不相同。按照等价交换的原则,就会出现价值从劳动生产率低的国家转移到劳动生产率高的国家。最后,世界市场的供求关系引起价格围绕均衡价格上下波动,对调节

⊖ 姚小远、马亚华:《世界经济概论》,华东师范大学出版社,2012年版。

各国、各产业间的资源配置也产生积极的作用。

2. 资本收益率机制

市场经济追求利润最大化，也就是追求资本高收益率。各国资本收益率的差异是引起资本跨国流动的基本动因，也是世界市场运行的重要机制。一般来说，资本相对充裕的国家，资本收益率相对较低；资本相对稀缺的国家，资本收益率相对较高。收益率的差异使资本从收益率低的国家流向收益率高的国家，流动的结果使各国资本供求发生变化。利率低的国家由于资本流出，资本收益率随之上升；利率高的国家由于资本流入，资本收益率随之下降。资本收益率机制促进了资本的国际流动，调节了资本的供求关系，提高了资本的利用率。

3. 关税税率机制

税收是一国财政收入的重要来源，也是调节经济的重要手段。关税以其征收目的的不同，可划分为财政关税和保护关税。财政关税以增加财政收入为主要目的，占比重较小；保护关税以保护本国经济为主要目的，占比重较大。关税税率的高低，直接影响着一国和世界进出口商品的成本和价格的高低，进而影响着进出口商品的市场占有率。不同商品的不同关税税率，直接影响着进出口商品结构的变化。因此，关税税率机制对世界市场的运行和各国经济的发展起着重要作用。

4. 汇率机制

汇率即一国货币单位兑换他国货币单位的比率。各国的外汇汇率受通货膨胀、国际收支状况以及黄金外汇储备情况等因素的影响，波动较大。在浮动汇率制下，汇率的变动是世界市场商品和资本流动的重要机制。如果一国国际收支为顺差，因外汇供过于求，会引起该国对外汇率上浮；反之，如果一国国际收支为逆差，因外汇供不应求，会引起该国对外汇率下浮。这不仅会引起资本的国际流动，也会引起国际商品价格的变动和进出口。在一般情况下，本币对外汇率上浮，会使本国商品价格相对提升和外国商品价格相对下降，有利于进口而不利于出口；反之，本币对外汇率下浮，则有利于出口而不利于进口。由于汇率变动造成的影响大都会通过商品和资本的国际流动表现出来，因此各国为实现本国宏观经济目标和促进对外贸易的发展，总是要确定目标汇率、通过汇率变动的机制达到预期的目的。

5. 资源配置机制

由于国家的存在，资源在国际的配置要比一国内部困难得多。国际资源的配置主要是通过世界市场上的商品和资本的国际流动实现的。一方面，世界市场的国际商品交换和资本流动会促使一国国内资源向利润率较高或出口创汇的外贸部门移动。这种资源转移直接增加了国内某部门的资源量，间接增加了世界范围内这一部门的资源总量。尽管资源不一定或并未进行跨国移动，但这种转移过程却实现了资源在世界不同部门之间的重新配置。另一方面，每个国家都使用自己相对丰裕的资源进行生产并出口，同时进口自己急需的、对方国家用其相对充裕的资源生产的产品，从而使得资源间接在世界范围内流动，使资源得到充分、有效的利用。因此，世界市场的国际交换可以在一定程度上缓解资源不能在国家间自由流动的困难，弥补了国际生产要素分布不均匀的缺陷。

6. 传导机制

世界市场的传导机制是指某些经济现象（如景气、衰退、失业和通货膨胀等）通过国际贸易和国际金融渠道从一个国家传导和传递到另一个国家，并对该国经济产生作用的过程。一般说来，一个国家的对外开放程度越高，同世界市场的联系就越紧密，其国内经济受世界市场的影响就越大。当世界市场供求及价格、汇率等出现较大幅度的波动时，该国国内与世界市场有直接联系的开放部门或地区自然会首当其冲地受到影响，其产品价格将上涨或下降，产量将增加或减少，经济将加速或停滞。进而，上述变化又将通过这些开放部门或地区传递给国民经济的其他部门，从而使整个国民经济都受到世界市场的影响。

复习思考题

1. 如何理解世界市场更多的是经济概念而不仅仅是地理概念？
2. 试分析世界市场的演进过程。
3. 当代世界市场的主要特征是什么？

参 考 文 献

[1] 郑宝银. 世界市场的新特点与新格局 [J]. 国际贸易问题, 2004(3).

[2] 张二震, 马野青. 国际贸易学 [M]. 南京: 南京大学出版社, 2003.

[3] 姚小远, 马亚华. 世界经济概论 [M]. 上海: 华东师范大学出版社, 2012.

[4] 郭宝宏. 世界市场: 变化、原因、启示 [J]. 世界经济研究, 1998(3).

[5] 余建华. 世界市场和科技革命: 经济腾飞的两个巨轮——世界经济强国盛衰的历史启迪 [J]. 世界经济研究, 2004(7).

[6] 朱丽君, 阎孟伟. 世界市场、世界历史与全球化 [J]. 新视野, 2003(3).

[7] 王海英. 对现代世界市场发展趋势的探讨 [J]. 学术交流, 2003(3).

[8] 冯志轩. 国际价值、国际生产价格和利润平均化: 一个经验研究 [J]. 世界经济, 2016, 39(8).

[9] 张宁. 创新优化政策手段，积极应对进出口下滑——当前我国对外贸易形势分析与对策建议 [J]. 国际贸易, 2016 (3).

第四章

世界经济格局

本章学习目标

1. 了解世界经济格局的形成和演变。
2. 理解世界经济发展的不平衡及其原因。
3. 把握世界经济格局的新变化。

◆【导入案例】

2050 年世界格局将会发生怎样的变化？

2017 年 2 月，普华永道发布了最新的经济研究报告《长远前景：2050 年全球经济排名将会如何演变？》。报告指出，到 2050 年，全球经济力量从传统先进经济体向新兴经济体转移的趋势将会持续，从长期来看，新兴市场国家将会持续增加在全球 GDP 的比重，即便近期有部分国家的经济表现参差不齐。

报告预测，到 2042 年，全球经济总量将会翻一番，2016—2050 年的年均经济增长率为 2.5%。报告认为，增长动力大部分源于新兴市场及发展中国家。未来 30 多年，七大新兴市场经济体（E7，Emerging market economies）即中国、巴西、印度、印度尼西亚、墨西哥、俄罗斯、土耳其的年均经济增长率将达 3.5%，但七国集团（G7）即美国、英国、加拿大、法国、德国、意大利及日本的年均经济增长率将只有 1.6%。

2008 年金融危机以来，发达国家经济形势不如从前，美国经济前景不容乐观。

报告提到，中国将在未来 30 年超越美国，成为世界最大经济体。作为世界第一大和第二大经济体，中美之间存在紧密的经济纽带，两国的经济表现始终为全球瞩目。

报告认为，中国到 2050 年将会实现中等平均收入水平；而印度则因为基数较低，预期平均收入水平仍会处于中低水平。到 2050 年，中国人均 GDP 将达到 4 万~5 万美元。

报告预期，到 2050 年，E7 国家平均收入水平将仍然低于 G7 国家，但两者之间的差距会逐步收窄。

据国家统计局数据，2015 年中国人均 GDP 约合 8016 美元。业内人士表示，现在到 2020 年的这段时间，被认为是中国能否跨越中等收入陷阱的关键时期。

第二次世界大战以来，美国一直是世界的超级大国，到 2050 年世界经济格局将发生怎样的变化？是如预测所言，还是呈现一超多强的格局？抑或是多极、三极、两极的格局？

（资料来源：http://finance.sina.com.cn/roll/2017-02-11/doc-ifyamkra6940581.shtml。）

世界经济格局是指在一定历史时期内，世界各国或国家集团在世界经济领域内相互作用、相互影响而形成的一种相对稳定的结构和状态。其核心内容是：在这一特定的历史时期内，各主要国家或国家集团之间的经济实力的对比关系和支配别国经济乃至世界经济的能力配置情况[1]。

要成为世界经济格局的主角，应当具备三个条件：①必须具备强大的经济力、科技力、资源力；②必须具备强大的竞争力；③必须具备适应世界经济发展的能力。世界经济格局是世界各国或国家集团的实力对比变化的结果；而世界经济格局一旦形成，反过来也势必将影响世界经济格局的主角以及整个世界经济的发展；同时，世界经济格局也必然会随着各国力量对比的变化而发生变化[2]。

第一节　世界经济格局的形成和演变

世界经济作为一个历史范畴，是人类社会不断发展的产物。随着人类社会经历了15世纪末16世纪初的"地理大发现"、18世纪后半期的第一次科技革命、19世纪60年代的第二次技术革命，世界经济也经历了萌芽时期、初步形成和最终形成三个阶段，并随着人类社会的不断发展而处于进一步的发展过程中。

当世界经济不断向前发展时，世界经济格局也随之形成和不断演变，充当世界经济领域主角的国家，在相互作用和相互影响中形成了世界经济结构和态势，即形成世界经济格局。自世界经济形成以来，不平衡性一直是世界经济发展中不可避免的内在规律。世界经济格局中心的转移大体经过了16世纪以西班牙、葡萄牙为中心，到17世纪以荷兰为中心，18世纪中叶至19世纪中叶以英国为中心，19世纪末至20世纪60年代末以美国为中心，再到20世纪70年代美国、日本、欧共体三足鼎立的局面出现，世界经济朝着多极化方向发展，最后随着发展中国家的崛起，世界经济格局中出现新力量。

16世纪，西班牙、葡萄牙是最早通过开辟新航线和开展殖民扩张，掠夺大量财富，而最先变得强大起来的。但由于自身原因，西班牙、葡萄牙并没有使财富转化为资本，而逐渐衰落。17世纪中叶，号称"海上马车夫"的荷兰依据有利的地理位置，大力发展航海事业，进行转手贸易，进而逐渐强大，成为当时最发达的资本主义国家。荷兰的首都——阿姆斯特丹是世界贸易中心，也是国际信贷中心。但在"英荷战争"失败后，荷兰逐渐衰落。代之而起的英国拥有世界上最为广阔的海外殖民地，并最先开始和完成工业革命，较早确立了君主立宪的资本主义制度。从18世纪中叶到19世纪中叶，英国独霸世界经济格局中心地位整整100年的时间；但是到了19世纪70年代，随着第二次工业革命的开展，保守思想逐渐拖累了英国的发展，美国的工业生产超过英国成为世界第一。尤其是在第一次世界大战后，美国借其远离战场，并通过大发战争横财而成为资本主义世界经济霸主，到第二次世界大战后，成为世界政治经济霸主，形成了从19世纪末到20世纪中叶的美国单极经济格局。随着日本、欧共体的崛起和发展，到20世纪70年代，美国的霸主地位逐渐丧失，形成了美国、

---

[1] 黄海波：《世界经济学》，复旦大学出版社，2010年版，第127页。
[2] 崔日明、刘文革：《世界经济概论》，北京大学出版社，2009年版，第22页。

日本、欧共体三足鼎立的格局，世界经济格局朝着多极化方向发展。在世界经济的不断发展过程中，发展中国家也开始崛起。"金砖国家""金钻十一国"等发展中国家不断发展并参与到世界经济格局中，成为新的力量，推动和促使当前世界经济格局朝着多极化发展。本节将主要介绍以英国为中心的世界经济格局、美国的崛起以及第二次世界大战后世界经济格局的多极化发展。

一、以英国为中心的世界经济格局

17世纪中叶，荷兰是当时世界上最发达的资本主义国家。享有"海上马车夫"称号的荷兰依据有利的地理位置，通过发展航海事业及进行转手贸易而逐渐变得强大。然而，17世纪50~70年代，英国为了建立海上优势和争夺殖民地，对荷兰发起了三次战争，即"英荷战争"，最终战胜荷兰。这标志着英国已取代荷兰的海上霸主地位。同时，英国通过始于18世纪60年代，完成于20世纪上半叶的两次工业革命，最终形成其独霸世界经济格局的中心地位。

第一次工业革命首先发生于英国新兴的棉纺织业，从18世纪60年代开始至19世纪70年代。在这期间，出现了许多重要的机器发明，如"飞梭"纺布机、珍妮纺纱机、水利以及蒸汽机。其中，蒸汽机的发明和应用不仅推动了纺织工业向机器工业过渡，而且也推动了冶金业和采煤业的技术革新。这场以蒸汽机的发明和应用为标志的工业革命，完成了从工场手工业向机器大工业的过渡。同时，机器大工业的发展，也为国际分工体系和世界市场的开拓奠定了基础。正如马克思和恩格斯所说："大工业建立了由美洲的发现所准备好的世界市场。"⊖但此时，世界上的许多国家仍然处于与世隔绝的状态，商品经济和资本主义生产方式的发展并不成熟，并且世界各国的主要经济联系以商品交换为主，资本的国际流动还很有限。因而，这时的世界经济只是初步发展阶段。第二次工业革命从19世纪70年代开始，以电的发明和应用为主要标志。在这次工业革命中，资本主义国家的生产力得到了突飞猛进的发展，资本主义生产方式向世界渗透，世界经济也在这个时期最终形成。

通过工业革命，英国在世界工业生产和国际贸易中的地位一跃而起。1820年，英国工业生产总额占世界工业生产总额的一半。从19世纪初到19世纪70年代的几十年间，英国在世界工业、贸易、海运和金融方面都处于垄断地位。此时，英国既是世界各国工业制成品的主要供应者，又是世界各国出口原料的最大购买者，成为"世界工厂"，并形成以英国为中心的单极世界经济格局。英国成为世界经济中心的表现为：英国是世界工厂；英国是世界上最大的殖民帝国；英国在国际贸易中占据独家垄断地位；英国是最早的资本输出国和国际金融中心⊖。

英国之所以能够崛起并成为世界经济中心，还有另外一个原因，即自由市场经济体制的确立和不断完善。持续的经济增长有赖于自由竞争的经济制度。自由经济体制的确立和发展推动了英国经济的崛起，从而使其成为第一个世界性的强国。

虽然在工业化早期，英国主要奉行重商主义，采取鼓励出口、限制进口的经济政策。但

⊖ 中共中央马克思恩格斯列宁斯大林著作编译局：《马克思恩格斯文集（第二卷）》，人民出版社，2009年版，第32页。

⊖ 崔日明、刘文革：《世界经济概论》，北京大学出版社，2009年版，第23页。

随着工业化进程的不断加快，英国政府开始改变传统经济政策，转而实行自由市场经济制度。19世纪初，英国政府陆续废除一些有悖自由竞争原则的政策措施，并积极主张自由贸易。例如，1846年废除了旨在维护土地贵族特殊利益的《谷物法》；1849年摒弃了实行了200余年的《航海条例》，开放航运市场，英国的自由市场经济体制得到了充分的发展；随后在1853年，英国又在《预算法案》中取消了123种货物的进口税，降低了另外133种货物的进口税，并规定半成品和原料免税进口，即使工业品的进口税也不超过10%。自由主义经济政策的颁布和推行，为英国自由市场经济制度的确立奠定了重要的基础，而自由竞争的经济制度又成为工业革命爆发的先声。这些都促使形成了以英国成为中心的单极世界经济格局[1]。

二、美国的崛起

在1914—1918年发生的第一次世界大战后，欧洲各国不论是战胜方还是战败方，都遭受了巨大的损失，国力遭到严重削弱。世界经济中心在第一次世界大战后向美国转移，并且随着资本主义国家经济政治不平衡的发展，又导致了1939—1945年的第二次世界大战。交战方在人力、物力、财力各方面均遭到极大损失，美国本土远离战场，避免了战争的直接破坏。由于战争的刺激，美国经济反而得到很大发展。1938—1944年，美国国民生产总值从852亿美元增加到2114亿美元，增长了1倍多，工业生产增长1.67倍，美国农业生产机械化也基本完成，农业产量和劳动生产率得到了很大提高。"二战"后，美国取得了经济上的压倒性优势，形成了世界经济的新格局[2]。

美国在"二战"后主要通过如下步骤夺取了世界经济霸权[3]：

1. 在国际金融领域，建立了以美元为中心的国际货币体系

1944年7月，在美国的新罕布什尔州布雷顿森林召开了有44国参加的国际货币金融会议，通过了《联合国家货币金融会议最后决议书》，以及《国际货币基金协定》和《国际复兴开发银行协定》两个附件，总称"布雷顿森林协定"。1945年12月，国际货币基金组织和国际复兴开发银行（世界银行）在华盛顿成立，美国凭借资金优势保证了对两个国际金融机构的控制。"布雷顿森林协定"建立了以美元为中心的国际货币体系，实际上是一种国际金汇兑本位制。其包含两个基本要素：一个是美元与黄金的自由兑换；另一个是美元与其他货币的固定汇率制。这就意味着美元成了主要的国际储备货币，可以替代黄金作为国际支付手段，确立了美元在"二战"后资本主义世界金融领域的中心地位。

2. 在国际贸易领域，缔结了以贸易自由化为基本原则的《关税与贸易总协定》

1947年10月29日，美国、英国、法国等23个国家在日内瓦签署了《关税及贸易总协定》（GATT）。该协定旨在逐步削减关税及其他贸易障碍，取消国际贸易中的歧视待遇，促进生产、贸易的繁荣。《关税及贸易总协定》连同"布雷顿森林协定"，形成了一个以外汇自由化、资本自由化和贸易自由化为主要内容的多边经济体制，客观上为资本主义世界经济贸易创造了一个自由贸易的环境，从而推动了战后国际贸易和世界经济的发展，同时也为美

---

[1] 温俊萍：《经济视野中的大国崛起——基于荷兰、英国和美国的经验》，史林，2008年第4期。

[2] 韩石：《论二次世界大战后世界经济格局的变化和发展趋势》，甘肃社会科学，1993年第5期。

[3] 《战后世界经济格局的演变》，http://edu.sina.com.cn/exam/2006-07-23/161747386.html。

国的对外经济扩张提供了便利，为美国在经济领域谋取全球霸权地位起了巨大的作用。

3. 实施"马歇尔计划"和扶植日本

1947年6月，美国国务卿马歇尔提出了"欧洲复兴方案"，即"马歇尔计划"。1948—1951年，美国向西欧16个国家提供了总额为130多亿美元的援助，帮助西欧各国渡过了难关，促进了西欧经济的恢复，同时也加强了资本主义世界之间的联系；此外，"马歇尔计划"使大量美国资本和商品打入了西欧市场，加强了对西欧国家政治和经济的控制，把西欧纳入了美国对苏联"冷战"的战略轨道。

在亚洲，1949年美国为日本制定了复兴经济的"道奇路线"，向日本提供了大量贷款和援助，同时迫使日本在经济上对美国开放，为美国控制日本打下了基础，从而进一步确立了美国的经济领导权。

4. 实行"第四点计划"，推行新殖民主义政策

1949年1月20日，杜鲁门在其连任就职演说中提出了援助和开发落后地区的"第四点计划"。该计划的实质是在给不发达国家以技术援助和投资的"幌子"下，加强对外经济扩张，控制不发达国家中的受援国，是一种新殖民主义政策。

5. 实施两个"安全网"

美国通过多边或双边的共同军事安全条约体系，在向西欧和日本提供"军事安全网"的同时，还建立了"经济安全网"。其核心内容是美国向西方国家提供稳定的美元和自由兑换制度、开放的市场与自由贸易制度以及廉价的石油稳定供应制度。这种做法，既增强了西方盟国的经济安全感，又使西方盟国完全接受美国的领导地位。

6. 对社会主义国家实行经济技术封锁，遏制社会主义的发展

1948年6月26日，美国总统杜鲁门宣布管制对苏联的物资输出。1949年11月12日，在美国的提议下，15个西方国家成立了旨在对社会主义国家进行禁运和贸易限制的"巴黎统筹委员会"，导致了东西方经济关系的隔绝。1951年8月28日，美国国会又通过《共同防御援助管制法案》，通称"禁运法案"，使得几乎所有西方国家都对社会主义国家实行封锁禁运。

三、第二次世界大战后世界经济格局多极化发展

世界格局多极化是指一定时期内对国际关系有重要影响的国家基本经济政治力量相互作用而朝着形成多极格局发展的一种趋势。从20世纪中期到20世纪70年代中期，世界经济基本进入一个快速发展阶段，但由于各国经济发展的不平衡性，主要国家的经济实力对比在20世纪70年代后出现了明显的变化，使世界经济格局发生了新变化。

"二战"后初期，美国在经济实力上有着巨大的优势和强大的实力，位居世界第一。但从20世纪70年代起，美国的经济地位出现了明显的下滑趋势，经济增长率低于大多数西方国家。到1975年，美国工业产值、出口贸易、黄金外汇储备所占的世界比重分别降至39%、13%、27%。从1971年开始，美国的外贸连续出现大额逆差。同一时期，美国因军费开支猛增又使政府的财政赤字急剧上升。"双赤字"严重影响了美元的地位，导致美元危机，西方各国放弃与美元的固定汇率，象征着美元霸权地位的布雷顿森林体系瓦解，表明了美国经济霸权地位的动摇⊖。

⊖ 崔日明、刘文革：《世界经济概论》，北京大学出版社，2009年版，第28页。

随着美国的相对衰落，欧共体和日本成为资本主义世界新的经济中心。第二次世界大战后，在美国的扶植下，日本的经济得到恢复和重建。20世纪50年代中期到70年代中期，是日本经济高速增长期。到20世纪80年代，日本人均产值超过美国，在国际贸易、技术发展和金融等方面都突飞猛进，成为对美国最具挑战性的经济强国。而"二战"后初期的欧洲，也在美国的援助之下，经济很快得到恢复。1949年时，其工业产值就恢复到了战前水平。西欧还通过建立欧洲经济共同体，推进国家间的经济联合，逐渐摆脱了战后初期依赖美国的境地，在经济上的独立性明显增强，工业生产总值、外汇储备、外贸出口均占世界第一位，远远超过美国。而苏联在20世纪60年代经济实力也有很大增强，成为世界第二经济大国。因而，形成了美国、欧洲、日本、苏联四极抗衡的局面。进入20世纪90年代，苏联解体，经济力量迅速分散并严重削弱，俄罗斯也离开了世界大国的行列，从而导致了世界经济形成三极格局，即美国、欧共体、日本三大经济中心鼎足而立并相互抗衡㊀。

进入20世纪70年代后，美国在世界经济中的霸主地位大大动摇，世界经济向多极化方向发展的主要表现有：

（1）以美元为中心的国际金融体系在20世纪70年代初受到了巨大冲击，美国丧失了世界经济霸主地位。美国为了维持其霸权地位和"冷战"的需要，负担了沉重的经济援助和军费开支。因此，美国的国际收支状况从20世纪60年代初开始不断恶化，国际市场多次出现美元危机。尼克松政府改变经济政策，于1971年8月和1973年3月两次宣布美元贬值。自此，西方各主要国家的货币同美元的比价由固定汇率制变为浮动汇率制，标志着"布雷顿森林体系"的瓦解，战后以美元为中心的国际货币体系最终崩溃。这标志着战后美国世界经济霸主地位的丧失。德国的马克、日本的日元继美元之后成为国际货币。

（2）美国、欧共体、日本资本主义世界经济三大经济中心确立。由于资本主义经济发展不平衡规律的作用，在20世纪70年代美国经济相对衰落的同时，西欧国家和日本经济却得到了高速发展，美国称霸的局面开始演变为美国、欧共体、日本三足鼎立，资本主义世界三大经济中心确立。西欧从1951年建立煤钢共同体起步，到1967年欧洲共同体正式成立，经济得到巨大发展。终于在20世纪70年代末，欧共体的经济实力超过了美国。日本经济在20世纪60年代高速增长，成为美国越来越难对付的竞争对手。到20世纪70年代初，日本更是一跃成为资本主义世界第二经济大国。在贸易方面，西欧、日本与美国的矛盾和摩擦愈演愈烈。1971年，美国首次出现贸易逆差；1985年，美国从世界上最大的债权国变成了最大的债务国。1975年举行的第一次西方首脑会议是三足鼎立局面形成的一个重要标志。

（3）"二战"后苏联经济地位的变化。由于"二战"前社会主义工业化的坚实基础，"二战"后苏联经济得到了较快恢复和发展。到20世纪70年代初，苏联已经成为世界强国之一，尤其在重工业和国防工业方面取得了巨大的成就。但是由于长期以来相对封闭，到20世纪80年代初，苏联经济陷入了停滞、衰退的境地。1987年，其世界第二经济大国的地位被日本所取代。

㊀ 范跃进：《世界经济概论》，山东人民出版社，2012年版，第35-36页。

（4）新兴工业化国家和地区的崛起。20 世纪 60 年代中期以后，东亚、拉美崛起了一批新兴工业化国家和地区，经济快速发展，成为推动世界经济朝着多极化发展的新兴力量，其中的代表包括有"亚洲四小龙"之称的韩国、新加坡和我国香港、台湾地区，以及拉美的巴西、阿根廷和墨西哥等国家。21 世纪以来，以中国为代表的发展中国家的崛起对世界经济格局产生了深刻的影响。发展中国家的崛起对世界经济格局的影响表现在：①崛起的发展中国家，尤其是"金砖国家"（BRICs，即巴西、俄罗斯、印度、中国、南非）属于经济规模庞大、经济体系完善和门类齐全的国家，且多分布于亚洲、欧洲、非洲、南美洲，影响遍及全球，加快了世界经济多极化进程；②发展中国家的经济实力持续增强，在国际经济格局中的地位和影响力不断上升，有助于促进国际经济秩序合理化；③随着经济实力和综合国力增强，发展中国家进一步提高了其在国际政治事务中的影响力，推动着国际政治经济格局多极化㊀。

第二节　世界经济发展的不平衡性

世界经济发展的不平衡性是指世界各国经济增长、经济发展水平和生产力发展水平的不平衡。不平衡性是经济发展的必然规律之一，世界经济也不例外。世界经济作为一个有机整体，其各个部分本身有着不同的经济基础，并且在发展的过程中，经济的发展速度也是不平衡的。在发展速度与发展质量上都存在着差别，因此，整个世界经济的发展会呈现不平衡性。这种不平衡性是始终贯穿于世界经济发展的一个规律，但是，在不同的发展阶段和历史时期有不同的表现。发展的不平衡性会带来各个国家之间的冲突和矛盾，导致世界局势不稳定，因而世界经济发展的不平衡性十分值得人们关注㊁。

一、世界经济发展不平衡性的内容㊂

世界经济发展的不平衡性是世界经济发展的重要特征之一。其具体内容主要是指世界经济发展水平的不平衡、机会的不平衡和国际环境的不平衡三个方面。

1. 世界经济发展水平的不平衡

世界经济发展水平的不平衡是世界经济发展不平衡性的首要内容。由于不同国家发展的历史背景、经济增长基础、发展模式等存在差异，因而各个国家的发展水平存在差距，而这种发展水平的不平衡尤其表现在发达国家与发展中国家之间的差距上。历史上的每一次工业革命，都给资本主义国家带来了巨大的发展推动力，英国、美国、日本等资本主义国家一直处于世界的"中心"位置，拥有先进的科学技术和人力资本，并在制定国际经济的"游戏规则"中处于优势地位，并且这种优势地位会随着资本主义国家自身的不断发展和强大，得到进一步的巩固和发展。

2. 世界经济发展机会的不平衡

世界经济发展机会的不平衡是世界经济发展不平衡的最严重的问题所在。随着世界经济

㊀ 张幼文、李刚：《世界经济概论》，高等教育出版社，2010 年版，第 4 页。
㊁ 范跃进：《世界经济概论》，山东人民出版社，2012 年版，第 5 页。
㊂ 张幼文、李刚：《世界经济概论》，高等教育出版社，2010 年版，第 295-296 页。

的发展，大多数发展中国家都面临发展机会不平等的问题。例如，贸易条件恶化、贸易保护主义盛行、发展资金不足、引进先进科学技术困难等。在20世纪80年代，发展中国家与发达国家的距离明显拉大，同时经济区域化、集团化趋势的增强又对发展中国家形成了新的挑战。在科学基础和产业创造力方面，发展中国家处于十分不利的地位，与发达国家的差距悬殊。在科学技术突飞猛进的21世纪，发达国家在生物工程、科学技术、新材料、生命科学、航天航空等方面都有重大的突破和进展。

3. 世界经济发展国际环境的不平衡

世界经济发展国际环境的不平衡主要是指国际机制和国际秩序所形成的不平衡，进而在国际事务中主导权的不平衡。目前，世界上主要的国际经济秩序和国际调节机制有世界银行、国际货币基金组织和世界贸易组织。但是，这些国际组织无论是其规则制定还是实际运作，都更多地向发达国家倾斜，很少考虑到发展中国家由于历史问题或是经济资源分配不平衡问题而导致的相对落后现状，对发展中国家维护国际地位和国家利益都产生了不利影响。

二、世界经济发展不平衡性的表现

1. 发达国家与发展中国家之间的不平衡性[1]

发达国家与发展中国家之间的不平衡是世界经济发展不平衡最典型和最突出的表现。虽然在第二次世界大战以后，亚洲、非洲和拉丁美洲的发展中国家摆脱了帝国主义殖民体系的统治，但是，由于发展中国家和发达国家经济发展在基础上存在着巨大差距，对科技革命的技术成果的利用程度也不可同日而语，因而发展中国家和发达国家发展的不平衡性十分突出，即南北发展十分不平衡。

发达国家与发展中国家之间的不平衡性，主要体现在经济发展水平的不平衡。据世界银行《世界发展指数》报告显示，2008年，西方七国集团（G7）的人口占世界人口的11%，其国民总收入占世界国民收入的42.2%；东亚、南亚和太平洋地区的发展中国家的人口占世界人口的52%，而其国民总收入只占全世界国民总收入的21%[2]。到2015年，发达国家国民总收入占世界国民总收入的56.8%。

1970—2015年发达国家与发展中国家GDP比较见表4-1。

表4-1　1970—2015年发达国家与发展中国家GDP比较　（单位：亿美元）

年 份	世界GDP	发展中国家GDP	发达国家GDP	年 份	世界GDP	发展中国家GDP	发达国家GDP
1970	33995	5800	23692	1976	71608	14565	49755
1971	37424	6401	26285	1977	80571	16590	56112
1972	43034	7178	30510	1978	95448	19026	67447
1973	52346	8976	36952	1979	109875	22844	77308
1974	59285	11685	41111	1980	122737	29132	86384
1975	66268	13078	45971	1981	125295	28224	85881

---

[1] 《世界经济概论》编写组：《世界经济概论》，高等教育出版社，2011年版，第269-277页。

[2] The World Bank: World Development Indicators, April 2010, pp. 32-34。

(续)

年份	世界GDP	发展中国家GDP	发达国家GDP	年份	世界GDP	发展中国家GDP	发达国家GDP
1982	124356	28224	85881	1999	323617	66464	253908
1983	127588	27773	89217	2000	332993	72337	256900
1984	131289	28308	92879	2001	331326	71446	255467
1985	135023	27331	97783	2002	344742	73297	266452
1986	155656	26932	119391	2003	387426	81226	300026
1987	176186	29205	138105	2004	436334	94815	333250
1988	197120	33184	155206	2005	472648	111977	350079
1989	206325	36151	161397	2006	512131	130581	367917
1990	229514	40053	180683	2007	577425	156691	402863
1991	240723	42303	190039	2008	632617	182814	426948
1992	257474	46274	204332	2009	599729	179942	402456
1993	262033	50195	205336	2010	656450	216934	418425
1994	279468	53812	220096	2011	728071	253600	448399
1995	308602	60827	242338	2012	742219	269383	445228
1996	315105	66337	243399	2013	761763	285060	447741
1997	314013	69434	238977	2014	780371	298475	455784
1998	311670	65333	242196	2015	747531	303271	424914

(资料来源：UNCTAD数据库。)

2. 发展中国家之间的不平衡性

发展中国家之间的经济存在着不平衡性的主要原因是：各个发展中国家的历史发展过程、经济发展基础、发展政策都不尽相同，一些发展中国家抓住了发展机遇，实现了快速的发展，如一些新兴工业化国家和地区、新兴经济体，而另外一些国家则发展相对较慢，如撒哈拉以南的非洲地区。

新兴工业化国家和地区的主要代表是被誉为"亚洲四小龙"的韩国、中国台湾、中国香港和新加坡。从20世纪60年代开始，亚洲的新加坡、韩国以及中国香港和台湾地区推行出口导向型战略，重点发展劳动密集型的加工产业，在短时间内实现了经济的腾飞，一跃成为全亚洲最发达富裕的地区之一，它们也因此被称为"亚洲四小龙"。这四个成功发展的国家和地区，利用西方发达国家向发展中国家转移劳动密集型产业的机会，吸引了外国大量的资金和技术，迅速走上快速发展的道路。

新兴经济体一般是指20世纪80年代以来发展中国家新兴起的、走市场经济道路且蓬勃发展的国家和地区。它们较普遍地在制造业上呈现出较好的发展势头，但在高端产业和金融业上处于弱势，内在市场机制还有待完善。新兴经济体在发展模式上一般采用政府主导的市场经济体制⊖。最主要的新兴市场经济体代表是"金砖国家"。除了"金砖国家"外，还有一些其他的发展中国家也成为新兴经济体的重要组成部分，如"金钻十一国"（Next-11）。

⊖ 《世界经济概论》编写组：《世界经济概论》，高等教育出版社，2011年版第275页。

"金钻十一国"包括：墨西哥、印度尼西亚、尼日利亚、韩国、越南、土耳其、菲律宾、埃及、巴基斯坦、伊朗和孟加拉国。"金钻十一国"的概念是国际著名投资银行高盛公司提出的新概念。伴随全球经济的持续增长，有"金钻十一国"之称的各国市场正在逐步成为最具活力的经济体。根据高盛公司预测，"金砖国家"+"金钻十一国"的 GDP 总量在 2035 年可望超越七大工业国家，2050 年"金钻十一国"的 GDP 将与美国比肩。可见，"金钻十一国"将是继"金砖国家"后，又一吸引全球投资市场眼球的地区。

在众多发展中国家中，新兴工业化国家和地区及新兴经济体是发展起步较早、能够抓住世界经济发展机遇的国家。但是，目前仍有很多发展中国家，不论在经济增长速度还是在经济发展机遇上，都处于相对落后的位置。在国家类别分类中，1971 年联合国新增了"最不发达国家"一类，将 24 个联合国成员国列为最不发达国家。截至 2014 年，全世界经联合国批准的最不发达国家已增至 48 个，其中 34 个分布在非洲，9 个分布在亚洲，4 个分布在大洋洲，1 个分布在拉丁美洲。尤其是撒哈拉以南的非洲国家，仍然处于发展十分落后、较为贫困的发展困境中。

3. 发达国家之间的不平衡性

（1）发达国家之间的不平衡主要是指美国、欧盟和日本之间在不同的发展时期经济发展的不平衡。20 世纪 50 年代，由于第二次世界大战的爆发，西欧国家和日本在战争中受到沉重的打击，经济遭到严重的破坏，而美国却因战争得到迅速的发展，这时的西欧和日本都与美国在经济上产生了差距。但到了 20 世纪 60 年代，逐渐从战争中恢复的西欧，利用美国对其进行的援助的"马歇尔计划"，并发挥自身高素质劳动力优势，采用先进的科学技术成果以及制定恰当的经济发展政策，促进了经济复苏并持续繁荣。日本也在"二战"后进行了社会改革，推行非军事化政策，并利用美国对其的扶持，引进新的科学技术，发展教育和科学。到 1970 年，美国 GDP 占全球 GDP 的比重为 35.66%，欧共体和日本分别为 18.38% 和 7.06%，西欧和日本与美国的差距不断缩小。到了 20 世纪 80 年代，世界经济格局基本形成了美国、欧共体和日本三足鼎立的格局。到了 20 世纪 90 年代，美国重拾其在世界经济中的主导地位，同时西欧的经济实力有了进一步发展。2015 年，美国 GDP 占全球 GDP 比重为 23.98%，欧盟占 21.13%，日本仅占全球 GDP 的 5.46%。

（2）发达国家之间的不平衡性还反映在老牌发达国家同新兴发达国家之间的差距不断拉大。虽然新兴发达国家的经济增长速度一般要高于老牌发达国家，如 20 世纪 90 年代以来，澳大利亚、新西兰保持了较稳健的增长速度，1991—1997 年经济的实际增长率分别为 2.7% 和 2.8%，高于所有发达国家 2.6% 的年均增长率。但是，随着经济全球化和 IT 产业的迅猛发展，少数高度发达的先进工业化国家凭借其强大的经济实力和发达的科技水平，获得了更快的发展。例如，经济全球化和 IT 产业最大的受益国美国，从 20 世纪 90 年代以来的发展速度和水平，不仅把日本和德国远远抛在了后面，而且进一步拉大了同那些起步较晚的新兴发达国家之间的差距。1990 年，美国 GDP 是新西兰 GDP 的 132 倍。而到了 2004 年，这一差距则扩大到了 149 倍。到了 2015 年，这一差距缩小至 104 倍。可见，随着世界经济的不断发展，发达国家之间也存在着激烈的竞争，发展不平衡性一直存在。

三、世界经济发展不平衡的原因

世界经济发展不平衡的原因是多方面的，主要包括历史因素、各国经济体制的差异、科技水平的差距以及国际环境因素的影响等。

1. 历史因素

在世界经济不断演进的过程中,各个国家所经历的发展历程是不同的。发达国家得益于其早期的资本积累为其奠定的良好的发展基础;而发展中国家则作为发达国家的殖民地或半殖民地,长期处于落后的历史地位。所以不同的发展历史导致了世界经济发展的不平衡。

商品经济最早出现在西欧,并通过圈地运动、殖民掠夺等暴力手段进行资本的原始积累,促进了资本主义萌芽不断成熟和发展,并通过工业革命使资本主义得到飞跃式的发展。随着其对外殖民扩张的进行,英国、美国、日本等国家通过掠夺其他落后国家的资源,并将落后国家作为自己的销售市场,不断巩固和壮大本国经济,并通过这种历史延续性保留和维护了其目前在世界经济中的强势地位。

亚洲、非洲以及拉丁美洲等发展中国家在历史中或曾沦为资本主义列强的殖民地或半殖民地,或曾经历过长期的战争,或曾因自身封建势力闭关自守而阻碍了商品经济的发展等原因,成为西方列强的殖民和掠夺的对象,长期处于落后地位。

2. 各国经济体制的差异

经济体制是指体现社会生产关系性质的一定经济制度所采取的具体组织形式和管理制度⊖。经济体制作为资源配置的一种方式,采取何种方式进行资源配置,对一国的经济发展有着十分重要的作用。历史上主要存在两种经济体制,即计划经济体制和市场经济体制。

(1) 计划经济体制。计划经济体制的弊端是:资源配置忽视商品经济、价值规律和市场的作用,无法形成良好的经济运行机制;在分配上统收统支,平均主义严重,难以充分调动企业和劳动者的积极性;对外经济关系上基本上是闭关自守,脱离世界经济发展的潮流。虽然计划经济在一定历史条件下,对国民经济恢复和集中全国的物力、财力进行集中建设有相当的积极作用,但是在一国长期的发展中,忽视商品经济会对一国发展产生十分严重的阻碍作用。例如,20世纪二三十年代,苏联形成高度集中的计划经济体制,即斯大林经济体制模式。这种经济体制模式对于苏联发展基础工业,较快调整生产力布局,最大限度地集中全国的人力、物力、财力建设一些重大工业项目产生了积极的促进作用。但是,也需要清醒地认识到,这种高度集中的计划经济体制只适用于特定的历史时期。随着经济发展,这种计划经济体制的弊端日益明显,忽视客观的经济规律、资源配置效率低,使得经济发展越来越偏离了科学社会主义的轨道。

(2) 市场经济体制。在市场经济体制下,要求市场在资源配置中起基础性作用,使经济活动遵循价值规律,通过价格机制、竞争机制,合理地促进资源在市场上的自由流动,实现资源配置,保证各个经济主体之间的平等竞争。虽然市场经济也有自发性、盲目性、滞后性等无法避免的缺陷,但是在经济发展中,是不能忽略客观经济规律的。要适当地将市场经济体制与计划经济体制相结合,促进经济的发展。

从各国的发展历史来看,与发达国家相比,大多数发展中国家的市场经济体制并不健全,成熟程度相对较低。这就使得大多数发展中国家处于相对不利的地位,使世界经济发展不平衡加剧。

⊖ 宋涛:《政治经济学》,中国人民大学出版社,2011年版,第209-210页。

3. 科技水平的差距

科技发展水平是影响各国经济发展水平的重要因素，而科技水平的差距在发达国家与发展中国家之间表现得尤为明显。发达国家通过科技革命，抓住了十分有利的机会，掌握先进技术，调整本国产业结构，大力发展高新技术产业。而发展中国家由于教育落后和科技力量薄弱，缺乏必要的资金，很难利用科技革命的机会来实现技术产业的跨越发展，在历史进程上便逐渐落后于发达国家。随着发展中国家经济体制的改革、科技革命成果的普及，虽然东南亚地区发展中国家的发展速度已超过一些发达国家，但是从整体上看，发展中国家在科技水平、创新能力上，与发达国家的差距仍然十分明显。

对世界科研成果基本垄断的发达国家，通过跨国投资向发展中国家进行经济扩展，也加剧了发展中国家与发达国家之间的不平衡。跨国公司在发展中国家进行国际直接投资，是发达国家向发展中国家进行技术转让的主要形式。虽然这在一定程度上能够促进东道国的技术进步，但是，对外直接投资是发达国家控制全球资源配置、增强自己竞争力的手段，同时发达国家对东道国转让的技术都是非核心的，并伴有十分严厉和苛刻的附加条件。这也进一步导致了发展中国家与发达国家之间的不平衡。

4. 国际环境因素的影响

发达国家与发展中国家所面临的国际环境不同，也是导致世界经济发展不平衡的因素。目前，国际经济秩序是由发达国家主导的。国际货币基金组织、世界银行、世界贸易组织等国际经济组织在协调国际经济秩序时，是由发达国家掌握着对重大国际经济问题的主导权，甚至使其成为少数发达国家对发展中国家进行渗透和施压的工具。发展中国家的一些正当和合理的要求得不到应有的重视和解决。可见，发达国家所面临的国际环境比发展中国家要宽松得多，这使得发展中国家与发达国家之间的差距进一步拉大。

第三节 后金融危机时代的世界经济格局

2008年发源于美国，由房地产次级贷款而引起的金融危机，迅速发展成为全球性金融危机，同时在2009年发生的欧洲债务危机的影响下，世界经济衰退再度升级。而与此同时，发展中国家，特别是亚太新兴经济体发展迅速，成为新的增长极，世界经济格局面临新一轮的调整和变更。

金融危机不仅严重削弱了美国在全球金融创新、全球市场创造和全球投资集聚中的单极超强局面，更会对未来美国的经济竞争力产生深刻影响。这些变化引发国内外学者的广泛关注。有学者基于以往大危机后，传统霸权衰落和新兴国家崛起的历史规律，认为美国的霸权将就此丧失。还有学者认为，"金砖国家"在后危机时代已走到全球决策中心，并将从各个领域改变世界。IMF则认为，未来世界经济增长的中心将从西方国家转移到亚洲，尤其是亚洲新兴工业化国家和地区，从而改变世界经济格局。但同时，也有学者质疑亚洲崛起，称当今世界是全球世纪，而不是亚洲世纪，后金融危机时代的经济格局基本没有变化。下面将从四个方面具体介绍后危机时代的世界经济格局。

一、世界经济增长格局变化

2008年全球金融危机爆发，使得世界经济格局面临着新一轮的调整和变更，大多数发达经济体相继陷入衰退。据 IMF 统计，2008 年美国、欧盟和日本的经济增速分别为 -0.34%、0.5% 和 -1%，到 2009 年逐步下降至 -3.5%、-4.2% 和 -5.5%。受全球金融危机影响，美国经济增长乏力，失业率居高不下。虽然 2010 年世界经济摆脱了 2009 年的负增长，达到 5.1% 的正增长，表明世界经济正在复苏，但是世界经济的复苏程度在各类国家上是不均衡的。发达国家总体经济增长 3%，低于世界平均水平 40%，除日本之外的美国、欧盟、英国等主要发达国家和地区的经济增长率均低于发达国家平均水平。这表明是其他发达经济体，尤其是亚洲的发达经济体提高了发达国家整体的经济水平。而新兴市场经济体和发展中国家总体经济增长大大快于发达国家，平均增长率为 7.4%，其中亚洲地区的新兴市场国家（地区）和其他发展中国家经济增长速度最快，达到 9.6%，印度和中国均超过 10%，巴西也超过新兴市场经济体和发展中国家的经济增长平均水平。可见，危机过后世界经济的复苏主要是新兴市场经济体和发展中国家贡献的结果。

尽管世界经济增长重心的变化早在 21 世纪初就有所萌芽（2000 年以来，发达国家年均增长幅度仅为 2.52%，而发展中国家则为 6.36%，大大超越世界平均水平），但复苏中的"金砖国家"和七国集团在全球经济版图中的重要性在这场危机中发生着更为引人注目的变化。其表现为：①新兴市场经济体引领全球复苏。全球的复苏自 2009 年第二季度始于中国、印度和印度尼西亚，很快传播到其他新兴市场经济体和亚太地区的发达经济体，由巴西带头，大部分拉丁美洲国家的经济复苏随后也表现出相当大的力量。②增长方式的变化。2009 年，在美国、欧盟、日本市场的消费能力因失业率仍居高不下和贸易信贷市场仍面临紧缩压力而难以恢复的前提下，新兴市场经济体依靠自身需求支撑了增长，发达国家企业的盈利和银行利润多来源于新兴市场经济体。美国标准普尔 500 强公司平均 45% 的收入来自海外新兴市场经济体；日本制造业 30 家最主要公司 2009 年第二季度的分区域会计核算结果显示，来自亚洲等地新兴工业化国家和地区的营业收益达到上一季度的 19 倍。

2013 年以来，世界经济增长呈现分化趋势，发达国家经济摆脱了停滞不前的局面，新兴和发展中经济体增势则明显减弱。这一趋势在 2015 年更为突出。美日欧等发达经济体温和复苏的态势将得以巩固，但新兴和发展中经济体仍然脆弱，部分国家经济增速下滑，部分国家经济继续衰退。在此背景下，2015 年全球经济增长 3.1%，比 2014 年低 0.3 个百分点，比 2014 年秋季的预期低 0.6 个百分点[○]。

二、国际贸易格局变化

后金融危机时代，世界贸易正在恢复，但后劲不足。次贷危机引发的金融危机给世界贸易带来重创。2009 年世界贸易严重缩水 11%，2010 年世界贸易量有所恢复。2009 年，发达国家出口减少 12%，进口减少 12.6%，新兴市场经济体和发展中国家出口减少 7.5%，进口减少 8.3%；2010 年，全球贸易量增加 12.4%，其中发达国家出口和进口分别为 12% 和 11.2%，新兴市场经济体和发展中国家出口和进口分别增加 14.5% 和 13.5%，但世界贸易量仍然未达到危机前水平[○]。

新兴市场经济体的崛起对美国、欧盟、日本市场主导全球贸易流向的传统格局形成显著

○ 杜平：《中国与世界经济发展报告（2016）》，社会科学文献出版社，2015 年版。
○ 上海财经大学世界经济发展报告课题组：《世界经济发展报告》，上海财经大学出版社，2011 年版。

影响和挑战。2003—2008 年，"金砖国家"出口额占全球出口额的比重从 9.7% 增长至 14.5%，进口额占比从 8.0% 升至 11.5%。2009 年，中国超越德国成为世界第一大商品出口国，约占全世界出口额的 10%；同时，中国还是仅次于美国的世界第二大商品进口国，进口额占全球的 8%。也正是在 2009 年，中国超越美国成为巴西的第一大贸易伙伴、印度的第二大贸易伙伴。

"北方"国家转向"南方"寻求贸易出路也成为国际贸易格局变化的新特征。英国贸易投资总署公布了题为《未来市场》的研究报告。报告称未来经济增长率最高的 10 国分别是越南、墨西哥、阿拉伯联合酋长国、乌克兰、印度尼西亚、新加坡、波兰、南非、阿根廷和沙特阿拉伯。对这些市场的投资升温很可能成为国际贸易扩展的新流向。日本则提出了开拓新贸易目的地和从赚美元向赚人民币转移的政策主张①。

同时也需要看到，在后金融危机时代，贸易保护主义卷土重来和逆全球化的双边及区域自由贸易协定数目激增，从方向上改变着 WTO 倡导的多边自由化贸易体系。日益盛行的双边和区域贸易谈判显然对推进"多哈谈判"具有反向作用。一方面是因为这些协定各成一体，有的非常全面，不仅包括商品贸易，而且包括服务贸易、外国投资、知识产权保护、劳动权利和环境保护；有的则范围有限，甚至把一些敏感部门（如农业贸易）排除在外。另一方面，这些协定采用不同的原产地规则，直接挑战 WTO 规则。

国际金融危机后，世界贸易急剧下滑，除 2010 年出现恢复性的高增长外，增长始终极为乏力。由于 2015 年以来世界经济表现不尽如人意，国际组织纷纷大幅修正了世界经济增速预期，世界贸易组织（WTO）也下调了对世界贸易增长率的预测。2015 年和 2016 年世界贸易分别增长 2.8% 和 3.9%，不仅大大低于 1990 年以来 5.1% 的年平均增长水平，而且低于该组织 2015 年 4 月 3.3% 和 4.0% 的预期，但高于 2.5% 和 2.8% 的世界经济增速②。

三、国际金融格局变化

后金融危机时代，世界经济总体上摆脱低迷状态，呈现稳步增长的态势。与此同时，全球资本市场交易活动日渐活跃，交易规模稳步回升。

次贷危机爆发后，伴随着重灾区——银行、保险和投资公司等一批欧美金融巨头的倒闭，金融业规模严重收缩。2008 年年末，全球股票市值几乎较高峰时下跌了一半，金融衍生产品名义价值下跌了 24.6 万亿美元；由于国债发行大幅增加，全球债券市场余额继续增长，但增幅已经从上年的 15.8% 大幅放缓到 5.8%；由于新兴市场经济体银行业迅速成长，全球银行资产继续增长，但增速从上年的 21.6% 大幅放缓到 6.8%①。

受欧洲主权债务危机的影响，2010 年上半年欧元、英镑等货币兑美元汇率出现下行走势。进入下半年，由于美国量化宽松的货币政策，美元再次进入贬值通道，欧元、英镑兑美元汇率触底反弹，总体上呈现震荡走高的态势。而美元兑日元以及新兴市场货币全年大幅贬值。证券市场方面，主要国家股市全年总体表现良好，但各区域分化趋势明显。美国、德国、英国、阿根廷等国股票市场强劲上扬；而受主权债务危机的影响，希腊、西班牙、葡萄

---

①③ 金芳：《金融危机后的世界经济格局变化及其对美国经济的而影响》，世界经济研究，2010 年第 10 期。
② 杜平：《中国与世界经济发展报告（2016）》，社会科学文献出版社，2015 年版。

牙等国股市跌幅较大。债券市场方面，发达国家占据债券发行量的绝大部分份额；新兴市场经济体债券规模有所上升。金融衍生品市场方面，场外市场规模发展迅速，主导全球金融衍生品交易格局。黄金市场和大宗商品市场受全球需求量上升、世界资本市场不稳定等因素影响，价格出现大幅攀升。

新兴市场经济体和发展中国家备受国际证券资本的青睐，尤其是亚洲地区的新兴市场经济体和发展中国家。随着美国次贷危机的发生，并进一步演化为全球性金融危机，国际证券资本经历了先回流至发达国家，再流向新兴市场经济体的路径。2008年流入新兴市场经济体和发展中国家的证券资本净值为-579亿美元，2009年为1202亿美元，2010年为1622亿美元。在众多新兴市场经济体和发展中国家中，亚洲地区吸纳的证券资本最多[1]。

危机后，美元地位的相对削弱成为全球金融格局变化的另一大主题。伴随着次贷危机的扩散蔓延，以美元为本位的国际货币体系显示出明显的弱点，美国以外的国家和地区的经济政策独立性不同程度地受到影响，不得不以牺牲国内经济均衡为代价进行被动调整，美国的严重赤字靠美元霸权地位支撑，美元地位又靠世界储备支撑的现行格局备受质疑。一些国家开始调整外汇储备结构，减持美元资产，转向多货币取向；另一些国家则在外贸结算和资产标价中开始与美元"脱钩"。

2015年后，世界经济增长乏力和全球政策分化风险进一步凸显，2015年国际金融市场波动性较2014年明显上升。其中，希腊债务问题的反复，中国经济减速和股市、汇率波动以及美联储加息预期的强弱演变，是引发2015年国际金融市场波动的三大主要因素。第一季度，国际金融市场整体延续了2014年下半年来的乐观情绪，全球股市多数上涨，债券利率普遍下行，美元也延续强势。但自2015年4月中下旬开始，在希腊债务问题影响下，全球债券市场首先出现恐慌性抛售，其中欧元区债券收益率显著攀升。6月后，全球经济增长放缓及美联储加息不确定性上升令市场调整压力转移到全球股市、汇市，尤其中国股市大幅下挫，人民币汇率下调，加剧了全球金融市场波动，主要国家股指出现年内最大跌幅，新兴市场经济体货币明显贬值。

但是在政策方面，由于发达国家和新兴市场经济体在经济增速、失业率和物价等重要宏观经济指标上出现分歧，对发达国家而言，要应对的是经济再度陷入衰退的危机，而新兴市场经济体则要应对经济过热造成的通货膨胀。为此，两类国家的政策必然出现分歧。这也使得国际经济政策的协调更加困难。

四、国际投资格局变化[2]

20世纪90年代中期以来，国际直接投资领域呈现出美国、欧盟、日本主导全球直接投资流量和流向的大三角格局。次贷危机从信贷领域蔓延至整个金融领域，并向实体经济部门渗透后，在信用紧缩、融资成本提高和国际市场总体需求低迷的多重压力下，全球直接投资的能量急剧萎缩。

金融危机对流向发达国家的外资造成严重的直接打击，世界直接投资流向新兴市场经济体。2008年的数据显示，发达国家吸收外资的总量下降了29%，跌破1万亿美元的水平，

---

[1] 上海财经大学世界经济发展报告课题组：《世界经济发展报告》，上海财经大学出版社，2011年版。
[2] 金芳：《金融危机后的世界经济格局变化及其对美国经济的影响》，世界经济研究，2010年第10期。

为 9620 亿美元；发达国家跨国并购额下降了 39%，欧洲的跨国并购甚至下跌了 56%；10 亿美元以上超大规模跨国并购交易的数量和金额分别下降 21% 和 31%，2009 年上半年的超大规模跨国并购交易量仅 40 起，不到 2008 年同期数据的 1/3。传统吸收外国直接投资大国，如英国、法国、德国、意大利、荷兰的外资流入量也由于危机而大幅下降。与此相反的是，2008 年发展中国家的外国直接投资流入却是增长的，其中非洲增长 27%，加勒比地区增长 13%，南亚增长 49%，仅东南亚有所回落。危机中，国际直接投资领域的一个突出变化是，新兴市场经济体和具有自然资源禀赋的国家成为全球直接投资的新源泉。2009 年，新兴市场经济体用于收购发达国家集团的资金为 1050 亿美元，超过了同期发达国家集团对新兴经济体的收购资金 742 亿美元。

受经济增速下滑、货币政策不断放松以及美联储准备加息等因素影响，新兴市场经济体 2015 年来遭遇大规模资本外流并伴随本币汇率的大幅贬值。国际金融协会（IIF）报告显示，2015 年流入新兴市场经济体的资金将降至 5480 亿美元，低于 2008—2009 年国际金融危机期间的水平，而新兴市场经济体私人资本流出则高达 1.09 万亿美元，这意味着新兴市场经济体将面临 1988 年经济体概念诞生以来的首次资本净流出，规模达到 5400 亿美元。同时，为了维持汇率稳定，新兴市场经济体不断抛售美元储备以支撑贬值的本币。据国际货币基金组织（IMF）数据，截至 2015 年第二季度末，全球央行外汇储备余额较上年同期下降了 4.3%，已至 11.46 万亿美元，新兴市场经济体和发展中国家外汇储备更是连续三个季度下降。如俄罗斯、马来西亚外汇储备分别降至 2006 年和 2010 年以来的低位。作为全球最大外汇储备国，中国官方外汇储备规模 9 月底也降至 3.5 亿美元，较 2014 年 6 月时近 4 万亿美元的历史高位下降超过 12%[⊖]。

新兴市场经济体的跨国公司成为世界投资主体新成员。《2009 世界投资报告》表明，按照资产规模排列，在 2009 年全球最大的 100 家跨国公司中，新兴市场经济体占据 6 家。但可以看到，新兴市场经济体和发展中国家中的跨国公司正在崛起，也有可能成为主导世界投资格局的重要力量。

2010 年上半年，全球外国直接投资出现小幅但不均衡的回升。但是，直接外资的前景充满了风险和不确定性，其中包括全球经济复苏的脆弱性。2010 年全球外国直接投资流量小幅回升至 1.24 万亿美元，但仍然比危机前的均值低 15%。

2011 年全球外国直接投资流量超过了危机前的均值，达到了 1.5 万亿美元，但仍然比 2007 年的峰值低约 23%，直接外资流量在各大类经济体均有所增长。流入发达国家的直接外资增长了 21%，达到 7480 亿美元。在发展中国家，直接外资增长了 11%，创纪录地达到 6840 亿美元。转型经济体的直接外资增长 25%，达 920 亿美元。然而，外国直接投资回升之路并不平坦。2012 年，全球直接外资量下降 18%，降至 1.35 万亿美元。回升需要的时间将比预期的长，主要原因在于全球经济的脆弱性和政策的不确定性。2013—2014 年，全球外国直接投资继续复苏，2015 年外国直接投资复苏强劲，全球外国投资的直接流量跃升了 38%，达 1.76 万亿美元，是 2008 年全球经济与金融危机后的最高值。

⊖ 杜平：《中国与世界经济发展报告（2016）》，社会科学文献出版社，2015 年版。

【专题】

当前世界经济格局及其发展趋势

2007年美国次贷危机爆发后，紧接着便是全球性的金融危机。时至今日这场危机对世界的影响还远远没有过去。危机后世界经济呈现出如下特点：贸易保护主义抬头，地区矛盾、冲突频繁，全球经济下行压力加大，发达国家经济复苏严重分化等。

一、当前世界经济格局

当前世界按经济发展水平可以大体分为发达国家和发展中国家两大类，发达国家中我们选择美国、欧盟国家、日本进行分析，发展中国家主要选取印度、巴西、俄罗斯、中国进行分析。

美国得益于自己的美元霸权、世界经济规则制定者地位，在危机后率先复苏，是发达国家中复苏形势最好的。

欧盟受欧债危机、难民危机以及本身所固有的财政政策和货币政策不匹配的问题等，经济陷入停滞，复苏形势堪忧，特别是2017年3月16日英国首相正式启动"脱欧"程序，英国脱离欧盟对本来就惨淡的欧洲经济来说无异于雪上加霜。

日本经济面临债务负担沉重、劳动力缺乏、内需不足、产业空心化等很多深层次问题，近期还是难以看到希望，目前的日本不是"失去的十年"而是"失去的二十年、三十年"。

发展中国家经济发展增速总体快于发达国家，经济地位快速提升。印度、巴西、俄罗斯和中国都是金砖国家之一，他们是发展中国家里经济发展比较好的。但是危机后经济发展增速总体处于下滑态势。

印度自新任总理莫迪上台后经济增速快速提升，这得益于莫迪总理的经济改革，改革主要集中在大力吸引外资、加大基础设施建设等方面，未来一段时间印度都将领跑发展中国家。2015年印度GDP增长了7.6%，首次超过中国。

巴西经济因为国企石油腐败案、总统提前下台等原因陷入衰退，总体来看，危机后大宗商品价格大幅度下挫是巴西经济陷入衰退的最根本原因。

俄罗斯经济因为过度依赖石油，受近两年石油价格持续低迷的影响，经济大幅下滑，再加上因为乌克兰问题、叙利亚问题而受到美欧的制裁，因此俄罗斯经济前景依然黯淡。

中国经济虽然自2010年起增速持续下滑，但是中国经济的潜力依然是发展中国家中最大的。中国正在进行的结构转型、产业升级是其经济增速持续下滑的主要原因，而结构转型、产业升级恰恰可以促使中国经济长期向好。

二、当前我国在世界经济中的地位

当前的中国的确如习近平主席所说，是最为接近中华民族伟大复兴的历史性时刻。2016年9月4日~5日的20国集团首脑峰会，也许可以诠释这句话的含义。这次峰会是我国第一次主办20国集团首脑峰会，也是历次首脑峰会邀请发展中国家最多的。这次峰会习近平主席的讲话为解决当前世界经济存在的问题提出了中国方案，再一次证明我们中国的强大，我们不再是世界规则的被动接受者，我们要做规则的制定者，世界经济发展的引领者。为了进一步提高我国的国际地位，我国必须处理好与世界上主要大国的关系。

（一）中美关系

中美关系是目前世界上最重要的双边关系，对于中美新型大国关系的内涵，习近平主席做了精辟的概括：一是不冲突、不对抗；二是相互尊重；三是合作共赢。中美之间利益大于分歧，但是也存在竞争关系，我们一方面要时刻保持警惕，另一方面还要保持克制，有效管控双方分歧，从而最大化两国的利益。

（二）中俄关系

中俄关系因为双方相互需要而走进了"蜜月期"，俄方因为克里米亚问题与西方国家僵持，而且有关战略生存空间的问题两方都不太可能做出实质性让步，换句话说美俄对于俄罗斯的制裁，以及俄罗斯的反制裁不大可能在短期内得到解决。放眼世界，俄罗斯石油、天然气的出口再也找不到像中国这么大的市场，所以俄罗斯需要中国。此外，在国际社会俄罗斯需要中国给予更多支持。同时中国也需要俄罗斯，我国的石油对外依存度达到60%以上，而从俄罗斯进口石油正好可以从一定程度上解决这个问题，这是我们对俄罗斯的需要。

（三）中日关系

我们必须看到中日之间的竞争关系，在亚洲，尤其是东亚、东南亚，中日之间确实存在不少矛盾，并且这种矛盾很难得到双盈的解决。日本首相废除武器出口三原则，通过新安保法案，修改和平宪法，这些都体现了日本的右倾化，但是这并不意味着中日之间马上就会发生战争，因为中日之间互为重要经贸伙伴，战争对双方而言都是得不偿失的愚蠢之举。中日之间的深层次博弈将会成为未来一个时期的新常态。

（四）中印关系

中印是一对艰难而复杂的邻居，双方既有领土纠纷，同时更有强劲增长的双边贸易。总的来看，中印之间分歧远远小于共识，中印之间没有不可调和的矛盾，就像莫迪总理的对华政策，我们两国要政治上淡化争议，经济上加强合作。

三、世界经济格局未来发展趋势

对未来世界经济格局的发展变化，世界上不少学者和机构都给出了预测，以下介绍两种主要观点：

观点一：中印领跑世界。西方经济机构预测未来世界经济格局中国和印度将超越西方发达国家，并给出时间表。中国虽然要超过美国成为全球第一，但印度将在2050年赶上中国成为全球第一。

观点二：世界将走向中美共治。美国的美元霸权、页岩气革命、工业互联网计划等是美国继续领跑世界的内在底气，同时我国的中国制造2025、供给侧改革、五大发展理念也是中国人的骄傲。未来中美双寡头或将形成。

第二种观点我个人比较认同，目前我国除了经济总量位居世界第二外，更多地参与到了世界经济的规则制定中，无论是"一带一路"倡议还是亚投行、金砖国家新开发银行的建设，我国的倡议都得到了世界上大多数国家的响应和支持，未来我国将在世界上发挥越来越大的作用。

（资料来源：张国清：《当前世界经济格局及其发展趋势》，智富时代，2017年第1期，有改动。）

复习思考题

1. 试分析世界经济格局的演进过程。
2. 后危机时代世界经济格局有哪些变化?
3. 如何理解发展中国家在世界经济中的地位和作用?

参考文献

［1］崔日明，刘文革．世界经济概论［M］．北京：北京大学出版社，2009．
［2］张幼文，李刚．世界经济概论［M］．北京：高等教育出版社，2010．
［3］温俊萍．经济视野中的大国崛起——基于荷兰、英国和美国的经验［J］．史林，2008（4）．
［4］徐蓝．论冷战的爆发与两极格局的形成［J］．首都师范大学学报，2002（2）．
［5］《世界经济概论》编写组．世界经济概论［M］．北京：高等教育出版社，2011．
［6］徐培华，吴辉，于保平．二十一世纪世界经济的新格局及其发展趋势［J］．世界经济文汇，2000（1）．
［7］范跃进．世界经济概论［M］．济南：山东人民出版社，2012．
［8］沈明伟．世界经济发展不平衡的应对策略［J］．商丘师范学院学报，2011，27(5)．
［9］金芳．金融危机后的世界经济格局变化及其对美国经济的而影响［J］．世界经济研究，2010（10）．
［10］上海财经大学世界经济发展报告课题组．世界经济发展报告［M］．上海：上海财经大学出版社，2011．
［11］梁艳芬．对当前世界经济形势的几点判断［J］．国际贸易，2017（2）．

第五章

世界经济危机

本章学习目标

1. 了解经济周期的界定及相关理论。
2. 理解经济危机的内涵和发生原因。
3. 从整体上把握历次经济危机的情况及其影响。

◆【导入案例】

大崩溃大萧条

华尔街是美国金融，精英的聚集地，也是美国经济尤其是金融的代名词，一提到华尔街，人们就会自然联想到股市，股票指数和金融危机。

1929 年华尔街的崩盘结束了历史上最大的一幕疯狂投机。

愁云惨雾笼罩着的华尔街，虽然昨天还是昨天，地还是昨天的地，但许多人却觉得不再拥有这一切：他们的全部财产已随风而逝。无数的财产和许多普通公民一生的积蓄都因金融崩溃而实实在在地一夜间化为乌有。过去，美国也曾经历过股市恐慌与金融萧条，但没像这次一样对美国普通公民的生活产生如此深刻的影响。

1929 年 10 月 24 日（史称"黑色星期四"），在经历了 10 年的大牛市后，美国股市忽然间崩溃了，股票一夜之间从顶点跌入深渊。道琼斯工业指数从 363 点的最高点持续下跌，直到 1932 年 7 月跌至 40.56 点才宣告见底，最大跌幅近 90%。而让股市投资者绝对没有想到的是：股市崩溃的 1929 年 9 月 3 日，竟成了此后 25 个春秋里股票平均价格最高的一天。这次股市大崩溃以后，美国股市经过 1/4 个世纪的漫长岁月，道琼斯工业指数才再次升至昔日高峰时的指数值。

从 1929 年 9 月初到 11 月中旬，纽约交易所的股票市价总值损失了 300 亿美元。然而，这仅仅是灾难的开始，股市的崩溃带来美国历史上破坏性最大的大萧条、大危机，使美国经济处于瘫痪状态。用居民的个人存款去搞股票投机的银行纷纷倒闭：1929 年倒闭了 659 家，1930 年 1352 家、1931 年 2294 家。国民收入总值从 1929 年的 880 亿美元下降到 1932 年至 1933 年的 400 亿美元。著名的通用电气股票价格从最高的 396 美元跌到 8 美元。股票和各种债券的面值总共下跌了 90%，无数"百万富翁"倾家荡产。这次股灾使得失业大军达到 5000 多万人，数以千计的人跳楼自杀，近 9000 家金融机构倒闭，上千亿美元财富付诸东流，生产停滞，百业凋零，成为美国历史上影响最大、危害最深的经济事件。股灾持续时间长达 4 年之久,影响波及英国、德国、法国、意大利、西班牙等国家,最终演变成为西方资本主义世界的经济大危机。

(资料来源:王大海:《世界14次重大金融危机透视》,中国传媒大学出版社,2011年版,第61页。)

世界经济的发展变化表现为周期性的。从工业化到现在,世界经济呈现出具有规律性的周期性变动,共经历了五个长周期,即分别以"早期机械化"技术革命、"蒸汽动力和铁路"技术革命、"电力和重型工程"技术革命、"福特制和大生产"技术革命与"信息和通信"技术革命为主导的世界经济周期。技术革命往往具有二重性:一方面,它在产业结构升级过程中创造投资高潮和生产高潮,此时经济周期处于繁荣阶段,创新占据主导地位,周期的主导产品供不应求;另一方面,它又同时制造着投资低潮和生产低潮的潜在可能性,此时经济周期处于衰退阶段,主导产品供过于求,于是成本竞争阶段取代创新阶段成为经济衰退阶段的主要特征。

第一节 经济周期

一、经济周期的界定

在不同历史时期,不同理论流派的学者对经济周期有不同的理解与定义。

第二次世界大战前,由于经济周期表现为总产量绝对量的变动过程,因此,古典经济学家认为,经济周期是经济总量的上升和下降的交替过程。例如,1860 年,朱格拉(Juglar)将经济周期定义为"重复发生的,虽然不一定是完全相同的经济波动形式";哈耶克(Hayek)则认为经济波动是对均衡状态的偏离,而经济周期则是这种偏离状态的反复出现;米切尔(Mitchell)在 1927 年出版的《商业循环问题及其调整》一书中将经济周期定义为"经济变量水平的扩张和收缩的系列",这是被经常引用的古典经济周期定义。

第二次世界大战后,总产量绝对量下降的现象几乎不存在了,因此,现代经济学家对经济周期的定义也产生了改变,认为经济周期是经济增长率的周期性变动。卢卡斯(Lucas)对经济周期的定义是:"经济周期是经济变量对平稳增长趋势的偏离。"它的含义是,经济周期是经济增长率的上升和下降的交替过程。米切尔与伯恩斯(Burns)在 1946 年出版的《衡量经济周期》一书中将经济周期定义如下:"经济周期是在主要以工商企业形式组织其活动的波动形态。一个周期包含许多经济领域在差不多相同的时间所发生的扩张,跟随其后的是相似的总衰退、收缩和复苏,后者又与下一个周期的扩展阶段相结合,这种变化的序列是反复发生的,但不是定期的。"这个定义是西方经济学界公认的非常经典的定义。

总的来看,古典经济周期时期强调的是经济总量的扩张和收缩,而现代经济周期时期则强调经济增长率上升与下降的交替变动。

但是,要把握世界经济周期的内涵必须抓住以下四个要点:①世界经济周期波动是资本主义经济的必然产物和基本特征之一,只要资本主义生产方式存在,经济的周期波动就不可避免。②世界经济周期波动是总体经济活动的波动,即这种波动不是局部的,而是涵盖世界多数国家几乎所有重要的经济部门,并由此引起就业、产量等宏观经济指标的周期性波动。③经济波动虽然具有周期性,会依次经历"危机→萧条→复苏→高涨→再次发生危机"的周期循环,但不应简单地将这种周期及其各阶段的长度理解为是相同或固定不变的。④并非每个国家的每一次经济危机都会发展成为世界性经济危机,只有当世界多数国家都在大体相同的一段时间经历一次经济危机时,才会形成一次世界性经济危机,由此也就形成了世界经济的周期进程[一]。

二、经济周期理论的发展历程[一]

作为宏观经济学的一大研究领域,经济周期理论的发展遵循经济学发展的规律。在自然经济占统治地位的时期,有一些零碎的关于经济问题的见解和看法,但还不成体系,也没有与经济周期相关的经济思想出现。随着西方资本主义的诞生,并出现了经济波动和经济危机现象,为了适应和驾驭这些新的经济规律并解释这些经济现象,经济周期理论才得以诞生。

17世纪下半期至19世纪上半期是古典经济学统治的时期,以亚当·斯密(Adam Smith)为杰出代表的古典经济学派把自由竞争的市场机制看作一只"看不见的手",这只"看不见的手"支配着社会经济活动。古典经济学派反对国家干预经济生活,提出自由放任原则。到1825年,英国爆发了资本主义历史上第一次生产过剩性经济危机。从那以后,危机大概每隔10年就会爆发一次。从19世纪末起至20世纪30年代,这个时期西方经济学中占主流地位的是以马歇尔(Marshall)为代表的新古典学派。他们认为供给会自动创造需求,总供给等于总需求,所以他们把这种生产过剩危机仅仅看作是偶然出现的暂时反常现象,主张发挥资本主义制度的自我调节功能,认为不存在周期性的经济危机。

在20世纪30年代的大危机爆发前,出现了一些经济周期理论,其特点是从外生因素的角度来探讨经济波动发生的原因。对于这些西方经济周期理论,哈伯勒(Haberler)在《繁荣与萧条——对周期运动的理论分析》一书中对古典经济周期理论进行了划分,主要包括:①纯货币理论,主要以霍特里(Hawtrey)为代表,该理论把经济周期当成是一种纯货币现象;②投资过度论,主要以哈耶克、米塞斯(Mises)等为代表;③非货币投资过度论,以斯皮托夫(Spiethoff)、维克塞尔(Wicksell)、美国的汉森(Hansen)和卡塞尔(Cassel)为代表。除此之外,还包括心理理论、消费不足论、成本改变论和农作物收获论等类别。当然,马克思主义经济周期理论也是在这个时期出现的。马克思的经济周期理论属于内因论,他认为经济危机产生的内在原因是资本主义生产力与生产关系之间的不可调和的矛盾,经济危机的发生是不可避免的,而引起经济周期的原因则是固定资产的更新。虽然马克思主义经济周期理论没有完整地解释资本主义经济周期,但其关于资本主义生产资料私有制与社会化大生产之间的矛盾的论断却有着积极的意义。

20世纪30年代爆发了席卷整个资本主义世界的经济大危机,西方经济学家开始重新认识资本主义经济运行过程中的周而复始的波动现象。凯恩斯(Keynes)开始对当时占统治地位的古典经济理论进行猛烈的攻击。他抨击"供给自动创造需求"的萨伊定律和新古典学

[一] 《世界经济概论》编写组:《世界经济概论》,高等教育出版社,2011年版。
[一] 王悦:《西方经济周期与经济波动理论回顾》,求索,2006年第10期。

派的一些观点，提出了著名的有效需求决定就业量的理论，并指出现代资本主义社会存在失业和萧条的原因就是有效需求不足。因此，他提出加强国家对经济的干预，并通过财政金融政策，增加公共开支，降低利率以刺激投资和消费，提高有效需求，实现充分就业。以凯恩斯这一理论为根据，形成了凯恩斯主义。从此，凯恩斯主义成为资产阶级经济学界占统治地位的流派，对主要资本主义国家的经济政策产生了重大的影响。

20世纪60年代世界经济长期繁荣，理论界逐渐失去对经济周期进行研究的兴趣，因此，这个时期没有出现有影响的新的经济周期理论观点。在1974—1975年爆发的第二次世界大战后第二次世界经济危机和1980—1982年爆发的第二次世界大战后第三次世界经济危机后，资本主义世界普遍出现了经济停滞与通货膨胀并存的现象（即"滞胀"），凯恩斯政策对此无能为力，于是曾经与凯恩斯主义进行抗争的货币学派重新抬头，供应学派、理性预期学派、实际经济周期派等新的经济周期流派也相继出现。这些理论主要从外生因素的角度来研究经济周期，都反对政府干预，并提出了对付"滞涨"的各种方法。

三、经济周期理论的分类

1. 根据周期长短分类[1]

（1）康德拉季耶夫周期，又称长波或长周期理论。1925年，康德拉季耶夫（Kondratieff）发表了《经济生活中的长期波动》一文，提出了在资本主义经济发展中存在着平均长约50年的长期波动这一结论。每个周期当中又分为上升与下降两个时期，各持续20～30年。一般情况是长期波动的上升期繁荣年份较多，而下降期则以萧条年份为主。

（2）库兹涅茨周期，又称中长波或中长周期理论。1930年，美国经济学家库兹涅茨（Kuznets）在《生产和价格的长期波动》一书中，通过考察了美国、英国、法国、德国、比利时等国从19世纪初或中叶到20世纪初几十种工业、农业主要产品的产量和价格变化，提出存在平均长度为15～25年不等的中长周期。因其与建筑业的伸缩关系密切，也称其为建筑周期。

（3）朱格拉周期，又称中波或中周期理论。法国经济学家朱格拉在其1862年出版的《法国、英国及美国的商业危机及其周期》一书中首次提出，资本主义存在着7～10年的周期波动，这种周期与投资品的生命期相对应，故又称其为投资周期。

（4）基钦周期，又称短波周期。美国经济学家基钦（Kitchin）于1923年发表的《经济因素中的周期与倾向》一文，根据美国和英国1980—1922年的利率、物价、生产和就业等统计资料，从厂商生产过多时会形成存货从而减少生产的现象出发，提出存在2～4年的短期调整。这种短周期又称为存货周期。

2. 根据所属理论学派分类

（1）太阳黑子说。杰文斯（Jevons）在1875年发表的一篇论文中提出，他发现商业危机是大概10年一次，而10年左右也会出现一次太阳黑子，于是，他就将这两种现象结合起来，创立了太阳黑子说经济周期理论。杰文斯认为，10年左右出现一次的太阳黑子现象会使农业歉收，而经济危机一般出现在农业歉收年，于是太阳黑子就会导致经济危机。与此类似的还有"雨量说"等依据农业收获而提出的经济周期理论。

---

[1] 《世界经济概论》编写组：《世界经济概论》，高等教育出版社，2011年版。

（2）凯恩斯主义学派。凯恩斯认为，有效需求包括消费需求和投资需求，它主要由三大基本心理因素（消费倾向、收益预期、流动偏好）和货币供应量决定，这些因素相互作用，造成有效需求不足，从而引起失业和萧条。凯恩斯主义学派的经济周期理论是以总需求分析中的投资分析为中心来分析投资变动的原因及其对经济周期的影响。可见，凯恩斯主义学派将经济周期发生的原因从外因论转向了内因论，这有着积极的意义。

（3）乘数加速说。其主要代表人物为哈罗德（Hartod）、萨缪尔森（Samuelson）、卡尔多（Kaldor）等。其主要观点是：一旦有不论来自人口增加、技术进步或其他原因的某一种自动投资出现，将增加消费从而使乘数发生作用。但是，要增加某一单位最终货物的生产，必须有若干倍资本物品的增加，于是，加速原则开始与乘数同时发生作用。在乘数、加速原则的共同作用下，生产增长很快达到社会生产可能性边缘，于是，因增加资本物品投入而产生的引致投资被迫停止。停止新的诱致投资，又将使乘数、加速原理从相反方向发生作用，使社会生产急剧衰退，进入萧条阶段。经过一段萧条期后，存货耗尽，资本物品无法再行缩减，投资支出再次增加，乘数与加速数重新发挥作用，导致经济复苏，并最终形成另一轮高涨。

（4）理性预期学派。理性预期学派也称新古典宏观经济学派，产生于20世纪70年代，其主要代表人物是美国经济学家罗伯特·卢卡斯（Robet Lucas）。理性预期学派认为，随机货币因素的冲击导致了经济的周期波动。由于其理论观点及政策主张与货币学派有密切联系，因此它也被称为激进的货币主义。

（5）实际经济周期理论。其主要代表人是挪威经济学家芬恩·基德兰德（Finn E. Kydland）和美国经济学家爱德华·普雷斯科特（Edward Prescott）。该理论认为，最初的经济波动来源是外生的，波动的根源为实际变量，而非名义变量。所谓实际变量的冲击，包括个人偏好、政府需求的变化等来自需求方面的冲击，但更重要的是技术进步、生产要素供给变动等来自供给方面的冲击，这种冲击推动整个经济在消费、生产、劳动力供应和储蓄等方面的调整，并最终导致新平衡的建立[1]。

以上经济危机理论均为西方经济学中的经济周期理论，与其相对应的还有马克思主义经济周期理论。马克思主义经济周期理论从唯物史观出发，认为社会主义生产方式的基本矛盾——社会化大生产与生产资料的私人占有之间的矛盾是经济周期产生的根源。马克思主义周期理论的研究目的是揭示资本主义生产方式运动的历史规律。资本主义经济危机和周期被视为资本主义生产方式各种矛盾和规律发展的一种现实的综合表现，因此，马克思主义周期理论是资本主义各种矛盾分析的一个理论归结[2]。

第二节　经济危机

随着世界经济的发展，经济危机作为经济周期中的关键阶段，对危机的发源地以及全球经济都有着重要的影响。从历史上最早的经济危机"郁金香狂热""南海泡沫事件""密西西比泡沫事件"，到1929年美国"大萧条"，再到如今的美国次贷危机、欧洲债务危机，经

---

[1] 丁纪岗：《经济周期理论发展脉络与经典学说回顾》，技术经济与管理研究，2006年第6期。
[2] 张彤玉：《两种经济周期理论的比较分析》，南开经济研究，1997年第5期。

济危机的影响范围越来越大。

一、经济危机的界定

经济危机是经济周期的一个阶段，是对再生产比例关系严重失调的一种强制性调整。经济危机的典型特征是：商品生产过剩，库存增加，价格大幅下降，企业被迫削减投资，压缩生产，企业开工率低，工人大量失业，社会消费需求下降。由于企业利润下滑，部分企业破产倒闭。生产领域中发生的这些变化反映到金融领域，则会引起银行业的危机，即由于企业发生亏损和破产，资金链条断裂，出于对现金的追求和对银行存款的担心，人们纷纷挤兑存款，使很多陷入困境的银行倒闭⊖。

二、经济危机产生的原因

关于经济危机产生原因的研究有很多，总结起来主要是两方面的研究：一方面是西方经济学对经济危机理论的研究；另一方面是马克思主义经济学对经济危机理论的研究。

（一）西方经济学对经济危机理论的研究⊜

在传统研究中，一般以经济危机的影响因素来自经济运行内部、外部或是内外兼有为依据，分为内因论、外因论、综合论对西方经济危机的研究进行分类。这种划分方法能够较好地对各种研究观点进行总结归纳，但是无法在时间顺序上反映出观点的演进。在此，将以西方主流经济学派的演进历史为序，追溯梳理古典经济学、凯恩斯主义、新自由主义等对于经济危机的主要观点，并对其进行分类和归纳，这样能够在观点归纳的基础上，较好地反映出西方经济学对于经济危机相关研究观点的演进。

1. 古典经济学对经济危机的理论研究

由于 19 世纪初，资本主义生产方式刚刚确立，关于资本主义生产方式是否必然导致生产过剩具有较大的争议。在此背景下，古典经济学对经济危机的研究观点经历了由全面否定资本主义经济危机到逐步认识到资本主义经济危机存在不可避免性的发展历程。

（1）资本主义无危机论。持资本主义无危机论的学者普遍持市场万能论观点，认为市场中的总需求与总供给相等，从而资本主义经济危机不会发生，其代表人物有萨伊、李嘉图等学者。萨伊（Jean Baptiste Say）认为货币只是交换的媒介，出售某种商品意味着购买了另一种商品，即生产某种商品的同时为与它价值相当的商品提供了实现价值的渠道，所以总需求总是与总供给一致的，不会出现普遍生产过剩下的经济危机。李嘉图（David Ricardo）继承了斯密的"看不见的手"的理论，认为个人对自身利益最大化的追求与社会整体利益并不冲突，从而将资本主义生产的目的归结为满足社会需要。此外，李嘉图接受萨伊的思想，认为生产创造了需求，即资本家通过生产实现商品价值后，无论选择个人消费或扩大再生产，都会产生价值相等的新的购买，因此总需求和总供给总是相等的。纵观李嘉图的危机理论，其建立在需求无限论的基础上，并混淆了商品流通与物物交换的关系。

综上，资本主义无危机论认为资本主义不会产生普遍性经济危机，这与当时处于资本主

⊖ 《世界经济概论》编写组：《世界经济概论》，高等教育出版社，2011 年版。
⊜ 王欣亮、严汉平、刘飞：《经济危机的起源与反思——马克思与西方经济学比较研究》，西北大学学报（哲学社会科学版），2011 年第 5 期。

义生产方式建立初期的时代背景有关。当时资产阶级迫切需要政府减少干预而扩大生产，其导致了当时主流经济学家关于资本主义无危机论的观点，符合其所代表的大资产阶级利益。

(2) 资本主义危机存在论。与上述无危机论相对立的是危机存在论，其代表学者有西斯蒙第（Sismondi）、马尔萨斯（Malthus）等学者，他们认为资本主义生产与消费之间存在矛盾，资本主义存在经济危机的可能性。西斯蒙第接受了斯密的思想，认为商品并不与收入完全相等。而由于资本主义市场经济以及机械化大生产导致的生产规模的无序扩大，使小生产者不断破产，进而影响市场需求和总体消费，最终导致商品价值无法实现，产生经济危机。因此，经济危机的根源是资本主义大生产导致的生产无限扩大化与消费需求不足之间的矛盾。

马尔萨斯认为，当社会积累大量转向生产必需品时，必需品的产出必将超过现有需求程度，产生有效需求不足。但在解决社会有效需求不足方面，不能仅仅依靠资本家和工人的收入，还应由地主、军队、官员等非直接劳动者创造与商品生产无关的需求，从而保持商品产出和消费的平衡。因此，对于资本主义而言，若要维持总需求与总供给之间的平衡，则必须刺激非生产阶级的消费，从而避免经济危机。

资本主义危机存在论通过分析生产和消费之间的矛盾，认为资本主义条件下经济危机是必然存在的。但是，由于出身及代表阶级不同等因素，导致持危机存在论的学者观点之间存在差异。西斯蒙第基于生产与消费的矛盾，认为小生产者破产会导致国内市场缩小，产生经济危机；而马尔萨斯从代表的地主阶级的利益出发，认为贵族等非生产阶级的挥霍能够避免和缓解经济危机。

2. 凯恩斯主义对经济危机的研究

凯恩斯主义是在1929—1933年经济危机的背景下产生的，他全面否定萨伊定律，认为需求能够创造供给，并在"个人消费倾向""资本边际产出"以及"个人偏好"的基础上，提出有效需求的概念，认为有效需求不足是形成经济危机的根本原因。

凯恩斯认为，"个人消费倾向"是由人的习惯、心理以及社会背景共同决定的，会随个人收入的提高而下降。因此，当国民收入提升时，收入和消费之间的缺口会不断加大，导致需求小于供给。而"资本边际产出"为新增的每单位投资可得到的利润，当资本边际产出高于资本的使用成本，即利息时，投资会增加；当资本边际产出等于利息时，投资将停止。在长期看来，资本边际产出是不断递减的，这也将是导致资本边际产出不足的原因之一。"个人偏好"是指个人基于交易动机、谨慎动机以及投机动机等心理，偏好于持有一定量的货币，而非全部储蓄。因此，在货币总量一定的前提下，由于人们对持有货币偏好的存在，会使利率保持在高位，导致投资不足。

在上述理论的基础上，凯恩斯提出了"有效需求"的概念，它是指商品总供给与商品总需求相等时的需求量。有效需求不足时，均衡条件下的就业量小于充分就业的就业量，是资本主义大量失业存在的原因。对于有效需求不足的原因，凯恩斯认为其可分为消费需求和投资需求两方面。在消费需求层面，由于经济危机时期对失业可能性的忧虑，导致人们不断减少消费，使社会总需求降低；在投资需求层面，由于货币总供给量不足以及流通速度较慢等原因，导致整个社会中没有足够的货币支付投资需求。

基于上述原因，凯恩斯认为，在经济危机发生时，政府应采取扩张性的货币政策和积极的财政政策，以尽快摆脱经济萧条的影响。其中，扩张性的货币政策包括政府通过公开市场业务、调整准备金率或利率等方法影响市场货币使用成本，以提高市场货币供给；积极的财政政策是指政府加大公共投资和政府购买，并利用相关政策鼓励私人增加消费，例如可利用适度的通货膨胀，使居民的实际工资下降，促进消费。

3. 新自由主义对经济危机的研究

随着通货膨胀与失业并存的"滞涨"爆发，凯恩斯主义受到质疑，而出现了以反对政府干预为主要观点的新自由主义。新自由主义强调以"看不见的手"调节下的自由竞争的重要性，认为经济危机是由于政府采用凯恩斯主义，对市场进行过度干预而产生的。而在新自由主义中，由于研究视角的不同，可分为不同的学派。下面将对其中有代表性的货币学派和供给学派关于经济危机的研究观点进行归纳和梳理。

以弗里德曼（Friedman）为代表的货币主义以货币数量论为核心，认为由收入、边际资本产出、通货膨胀率以及个人偏好共同决定的货币供给量对经济危机的产生具有决定性作用。当货币发行量高于生产产品总价值时，通货膨胀就会产生。但由于自然失业率的存在，通货膨胀率与失业率之间不存在替代关系，因而凯恩斯主张利用通货膨胀降低失业率的举措只能导致"滞涨"。而对于"滞涨"的解决措施，应采用只以货币供应量为唯一调节因素的货币政策，从而保证货币供应量与经济增长之间保持同步。这种观点对于缓和资本主义矛盾具有积极作用，但忽视了失业的产生以及解决方法。

供给学派反对凯恩斯主义需求创造供给的论断，认为需求不一定创造供给，可能造成通货膨胀，影响社会经济主体对储蓄和投资的预期，从而产生经济危机。因此，经济危机产生的根本原因是供给缺乏，应通过减税、削减政府开支等措施提高社会供给，避免经济危机。

新自由主义还包括弗莱堡学派、理性预期学派和公共选择学派等，其都认为经济危机的产生是由于政府遵循凯恩斯学派，对经济过度干预导致，应反对政府干预，提倡市场自由竞争。但是，在新自由主义对"滞涨"现象做出相应的原因诠释和解决路径分析的同时，也带来了一系列新的问题。例如，新自由主义下，由于资本家对超额利润的追求，资本的投入重点由实体经济转向金融项目。这对于居民而言，能够依靠透支消费提前满足远期需求；对于资本家而言，能够提前支取远期收益。而一旦其中一项资金链断裂，就会产生连锁反应，进而爆发经济危机。

（二）马克思主义经济学对经济危机理论的研究

马克思从唯物主义历史观出发，认为资本主义经济危机是资本主义生产方式的特定历史现象，也是资本主义制度历史性的表现。经济危机的根源在于资本主义社会的基本矛盾，即生产的社会化与生产资料私人占有之间的矛盾。资本主义的基本矛盾首先表现为个别生产的有组织性和整个社会生产的无政府状态之间的矛盾。马克思用生动的语言说明了经济危机的表现和原因："棉布充斥，形成市场停滞，工人当然需要棉布，但是他们买不起，因为他们没有钱，而他们之所以没有钱，是因为他们不能进行继续再生产，而他们不能进行继续再生产，是因为棉布已经产得太多了。"[○]

随着世界经济的发展，统一的世界资本再生产运动的形成，使资本主义的商品和货币关

○ 中共中央马克思恩格斯列宁斯大林著作编译局：《马克思恩格斯全集（第二十六卷）》，人民出版社，1997年版，第570页。

系在世界范围内展开,为世界经济危机的爆发提供了可能性。资本主义国家经济内部基本矛盾的普遍激化,为各国爆发生产过剩的危机创造了条件,并不等于一定会形成世界经济危机,只有当世界范围内资本主义基本矛盾激化时,世界性经济危机才会爆发。

机器大工业在各主要资本主义国家经济中统治地位的确立,使这些资本主义国家的生产能力有了空前的增长。这一方面要求吸收越来越多的原料;另一方面又生产出越来越多的产品,需要不断扩大市场,最终资本流通和社会再生产过程超越一国范围,形成生产国际化。生产的国际化、广阔的世界市场以及世界市场上的激烈竞争,促使资本主义国家不断扩大资本积累的规模,改进生产技术,提高劳动生产率,发展了资本主义生产无限增长的趋势。然而处于需求端的生产者和工人,其购买力的增长和需求是有限的,世界范围内的生产过剩不断积累,最终必然爆发世界性生产过剩危机㊀。

资本主义危机"永远是现有矛盾的暂时的暴力的解决,永远只是使已被破坏的平衡得到瞬间恢复的暴力的爆发"㊁。可以说,资本主义经济危机的解决完全是靠强制方式借以达到资本主义生产下经济比例的平衡,维持生产发展。但是,这样做却不可能从根本上消除经济危机发生的根源。恩格斯说:"在危机中,社会化生产和资本主义占有之间的矛盾达到剧烈爆发的地步……经济的冲突达到了顶点,生产方式起来反对交换方式,生产力起来反对已经被它超过的生产方式。"㊂虽然经济危机会在强制的方式下获得解决,但是,这种解决方式同时也在孕育下一次危机的产生,不能从根本上摆脱经济危机的发生。

三、历史上历次重大经济危机

历史上发生过许多次经济危机,最早的可追溯至1637年的"郁金香狂热",随后的资本主义发展史上,经济危机与经济的繁荣发展相伴而生。下面介绍历史上所发生的历次重要的经济危机的概况。

1. 1637年荷兰"郁金香狂热"

16世纪末,郁金香从土耳其引入欧洲,很快成为备受欧洲人喜爱的一种观赏品。由于郁金香被引种到欧洲的时间很短,数量非常有限,需求又极为旺盛,因此价格也极其昂贵。尤其是在荷兰,当时富有的荷兰人将购买郁金香视为地位的象征,郁金香开始身价百倍。

一些机敏的投机商开始大量囤积郁金香球茎以待价格上涨,郁金香价格在供需失衡的情况开始飙升。1634年开始,炒卖郁金香的热潮蔓延为荷兰的全民运动,他们变卖家产,只是为了购买一株郁金香。这一年,人们干脆在阿姆斯特丹的证券交易所内开设了固定的交易市场,以方便郁金香的交易。1637年,郁金香的价格已经涨到了骇人听闻的水平:与上一年相比,郁金香总涨幅高达5900%。

正当人们还沉浸在对郁金香的狂热中,认为价格会不断上升时,一场大崩溃正在悄然来临。1637年2月4日卖方突然大量抛售,公众开始陷入恐慌,导致郁金香市场在一夜之间

㊀ 徐松:《世界经济概论》,机械工业出版社,2012年版。
㊁ 马克思:《资本论(第二卷)》,人民出版社,1975年版,第526-527页。
㊂ 中共中央马克思恩格斯列宁斯大林著作编译局:《马克思恩格斯全集(第二十卷)》,人民出版社,1995年版,第301页。

突然崩溃，郁金香球茎的价格一泻千里。虽然荷兰政府发出紧急声明，认为郁金香球茎价格无理由下跌，劝告市民停止抛售，并试图以合同价格的10%来了结所有的合同，但这些努力毫无用处。一个星期后，郁金香的价格已平均下跌了90%。1637年4月，荷兰政府决定终止所有合同，禁止投机式的郁金香交易，从而彻底击破了这次历史上空前的经济泡沫。

2. 1720年英国南海泡沫事件

南海泡沫事件（South Sea Bubble）与密西西比泡沫事件及"郁金香狂热"并称欧洲早期的三大经济泡沫。"经济泡沫"一词即源于南海泡沫事件。事件起因源于南海公司。南海公司于1711年西班牙王位继承战争仍然进行时创立，它表面上是一间专营英国与南美洲等地贸易的特许公司，但实际上是一所协助政府融资的私人机构，分担政府因战争而欠下的债务。南海公司在夸大业务前景及进行舞弊的情况下被外界看好。到1720年，南海公司更通过贿赂政府，向国会推出以南海股票换取国债的计划，促使南海公司的股票大受追捧，股价由原本1720年初的约120英镑急升至同年7月的1000镑以上，全民疯狂炒股。然而，市场上随即出现不少"泡沫公司"浑水摸鱼，试图趁南海股价上升的同时分一杯羹。为规管这些不法公司，国会在当年6月通过《泡沫法案》，炒股热潮随之减退，并连带触发南海公司股价急挫，至当年9月暴跌回190英镑以下的水平，不少人血本无归，连著名物理学家牛顿爵士也蚀本离场。

南海泡沫事件使民众对政府失去诚信，多名托利党官员因事件下台或问罪。相反，辉格党政治家罗伯特·沃波尔（Robert Walpole）在事件中成功收拾混乱，协助向股民做出赔偿，使经济恢复正常，从而在1721年取得政府实权，并被后世形容为英国历史上的首位首相。此后，辉格党取代托利党，长年主导了英国的政局。至于南海公司，并没有因为泡沫而倒闭，公司在1750年以后已中止对南美洲进行的贸易业务，最终维持至1853年才正式结业。

3. 1720年法国密西西比泡沫事件

1715年年初，法国国王路易十四驾崩，路易十五登基，菲利普二世摄政。路易十四留给路易十五的是一个国库枯竭与巨额外债的国家，这主要是由于路易十四连年对外发动战争，对内又极度奢侈浪费，使得法国陷入极度苦难之中。1716年，法国政府特许约翰·劳（Jahn Law）在巴黎建立了一家资本约600万利弗尔的私人银行，这便是后来的皇家银行。政府授予皇家银行发行钞票的权力，以便它用所发行的钞票来支付政府当时的开支，并帮助政府偿还债务。这种钞票在原则上可以随意兑换成硬通货，人们乐于接受。因此，银行建立后，其资产总额迅速增加。1717年8月，约翰·劳取得了在路易斯安那的贸易特许权和在加拿大的皮货贸易垄断权。其后，约翰·劳建立了西方公司，该公司在1718年取得了烟草专卖权。1718年11月，约翰·劳成立了塞内加尔公司，负责对非洲的贸易。1719年，约翰·劳兼并了东印度公司和中国公司，更名为印度公司，垄断了法国所有的对欧洲以外的贸易。约翰·劳所主持的垄断性海外贸易为他的公司源源不断地带来巨额利润。

1719年7月25日，约翰·劳向法国政府支付了5000万利弗尔，取得了皇家造币厂的承包权。为了弥补这部分费用，印度公司发行了5万股股票，每股1000利弗尔，之后很快上升到1800利弗尔。1719年8月，约翰·劳取得了农田间接税的征收权。1719年10月，约翰·劳又接管了法国的直接税征收事务，其股票价格突破了每股3000利弗尔。

1719 年，约翰·劳决定通过印度公司发行股票来偿还 15 亿利弗尔的国债。为此，印度公司连续三次大规模增发股票：1719 年 9 月 12 日增发 10 万股，每股 5000 利弗尔。股票一上市就被抢购一空，股票价格直线上升。1719 年 9 月 28 日和 10 月 2 日，印度公司再增发 10 万股，每股 5000 利弗尔。股票价格一涨再涨，达到了每股 10000 利弗尔，在半年之内涨了 9 倍。

印度公司的股票猛涨不落，不仅吸引了本国大量的资金到股票市场，而且吸引了欧洲各国资金的大量流入。这样，股票买卖的投机氛围越来越浓厚，投机活动的盛行增加了对货币的需求。于是，每当印度公司发行股票时，皇家银行就跟着发行货币，每次发行股票都伴随着货币的增发。因为约翰·劳始终坚信增发银行纸币，换成股票，最终可以抵消国债。1719 年 7 月，皇家银行发行了 2.4 亿利弗尔钞票，用于支付印度公司以前发行的 1.59 亿利弗尔的股票。1719 年 9 月 10 日，皇家银行又发行了 2.4 亿利弗尔。货币大量增发后，必然会引发通货膨胀。1719 年，法国的通货膨胀率为 4%，到 1720 年 1 月上升到 23%。通货膨胀率的上升直接动摇了民众的信心，人们纷纷涌向银行，想方设法把自己的纸币兑换成黄金，而不要印度公司的股票。1720 年 9 月，印度公司的股票价格开始暴跌。1721 年 11 月，股价跌到每股 2000 利弗尔；到 12 月 2 日，跌到了 1000 利弗尔；1721 年 9 月，跌到 500 利弗尔，重新回到了 1719 年 5 月的水平。

密西西比泡沫破灭后，法国经济也由此陷入萧条，经济和金融处于混乱状态，多年之后还难以复苏。

4. 1837 年美国经济大恐慌

1836 年，在马丁·范布伦（Martin Van Buren）未成为美国总统之前，美国第七任总统安德鲁·杰克逊（Andrew Jackson）关闭了美国的联邦银行，以使美国经济摆脱其严格的信贷监管，杰克逊将资金转移到那些州银行。因为将联邦基金移入小型州立银行对美国联邦第二银行造成很大的伤害，他认为美国联邦银行对信用和经济发展的控制过严，对一般市民造成了伤害，因而通过上述做法顺利让这家银行关门大吉。但各州银行因为不重视授信政策，导致西部土地生成许多投机买卖。

在 1836 年美国第二银行延期申请遭到拒绝而关闭后，第二银行停止了一些贷款发行，国际银行家通过紧缩美国银根，使美国陷入了严重的"人为"货币流通量剧减的境地。

马丁·范布伦在赢得总统大选上的技巧要比运用总统职务的技巧来得好，于 1836 年竞选总统获胜，但事实上在他进入白宫之前，就已经发现不少严重的问题。他沿袭了安德鲁·杰克逊的金融政策，这也成为出现 1837 年美国经济大恐慌的最大原因。

1837 年马丁·范布伦担任总统后，许多银行都面临很大的问题，有些准备歇业、业绩下滑，还有成千上万的人失去了自己的土地，让这个年轻的国家遭遇了有史以来最严重的一次经济衰退，最终造成了美国持续五年的经济危机。这就是"1837 年美国经济大恐慌"。

5. 1907 年美国银行金融危机

1907 年，美国第三大信托公司尼克伯克信托公司（Knickerbocker Trust）大肆举债，在股市上收购联合铜业公司（United Copper）股票，但此举失利，引发了华尔街的大恐慌和关于尼克伯克信托公司即将破产的传言。银行纷纷收回贷款，股市暴跌，民众挤兑，几家大银行濒临倒闭。1907 年 10 月，美国银行危机爆发，纽约一半左右的银行贷款都被高利息回报的信托投资公司作为抵押投在了高风险的股市和债券上，整个金融市场陷入极度混乱的状态。

6. 1929—1933 年经济危机

1929 年，经济危机首先在美国爆发，随即席卷了整个资本主义世界，形成了前所未有的、持续最久的世界经济大危机。20 世纪 20 年代，美国证券市场兴起投机狂潮，"谁想发财，就买股票"成为一句口头禅，人们像着了魔似地买股票，梦想着一夜之间成为百万富翁。疯狂的股票投机终于引发了一场经济大灾难。1929 年 10 月 24 日，纽约证券交易所的股票价格雪崩似地跌落，人们歇斯底里地甩卖股票，整个交易所大厅里回荡着绝望的叫喊声。这一天成为可怕的"黑色星期四"，并触发了美国经济危机。然而，这仅仅是灾难的开始。29 日，交易所股价再度狂跌，一天之内价值 1600 多万的股票被抛售，50 种主要股票的平均价格下跌了近 40%。一夜之间，"繁荣"景象化为乌有，全面的金融危机接踵而至：大批银行倒闭，企业破产，市场萧条，生产锐减；失业人数激增，人民生活水平骤降；农产品价格下跌，很多人濒临破产。一场空前规模的经济危机终于爆发，美国历史上的"大萧条"时期到来。

1933 年，整个资本主义世界工业生产下降 40%，各国工业产量倒退到 19 世纪末的水平，资本主义世界贸易总额减少 2/3，美国、德国、法国、英国共有 29 万家企业破产。资本主义世界失业工人达到 3000 多万，美国失业人口达 1700 多万，几百万小农破产，无业人口颠沛流离。经济危机使资本主义制度固有的矛盾引起了资本主义各国的政局动荡，也使资本主义国家之间的矛盾激化，引出一连串的关税战、倾销战和货币战。

7. 三次石油危机

（1）第一次危机（1973 年）。1973 年 10 月，第四次中东战争爆发，为打击以色列及其支持者，石油输出国组织的阿拉伯成员国当年 12 月宣布收回石油标价权，并将其积沉原油价格从每桶 3.011 美元提高到 10.651 美元，使油价猛然上涨了 2 倍多，从而触发了第二次世界大战之后最严重的全球经济危机。持续三年的石油危机对发达国家的经济造成了严重的冲击。在这场危机中，美国的工业生产下降了 14%，日本的工业生产下降了 20% 以上，所有的工业化国家的经济增长都明显放慢。

（2）第二次危机（1978 年）。1978 年年底，世界第二大石油出口国伊朗的政局发生剧烈变化，伊朗亲美的温和派国王巴列维下台，引发第二次石油危机。此时又爆发了两伊战争，全球石油产量受到影响，从每天 580 万桶骤降到 100 万桶以下。随着产量的剧减，油价在 1979 年开始暴涨，从每桶 13 美元猛增至 1980 年的每桶 34 美元。这种状态持续了半年多，此次危机成为 20 世纪 70 年代末西方经济全面衰退的一个主要原因。

（3）第三次危机（1990 年）。1990 年 8 月初伊拉克攻占科威特以后，伊拉克遭受国际经济制裁，使得伊拉克的原油供应中断，国际油价因而急升至每桶 42 美元的高点。美国、英国经济加速陷入衰退，全球 GDP 增长率在 1991 年跌破 2%。国际能源机构启动了紧急计划，每天将 250 万桶的储备原油投放市场，以沙特阿拉伯为首的欧佩克（OPEC）也迅速增加产量，很快稳定了世界石油价格。

8. 1987 年黑色星期一

1986 年，美国经济已经从高速发展变为缓慢发展，直接导致经济放缓和暴涨停止的"软着陆"。1987 年缓慢地过去了，似乎经济衰退的恐惧并没有马上爆发。股票市场在 1987

年8月到达了顶峰。接着连续数日,市场大面积下滑。

1987年10月16日,纽约股市经过夏季连创新高后,在当日下跌逾91点(约5%)。但因时差,美国东岸时间较其他各主要金融市场迟开市,当纽约股市暴跌时,其他市场已休市,并未被波及,甚至与纽约股市同步的多伦多股市也未受影响。

1987年10月19日,当日悉尼股市首先开市未见异动。香港时间早上10时,香港股市准时开市,唯恒生指数一开市即受纽约影响,恐慌性下跌120点,中午收市下跌235点,全日收市共下跌420.81点,收市报3362.39(下跌超过10%),各月份期指均下跌超过300点跌停板。受香港股市暴跌影响,各亚太地区股市全面下跌,效应并如多米诺骨牌般随各时区陆续开市扩展至欧洲市场,并最终绕地球一圈回到纽约:道琼斯工业平均指数大幅下跌508点(逾20%)。

当日,全球股市在纽约道琼斯工业平均指数带头暴跌下全面下跌,引发金融市场恐慌,以及随之而来的20世纪80年代末的经济衰退。

9. 20世纪90年代日本经济危机

日本在20世纪90年代爆发的经济危机,被称为是日本"失去的十年"。此次危机以1991年年初四大证券公司舞弊丑闻被曝光为爆发点,经济形势急转直下,从泡沫景气转为衰退和萧条。与以往经济危机相比,其发生和发展有许多不同点,具体如下:

(1) 经济增长持续低迷。日本经济自1992年以来持续低迷,平均增长率仅为0.9%,有7年时间经济增长率低于1%。在1995年和1996年虽然有短暂的恢复(实际GDP增速分别达2.5%和3.4%),但受1997年东南亚金融危机影响,在1997年GDP增速又跌落到0.2%,1998年跌落为-0.6%。1999年和2000年虽又有所回升,但GDP的增速也仅为1.4%和0.9%。

(2) 企业大量倒闭,负债规模空前,失业率攀升。从1991年开始,资产负债额在1000万日元以上的倒闭企业每年都达1万家以上。1995年达到1.51万家,1996年虽有所减少,也为1.48万家,但到1997年又比1996年增高10.8%,达到1.64万家。1998年再创新的纪录,又有1.92万家企业破产,比上一年高出17.1%。与此同时,倒闭企业的负债规模也达到了空前的水平,从第二次世界大战后到1990年的45年间,倒闭企业负债规模超过4万亿日元的仅有一次,即1985年的4.2万亿日元。然而,在1991—1996年的6年间,年倒闭企业的负债规模少则5.6万亿日元,多则9.2万亿日元,到1998年则进一步达到14.38万亿日元。企业大量倒闭,加之企业实行重建所采取的裁员措施,使日本的失业人员大幅度增加,在2000年为4.9%,2001年9月为5.3%。

(3) 金融机构相继倒闭,不良债权规模急剧增加,金融系统信用等级评估普遍下降。金融机构的破产和倒闭是以往的经济危机所没有的。在政府的全面干预和保护下,第二次世界大战后日本的金融机构超乎寻常的稳定,以致形成了"日本金融机构不会破产"的神话。然而在这次经济危机的冲击下,1994年12月,东京协和信用社和安全信用社首先倒闭,到1997年,金融机构倒闭达到了高峰,就连山一证券公司和北海道拓殖银行也难逃破产的厄运。神话破灭了,不良债权增加了,信用等级评估下降了,严重地危及企业的生存和政府宏观调控的力度。

(4) 设备投资乏力,工业生产下降。在第二次世界大战后日本经济的发展过程中,设备投资,特别是民间企业的设备投资在经济增长中一直起着"引擎"的作用。然而,泡沫经济期间形成的生产能力和生产过剩，以及泡沫经济崩溃后出现的需求不足，使企业原有的设备开工率大幅度下降，以致工业生产也呈下降的趋势。

（5）居民消费水平下降。日本官方的有关统计数字表明，经济泡沫崩溃后，工薪阶层的实际月收入逐年下降，1998年比1997年下降了1.8%。居民收入的减少势必对占日本国内生产总值60%的个人消费产生不利的影响，而消费不足又影响了生产的扩大和经济的复苏。这也是日本迟迟未能摆脱此次经济萧条的重要原因。

（6）经济形势恶化导致政局不稳。在经济形势恶化的同时，日本政局也进入了第二次世界大战后最为动荡不安的时期。在1993年以后短短的几年里，日本内阁六易其主，各届内阁对国内经济的改革措施或是偏离实际，或是不能持续，致使日本的经济形势进一步恶化。

国际社会、经济和政治环境的变化是日本此次经济危机爆发的直接原因，也是促使日本进行经济体制改革的直接动力。政府主导型市场经济模式的局限，是造成此次经济危机的诱因。日本企业管理与经营模式的主要内容包括：经营者主导型企业制度、发展目标优先、终身雇佣制、年功序列制和企业内工会制。日本这种传统的企业制度正在失去其往日的功效。日本的主导产业选择失误，将大量资金投入房地产及相关产业，不但产生了经济泡沫，而且影响了产业升级，使其在国际经济舞台上同美国的竞争步步失利，不得不进行一系列调整。

10. 1994年墨西哥金融危机

1994年12月20日，墨西哥财政部长塞拉在与工商界和劳工组织的领导人紧急磋商以后，突然宣布：比索对美元汇率的浮动范围将被扩大到15%。这意味着比索将被贬值。尽管财政部长塞拉表示，比索汇率浮动幅度的这一变动是为了使货币当局在管理比索的币值时拥有更多的灵活性，但是这一不大的贬值幅度导致人们纷纷抢购美元，因为他们深信，这一贬值意味着钉住汇率制难以为继。墨西哥中央银行进行了有力的干预，但在"羊群行为"的刺激下，外国金融投机者和本国投资者依然担心1982年的债务危机会重演。仅在短短的2天时间内，墨西哥就损失了50亿美元的外汇储备，只剩下30亿美元的储备。

12月22日，即在宣布贬值2天后，墨西哥政府被迫允许比索自由浮动。这使得事态进一步恶化，因为自由浮动后比索又贬值了15%，更多的外资纷纷逃离墨西哥。与此同时，股市也大幅度下跌。一场震惊全球的金融危机终于成为现实。墨西哥金融危机的"导火线"是比索贬值，无怪乎国外学术界也将这一金融危机称作"比索危机"。但是，贬值并非必然会诱发危机，因为墨西哥在1954年和1976年实施的两次贬值并没有带来危机。可见，1994年墨西哥金融危机的爆发，是一系列经济和政治问题在各种不良因素的作用下发生质的变化的必然结果，而并不是墨西哥政府所说的"运气不好"。

金融危机使墨西哥受害匪浅。根据保守估计，危机使墨西哥损失了450亿美元，相当于墨西哥国内生产总值的16%。1995年，墨西哥的国内生产总值下降了6.9%，是20世纪初墨西哥革命爆发以来经济增长率下降幅度最大的一年。通货膨胀率超过50%，而实际工资则降低了20%。消费者无法偿还住房贷款和其他贷款，大量企业倒闭。与危机前相比，失业人口增加了200万。仅在1995年1月和2月，倒闭的企业就达19300家，占全国企业总数的3%，25万人因此而失业。

1995年1月31日，克林顿总统利用其行政命令，前所未有地从美国汇率稳定基金（ESF）中动用了一大笔资金对墨西哥进行援助。这笔资金加上国际货币基金组织、国际清算银行和一些商业银行的援助，共计530亿美元。这一援助有效地稳定了墨西哥的金融形势。从 1995 年第四季度开始，墨西哥经济开始逐步走出危机。

墨西哥货币危机爆发的原因主要有两方面：一方面是从 1990 年起，其经济发生了一系列的变化。首先是高利率吸引了大量外资的涌入，每年流入量达 250 亿~300 亿美元；其次是实际汇率逐步持续上升，损害了其出口商品的竞争力，造成国际收支经常项目的赤字增加到每年约 230 亿美元（占其国内生产总值的 7%）；最后是国内储蓄率急剧下降，从 1990 年的 19% 降到 1994 年的 14% 左右，同时，国内投资和生产率停滞，经济增长率仅为 2%。另一方面是墨西哥政府推行控制通货膨胀措施之一的稳定汇率政策时间过长，使外国投资者觉得这是一种隐含的"汇率保障"，为他们减少了风险，因而吸引了外资证券投资的涌入。然而大部分外资被用来增加消费，投资和外贸出口并未显著增长，这就使整个经济过分依赖外资。一旦外资流入减缓，外汇储备就大量减少。外国投资者一旦察觉，便开始把投资于股票证券的资金回撤回本国，由此触发了危机。

11. 东南亚金融危机

1997 年 7 月 2 日，金融风暴席卷泰国，泰铢贬值。不久，这场风暴扫过了马来西亚、新加坡、日本和韩国等地，打破了亚洲经济急速发展的景象。亚洲一些经济大国的经济开始萧条，一些国家的政局也开始混乱。这次金融危机是继 20 世纪 30 年代大危机之后，对世界经济有深远影响的又一重大事件。具体的内容将在本章第三节进行介绍。

12. 1997—1998 年俄罗斯金融危机

俄罗斯从 1997 年 10 月到 1998 年 8 月经历了由三次金融大风波构成的金融危机。其根本原因是长期推行货币主义政策，导致生产萎缩，经济虚弱，财政拮据，一直依靠出售资源、举借内外债支撑。具体诱因则略有不同：第一次大波动主要是外来的，由东南亚金融危机引起的；第二、三次则主要是俄罗斯政府的政策失误，引起市场对其不信任所致，当然国际金融炒家染指俄罗斯金融市场也是产生全球效应的一个重要原因。

1998 年俄罗斯经济陷入多重危机。在 3 月 23 日叶利钦总统突然解散切尔诺梅尔金政府以后，在俄罗斯的经济领域中，爆发了金融危机、生产危机、预算危机和债务危机；而在全社会范围中，则出现了经济危机与政治危机和社会危机交织并发的局面。与前几年的经济危机相比，这场危机冲击之大、危害之深，都是俄罗斯实行经济改革以来所罕见的。9 月普里马科夫新政府的成立，避免了一场政权危机。但是，它难以在短期内扭转经济领域出现的多重危机并存的局面。1998 年作为"经济下降年"而被载入俄罗斯的史册。

13. 2001 年阿根廷金融危机

2001 年 3 月，阿根廷出现了一个小的偿债高峰，而此时市场对阿根廷政府借新债还旧债的能力有些疑虑。但是，整个市场对阿根廷的疑虑没有完全消除。到 7 月 10 日，阿根廷首都布宜诺斯艾利斯各兑换所的汇率突然出现波动，到 7 月 12 日达到高峰，此时比索实际上已贬值 5% 左右。

7 月风波过后，由于阿根廷政府和国际社会的共同努力，局势总算渐渐趋于平息。11 月 1 日，德拉鲁阿总统宣布，阿根廷将实施重新谈判外债、调整税收、支持困难企业、发行新债券等一揽子经济调整措施，以克服金融危机。但这些措施并未得到积极的反应，相反，却出现了 7 月以来最大的动荡。

11 月 2 日，阿根廷证券市场梅尔瓦股票指数比前一个交易日下降 284%。政府公共债券价格持续下跌。与此同时，货币市场利率急剧飙升，以致银行间隔夜拆借利率竟高达 250%~

300%。受此影响，纽约摩根银行评定的阿根廷国家风险指数曾一度突破了 2500 点大关，创历史纪录。于是，阿根廷政府继续紧急向国际货币基金组织求援。但到了 12 月 5 日，国际货币基金组织拒绝向债务累累的阿根廷提供 13 亿美元紧急援助贷款，从而使该国面临着历史上最大的一次债务危机。

14. 2007 年美国金融危机

2007 年美国金融危机又被称为"次级房贷危机"，它是由于房地产泡沫破裂，次级抵押贷款机构破产倒闭而引发的次级债券衍生品市场资金链条断裂、市场崩盘的金融危机。此次危机的传染性极强，引发了连锁反应，使全球的金融市场都出现流动性不足现象，成为一场冲击全球的金融海啸。具体的内容将在本章第四节进行介绍。

15. 2009 年欧洲债务危机

2009 年欧洲债务危机即欧洲主权的债务危机，是指在 2008 年金融危机发生后，希腊等欧盟国家所发生的债务危机。欧洲债务危机首先爆发于希腊，由于希腊财政赤字占国内生产总值的比例超过欧盟设定的上限，评级机构纷纷下调希腊等债务国的信用评级。以此为起点，欧洲债务危机在整个欧洲开始。具体的内容将在本章第五节进行介绍。

第三节　东南亚金融危机

一、东南亚金融危机产生的背景⊖

从世界范围来看，从此前历史上的金融危机到此次 1997 年东南亚金融危机的发生，并不是孤立的。进入 20 世纪 90 年代以来，世界政治格局和经济发展格局都发生了深刻的变化，这种变化对东亚地区的发展模式提出了严峻挑战。直到金融危机爆发，东亚地区各国对这种变化和挑战还没有做出积极的回应。东南亚金融危机的爆发有其特殊的时代和国际环境背景。

首先，世界经济发展的政治环境发生了重大变化。"冷战"结束后，国际关系中经济因素的影响和作用明显上升。经济关系已经成为国际关系的主导，维护本国经济利益、促进本国经济发展，已成为国际对外关系的核心目标。

其次，世界经济全球化的进程大大加快。"冷战"结束后，世界经济在多极化发展的同时，全球化的进程日趋加快，其主要特征是：①科技进步，特别是新信息技术的发展，把世界日益连接成一个整体，世界变得越来越小。社会信息化、信息网络化、网络全球化、世界经济全球化突出地表现出信息化和网络化的特征。②自由贸易成为世界贸易发展的方向，全球性的市场日渐形成。③国际产业分工随着世界经济全球化发展，正从垂直向水平方向发展，在世界范围内形成生产体系，使生产的全球化联系越来越紧密，分工越来越细，跨国协作越来越广泛。④这是世界经济全球化的结果和重要表现。国际金融市场也日益全球化，国际间资本流动加快。这次金融危机从表象来看，是手持巨额透支基金的国际投机商炒出来的。因为在现代开放的市场环境下，这种投机活动无处不在，上百亿美元的交易在计算机上用很短的时间就能完成。

最后，世界金融体系和金融秩序走向多元化。目前，多数国家还是将自己的货币和美元

⊖《货币战争案例回顾：1997 年东南亚金融危机》，http：//finance.qq.com/a/20121106/002606.htm。

挂钩。这一方面是由于传统习惯，另一方面也是由于美元在各国货币中占优势地位。在金融危机之前，东南亚国家和地区实行的都是以某种形式与美元挂钩的联系汇率制。它可以使本国的货币汇率相对稳定，有利于经济贸易发展。但由于世界经济的多元化发展，美元独来独往的时代已经过去了，区域性的货币集团纷纷成立，这表明世界金融秩序和金融体系正在进行着以多极化为趋向的结构调整。世界金融体系的多极化发展增加了世界金融秩序的不稳定性，因此，世界各国相继采用浮动汇率制，企图依靠市场解决问题。但是，在自由化的货币市场上，货币需求的变化常常被投机商利用。

二、东南亚金融危机产生的过程[⊖]

这场发生于1997年发源于泰国，之后进一步影响到邻近亚洲国家和地区，甚至全球货币、股票市场和其他资产价值的金融大危机，其过程十分复杂，大致可分为三个阶段：

1. 第一阶段

1997年5月，以索罗斯为代表的国际金融投机者瞄准泰铢注入大量热钱，迫使泰国政府于1997年7月2日宣布放弃实行了14年的泰币与美元挂钩的固定汇率制，实行浮动汇率制。由此，东南亚金融危机正式爆发，并很快波及菲律宾、印度尼西亚、马来西亚等其他东南亚国家；1997年10月下旬，索罗斯等国际炒家移师中国香港，香港恒生指数自1996年以来首次跌破10000点；11月中旬，韩国爆发金融风暴，随之日本一系列银行和证券公司破产，东南亚金融风暴演变为亚洲金融危机。

在这一阶段的危机过程中，有以下一些标志性事件：

1997年5月14日，以美国大投机家乔治·索罗斯（George Soros）的量子基金为首的国际投资者对泰铢发动猛烈冲击。这一事件被称为"五月攻击"。此次攻击是投机者在一年不到时间内对泰铢的第三次攻击，之前的两次分别发生于1996年7月和1997年2月。投机者们通过借入日元获得资金（不高于3%～5%的利息成本），然后存入泰铢获取17%的隔夜利率，进行"套利外汇交易"。

1997年7月2日，泰铢兑美元汇率下跌20%，创下有史以来的最低纪录。亚洲金融风暴全面爆发。

1997年7月9日，马来西亚股市指数下跌至18个月来最低点。菲律宾、马来西亚等国中央银行直接干预外汇市场，支持本国货币。

1997年7月22日，国际货币基金组织（IMF）宣布，将首次运用1995年建立的"紧急筹资机制"，向菲律宾提供10亿美元贷款。

1997年8月15日，港币遭投机者袭击，中国香港特别行政区政府动用外汇储备保卫港币。

1997年10月22日，亚洲许多国家货币狂跌，金融危机进入最严重时期。

1997年10月28日，受金融危机影响，中国香港股指均跌破历史纪录。

2. 第二阶段

1998年年初，印度尼西亚金融风暴再起，由此陷入政治经济大危机。受其影响，东南亚汇市再起波澜，新元、马币、泰铢、菲律宾比索等纷纷下跌，随之日元也大幅贬值，亚洲金融危机继续深化。

⊖ 《东南亚金融风暴进程》，http://www.yangtse.com/zt/jrwj10/fbmy/200707/t20070703_317400.htm。

第五章 世界经济危机

在这一阶段的危机过程中，有以下一些标志性事件：

1998年2月9日，发展中国家24国集团聚会加拉加斯，签署了《加拉加斯声明》，国际货币基金组织总裁康德苏（Camdessus）提出金融风险防范的七大要点。

1998年3月9日，世界银行和亚洲开发银行在马尼拉举行会议，设法解决亚洲金融危机。

1998年3月31日，韩国政府决定向外资全面开放金融业，从4月1日起允许外资进入证券、银行业，从7月起实行外汇市场自由化。

3. 第三阶段

1998年8月初，国际炒家对中国香港发动新一轮进攻，中国香港特别行政区政府予以回击，使他们大败而归。继而因俄罗斯国家政策的突变，在俄罗斯股市投下巨额资金的国际炒家再次元气大伤，并带动欧美国家股市、汇市的全面剧烈波动。由此，亚洲金融危机具有了全球性的意义。到1998年年底，俄罗斯经济仍没有摆脱困境。1999年，亚洲金融危机结束。

在这一阶段的危机过程中，有以下一些标志性事件：

1998年8月28日，中国香港股市当日总成交金额达790亿港元，创历史最高纪录，恒生指数报收7829点。中国香港特别行政区区政府打击国际投机者的行动初战告捷。

1999年7月2日，东南亚已经开始摆脱金融危机的阴影。国内生产总值的增幅为：新加坡1.2%，菲律宾1.2%，马来西亚1.6%，泰国3.5%，印度尼西亚10.3%。此外，东南亚国家外汇储备有所增加，对外贸易也都保持顺差。

【专题】

乔治·索罗斯与量子基金[一]

1930年出身于匈牙利犹太律师家庭的乔治·索罗斯经历了异常艰苦的第二次世界大战。后来索罗斯逃到瑞士，并前往英国伦敦上学。在伦敦政治经济学院，索罗斯用两年修完了三年的课程。在剩下的一年中，他选修了著名哲学家卡尔·波普（Karl Popper）的课。

1953年，索罗斯从伦敦政治经济学院硕士毕业，进入伦敦金融机构寻找工作，但在那种依靠裙带关系的金融圈，他根本找不到工作。索罗斯的第一份工作是做一个商业批发公司的业务代表，后来一家匈牙利人管理的金融公司聘用了他，不过，最终他还是被解雇了。郁郁不得志的索罗斯在同事的介绍下去了纽约。

1956年，索罗斯怀揣自己挣的5000美元到了纽约。这些伦敦金融圈的绅士们万万没想到的是就是这位无法立足的索罗斯会在1992年成功阻击币值高估的英镑，迫使著名的英格兰银行投降，退出欧洲汇率机制。这一役让索罗斯赚了10亿美元。到纽约后的索罗斯刚开始在金融圈做套利商和欧洲市场分析。这时的美国市场和欧洲市场都相对封闭，很少有美国投资者会关心欧洲市场的情况。纽约期间，索罗斯结识了人生第一个重要的合作伙伴吉姆·罗杰斯（Jim Rogers）。

1965年，两人组建避险基金——双鹰基金，资本额400万美元。

[一] 资料来源：http://www.forex.com.cn/html/c577/2009-03/1095495p3.htm。

1973年，基金改名为索罗斯基金，资本额约1200万美元。

1979年，索罗斯又将索罗斯基金更名为量子基金。罗杰斯精通分析，索罗斯善于判断决策，他们完全抛弃了华尔街的凡夫俗见，独辟蹊径，很快基金规模达到1亿美元。索罗斯先把基金分散成很多基金，然后发包给其他的经理人，自己变成基金监督者，但这种试验并没有很好的成效。

1981年，索罗斯的量子基金第一次遭遇亏损，基金净值下降约26%，资金赎回压力使基金规模从4亿美元降成2亿美元。随后的1982—1984年期间，也是死气沉沉的岁月。

1984年，索罗斯不再将资金发包给别人，决定自己重新回到投资事业，开始组建自己的管理团队。

1986年，量子基金的财富增加了42.1%，达到15亿美元。索罗斯个人从公司中获得的收入达2亿美元。由索罗斯管理的量子基金在整个1996年的成绩都相当令投资者失望，从1997年年初到6月底的成绩也不是十分光彩夺目，直到7月份，量子基金的成绩才大步跃前，将前6个月的盈利翻了一番。

1996年，美国道琼斯工业指数上扬了22个百分点，而由乔治·索罗斯任董事会主席的量子基金却在低谷中徘徊不前，不盈利倒也罢了，全年还亏损了1.5个百分点。

1997年上半年，量子基金的业绩虽然增长了14个百分点，但与道琼斯指数20.6个百分点的增长比起来，依然没有丝毫可以炫耀的资本。这就意味着，投资人投入量子基金所获得的回收，还比不上购买美国的蓝筹股。

从1997年6月底到7月底的这一个月内，量子基金的增长从14个百分点一举上扬到27.1个百分点，几乎使上半年的盈利倍增。据称，截止到7月底量子基金的总资产已上升到170亿美元，而金融风暴前的资产总值约为150亿美元。

在过去的几十年的历史中，量子基金的平均回报率高达30%以上，量子基金的辉煌也在于此。然而，1998年以来，投资失误使量子基金遭到了重大损失。先是索罗斯对1998年俄罗斯债务危机及对日元汇率走势的错误判断使量子基金遭受重大损失，之后投资于美国股市的网络股也大幅下跌。至此，量子基金损失总数达近50亿美元，元气大伤。2000年4月28日，索罗斯不得不宣布关闭旗下两大基金——"量子基金"和"配额基金"，基金管理人德鲁肯米勒和罗迪蒂"下课"。量子基金这一闻名世界的对冲基金至此寿终正寝。2000年6月，69岁的索罗斯在接受BBC采访时说："我想我不久前失去了那种感觉，我就像一个老拳击手，不应该再站在拳击台上。"索罗斯宣告金盆洗手，不再于全球金融市场进行投资活动。同时，索罗斯宣布将基金的部分资产转入新成立的"量子捐助基金"继续运作；他强调"量子捐助基金"将改变投资策略，主要从事低风险、低回报的套利交易。

（资料来源：《炒汇经典案例：乔治·索罗斯》，外汇通，2009-3-20，有改动。）

三、东南亚金融危机爆发的原因[一]

1997年东南亚金融危机的爆发有多方面的原因，可以分为直接触发因素、内在基础因

[一] 《货币战争案例回顾：1997年东南亚金融危机》，http：//finance.qq.com/a/20121106/002606.htm。

素和世界经济因素等几个方面。

（1）直接触发因素。直接触发因素包括：①国际金融市场上游资的冲击。在全球范围内大约有7万亿美元的流动国际资本。国际炒家一旦发现在哪个国家或地区有利可图，马上会通过炒作冲击该国或地区的货币，以在短期内获取暴利。②亚洲一些国家的外汇政策不当。它们为了吸引外资，另一方面保持固定汇率，另一方面又扩大金融自由化，过早开放资本账户，给国际炒家提供了可乘之机。③为了维持固定汇率制，这些国家长期动用外汇储备来弥补逆差，导致外债的增加。④这些国家的外债结构不合理。在中期、短期债务较多的情况下，一旦外资流出超过外资流入，而本国的外汇储备又不足以弥补其不足，这个国家的货币贬值便不可避免了。

（2）内在基础因素。内在基础性因素包括：①透支性经济的高增长和不良资产的膨胀。保持较高的经济增长速度，是发展中国家的共同愿望。当高速增长的条件变得不够充足时，为了继续保持速度，这些国家转向靠借外债来维护经济增长。但由于经济发展的不顺利，到20世纪90年代中期，亚洲有些国家已不具备还债能力。在东南亚国家，房地产吹起的泡沫换来的只是银行贷款的坏账和呆账。②市场体制发育不成熟。一是政府在资源配置上干预过度，特别是干预金融系统的贷款投向和项目；二是金融体制，特别是监管体制不完善。③"出口替代"型模式的缺陷。"出口替代"型模式是亚洲不少国家经济成功的重要原因。但这种模式也存在着三方面的不足：一是当经济发展到一定的阶段，生产成本会提高，出口会受到抑制，引起这些国家国际收支的不平衡；二是当这一出口导向战略成为众多国家的发展战略时，会形成它们之间的相互挤压；三是产品的阶梯性进步是继续实行出口替代的必备条件，仅依靠资源的廉价优势是无法保持竞争力的。

（3）世界经济因素。亚洲这些国家在实现了经济高速增长之后，没有解决上述问题。同时，世界经济的客观形势也是亚洲金融危机爆发的原因。世界经济因素主要包括：①经济全球化带来的负面影响。经济全球化使世界各地的经济联系越来越密切，但由此而来的负面影响也不可忽视，如民族、国家间利益冲撞加剧，资本流动能力增强，防范危机的难度加大等。②不合理的国际分工、贸易和货币体制，对第三世界国家不利。在生产领域，仍然是发达国家生产高技术产品和高新技术本身，产品的技术含量逐级向欠发达、不发达国家下降。在交换领域，发达国家能用低价购买初级产品和垄断高价推销自己的产品。在国际金融和货币领域，整个全球金融体系和制度也有利于金融大国。

四、东南亚金融危机的影响及启示

此次东南亚金融危机对东南亚地区的经济与社会发展产生了一系列的消极后果，如影响了地区和各个国家的经济增长，挫伤了投资者的信心，降低了对外投资吸引力，使危机波及国家的货币贬值与外债负担加重，加剧了危机波及国家国内的通货膨胀等。

表5-1　1997—2000年各国人均GDP及占世界GDP份额情况

项　目	年　份	1997	1998	1999	2000
日本	人均GDP/美元	24634	24354	24616	25669
	占世界GDP份额（%）	8.546	8.17	7.876	7.686
韩国	人均GDP/美元	14176	13420	14971	16503
	占世界GDP份额（%）	1.793	1.649	1.764	1.831

(续)

项目	年份	1997	1998	1999	2000
马来西亚	人均 GDP/美元	8755	7995	8394	9088
	占世界 GDP 份额（%）	0.525	0.474	0.486	0.504
新加坡	人均 GDP/美元	28622	28092	29752	32262
	占世界 GDP 份额（%）	0.309	0.295	0.303	0.315
泰国	人均 GDP/美元	4963	4444	4695	5007
	占世界 GDP 份额（%）	0.831	0.725	0.732	0.731

（资料来源：由 IMF 官网 WEO 数据库整理得到。）

从表 5-1 可以看出，从 1997 年危机开始到 1998 年，东南亚受到危机影响的主要国家的人均 GDP 以及这几个国家占世界 GDP 的份额均有明显下降。尤其是对日本而言，其占世界 GDP 份额的下降趋势一直持续到 2000 年，其他四个国家，即韩国、马来西亚、新加坡、泰国，从 1999 年开始，人均 GDP 以及占世界 GDP 份额都有所回升，但是回升幅度较小，说明仍然受到经济危机的影响，经济发展速度放缓，经济发展的恢复程度有限。

表 5-2　1997—2000 年危机波及国家的失业率（%）

年份 国家	1997	1998	1999	2000
日本	3.383	4.108	4.667	4.733
韩国	2.617	6.95	6.583	4.425
马来西亚	2.445	3.225	3.425	3.1
新加坡	1.425	2.5	2.8	2.675

（资料来源：由 IMF 官网 WEO 数据库整理得到。）

表 5-2 反映了危机期间，日本、韩国、马来西亚和新加坡这几个受到危机影响最严重的国家的失业率。从表 5-2 可以明显看出，1997—2000 年，这四个国家的国内失业率都有明显上升。甚至对于日本而言，直至 2000 年，其失业率较 1999 年仍在持续上升，国内就业状况受危机影响较严重；而韩国、马来西亚和新加坡到 2000 年，国内失业率才开始有所下降，逐渐从危机中恢复。

这次危机带来的启示主要有：

（1）国家必须实施有效的宏观经济调控，防止经济过热，保证经济在稳定与协调的基础上较快增长。实践证明，只有经济保持稳定、协调与快速增长，才能为金融活动提供良好的经济基础，从而避免金融危机的产生。

（2）经济发展的同时应注意进行产业升级和经济发展方式的转变。泰国金融危机的出现，很大程度上和劳动密集型产业结构与粗放型增长方式跟不上经济变化需要相关。因此，一国在促进经济速度发展的同时，必须尽快转变增长方式，实现产业升级。

（3）金融监管部门要加强对金融机构的监管。金融机构大量呆账的出现是引起东南亚金融危机的重要原因。因此，金融管理当局必须加强对金融机构的监管，建立风险预警系统，并采取多种手段化解金融机构的不良资产⊖。

（4）适时进行汇率机制改革，适应市场供求变化。20 世纪 80 年代，出于经济发展的需

⊖ 樊志刚：《东南亚金融危机的成因、影响及其启示》，城市金融论坛，1997 年第 12 期。

要,东南亚各国都将本国货币与美元挂钩,并将其固定在一定水平上,而不是根据市场供求变化来进行调整。1995 年,美日签订加强美元协议后,各国也未能及时调整汇率政策,结果逐步造成本国货币严重升值,最后成为投机商的攻击目标。作为新兴工业国来说,应当不断调整汇率政策,使之适应市场供求的变化①。

第四节　美国次贷危机

一、次贷危机产生

次贷危机又称次级房贷危机(Subprime Lending Crisis),也译为次债危机。它是一场发生在美国,因次级抵押贷款机构破产、投资基金被迫关闭、股市剧烈震荡引起的风暴。它致使全球主要金融市场隐约出现流动性不足危机。美国次贷危机是从 2006 年春季开始逐步显现的,2007 年 8 月席卷美国、欧盟和日本等世界主要金融市场。

金融全球化是此次美国次贷危机的背景条件。近 10 年来,国际金融体系发生了巨大变化,金融机构的国际化扩张和全球化经营愈演愈烈。金融全球一体化不仅意味着金融活动越过国家疆界的藩篱,而且意味着全球金融风险的发生与传播机制日益紧密地联系在一起②。而这在此次金融危机中表现得尤为明显。美国次贷危机爆发后,迅速在全球蔓延,导致欧洲和亚洲金融市场剧烈动荡。

此次美国次贷危机大体上可以分成四个阶段③:

(1) 第一阶段为 2007 年 4~12 月,美国次贷危机爆发并愈演愈烈,诸多经营次贷的金融机构相继倒闭,从而引发了全球股市和债市剧烈波动,并造成了全球性信贷紧缩,各国央行被迫入市干预。仅 2007 年 8 月 9 日到 31 日一个月不到的时段内,主要国家央行即注资 5446 亿美元,其中欧洲央行注资 3434 亿美元,美联储注资 1472 亿美元。同时,美联储开始降低联邦基金利率,以稳定信贷市场。

(2) 第二阶段为 2008 年 1~7 月,美国次贷危机进一步扩大。美国花旗银行、美林公司和瑞士银行等主要金融机构披露因次贷出现严重亏损,信贷市场进一步趋紧。美联储在联手欧洲央行向市场注入更大流动性的同时,采取罕见举措,10 天内连续两次大幅度降息。

(3) 第三阶段为 2008 年 7~9 月,美国次贷危机深化。联邦政府保险支持的房利美和房地美两家房贷公司陷入了困境。受次贷危机冲击,这两家公司过去的仅仅 9 个月就亏损了 110 亿美元。

(4) 第四阶段为 2008 年 9 月至今,随着雷曼兄弟公司申请破产保护,美林公司被美国银行收购等一系列事件,次贷危机自美国向全球传递并扩散,引发世界性金融动荡。

二、次贷危机产生的原因

美国的利率上升和住房市场持续降温是引起美国次级抵押贷款市场风暴的直接原因。次级抵押贷款是指一些贷款机构向信用程度较差和收入不高的借款人提供的贷款。利息上升,

---

① 《东南亚金融风暴启示录》,http://money.163.com/07/0628/18/3I3I1KTQ002524SQ.html。
② 石俊志:《金融危机生成机理与防范》,中国金融出版社,2001 年,第 134 页。
③ 潘锐:《美国次贷危机的成因及其对国际金融秩序的影响》,东北亚论坛,2009 年第 1 期。

导致还款压力增大，很多本来信用不好的用户感觉还款压力大，出现违约的可能，对银行贷款的收回造成影响的危机。美国次级抵押贷款市场通常采用固定利率和浮动利率相结合的还款方式，即购房者在购房后头几年以固定利率偿还贷款，其后以浮动利率偿还贷款。在2006年之前的五年里，由于美国住房市场持续繁荣，加上前几年美国利率水平较低，美国的次级抵押贷款市场迅速发展。随着美国利率，尤其是短期利率的提高，次级抵押贷款的还款利率也大幅上升，购房者的还贷负担大为加重。同时，住房市场的持续降温也使购房者出售住房或者通过抵押住房再融资变得困难。这种局面直接导致大批次级抵押贷款的借款人不能按期偿还贷款，进而引发"次贷危机"㊀。

具体来说，次贷危机产生的原因可以归纳为以下五个方面㊁：

（1）在安然事件之后，为了恢复公众对市场的信心，美国政府实行了长期宽松的货币政策。从2001年起，美元利率从超过6%开始下降，直至2004年年中接近1%。资本市场较高的流动性和货币市场较低的借贷成本，为金融机构开始利用短期资金为长期资产融资这一非常危险的模型提供了合适的市场环境。金融机构通常没有任何公司和零售存款，依然大量发放30年甚至更长的房屋贷款，而资金来源依靠的是货币市场上隔夜或者一周左右期限的资金，这造成了银行资产与负债期限严重不匹配。

（2）政府对次级贷款的发行起到了有力的政策导向作用。美国克林顿政府为了消除种族歧视，缩小贫富差距，推出了"居者有其屋"的政策，力争大幅提高低收入者的住房拥有率。为了贯彻执行这一政策，克林顿政府出台了一系列政策，对拒绝向低收入人群提供住房贷款的金融机构冠以歧视的罪名进行罚款，数额通常高达数百万美元，这给贷款机构造成了很大的压力。

（3）贷款机构对次级贷款借款人资格审核的流程与传统流程相比有所变化。在传统模型中，贷款机构负责对标的房屋估值，并对借款人的贷款资格进行严格的审核。通常情况下，对借款人收入和信用历史的调查最为重要。在传统模型中，贷款机构绝不会将贷款发放给无实际还款能力的借款人，因此贷款违约率相对较低。但是，在次级贷款模型中，贷款机构与借款人之间的直接联系被贷款经纪商所取代。贷款经纪商为增加业务量，获取更大的利润，开始有意或无意地放松对借款人的调查，并且降低贷款的标准。而贷款机构由于证券化的工具能够将风险市场化，因此对借款人的收入调查也不再像以往那么重视。

（4）美国房地产市场的泡沫破灭也是次贷危机产生的重要原因。从美国房地产市场100多年来的发展来看，其真实房价指数从1890年开始围绕在100左右波动，直到1921年开始的经济"大萧条"，使房价指数持续在70左右的水平长达24年。随后，美国房价指数稳定在110左右。但是，令人瞠目的是，该房价指数从1997年开始出现了前所未有的飞快增长，短短10年时间，已经飞涨到200以上。

人们对美国房地产的前景充满了美好的幻想，以至于在贷款机构发放住房贷款时，都是以房价的持续增长作为借款人能否还款的假设条件。贷款机构单纯地认为只要房价持续增长，那么借款人即使没有足够的月收入，也仍然能够按期偿还贷款，原因是借款人所购买的房屋会一直增值，其增值部分足够弥补每月的贷款还款额。但是，这种理想的假设无疑会随

㊀《美国次贷危机》，http://news.ifeng.com/special/08economy/others/200807/0715_4058_653586.shtml。

㊁ 葛奇：《次贷危机的成因、影响及对金融监管的启示》，国际金融研究，2008年第5期。

着美国房地产泡沫的破灭而失效。而 2007—2008 年实际发生的房地产价格的回落也证实了这个泡沫的逐步破灭。

（5）权威评级机构对次贷证券的评级并未体现其真正的内在风险。房贷衍生证券在经过贷款分解和重新打包后，复杂程度大大提高，评级机构对其正确评级的难度较大。而评级机构的客户希望交由评级机构评级的资产获得尽量高的评级，作为商业机构的评级机构，为追求利润最大化，在保险公司进行担保的环境下，通常愿意给予此类证券较高的评级。

上述五大原因从各个方面促使了次贷危机次贷市场在短短的几年时间内经历了迅猛的发展，种种隐藏的危险因素随着美国房地产泡沫的破灭产生了一系列的连锁反应，从而引发了次贷危机。

【专题】

安然事件

安然（Enron）公司曾是一家位于美国得克萨斯州休斯敦市的能源类公司。在 2001 年宣告破产之前，安然拥有约 21000 名雇员，是世界上最大的电力、天然气以及电信公司之一，2000 年披露的营业额达 1010 亿美元之巨。安然公司连续六年被《财富》杂志评选为"美国最具创新精神公司"。然而真正使安然公司在全世界声名大噪的，却是使这个拥有上千亿美元资产的公司在 2002 年几周内破产的持续多年精心策划，乃至制度化、系统化的财务造假丑闻。安然欧洲分公司于 2001 年 11 月 30 日申请破产，美国本部于两天后同样申请破产保护。公司的留守人员主要进行资产清理、执行破产程序以及应对法律诉讼。从那时起，安然已经成为"公司欺诈"以及"堕落"的象征。

2001 年年初，一家有着良好声誉的短期投资机构老板吉姆·切欧斯公开对安然公司的盈利模式表示了怀疑。他指出，虽然安然公司的业务看起来很辉煌，但实际上赚不到什么钱，也没有人能够说清安然公司是怎么赚钱的。据他分析，安然公司的盈利率在 2000 年为 5%，到了 2001 年年初就降到 2% 以下，对于投资者来说，投资回报率仅有 7% 左右。

切欧斯还注意到有些文件涉及了安然公司背后的合伙公司，这些公司和安然公司有着说不清的幕后交易。作为安然公司的首席执行官，斯基林一直在抛出手中的安然股票——而他不断宣称安然的股票会从当时的 70 美元左右升至 126 美元。而且按照美国法律规定，公司董事会成员如果没有离开董事会，就不能抛出手中持有的公司股票。

也许正是这一点引发了人们对安然公司的怀疑，并开始真正追究安然公司的盈利情况和现金流向。到了 8 月中旬，人们对安然公司的疑问越来越多，并最终导致了股价下跌。2011 年 8 月 9 日，安然股价已经从年初的 80 美元左右跌到了 42 美元。

10 月 16 日，安然公司发表 2001 年第二季度财报，宣布公司亏损总计达到 6.18 亿美元，即每股亏损 1.11 美元。同时，首次透露因首席财务官安德鲁·法斯托与合伙公司经营不当，公司股东资产缩水 12 亿美元。

10 月 22 日，美国证券交易委员会盯上安然，要求公司自动提交某些交易的细节内容。并最终于 10 月 31 日开始对安然公司及其合伙公司进行正式调查。

> 11月1日，安然公司抵押了公司部分资产，获得摩根大通银行（John Pierpont Morgan）和所罗门美邦公司（Salomon Smith Barney）的10亿美元信贷额度担保，但美林和标准普尔公司仍然再次调低了对安然的评级。
>
> 11月8日，安然公司被迫承认做了假账，虚报数字让人瞠目结舌：自1997年以来，安然公司虚报盈利共计近6亿美元。
>
> 11月9日，迪诺基公司宣布准备用80亿美元收购安然公司，并承担130亿美元的债务。当天午盘安然股价下挫0.16美元。
>
> 11月28日，标准普尔将安然公司的债务评级调低至垃圾债券级。
>
> 11月30日，安然股价跌至0.26美元，市值由峰值时的800亿美元跌至2亿美元。
>
> 12月2日，安然公司正式向破产法院申请破产保护，破产清单中所列资产高达498亿美元，成为美国历史上最大的破产企业。当天，安然公司还向法院提出诉讼，声称迪诺基公司中止对其合并不合规定，要求赔偿。
>
> （资料来源：百度百科，有改动。）

三、次贷危机的影响

虽然在西方政府，特别是中央银行的干预下，美国次贷危机初步有所缓解，但是这次发源于美国、由于房地产泡沫破裂而产生的经济危机对美国本身，以及世界经济与金融格局都产生了重要而深刻的影响。其主要表现在：

1. 次贷危机挑战了美国的金融霸权地位

自布雷顿森林体系以来，美国就是国际金融体系中的霸主，而美元是支撑美国霸权地位的核心因素。美国还凭借其在国际货币基金组织和世界银行中的资金优势，确立了以美元为中心的"游戏规则"。虽然布雷顿森林体系已经瓦解，然而美元的霸权地位却并没有随之终结。但此次金融危机的一个直接后果，就是打击了美国的金融业，弱化了美元的国际货币地位，同时，这也必然削弱了其在国际货币基金组织和世界银行中的绝对优势[一]。

表5-3是通过购买力平价法（PPP法）计算的美国GDP、人均GDP、通货膨胀率、商品与服务进出口变动比率以及国内失业率等指标，具体展现了次贷危机对美国的影响。由表5-3可见，2008—2010年是美国受到次贷危机最严重的几年，国内生产总值从2008年的147200亿美元下降到2009年的144170亿美元，人均GDP从2008年的48308美元下降到2009年的46907美元。从2011年开始，美国才开始逐渐从危机中缓和，但次贷危机对经济的影响仍然存在。相比GDP与人均GDP这两项指标而言，通货膨胀率和国内失业率这两项指标在次贷危机的波及下，受到的影响更为持久。2008—2012年通货膨胀率持续上升；2008—2010年国内失业率持续上升，2011—2012年略有下降，但仍保持较高水平。这说明次贷危机对美国实际经济的发展和国内就业的消极影响是比较持久的。

[一] 潘锐：《美国次贷危机的成因及其对国际金融秩序的影响》，东北亚论坛，2009年第1期。

表 5-3　美国次贷危机期间各类经济指标

年份 项目	2008	2009	2010	2011	2012
PPP 法下 GDP/10 亿美元	14720	14417	14985	15534	16245
PPP 法下 GDP 占世界份额（%）	20.86	20.41	19.92	19.57	19.51
人均 GDP/美元	48308	46907	48294	49797	51709
通货膨胀率（%）	215	215	218	225	230
商品与服务进口变动变化率（%）	-2.643	-13.66	-12.76	4.86	2.22
商品与服务出口变动变化率（%）	5.74	-9.07	-11.48	7.08	3.54
国内失业率（%）	5.8	9.3	9.6	8.9	8.1

（资料来源：由 IMF 官网 WEO 数据库整理得到。）

2. 次贷危机对全球金融市场产生了巨大影响[①]

（1）大量房贷机构，特别是与美国次贷市场相关的基金陷入困境或破产。据不完全统计，从 2006 年 11 月至 2007 年 8 月中旬，全美国 80 多家次贷机构停业，其中 11 家破产，损失高达 1000 亿美元。英国、德国、法国、瑞士、荷兰、日本、澳大利亚等国家的 50 多家银行、对冲基金等受到波及。

（2）西方主要金融机构亏损严重，债务大幅上升。受次贷危机影响，全球银行业损失 3000 亿~4000 亿美元。美国花旗银行、美国银行、摩根大通银行及高盛公司等大型金融机构出现了近年来罕见的亏损状况。危机还导致美林公司、花旗银行、美国银行、贝尔斯登资产管理公司、英格兰银行和瑞士银行等金融机构的董事长或总裁辞职。

（3）国际金融市场的各领域都出现了剧烈动荡，股市、债市、汇市、商品市场均无一幸免，并造成了西方信贷市场一定程度的紧缩。据估计，2007 年 10 月以来，全球股市出现暴跌，全球股票市值损失达 7.7 万亿美元。

四、次贷危机的启示[②]

作为当前最为严重的一场金融危机，次贷危机所暴露出来的问题是多方面的，也给世人带来了诸多启示。主要有以下启示：

首先，政府不仅不能在金融市场中缺位，还必须加强对金融体系的宏观监管。在金融资本的推动下，金融自由化似乎已经成为一种不可阻挡的潮流，在市场力量看来，政府在这一潮流中管得越少越好。但正如次贷危机所揭示的，任由金融机构在自身利益的驱动下不受约束地超前创新，一时或许能给金融行业带来相当丰厚的利润，最终却使得整个金融机构面临严重挑战，到最后整个国民经济还会跟着遭受重大损失。由于金融处于现代经济中的关键地位，政府必须对这一领域时刻予以关注，而不能在市场的名义下退让。

其次，重新思考美国在国际金融体系中的作用。过去 20 多年来的主要金融危机多数发生在发展中国家，无论是墨西哥债务危机，还是东南亚金融危机，或者是俄罗斯金融危机，都是如此。而且在上述危机中，美国无一例外地扮演了"救火队员"的角色。这些情形强化了美国是国际金融体系稳定者的角色认知。但次贷危机肇始于美国这一事实，打破了过去

---

① 甄炳禧：《美国次贷危机及其影响》，http：//www.globalview.cn/readnews.asp？newsid=15461。

② 资料来源：http：//old.jfdaily.com/gb/jfxww/xlbk/zbshdk/node46439/node46448/userobject1ai2016379.html。

的传统，促使人们认真思考美国的作用与影响。美国的金融非但没有想象中的那么完美，而且由于其在国际金融体系中的独大地位，一旦发生问题，产生的负面影响将会更大。为了防止类似的情况发生，美国一方面必须自觉地加强自身约束，另一方面也要和其他国家一样接受外界的审视和检查，不能再拥有不受控制的霸权地位。

最后，加强经济政策之间的协调，注意经济政策的前瞻性。楼市泡沫的破裂仅仅是美国次贷危机发生的直接导火索，其根本原因在于美国货币政策短期内的剧烈变化。2001年，为应对"911恐怖袭击事件"以及同时可能发生的股市崩溃对美国经济的打击，美联储决定大幅降低联邦基金利率，直至2003年降到1%。如此低的利息大大地刺激了美国民众购买房产的热情，但却增加了通货膨胀的隐忧。于是，从2004年开始，美联储又逐渐把联邦基金利率加至最高峰时期的5.25%。短时间内利息的急剧增加成为压垮楼市的"最后一根稻草"。显然，美国相关决策部门无论是在降息或者是加息时，都或多或少忽略了对房地产市场的影响，而只把刺激经济增长以及抑制通货膨胀作为最主要目标。但恰恰是被忽视的房地产市场，成为危机发生的第一张多米诺骨牌，进而迅速波及其他领域。由此可见，即便美国这样成熟的国家，也无法避免经济决策的重大失误，那么对其他国家而言，就要更加注意这方面的问题了。

第五节　欧洲债务危机

一、欧洲债务危机的定义

欧洲债务危机即欧洲国家的主权债务危机，是指在2008年金融危机发生后，希腊等欧盟国家所发生的主权债务危机。主权债务是指一国以自己的主权为担保向外借来的债务，不管是向国际货币基金组织还是向世界银行，或是向其他国家借来的债务。

很多国家随着救市规模不断扩大，债务的比重也在大幅度地增加。当这个危机爆发到一定阶段，可能会出现主权违约，即当一国不能偿付其主权债务时发生的违约。传统的主权违约的解决方式主要有两种：违约国家向世界银行或者国际货币基金组织等借款；与债权国就债务利率、还债时间和本金进行商讨。

二、欧洲债务危机的进程

2009年12月爆发的希腊主权债务危机被认为是此次欧洲债务危机的起点。事实上，早在2008年雷曼兄弟公司倒闭不久、金融海啸达到高潮之时，欧洲的主权债务问题就已经存在。北欧小国冰岛曾濒临破产，以匈牙利、罗马尼亚、波罗的海国家为代表的中东欧多国主权信用评级遭到下调，外债压力骤升。只是鉴于这些国家多为欧洲"边缘国家"，经济影响较小，危机救助较为及时，其主权债务问题并未引起连锁反应，但是随着危机的发展和加重，最终还是酝酿成为一场大规模的全球金融动荡⊖。

欧洲主权债务危机演变过程主要分为以下三个阶段⊖：

⊖ 资料来源：http://finance.jrj.com.cn/2012/03/06115212415872.shtml。

⊖ 张凡：《欧洲主权债务危机的进程、原因及对我国经济发展道路的启示》，未来与发展，2012年第12期。

1. 开端阶段（2009 年年底）：**欧洲债务危机爆发于希腊**

2008 年爆发于美国的金融危机造成了全球经济下滑，此后世界各国纷纷采取积极的财政政策和货币政策刺激经济发展，以实现经济复苏。由于福利支付和人口结构原因，欧洲国家的财政状况面临更大的困境。2009 年，希腊政府财政赤字和债务占 GDP 的比例分别达到 12.7% 和 113%，远超欧盟《稳定与增长公约》所规定的 3% 和 60% 的上限。2009 年 12 月，惠誉、标准普尔和穆迪这三大评级公司下调希腊主权评级：惠誉将希腊信贷评级由 A - 下调至 BBB +，前景展望为负面；标准普尔将希腊的长期主权信用评级由 A - 下调为 BBB +；穆迪将希腊主权评级从 A1 下调到 A2，评级展望为负面。欧债危机由希腊开始正式爆发。

2. 发展阶段（2010 年年初至 2011 年上半年）：**危机波及"欧猪五国"**⊖

由于欧元区各国之间相互持有大量国债，加之共同货币的影响，债务危机的传染效应十分明显。葡萄牙、爱尔兰、意大利、希腊与西班牙五个国家，是受欧洲债务危机影响最为严重的国家。欧洲其他国家也开始陷入危机，整个欧盟都受到债务危机困扰。2010 年 1 月 11 日，穆迪警告葡萄牙，若不采取有效措施控制赤字，将调降该国的债信评级；2010 年 2 月 4 日，西班牙财政部指出，西班牙 2010 年整体公共预算赤字将占 GDP 的 9.8%；2010 年 2 月 4 日，德国预计 2010 年预算赤字占 GDP 的 5.5%。

3. 升级阶段（2011 年下半年以后）：**欧洲债务危机蔓延至欧元区核心国家**

2011 年下半年，欧洲债务危机有了向欧元区其他国家蔓延的势头。欧洲国家的公共债务比例普遍较高。早在 2010 年 5 月，欧盟成员国财政部长推出了"欧洲金融稳定救助计划"，救助资金为 7500 亿欧元。2010 年 6 月，又成立了规模为 4400 亿欧元的"欧洲金融稳定基金"来救助希腊等国。到 2011 年，又开始第二轮援助，但是，援助计划没有达到帮助"欧猪五国"从根本上摆脱危机的困境的目标，由于危机的进一步扩大，法国、德国等中心国家也陷入危机之中。2011 年 10 月，穆迪发布报告称，法国主权债务状况恶化，债务负担进一步加重；德国 2011 年发售总值约 60 亿欧元的政务债券，只有 39 亿欧元被市场认购。法国和德国的公共债务比率分别为 90% 和 83%，均超过《稳定与增长公约》规定的 60% 的上限。

三、欧洲债务危机形成的原因⊜

这场危机不像美国次贷危机那样一开始就来势汹汹，但在其缓慢的进展过程中，随着产生危机国家的增多与问题的不断浮现，加之评级机构不时下调评级的行为，逐渐成为牵动全球经济神经的重要事件。

1. 直接原因

政府部门与私人部门的长期过度负债行为，是造成这场危机的直接原因。除西班牙与葡萄牙在 20 世纪 90 年代经历了净储蓄盈余外，"欧猪五国"在 1980—2009 年间均处于负债投资状态。长期的负债投资导致了巨额政府财政赤字。欧盟《稳定与增长公约》规定，政府财政赤字不应超过国内生产总值的 3%，而在危机形成与爆发初期的 2007—2009 年，政府

⊖ 欧猪五国，这是国际经济媒体对欧洲 5 个较弱经济体的贬称。葡萄牙（Portugal）、意大利（Italy）、爱尔兰（Ireland）、希腊（Greece）和西班牙（Spain）这 5 个经济不景气、出现债务危机的欧洲国家因其英文国名首字母组合"PIIGS"类似英文单词"pigs"（猪），故名。

⊜ 《欧洲债务危机的起因》，http：//finance.sina.com.cn/j/20110927/134110548262.shtml。

赤字数额急剧增加。以希腊为例，从2001年加入欧元区到2008年危机爆发前夕，希腊年平均债务赤字达到5%，而同期欧元区数据仅为2%；希腊的经常项目赤字年均为9%，同期欧元区数据仅为1%。2009年，希腊外债占GDP比例已高达115%，这个习惯于透支未来的国家已经逐渐失去了继续借贷的资本。并且这些问题在"欧猪五国"中普遍存在。

随着欧洲区域一体化的日渐深入，以希腊、葡萄牙为代表的一些经济发展水平较低的国家，在工资、社会福利、失业救济等方面逐渐向德国、法国等发达国家看齐，支出水平超出国内产出的部分越来越大。由于工资及各种社会福利在上涨之后难以向下调整，即存在所谓的"黏性"，导致政府与私人部门的负债比率不断攀升。

西班牙和爱尔兰债务问题的成因与希腊略有不同。这两个国家受到次贷危机的影响，房地产市场迅速萧条，国内银行体系出现大量坏账，最终形成银行业危机。而政府在救助银行业的过程中，举债与偿债的能力均出现了问题。

此时，已经背负巨额债务的五国政府，其进一步借贷的能力已大不如从前，政府信用已经不能令投资者安心充当债权人的角色。投资者一般将6%作为主权债务危机的一个警戒值，一旦超过这一水平，该国将面临主权债务危机。意大利的债务问题在"欧猪五国"中前景相对乐观，但其10年期国债的收益率水平已接近6%。除意大利之外，"欧猪五国"2009年的政府赤字均已经数倍于3%的警戒值。当巨额的政府预算赤字不能用新发债务的方式进行弥补时，债务危机就会不可避免地爆发。

2. 推动因素

政府失职与制度缺陷是导致欧洲债务危机爆发的推动因素。"欧猪五国"经历了如此严重的危机，但是政府却动作迟缓，未能够为缓解和避免危机采取积极的行动。虽然五国政府在危机前与危机中的表现不尽相同，但其失职行为是危机的重要推动因素。

首先，为了追逐短期利益，在大选与民意调查中取悦民众，政府采用"愚民政策"。例如，希腊政府在2009年之前隐瞒了大量的财政亏空。其次，一些政府试图通过各种途径逃避欧盟委员会与欧洲中央银行的监管处罚。德国、法国等经济发展较为迅速的欧洲国家曾是这方面的负面典型，而其他国家也随之纷纷效仿。再次，以爱尔兰、西班牙为代表的一些国家政府放任国内经济泡沫膨胀，一旦泡沫破灭，又动用大量的纳税人财富去救助虚拟经济，导致经济结构人为扭曲。最后，政府没有采取果断措施将危机扼杀于"萌芽状态"。例如，意大利政府在2009年赤字达到5.3%时没有果断采取行动，而是一味拖延，导致了后来危机升级的局面。

四、欧洲债务危机的影响[一]

欧元区主权债务危机持续发酵，已经成为影响国际金融稳定和世界经济复苏的一个重要因素。伴随危机的不断深化，不仅是欧元区的生存前景开始遭到质疑，欧盟内部成员国对经济货币联盟的改革方向意见分歧加剧，欧洲一体化进程也面临着重大抉择。这场危机对世界经济产生了破坏性的影响。

首先，欧元区经济陷入衰退，减债的难度增大，并影响世界经济的整体复苏。为取信于资本市场，尽快改善政府财政状况，向外界表明政府解决债务问题的决心，危机爆发后，欧

[一] 《欧债危机深刻影响世界经济》，http://www.chinanews.com/cj/2011/12-06/3510782.shtml。

盟成员国把采取财政紧缩作为应对危机的首要举措,争取尽快减少赤字,恢复财政平衡。但是,这些措施却导致各国失业率上升、福利下降,有效需求萎缩。据经济合作与发展组织(简称经合组织,OECD)报告称,欧元区经济增长率由 2011 年的 1.6% 降至 2012 年的 0.2%。欧元区面临着促进经济增长和缩减财政赤字的两难处境。同时,为修补货币联盟关键性的制度缺陷而提出的改革倡议,如建立财政联盟、强化经济治理、发行共同债券等政策,有的由于遭遇分歧而搁浅,有的则面临修改欧盟条约等挑战,改革的方向存在不确定性。这将对世界经济增长造成长期的负面影响。

其次,欧洲债务危机已经对欧盟的内外贸易产生显著影响,进而通过贸易途径影响其主要贸易伙伴的经济增长。欧盟是世界上重要的贸易集团,是美国、中国等国第一大贸易伙伴。经济危机造成欧盟需求萎缩,贸易保护主义倾向抬头,给贸易伙伴国经济增长带来负面影响。在欧盟内部,欧元区经济低迷直接影响了英国的经济景气,打乱了英国政府改善财政状况的既定计划。在对外贸易方面,美国、中国、俄罗斯等欧盟主要贸易伙伴也受到了影响。以中国为例,2010 年中国对欧盟出口同比增长了 31.8%,而 2011 年 1 月至 11 月同比仅增长 17.4%,增速显著下滑。

最后,欧元区主权债务和银行风险相互交织的复合型金融危机,已成为国际金融稳定的重大威胁。危机持续并且长时间没有得到解决,导致全球金融系统性风险加大。欧洲债务危机的短期直接影响是使欧元区公债的安全性遭到质疑,欧元作为国际储备货币的吸引力下降,国际资本纷纷逃离欧元资产。另外,欧洲银行体系是此次危机的重灾区,欧盟要求各大银行提高核心资本充足率,银行被迫在全球范围内实行业务收缩,这将导致欧盟资金撤回。根据国际清算银行的统计,欧洲银行投入新兴经济体的资金高达 3.4 万亿美元,其中 1.3 万亿美元流入了东欧国家。中、东欧国家及亚洲部分新兴经济体的经济发展高度依赖欧元区国家银行的注资,一旦发生欧元区资金回流,将导致这些曾接受欧盟注资的国家本币贬值,通胀压力加大,投资锐减,实体经济衰退。

五、欧洲债务危机的启示

(一) **促进高科技制造业的发展**⊖

欧洲债务危机的受灾国大多为欧元区的南欧国家,随着欧洲产业结构的优化升级和劳动力密集型产业的向外转移,以制造业为主要内容的实体经济在"南欧诸国"国民经济中的比重逐年降低。支撑南欧国家经济命脉的不是技术密集型的信息产业和资金密集型的先进工业,而是旅游、服装设计和金融衍生品投资等。欧洲债务危机对立足于装备制造业的德国、法国并没有构成严重的威胁,而是对产业结构以第三产业为主的南欧国家经济形成了严重的挑战,这充分说明片面发展第三产业而忽视实体经济发展的弊端。因此,对于其他国家来说,应进一步优化制造业结构,大力发展新能源、新材料、精密仪器、汽车、信息技术等高科技产业。

(二) **高度重视政府债务**问题,加强风险控制

财政作为一个国家宏观经济二次分配的"蓄水池"与"节制闸",对经济与社会的平稳运行起到重要的"压舱石"作用。适度的短期财政赤字是一个国家经济平稳运行的自然需

⊖ 张丽华、李冠龙:《欧债危机对中国的影响与启示》,经济纵横,2012 年第 10 期。

求与表现形式，但是，长期、大规模的财政赤字往往会导致一个国家政府声誉的降低与未来融资成本的持续升高。欧洲债务危机的根本原因就是政府的债务负担超过了自身的承受范围而引起的违约风险。欧洲债务危机的一个重要启示就是，政府在实施财政政策时，应增强透明度，合理控制政府债务规模，加强风险控制。

（三）福利制度与经济发展水平相适应

虽然欧洲高福利制度极大地促进了战后的社会稳定、经济发展以及人民生活水平的提高，但是也应当看到高福利制度所带来的高成本，在经济全球化的大背景下引起欧洲制造业向外转移，使得本国实体经济规模缩小，导致政府债务加重，社会保障计划难以为继。欧洲债务危机暴露出一些国家"寅吃卯粮"、无力负担高福利的弊端。例如，欧洲债务危机重灾区国家的情况主要表现在三个方面：①人口老龄化严重与退休年龄不断提前，欧洲债务危机前希腊人甚至可以在45岁便申请退休；②制造业的萎缩导致年轻劳动力大量失业；③国民经济的整体衰弱与国民福利的大幅度提高。因此，在建立健全社会保障体系过程中，既要积极主动地推进体系建设，又要保持理性，避免短期福利政绩病，实现社会保障制度的健康发展。

复习思考题

1. 简述主要的经济周期理论。
2. 试分析经济危机产生的原因。
3. 从历次经济危机中，我们可以得到什么启示？

参 考 文 献

［1］《世界经济概论》编写组. 世界经济概论［M］. 北京：高等教育出版社，2011.
［2］雨竹. 1929—1933年世界经济危机的状况、原因及对策［J］. 江西社会科学，1991(5).
［3］徐顿. 对无政府状态下自由市场经济的挑战——试析1929年大萧条极其现实意义［J］. 北方经贸，2008(6).
［4］葛奇. 次贷危机的成因、影响及对金融监管的启示［J］. 国际金融研究，2008(5).
［5］张雪春. 透视没过过次贷危机的传导与启示［J］. 经济与金融，2008(1).
［6］王大海. 世界14次重大金融危机透视［M］. 北京：中国传媒大学出版社，2011.
［7］徐晓慧，李杰. 金融危机、政府干预与企业跨国并购绩效［J］. 国际贸易问题，2016 (6).
［8］李稻葵，吴舒钰，石锦建，伏霖. 后危机时代世界经济格局的板块化及其对中国的挑战［J］. 经济学动态，2015 (5).
［9］范小云，张景松，王博. 金融危机及其应对政策对我国宏观经济的影响——基于金融CGE模型的模拟分析［J］. 金融研究，2015 (9).

第六章

国际经济关系

本章学习目标

1. 了解国际经济关系的内涵、发展及基本原则。
2. 从总体上把握不同类型国家之间的经济关系。

【导入案例】

超越分歧　走向双赢

2017年1月,唐纳德·特朗普正式就任第45届美国总统,组成新一届政府。美国共和党政府产生的同时,共和党在国会参众两院也占据多数。中国共产党第十九次全国代表大会将于2017年下半年召开,这次会议对于未来一个时期内中国的国家发展走向具有至关重要的意义。在两国领导层不久将出现人事变动并对各自内政外交政策进行调整之际,我们期待中美关系不因两国国内政治的变动而出现严重颠簸,双方关系能在新的起点上取得积极进展。

近年来,中美关系总体稳定、日益复杂,两国合作与竞争都在上升。与此同时,中美两国战略思想界再度掀起对中美关系的大辩论,相对悲观的论调在两国均似乎更有市场。两国战略界人士都感到,在国际秩序面临更大挑战的背景下,中美关系正处于冷战后新一轮的重大转型之中,既有老麻烦也有新挑战,双方领导层需要高度重视中美关系。

中美关系正在经历过去三十多年来最深层次的转型,两国对彼此的能力、意图和动向都难以做出明确判断,由此带来巨大的不适应和不确定感。中美关系进入一种合作与竞争同时增强的"新常态",而分歧与竞争的一面更受两国国内公众和国际社会的关注。人们过去常讲,"中美关系好也好不到哪去,坏也坏不到哪去";现如今,"中美对抗可以坏大事,合作可以成大事"。

中美关系的走向已经成为塑造未来世界的最关键因素,而管理中美关系也已成为两国最艰难的挑战。为了避免与美国陷入所谓的"修昔底德陷阱",中国提出构建中美"新型大国关系"的倡议,旨在管理两国之间"竞争性共存"(competitive coexistence)关系,避免滑向战略对抗。美方不应忽视中方的积极意愿和主动作为,中方也需要以更加具体和有效的方式阐明自身战略意图。构建新型大国关系之路将是复杂的、渐进的,双方不应因为某些具体问题未能获得满意的解决就失去信心和方向感。中美两国有责任也有必要更准确地界定国家利益和优先任务，更诚实地面对自身局限和困难，更有力地推动国内变革，更明智地选择彼此相处之道。双方完全可以在重新调适自我的基础上合力应对国际体系转型带来的挑战。中美构建新型大国关系，实际上并不是一种博弈，而是必然之举，是一个对彼此和世界都事关重大的选择。

（资料来源：《超越分歧　走向双赢：中美智库研究报告》，有改动。）

随着国际经济交往的发展，国际贸易、国际投资及国际金融迅猛发展，各国之间的经济交往和联系也越来越紧密。世界各国在商品流通、资本或技术转移、信贷、结算和税收等方面形成了错综复杂的国际经济关系，而这种国际经济关系恰恰是国际关系中最基本、最活跃的因素。国际经济关系是指不同国家或地区的自然人、法人、非法人组织和国家（或地区）、国际组织相互之间在国际经济活动与国际经济交往过程中所形成的具有经济内容的社会关系[1]。国际经济关系是世界范围内各国经济之间的联系媒介，它表现为国际贸易、国际金融、世界市场、国际经济组织等形式。

第一节　国际经济关系的产生与发展

国际经济关系不是一国范围内的经济关系，而是世界范围内各种经济关系的总和；国际经济关系也不是人类社会出现国家组织时就出现的，而是在一定的历史条件下产生并不断发展起来的。国际经济关系是人类经济交往跨越国界才产生的，随着世界市场的发展，国际经济关系也不断深化发展，经历了不同的历史阶段。在不同历史阶段，其行为主体、内容、表现形式、运行机制都表现出不一样的特点。

一、国际经济关系的产生：公元 1500 年以前

大约一万年以前，人类凭借源自于进化的智慧发展了一种相对固定的生产模式：饲养牲畜和栽种粮食，也就是现在的畜牧业和农业[2]。著名经济学家诺思（Douglass C. North）将其称之为人类历史上第一次经济革命，其结果就是促使国家组织产生。大约公元前 3000 年，埃及、巴比伦、印度等"文明古国"相继进入奴隶社会；公元前 21 世纪，中国夏朝进入奴隶社会。在此基础上，邻近国家之间的贸易开始产生。后来，东西方的洲际贸易也慢慢发展起来，涉及的国家有中国、埃及、希腊、罗马、印度、腓尼基（今黎巴嫩境内）等。随着国际贸易的产生，国际经济关系应运而生。不过，15 世纪以前，整个国际贸易是建立在自然经济的基础上，按照自愿交换的原则进行的。贸易在自然经济中的地位并不重要，只是人们经济生活中的一个补充。因此，当时各国之间、各州之间的贸易还处于不连续、不稳定的状态[3]。这种贸易联系还时常因为王朝的更迭以及当权者的喜好而中断，各国基本保持自给自足，国际贸易对各国的经济影响甚微。因此，这一阶段的国际经济关系并不复杂，仅仅体现着各国调剂商品余缺的需要。

---

[1] 刘颖、邓瑞平：《国际经济法》，中信出版社，2003 年版，第 5 页。
[2] 道格拉斯·C 诺思：《经济史上的结构和变革》，商务印书馆，1992 年版，第 84 页。
[3] 海闻：《国际贸易》，上海人民出版社，2003 年版，第 3 页。

二、国际经济关系发展：公元 1500 年至第二次世界大战结束

在这一阶段，两个事件促进了国际经济关系的发展：第一个事件是新航线的开辟。1492年，欧洲人哥伦布（Columbus）成功到达美洲；紧接着 1497 年，瓦斯科·达·伽马（Vasco da Gama）绕过非洲好望角，穿过印度洋，到达南亚西海岸，打通了欧洲到印度的欧亚航线。从 1519 年开始，麦哲伦（Magellan）率领船队历时三年完成环球之旅，开辟东西方交通新航线。新航线的开辟极大地缩短了国与国之间交流的距离，为世界市场的最终形成创造了条件。第二个事件是第二次经济革命的发生。以英国的工业革命为代表，第二次经济革命所特有的技术上的突破为：发明出自动机械来代替生产中的人手和人脑；创造出新能源；对物质进行重大改造[1]。第二次经济革命从根本上改变了西方人的生活方式和生活标准，也导致了专业化分工和大规模生产，为世界市场的形成创造了物质基础。在航线开辟和物质产品极大丰富的共同作用下，世界市场终于形成了。此时，国与国之间的贸易往来已经由以前的偶尔为之变成常态化了，同时，国际投资和国际金融也迅猛发展起来。

在这样的背景下，国际经济关系开始进入一个新的时代，各国之间的经济关系开始变得复杂起来。具体表现为：一是在贸易关系上，卷入世界贸易的国家要考虑如何实现并保持自己的贸易顺差，如何使别国开放市场，如何开辟新的贸易市场等。遗憾的是，一些技术先进的领先国家不是通过谈判来解决上述问题，而是通过枪炮来实现市场的开辟，这样各国贸易关系就变得非常紧张。二是各国之间的金融联系日益紧密。1500 年以前的时代，各国之间的国际贸易基本上是易货贸易，没有世界货币，各国之间基本不存在金融联系。但此时此刻，为适应国际贸易快速发展的需要，以黄金作为世界货币的国际金本位制度建立起来了。由于私人银行和商业银行家的出现，大量的信贷工具和金融手段被创造出来，汇票、本票、支票和票据贴现发展得如火如荼，大型商品交易所、国际拍卖市场、博览会、保险、证券市场都开始出现并得到发展。英国凭借其经济技术优势，成为当时的世界工厂以及世界金融中心，英镑更是成为一种国际货币。越来越多的商业往来使用英镑作为黄金的补充[2]。世界市场的形成还促进了国际投资的发展。因此，国际结算、国际税收、关税等成为国际经济关系的重要内容。总的来说，这一阶段的国际经济关系得到了快速发展，国际贸易高速增长，各国之间的金融关系也日益紧密。

三、国际经济关系深化：第二次世界大战以后

第二次世界大战结束以后，在美国的倡议下，世界银行、国际货币基金组织和关税及贸易总协定三大国际经济组织相继成立，成为处理战后国际经济关系最为重要的国际经济组织。欧洲在美国"马歇尔计划"的帮助下，积极发展经济，重建欧洲。到"马歇尔计划"临近结束时，绝大多数西欧国家的国民经济都已经恢复到了战前水平。

在这一时期，国际经济关系的主体发生了较大变化，形成了长期对立的两大政治经济集团。这两大集团分别是：以美国为首的资本主义国家集团和以苏联为首的社会主义国家集团。以美国为首的资本主义国家集团通过建立北大西洋公约组织（简称北约），加强区域内

---

[1] 道格拉斯·C.诺思：《经济史上的结构和变革》，商务印书馆，1992 年版，第 196 页。
[2] 程大中：《国际贸易：理论与经验分析》，上海人民出版社，2009 年版，第 11 页。

部的经济贸易和军事联系，对社会主义国家实行出口禁运等经济制裁措施；同时，以苏联为首的社会主义国家集团则组成华沙条约组织（简称华约），加强各社会主义国家间的政治、经济交流，促进各国经济发展，突破资本主义国家集团的经济封锁。

若抛开意识形态问题，按照世界各国经济发展状况，可以将其划分为北方发达国家和南方发展中国家。这两类国家主体的经济关系已经完全不同于战前。此时，北方发达国家已经不能够依靠枪炮继续殖民发展中国家，但是，它们希望利用国际经济旧秩序继续控制发展中国家；而发展中国家希望建立尊重自身利益的国际经济新秩序。这种主体之间的对抗使得国际经济关系比以往更加复杂。即便是在发达国家内部，日美、美欧、日欧之间的经济关系也是暗流涌动，有时候还趋于白热化。由于各经济主体的利益取向不同，国际经济关系变得错综复杂。

同时，在"二战"后三大国际经济组织的积极作用下，经济全球化呼之欲出，国际贸易、国际投资呈现快速增长态势。为适应国际分工发展的需要，跨国金融服务也迅猛发展。在经济全球化形势下，如何通过改革国际经济组织平衡各方的利益，是国际经济关系改革的重要内容。经济全球化的重要载体——跨国公司在战后飞速发展，已经成为国际贸易、投资的主体，而跨国公司又为国际经济关系注入了新的内容。

总的来说，第二次世界大战以来的国际经济关系，不管是行为主体、内容、表现形式，抑或是运行机制，都比以往丰富且复杂得多。

第二节　国际经济关系的基本原则

为防止机会主义㊀行为，保障世界各国的正常经济交往，降低经济合作中的不确定性，世界各国在长期的经济交往过程中，形成了一些处理国际经济关系的基本原则。通过这些基本原则来协调国家之间的经济往来，使决策过程大大简化，进一步加深了国际经济交往。

一、经济主权原则

各国在经济交往过程中，要尊重各国的经济主权。首先，尊重经济主权意味着各国政府拥有独立的经济决策权。在国际经济交往中，除非各国自己主动让渡部分经济主权，其他任何国家都无权干涉别国的经济决策。这意味着一国根据自己本国的经济形势和调控目标实施财政政策、货币政策以及汇率政策时，其他国家应当给予应有的尊重。当然，在经济全球化的时代，由于经济政策外部效应的存在，一国在实施其经济政策时也需要考虑对其他国家的影响。其次，对自然资源享有永久主权。联合国1962年颁布的《关于自然资源永久主权的决议》就申明：应当尊重各国处置本国财富和自然资源的独立自主权利。这项决议规定，对资源进行勘探、开发和处置，以及为此目的而输入所需的外国资本时，都应当遵守各民族和各部族在准许、限制或禁止上述活动方面自行认为有必要或应具备的各种规则和各种条件。最后，各国有权将外国财产收归国有或征用、监督和管理。当然，采取国有化、征收或征用措施应当是以公共事业、社会安全或国家利益等理由或原因为依据，这些事业、安全或利益被公认为远比纯属国内外个人的利益或私家的利益重要得多。但是，采取上述措施以行

㊀ 诺斯（1981）认为，机会主义就是交易的一方通过其不合乎合同的行为，违反协议来牺牲另一方而使自己受益。

使其主权的国家应当按照本国现行法规以及国际法的规定，对业主给予适当的赔偿。

二、履约守信原则

古人有云"民无信不立"，孔子也告诫自己的学生"人而无信，不知其可也"，国与国之间的经济交往也需要强调履约守信。如果失去诚信，贸易将不再继续。在经济全球化时代，一国如果采取机会主义行动，对其他国家造成伤害，则受害国或其他权威组织（WTO、IMF 和 WB 等）可以对其进行惩罚或报复。如果要保证国际经济交易的长期进行，各国就必须坚持履约守信原则。

三、公平互利原则

当今社会，各国之间的经济交往需要秉承公平互利的基本原则。贯彻公平互利原则不仅对发展中国家有利，从世界战略全局和发达国家自身利益出发，在发达国家和发展中国家之间建立公平互利关系，也有助于缓和发展中国家的经济困难，有利于世界的和平与发展。对于经济实力相当的国家而言，公平互利落实于原有平等关系的维持；对于经济实力悬殊的国家来说，公平互利落实于原有形式主义的平等关系或虚假平等关系的纠正以及新的实质平等关系的创设。总的来说，公平互利原则不仅适用于发达国家之间的关系，而且也适用于发达国家和发展中国家之间的经济关系，适用于不同社会、经济和法律制度国家之间的关系。因此，在对外经济关系中坚持公平互利原则，是十分有必要的。

四、全球合作原则

在各国缺乏合作的情况下，全球经济要想实现稳定、持续发展的目标，自然是困难重重。在世界经济局部或全部出现问题时，单个国家无法有效解决经济问题，这时全球合作、共商对策可以起到事半功倍的效果。例如，2008 年的美国次贷危机，在世界各国的通力合作下，很快得以控制；而始于 20 世纪 20 年代末期的"大萧条"却由于缺乏全球合作，使得危机在各资本主义国家迅速传染，导致全球性的经济大衰退。另外，能源危机、气候变化等诸多全球性问题，更要依赖全球合作。现在，世界各国也普遍认识到，只有遵循全球合作原则，才能够顺利解决各种现实问题。

五、平等协商原则

和平对话、公平合理、平等协商是解决国际经济关系中复杂敏感问题的正确并且通常都会有效的途径。由于在国际经济交往中，各国的立场、目标以及利益关注点会存在差异，这些差异必然导致在国际经济交往中出现矛盾和摩擦。但矛盾和摩擦的解决绝不能建立在一国对另一国强制与压迫的基础上，而应当平等协商，双方求同存异，共同做出让步，最终解决国际经济矛盾和摩擦。

六、非歧视原则

非歧视原则是关税及贸易总协定（GATT）的基本原则之一，后来的世界贸易组织（WTO）也继承了该原则。非歧视原则要求各成员无论在给予优惠待遇方面，还是按规定实施贸易限制方面，都应对所有其他成员一视同仁，即"最惠国待遇"，不应在本国对外国的产品、服务或人员造成歧视，要给予他们"国民待遇"。在非歧视原则下，各成员本着互惠原则，对等地进行双边或多边经济谈判。互惠得到的好处适用于谈判所有成员，使双边互惠成为多边互惠，使一成员对各成员的进口产品均无歧视。国民待遇原则保障了互惠的好处不受减损，使进口产品和国内产品同样在一国国内不受歧视。

第三节　发达国家之间的经济关系

在当代国际经济关系体系中，发达国家一直占据主导地位，它们之间的经济关系最为密切。在不同的历史时期，发达国家之间的经济关系表现出不同的特点，总的来说，在发达国家之间，始终存在着"对立—斗争"和"合作—协调"这两种因素。第二次世界大战之前，"对立—斗争"在发达国家的相互关系中占统治地位，主要原因在于对殖民地的争夺使得它们难以协调彼此之间的关系；第二次世界大战之后，发达国家之间的关系发生了重大变化，"对立—斗争"因素虽然仍旧存在和发展，但"合作—协调"因素明显增多和增强[⊖]。

一、第二次世界大战之前：对立与斗争

在资本主义国家发展的过程中，殖民地贸易的作用功不可没。资本主义国家之间在对殖民地的争夺过程中，充满着血腥与暴力、对立与斗争。在当时，资本主义国家都希望拥有自己的殖民地，将其作为原料产地，利用不平等贸易条件进行掠夺，最终向殖民地倾销产品以攫取高额利润。因此，资本主义国家之间必然会彼此争夺殖民地。然而，与德国、美国等新兴资本主义强国崛起相对应的是，西班牙、葡萄牙、荷兰等老牌殖民大国已然衰落，无力保护原本在自己控制下的广大殖民地；力量的平衡被打破，实力差距越拉越大。在这样的情况下，新兴资本主义强国与老牌殖民大国之间的殖民地争夺必然会更加白热化。第二次世界大战以前，资本主义国家为争夺对殖民地的控制权展开了殊死搏斗。

西班牙是15～16世纪的海上霸主，迅速崛起的英国为推行其殖民扩张政策，与西班牙进行海上霸权的争夺。1586—1604年，两国爆发了激烈的海战，最终，号称"无敌舰队"的西班牙海军被英国击败，失去了制海权。此后，西班牙日渐衰落，英国获得了海上霸主地位，建立了庞大的殖民帝国。1624—1661年，荷兰和葡萄牙为争夺对巴西殖民地的控制权而爆发战争。最终荷兰同葡萄牙签订条约，放弃对巴西的一切领土要求。17世纪50～70年代，英国为了打败其商业竞争对手荷兰，保住其开始建立的海上优势和争夺殖民地，三次挑起对荷兰的战争。英国通过三次战争耗尽了荷兰的贸易和海军实力，夺取了海上霸主地位，建立了"海权—贸易—殖民地"的帝国主义模式。1759年，英、法两国在亚伯拉罕平原打响魁北克战役。最终法国战败，并失去对北美殖民地的主导。1898年，美国为争夺西班牙属地古巴、波多黎各和菲律宾而发动美西战争。最终西班牙承认古巴独立（实际上沦为美国的保护国），将波多黎各、关岛和菲律宾转让美国，这场战争使敢于与美国军事力量抗衡的欧洲国家得到了警告，标志着美国将更多地参与世界事务。1904年爆发日俄战争，最终日本胜利，签订《朴次茅斯条约》，取得对中国东北及朝鲜的控制权。

第一次世界大战爆发的原因，从根本上来说，是由于第二次经济革命后，发达国家内部

⊖ 李琮：《世界经济学新编》，经济科学出版社，2000年版，第120-121页。

发展不平衡的结果。在世界已经被老牌资本主义国家瓜分完毕的现实背景下，后起之秀——德国为了给国内过剩的资本寻找出路，必须扩张市场，而老牌资本主义国家又不愿意让出自己已有的殖民地和势力范围。因此，老牌资本主义国家和新贵们之间发生了不可调和的冲突，最终以战争的形式打破了原有的平衡，建立新的平衡。第一次世界大战中的战败国德国不甘心《凡尔赛条约》对其惩罚，意大利因未能得到英国和法国所许诺的领土而耿耿于怀，日本则意欲在亚太地区与美国、英国、法国等资本主义国家进行争夺。第二次世界大战的爆发也就是德国、意大利、日本法西斯政权意图瓜分世界的直接结果。法西斯政权希望通过武力争夺老牌资本主义国家的势力范围，建立地区霸权。

二、第二次世界大战之后：合作与协调

第二次世界大战之后，发达国家争夺殖民地的对立与斗争不复存在。发达国家成为全球化的推动者，它们之间相互渗透、相互参与、相互交织并相互牵制。尽管发达国家在国际经济关系中仍然存在矛盾和摩擦，但是，合作与协调已经占据主导地位。发达国家普遍意识到，发展经济需要一个良好的国际经济环境。在发达国家的推动下，通过协商建立和完善了有利于国际经济交往的体制。在贸易方面，主要是在关税及贸易总协定的安排之下，通过协商逐步降低关税，建立有利于商品交换发展的国际贸易秩序。在货币领域，通过布雷顿森林体系，对各国货币的兑换、国际收支的调节、国际储备资产的构成等问题做出安排。该体系在运转20多年后，随着欧洲和日本的崛起，最终分崩离析，但围绕建立新的货币体系的努力一直没有停止。

（一）美欧之间的经济关系

"二战"后初期，美欧关系度过了一段难忘的"蜜月期"。美国对欧洲实施"马歇尔计划"，帮助欧洲重建，双方的经济合作比较融洽。20世纪60年代，美国强烈支持欧洲一体化进程，对欧洲经济共同体和欧洲原子能共同体的谈判施加了相当大的影响[1]。美欧之间还通过临时性和制度性的协调解决经济发展中面临的共同问题。例如，1973年石油大幅度提价导致"能源危机"，之后在美国及欧洲诸国的倡议下，大家协商一致采取共同节能措施，并建立国际能源署。20世纪70年代，接连发生的"美元危机""石油危机""布雷顿森林体系瓦解"等事件重创了美欧经济。为解决世界经济和货币危机，重振西方经济，1975年7月初，法国倡议召开由法国、美国、日本、英国和德国五国参加的首脑会议，以解决世界经济危机的所有经济问题，这也就是八国首脑会议的前身。第二次世界大战以来，美欧之间在经济领域的合作与协调明显增强的同时，矛盾和摩擦也时有发生，有时还很激烈。

当欧洲的经济力量增强时，美欧之间的经济摩擦终于爆发了。1962年，当时的欧共体对美国的地毯和玻璃出口进行限制。1963年，爆发了著名的"鸡肉战"，美国指控欧共体对家禽进行生产补贴。1969—1974年，双方又爆发了"钢铁战"。此后，钢铁产品争端成为欧美贸易纠纷中的一个长期问题。在高科技产品领域，双方也爆发了针对"飞机生产补贴"的争端。1986年，美国向关税及贸易总协定提出申诉，指控欧共体对空中客车公司进行财政补贴，认为这是一种不公平的竞争，损害了美国波音公司的利益。但是，欧共体却认为，空中客车公司是欧共体国家之间合作成功的绝佳例子，同时指出美国也在某种程度上对波音

---

[1] 王仕英：《美国对欧洲一体化政策研究综述》，兰州学刊，2008年第8期。

公司进行补贴。在此后 20 多年间，双方一直都互相指责对方接受政府巨额财政补贴。农产品贸易纠纷一直是美欧关系中的一个主要障碍。美国认为，欧洲的农业补贴保护了欧洲内部市场，扭曲了农产品价格，破坏了世界农产品的正常贸易。美国为维持其农产品的出口竞争力，也不得不对其出口产品进行补贴，从而增加了财政负担。但欧共体辩称，农产品价格支持是保证欧洲内部农业就业的重要方式，尽管欧洲出口一些农产品，但仍然是世界上最大的农产品进口国。1993 年，欧盟实行新的香蕉进口配额制度，美国认为这损害了其在拉美地区经营香蕉园的跨国公司的利益。为此，美国将向世界贸易组织提起诉讼并最终胜诉，从 1999 年 3 月开始，对来自欧盟的价值 1.91 亿美元的商品征收 100% 关税作为报复。此后，美国和欧盟围绕这一问题进行多次磋商，最终欧盟同意到 2006 年 1 月 1 日完全取消配额制度。这些经济矛盾和贸易摩擦爆发后，两方虽互相指责，甚至不惜对簿公堂，但相互沟通协调工作也从来没有停止过。

（二）美日之间的经济关系

"冷战"时期，美日通过签订《美日安全同盟条约》结成同盟。当美苏对抗加剧的时候，贸易问题往往置于次要地位，当国际局势趋于缓和时，双边贸易问题就凸显出来[1]。20 世纪 50 年代，日本成为美国战略基地，战争促进了日本工业和贸易的发展。当时，日本出口具有比较优势的劳动密集型产品，对美国产业没有造成什么威胁，两国之间的经济关系融洽。但从 20 世纪 60 年代末期开始，美日关系出现较大转折，"冷战"局势出现缓和，美日之间开始在纺织品、钢铁和彩色电视机等领域发生贸易摩擦。1966—1974 年，美国连续三次要求日本对美钢铁出口实行"自动出口限制"。

进入 20 世纪 80 年代以后，日本已经成为一个世界经济大国，美日的经济力量对比已经发生了质的变化。日本的制成品出口特别强劲，诸如半导体、超级计算机、机器人等，其高科技工业部门实力也超群，对美国形成了巨大的压力。美国对日本的贸易逆差在 1972 年时为 40 亿美元，而到了 1987 年则上升至近 600 亿美元。美国认为，日本利用美国的自由贸易政策占领了美国市场，而自己却实行贸易保护主义，使美国的产品无法顺利出口到日本。美国甚至在 1989 年针对日本动用"超级 301 条款"，要求日本在一年内向美国开放超级计算机、卫星及森林产品等方面的市场。另外，美国还通过"广场协议"要求日本干预外汇市场，逼迫日元升值，在不到三年的时间里面，日元对美元升值一倍多，这对日本以出口为主导的产业产生相当大的影响。不管"广场协议"是否有错，但此后日本经济一蹶不振，复苏乏力。

（三）日欧之间的经济关系

第二次世界大战至 20 世纪 60 年代，欧洲各国与日本的经贸关系并不紧密，在政治上也互不关心。从 20 世纪 70 年代开始，日欧经贸关系开始发展，其经贸矛盾与摩擦也开始表现出来。日本产品大举进入欧洲市场，欧洲对日本的贸易逆差日渐增长。1975—1980 年，日本对欧洲的贸易顺差由 23 亿美元扩大到 89 亿美元，这引起了欧洲委员会的关注。在第二次石油危机的冲击下，日欧贸易摩擦进一步激化。在 20 世纪 80 年代，日本和欧洲贸易摩擦的焦点是汽车、摩托车、彩电、滚珠轴承、办公设备、数控机床、高保真设备等。欧洲对这些产品实施进口数量限制，并要求日本当局采取必要的措施，否则对这些产品征收惩罚性关

---

[1] 王帆：《美日经贸关系与美日同盟》，国际关系学院学报，2001 年第 2 期。

税。此后，日本政府也逐步认识到日欧经贸不平衡的问题，开始重视内需，提出要将以外需为中心的经济向以内需为中心的经济进行转变。

欧洲方面认为，欧日贸易摩擦的根本原因在于日本的国家制度、贸易惯例等制度性壁垒。为此，日本和欧盟之间展开了对话与合作。日欧积极参与彼此的管理改革，双方专家定期召开会议共同分析造成贸易不均衡的原因，商讨解决方法。欧洲委员会在 1997 年 11 月和 1999 年 10 月向日本政府提出了涉及 150～200 个项目的制度改革提案，涵盖政府采购、金融服务、航空运输、医药品及化妆品市场制度改善、邮政服务竞争等；而日本政府也于 1998 年 11 月和 1999 年 11 月向欧盟提出要求改革的提案，涉及环境制度问题、签证及滞留劳动许可制度、知识产权保护、外国律师制度、电子产品的关税分类问题等。

第四节 发展中国家之间的经济关系

发展中国家之间的经济关系，简称"南南关系"。按照"南南关系"发展的深度、范围及特点，本节以"冷战"结束为分水岭，分两个阶段进行叙述。

一、第一阶段：从第二次世界大战结束到"冷战"结束

经过艰苦的斗争，世界上绝大部分发展中国家已经摆脱了殖民地和半殖民地的枷锁，在国际经济关系中成为具有与发达国家同等政治地位的谈判主体，这使得发展中国家在国际经济关系中的地位发生了重大变化。刚刚摆脱殖民统治的发展中国家百废待兴，而严峻的国际经济形势使发展中国家认识到：必须团结起来，发出自己的声音，通过"南南合作"建立一个能体现发展中国家利益的国际经济协调体制。

具体而言，"南南合作"所追求的国际经济新秩序应该具有以下功能和特征㊀：①国际金融方面，取消发展援助的种种附加条件，约束投机性的国际流动资本，加强国际金融监管的预警机制和协调机制，规范和约束跨国公司的对外直接投资和经营活动，在合理的框架内保护东道国的经济利益和经济安全；②国际贸易方面，发达国家不仅要向发展中国家的比较优势产品开放市场，而且要降低垄断价格，取消各种妨碍正常贸易的非关税壁垒措施，让发展中国家和发达国家共享国际分工和贸易带来的好处；③国际分工和生产方面，不仅使发展中国家获得静态的比较利益，更重要的是使其能以合理代价获得资金和技术，以便通过优化和提升产业结构，获得动态的比较利益；④最为重要的一点是，发展中国家必须能够在作为国际规则和国际制度的主要载体——国际组织里面享有充分自由，拥有有分量的发言权，能在国际规则的制定和修改方面真正反映发展中国家的利益和要求。

为了达到这个目标，发展中国家做了很多努力。早在 1955 年，亚洲、非洲的 29 个民族独立国家就在印度尼西亚的万隆举行国际会议，发表联合公报，确立解决国际争端的 10 项国际关系准则。1961 年，25 个发展中国家在贝尔格莱德召开第一届不结盟国家首脑会议。此后，不结盟运动迅速兴起，逐渐形成一股能与发达国家对抗的政治和经济联合力量。

从第二次世界大战以来到冷战结束的 40 多年间，发展中国家的贸易、投资从小到大。联合国贸发会议的统计资料显示：从对外直接投资额看，1970 年发展中国家对外直接投资

㊀ 罗会钧：《论经济全球化背景下改善南北关系的途径》，湘潭大学学报（哲学社会科学版），2006 年第 3 期。

仅为5100万美元，而1990年则达到119亿美元；从出口额看，1948年发展中国家出口仅为162亿美元，而1990年则达到8439亿美元。同时，发展中国家之间的经贸合作也从无到有，取得了相当大的成效。从对7个发展中国家的区域一体化组织内部贸易发展的统计来看，在1970—1980年，贸易额由26.8亿美元增长到246.4美元，增长了8倍多，年平均增长率达24.8%，高于它们的区外贸易增长速度，内部贸易占其整个对外贸易的比重由8.8%提高到12.9%[⊖]。

在这一阶段，"南南合作"主要取得了以下成果：

（1）通过合作促进国际贸易体制的改革。第二次世界大战之后，美国凭借其在全球经济的领导地位，利用关税及贸易总协定（GATT）在全球推行自由贸易，为其优势产品在全球销售铺平道路。发达国家一方面利用GATT推行的自由贸易规则打开发展中国家市场；另一方面又利用各种手段将农产品、纺织品排斥在自由贸易规则之外。发达国家的农产品贸易一直享有巨额补贴，并利用各种关税和非关税壁垒来保护国内农产品市场。而发展中国家具有比较优势的纺织品贸易则长期徘徊在GATT自由贸易框架之外，多年来受到"多边纤维协定（MFA）"的约束，对发展中国家纺织产品出口产生了非常不利的影响。这样的多边贸易体制对发展中国家的出口极为不利。为寻求体现公平的国际贸易秩序，发展中国家团结合作，经过长期的斗争，于1968年在联合国贸易和发展会议上通过了发达国家给予发展中国家普惠制待遇的决议。普惠制是一种非歧视的、非互惠的、单方面由发达国家给予发展中国家的优惠关税待遇。另外，经过发展中国家的努力，在多边贸易谈判中，也开始顾及发展中国家的实际情况，在履行多边协定时，允许其有一定的过渡期。

（2）通过合作促进国际金融体制改革。为促进各成员国在国际货币问题上进行磋商与协作而成立的国际货币基金组织，实质上是一个"富国俱乐部"。其投票权设计规则根据各国GDP、贸易开放程度以及外汇储备计算而得，谁的比重大，就可以向国际货币基金组织认缴更多的股份以获取投票权。因此，发达国家的投票权重占有绝对优势地位，并且企图长期保持其在国际货币基金组织中的垄断地位。发展中国家联合起来，反对这种不合理的国际金融体系，最终，发展中国家的投票权和份额不断增长。到2008年4月，发达国家的投票权重已经降为57.9%，而发展中国家的份额则上升至42.1%。同时，发展中国家还可以通过世界银行申请低息或无息贷款甚至赠款，来帮助本国加快基础设施建设、扶贫等。在发展中国家的努力下，在1979年第五届联合国贸易和发展会议上，西方发达国家承诺把最贫穷国家的官方贷款免除，转作"赠与处理"。

（3）通过合作改善在国际分工中的地位。在殖民时代，发展中国家缺乏经济自主权，基本没有自己的工业，多数沦为发达国家的原料供应地和商品倾销地。这些发展中国家自然无法利用自己的比较优势切入国际分工体系，获取贸易和投资利益。在政治获得独立后，众多发展中国家根据自身的资源禀赋特点，在GATT多边贸易框架下，积极发展进出口贸易，取得了不错的经济成绩，外汇储备大量增加。而伴随着发展中国家初级产品的大量出口，其贸易条件恶化，虽然没有造成出口"悲惨型增长"，但也使得发展中国家的利益受到损害。据此，发展中国家通过协调出口价格，避免生产国之间发生"价格战"，并在国际谈判中协调立场，采取联合行动。1976年5月，在肯尼亚首都内罗毕举行的联合国贸易和发展会议

⊖ 赵莉、王振锋：《世界经济学》，中国经济出版社，2003年版，第174页。

上，发展中国家提出"商品综合方案"，由消费国和生产国共同出资，建立一个缓冲基金来稳定初级产品价格。

二、第二阶段："冷战"结束以后

1991年苏联解体，意味着持续多年的"冷战"结束。从这一刻开始，那些因具有相近政治和经济诉求而结成的发展中国家集团，活力开始慢慢消退。它们的首脑会议或外长会议仍会定期举行，也发表大量的宣言、声明或公报，但这些都是泛泛空谈，缺乏实质行动，一旦涉及具体问题，就争吵不断，难以形成统一立场。在经济全球化、信息革命、知识经济等因素的推动下，发展中国家出现了内部发展失衡、贫富差距拉大的现象①。例如，在大部分发展中国家和发达国家的差距日渐扩大的同时，海湾富产石油国家则积累了大量的石油美元财富，其富裕程度甚至超过部分发达国家。

此时，发展中国家某些重要的"群体性共同特征"发生了深刻变化。这些变化主要体现在：①发展中国家群体已经由"坚决反帝、反殖、反霸"，转变为根据自身的生存和发展利益，灵活务实地处理与发达国家的关系；②从要求并谋求"推翻旧的世界体系，建立公正合理的国际经济与政治新秩序"，转变为不挑战当今世界体系和国际秩序；③从坚定主张并致力于南南合作自强，转变为更加依赖发达国家的市场、技术、援助，更加依赖全球性和区域性金融机构，更加依赖从与发达国家的利益组合中"搭便车"；④大多数发展中国家，从坚持基于本国或本民族文化和宗教价值观确立政治制度和发展道路，排斥西方制度和价值观，同时排斥其他制度和价值观，转变为接受甚至引进西方政治模式、法律体系、"民主与人权"价值观。

发展中国家内部实力变化使得南南关系较以往复杂，其内涵和走向也较以往发生了较大的变化。这主要表现为：

首先，"处于上层的南方国家"被北方国家拉拢，削弱了南方集团的力量。所谓的"处于上层的南方国家"是指那些有潜力对由北方控制的国际体系造成损害的南方国家。②经过多年的抗争，南方国家发现其预想的国际经济新秩序很难在短期内形成，而一些比较发达的南方国家同北方国家的经济交往越来越密切，拒不参加北方国家主导的国际经济体系已经不切实际。各国也深刻认识到，只有不断融入到全球经济中，以自己的比较优势切入国际分工体系，经济才能发展。在这种背景下，一部分南方国家与北方国家融合，这极大地削弱了南方集团整体的谈判力量。这可以从发展中国家积极参加由发达国家主导的区域经济组织中看出端倪。

其次，原有的政治口号无法吸引南方国家，南方国家更为务实地重视其自身的利益诉求。第二次世界大战后初期，南方国家的联合最初是出于反对帝国主义、争取民族独立以及反对旧的国际经济秩序的需要。这样的政治目标很容易将发展中国家聚集到一起，将它们的内部分歧暂时放在一边。实践证明，这在当时确实取得了很大的成功。但是，经过"二战"后几十年的不平衡发展，南方较富裕国家与较贫穷国家的悬殊不断拉大。20世纪90年代中期以前，东亚、东南亚的高速发展和撒哈拉以南的非洲的几乎停滞形成强烈对比。由于发展

---

① 董漫远：《发展中国家大分化的战略影响》，国际问题研究，2008年第5期。
② 钟昌标：《南北关系从全球走向区域的标志和原因分析》，世界经济研究，2003年第10期。

中国家内部经济发展水平差异拉大，较为发达的发展中国家需要谋求自身在国际体系中的地位，拉美国家则希望解决债务问题，贫穷落后的非洲国家更关心经济援助问题。由于各自的利益诉求点不一致，在谈判桌上就很难达成一致。

最后，作为一个整体——南方国家集团的整体力量下降，但区域力量不可忽视。自1982年坎昆会议后，发展中国家作为一个整体的谈判力量逐渐下降，南南合作开始陷入低潮。但是这并不意味着所有的南方国家在国际经济中的地位下降，一些新兴工业化国家和地区、富产石油国家的地位显得日渐重要起来。进入21世纪，这些国家以不同的形式在国际舞台上频频亮相，扩大自己的发言权。例如，20国集团（G20）就包含11个新兴工业国，"金砖国家"则由巴西、俄罗斯、印度、中国和南非组成。这些机构和组织在当今的国际经济中起着重要的作用。在经济发展过程中，这些国家积累了大量的外汇储备，而大量的外汇储备形成了主权财富基金（Sovereign Wealth Funds）。主权财富基金是指一国政府利用外汇储备资产与国家财政盈余创立的、在全球范围内进行投资以提升本国经济和居民福利的金融投资工具，是现代国家资本主义的主要表现形式之一[1]。主权财富基金的兴起是21世纪各国经济实力不平衡的结果，标志着世界金融体系多极化趋势的新发展。欧亚新兴经济体国家和产油国在世界金融中的地位明显上升。

第五节　发达国家与发展中国家之间的经济关系

发达国家和发展中国家之间的关系，俗称"南北关系"。在当今世界，发达国家和发展中国家之间的关系纷繁复杂，经济和政治利益存在重大差别，两者之间的经济关系也呈现出错综复杂的特点。当然，这两类国家的经济关系也不是一成不变的，而是随着世界经济政治形势的变化而不断演变的。"南北关系"的实质就是发展中国家所追求的国际政治经济新秩序与发达国家极力维护的国际政治经济旧秩序之间的关系，它涵盖了几乎每一个国家和社会领域，其表现形式既包括斗争，也包括合作，是一个全球性的重要战略问题[2]。

一、第二次世界大战前的南北关系

"地理大发现"使得世界市场骤然变大，亚洲、非洲和美洲富裕的资源吸引着欧洲国家，导致欧洲国家建立殖民制度残酷掠夺这些国家。1607—1733年，英国在北美建立了13个殖民地，把北美变成其农业原料的供应地。随着西欧工业化的发展，拉丁美洲变成资本主义国家的工业品市场和原料产地，非洲为欧洲国家在美洲的种植经济做了巨大牺牲，奴隶贸易使非洲大陆的社会生产力遭到巨大破坏，经济的独立发展过程中断[3]。第二次世界大战以前，众多发展中国家沦为发达国家的殖民地或半殖民地。这些发展中国家经济上从属于发达国家，贸易、投资等完全为发达国家所控制。在殖民体系下，发展中国家成为发达国家廉价原材料的供应地、商品的倾销场所，贸易严重失衡。这些不合理的现象可以从英国东印度公司的行为中窥见一斑。英国东印度公司在英国政府的授权下，于1757年武力占领孟加拉国，

---

[1] 苗迎春：《主权财富基金的兴起与国际经济关系的新变化》，国际问题研究，2008年第5期。
[2] 王维、胡欣、黎峰：《挑战抑或融合：政治经济学视角下的南北关系》，世界经济与政治论坛，2009年第5期。
[3] 徐吉贵：《世界近代中期经济史》，中国国际广播出版社，1996年版，第5页。

抢劫了价值 1500 万英镑的王室珍宝，使拥有 1 亿多人口的亚洲大国逐渐沦为英国的殖民地。在殖民孟加拉国后，强迫当地农民种植鸦片，再走私运到中国销售，从中牟取暴利。对中国的鸦片贸易使中英贸易形成庞大的逆差，尽管中国不断输出茶叶、丝绸和瓷器，但仍未能阻止白银大量流出。至 19 世纪 30 年代末期，中国平均每年输入 3 万箱鸦片，以每箱平均价格 650 银元计算，则中国每年为鸦片支出约 2000 万银元。据 1870—1911 年的统计，在这 42 年期间，除了 1872—1876 这 5 年间出超外，中国其余各年均为入超，贸易逆差共计 19878 万两白银[1]。印度成为英国的殖民地后，便落入了苦难的深渊。英国的殖民统治毁灭了印度引以为傲的传统手工业，成百上千的手工业者失去了生活来源，大批人因为饥饿而死亡，印度达卡城的人口由 18 世纪中期的 15 万下降到 1840 年的三四万人。可见，这一时期的南北关系就是赤裸裸的剥削与被剥削的关系。

二、第二次世界大战以来的南北关系

（一）第一阶段：第二次世界大战后至 20 世纪 70 年代

第二次世界大战结束后，殖民体系基本崩溃，许多殖民地、半殖民地的发展中国家通过斗争成为主权独立国家。但是，在第二次世界大战结束后的很长一段时间里，它们大都仍然是发达国家的原料产地、商品市场和投资场所。通过不等价交换，发展中国家仍旧是发达国家剥削的对象。不少发达国家依然坚持殖民时代形成的国际经济秩序，对发展中国家推行损人利己的经济政策，致使占世界人口 3/4 的发展中国家经济恶化，有的负债累累，有的难以发展。许多发展中国家陷入饥饿和贫困之中，南北贫富差距日益扩大。南北关系问题的实质是发展中国家与发达国家经济差距的不断扩大，而其根源就在于国际经济旧秩序的存在。国际经济旧秩序是帝国主义时代的产物，是帝国主义殖民体系在国际经济关系上的表现。殖民体系瓦解后，发达国家仍利用其强大的经济实力，力图维护国际经济旧秩序。国际经济旧秩序的基本特征是不合理的国际分工、不等价的商品交换和不合理的国际货币金融体系。这种不合理的国际经济秩序是以牺牲发展中国家的利益来维护发达国家的利益的。在这种秩序下，发展中国家仍未摆脱被剥削、受奴役、遭掠夺的地位[2]。

此时，南北关系的基本特征主要体现在以下几个方面[3]：

（1）国际分工不合理。绝大多数发展中国家是由原殖民地和半殖民地演化而来，它们的经济结构不合理，多半是在自给自足的自然经济和小生产基础上形成的，不适应现代商品经济和市场经济发展的要求；同时，它们的经济结构大多是在原殖民主义宗主国长期统治下，为了掠夺这些国家资源而形成的，多具有片面、畸形发展的特点，不适应主权国家经济自主、独立发展的要求。

（2）国际商品交换中价格不合理。作为发展中国家主要出口商品的原料、材料等初级制成品的价格偏低，而作为发达国家主要出口商品的工业制成品和高科技产品的价格则偏高。

（3）国际资本流动中的地位不合理。发展中国家资金缺乏，在国际资本流动中处于被

---

[1] 侯家驹：《中国经济史（下）》，新星出版社，2008 年版，第 750 页。
[2] 罗会钧：《论经济全球化背景下改善南北关系的途径》，湘潭大学学报（哲学社会科学版），2006 年第 3 期。
[3] 李琮：《世界经济学新编》，经济科学出版社，2000 年版，第 102 – 103 页。

动地位，往往易于遭受国际金融动荡和危机的袭击而受到重大损害。

（4）国际交往的指导原则和规则不合理。这些原则和规则基本上是由少数发达国家为维护其利益而制定和确立的，广大发展中国家的发言权不大，其利益和要求很少被考虑和体现，处于被支配的地位。

因此，发展中国家要求改变现存国际经济关系中的不合理状况，改变它们在生产领域、贸易领域和货币金融领域中受到的不公正和不平等待遇，建立新的国际经济秩序，在国际经济事务中取得应有的发言权和决策权。在这一阶段，发展中国家清楚地认识到，发达国家主导的不平等的国际经济秩序严重损害了发展中国家的利益。同时，出于"冷战"的需要，发达国家也开始拉拢发展中国家。在这两个因素的作用下，发展中国家和发达国家间就经济合作和发展问题举行了一些国际性会议和谈判（也称"南北对话"或"南北会谈"）。在发展中国家的积极推动下，1964年3月召开了联合国贸易和发展会议，并于1964年12月通过决议，正式成立联合国的常设机构——贸易和发展会议，旨在最大限度地促进发展中国家的贸易、投资机会，帮助它们在公平的基础上迅速融入世界经济。在此次会议上，77个发展中国家联合发表了《77个发展中国家联合宣言》，提出了关于国际经济关系、贸易与发展的一整套主张。

（二）第二阶段：20世纪70～80年代

这一阶段，发展中国家在与发达国家就国际经济秩序的抗争中，取得了巨大的成绩。除了开展多样化的斗争之外，发展中国家还提出了一系列全面改革国际经济关系的纲领和原则。1973年10月，石油输出国组织联合在一起，采取减产、禁运、提价和国有化等措施，通过震惊世界的石油斗争，夺回了长期被发达国家控制的石油定价权。在1974年的联合国大会上，通过了77国集团起草的《建立新的国际经济秩序的宣言》和《行动纲领》。这两个文件连同第29届联大通过的《各国经济权利和义务宪章》，一起成为发展中国家争取建立国际经济新秩序的纲领性文件，也将国际经济秩序改革的长期斗争推向一个新的高峰[1]。

与此同时，发达国家在经过20世纪60年代黄金增长的10年后，由于两次石油危机，普遍出现经济衰退、失业率攀升、经济滞胀等问题。在这期间，西方国家中出现了一股主张缓和南北矛盾、加强南北合作的势力，并取得了一些积极的成果。首先，1975年，非洲、加勒比和太平洋地区的46个发展中国家同欧洲经济共同体签署了第一个《欧洲经济共同体—非洲、加勒比和太平洋地区（国家）洛美协定》（简称《洛美协定》）。协定规定，这些发展中国家的全国工业品和96%的农产品可以享受免税待遇进入欧共体市场，而欧共体对这些国家出口的初级产品因跌价或自然灾害遭受损失时必须给予资金补贴；其次，提出建立共同基金稳定发展中国家原料出口价格，由消费国——发达国家和生产国——发展中国家共同提供资金，建立发展中国家大宗出口的18项初级产品的缓冲库存，以稳定原料出口价格；最后，采取措施缓解最贫穷国家的债务危机。1979年第五届联合国贸易和发展会议上，挪威、英国、德国、日本、瑞士、加拿大等国明确宣布把给最贫穷国家的官方贷款转作"赠与处理"，瑞典则全部免除了最贫穷国家的债务，从而使严重困扰发展中国家的债务问题得到了一定程度的缓解[2]。

---

[1] 王维、胡欣、黎峰：《挑战抑或融合：政治经济学视角下的南北关系》，世界经济与政治论坛，2009年第5期。

[2] 赵莉、王振锋：《世界经济学》，中国经济出版社，2003年版，第183页。

(三) 第三阶段：20 世纪 80 年代至"冷战"结束

发展中国家经过多年的抗争，在建立国际经济新秩序方面取得了积极的成果。但与发达国家相比，其经济实力对比并没有发生实质性变化。从 20 世纪 80 年代开始，南北对话开始陷入僵局。南北关系陷入困境的主要原因有以下三点：①由于南北对话进入了旨在打破国际经济旧秩序的实质性阶段，涉及了发达国家的根本利益，所以，以美国为代表的少数发达国家对发展中国家的合理要求采取了强硬的态度；②由于发展中国家自身战乱频繁、经济状况恶化、内部经济发展不平衡和相互隔阂加深，发展中国家之间的凝聚力遭到了一定程度的削弱；③遭受经济危机打击后的发达国家缩减生产、发展节能技术，致使石油需求量锐减，与此同时，英国北海油田开始开发，墨西哥石油猛增，结果导致国际市场上石油供应过剩，油价出现了下跌趋势，发展中国家利用石油武器进行斗争的力量也大大削弱。这些负面因素都对南北关系的改善造成了十分不利的影响。

(四) 第四阶段："冷战"结束以来

20 世纪 90 年代，世界格局发生了重大变化，伴随着苏联的解体，"冷战"也随之结束。尽管发展中国家所起的缓冲作用已经不复存在，但是国际垄断资本扩张所推动的经济全球化的深入发展却使得南北双方的联系变得比以往更加紧密。一些全球性的问题，如环境保护、能源危机、气候变化、粮食安全、贸易保护、全球经济治理、极地、太空和深海开发、人口、难民、毒品、核扩散、恐怖主义等，离开任何一方都无法有效处理，需要世界各国共同努力才能妥善解决。因此，南北双方又有了共同对话的基础。在这样的国际环境中，南北关系冲破了相对单一的经济内容（发展援助问题、国际贸易问题、初级产品问题、技术转让问题、债务问题等），而日益向多层次、多方位和更广泛的领域发展，南北关系已从经济领域向全球性领域扩展[⊖]。

为拉拢发展中国家成员，一些发达国家开始利用优厚的条件吸引其加入到区域经济一体化组织中来，以改善南北关系。例如，1994 年正式生效的北美自由贸易区（NAFTA）就以较为优待的条件将发展中国家墨西哥纳入其中。未来美国还希望以此为基础，接纳更多的美洲国家，建立美洲自由贸易区，实现美洲经济一体化。欧盟也不甘示弱，1999 年 6 月 29 日，欧盟 15 国与拉美和加勒比地区的 33 国元首或代表，在巴西里约热内卢隆重举行首届欧盟—拉美国家首脑会议。此次会议发表了《里约热内卢声明》和《行动纲领》，强调欧盟与拉美国家建立面向 21 世纪的战略伙伴关系。2000 年 3 月 23 日，非洲、加勒比和太平洋地区国家集团（简称"非加太国家集团"）77 个国家与 15 个欧盟成员国在贝宁德科托努签署《非加太地区国家与欧共体及其成员国伙伴关系协定》（简称《科托努协定》），以替代实施了 25 年之久的《洛美协定》。根据协定，欧盟在 8 年过渡期内向非加太国家集团提供 135 亿欧元的援助，非加太国家集团 97% 的产品可以免税进入欧盟市场。根据协定，欧盟和非加太地区将签署一系列经济伙伴协议，制定贸易和投资新框架，通过贸易和区域一体化减少贫困现象、保持可持续发展态势并加快非加太地区融入世界经济的步伐。

随着发展中国家的经济发展以及国际地位的提升，它们在国际事务中发挥的作用也越来越大，其立场也得到更大程度的尊重。八国集团首脑会议（G8）过去一直被称为"富人俱乐部"，但是 21 世纪初的历届八国集团首脑会议不仅在会议议程中列入发展中国家问题，而

⊖ 魏宁：《冷战后南北关系新变化研究综述》，理论学习，2008 年第 1 期。

且在会议形式上也从过去的"闭门"讨论发展中国家问题转变为"开门"邀请发展中国家领导人参与议事。从1998年开始，八国集团首脑会议有关发展中国家议题增多，2001年开始邀请发展中国家领导人作为嘉宾或观察员与会，2003年起南北首脑非正式对话被列入八国集团首脑会议议事日程，至2013年已经举行11次（见表6-1）。而今，八国集团框架下南北对话正在扮演缓解南北结构性矛盾的角色，当然其效果还有待观察。

总的来说，这一时期，南北关系发展的总态势是由对抗逐渐走向对话，斗争与合作相互交叉。

表6-1　G8峰会有关发展中国家的议题与南北对话成果（2003—2013年）

峰　会	有关议题	发展中国家参与国	成　果
2003年法国埃维昂莱班峰会	增加发展援助、反恐和防止大规模杀伤武器扩散、地区冲突、伊拉克战后重建、环境保护、艾滋病防治等	中国、巴西、墨西哥、沙特阿拉伯、印度、马来西亚、埃及、塞内加尔、尼日利亚、阿尔及利亚、南非	举行第一次南北首脑非正式对话会议。通过15个文件构成的一揽子协议，其中包括《援助非洲行动计划实施报告》
2004年美国佐治亚岛峰会	中东地区政治、社会、经济改革和非洲问题	阿富汗、阿尔及利亚、巴林、约旦、土耳其、也门、阿尔及利亚、加纳、塞内加尔、南非、乌干达、尼日利亚	正式推出"泛中东和北非"改革计划
2005年英国格伦伊格尔斯峰会	全球气候变化、消除非洲贫困等问题	中国、印度、巴西、南非、墨西哥、阿尔及利亚、埃塞俄比亚、加纳、尼日利亚、塞内加尔、坦桑尼亚	举行第二次南北首脑正式对话。八国集团决定立即全部取消18个重债务国的400亿美元债务
2006年俄罗斯圣彼得堡峰会	全球能源安全、传染病防控、教育、非洲发展问题	中国、印度、巴西、墨西哥、南非、刚果（布）	举行第三次南北首脑正式对话。八国集团就三大议题通过了三项联合声明，并就贸易、反腐败、知识产权保护和非洲问题通过了有关文件
2007年德国海利根达姆峰会	世界经济、投资自由化、知识产权保护、能源安全、气候变化及非洲发展等问题	中国、印度、巴西、南非、墨西哥、埃及、塞内加尔、尼日利亚、阿尔及利亚、加纳及非洲联盟委员会	举行第四次南北首脑非正式对话。八国集团在应对气候变化问题上达成妥协，表示要向非洲提供总额为600亿美元的援助资金
2008年日本北海道洞爷湖町峰会	粮食危机、气候变化、能源安全、世界经济、非洲发展、贸易、金融体系发展等问题	中国、印度、巴西、南非、墨西哥、韩国、印尼、阿尔及利亚、埃塞俄比亚、加纳、尼日利亚、塞内加尔、坦桑尼亚	寻求与《联合国气候变化框架公约》的其他签约方共同达成2050年减少50%温室气体。继续致力于非洲发展，致力于实现联合国千年发展目标
2009年意大利拉奎拉峰会	核不扩散、反恐以及阿富汗、伊朗和中东问题、全球经济治理、商务自由化、气候变化、贸易问题、非洲发展和粮食安全等问题	中国、印度、巴西、南非、墨西哥、韩国、印尼、埃及、阿尔及利亚、安哥拉、埃塞俄比亚、利比亚、尼日利亚、塞内加尔、土耳其、非洲联盟委员会	确保全球经济以均衡、公平、可持续的方式恢复增长，避免竞争性货币贬值。提出总额为200亿美元的粮食安全计划，在未来三年内帮助发展中国家，特别是非洲国家实现粮食安全
2010年加拿大马斯科卡亨茨维尔峰会	发展援助、和平与安全、环境保护、伊朗核问题、朝鲜半岛局势、气候变化及能源等问题	尼日利亚、塞内加尔、南非、阿尔及利亚、马拉维、埃塞俄比亚、埃及、哥伦比亚、牙买加、海地	重点评估对发展中国家的发展援助。发布《马斯科卡问责报告》，评估各成员国过去8年在对外援助、经济发展、健康和食品安全等领域所做的承诺

(续)

峰 会	有关议题	发展中国家参与国	成 果
2011年法国多维尔峰会	中东北非局势、利比亚战争、核电危机、网络自由和金融失衡等问题	阿尔及利亚、埃及、埃塞俄比亚、几内亚、尼日利亚、塞内加尔、突尼斯	支持西亚北非地区人民寻求民主、和平、稳定和发展的意愿,承诺提供200亿美元援助。继续通过严格的财政紧缩计划和结构改革,促进就业和经济可持续增长
2012年美国多维尔峰会	叙利亚局势、核扩散、环境保护、气候变化和世界经济复苏等问题	贝宁、埃塞俄比亚、加纳、坦桑尼亚	承认伊朗和平发展核能的权利。承诺反对贸易保护措施并保护投资,应通过双边和多边的努力来减少贸易和投资壁垒,支持希腊留在欧元区
2013年英国北爱尔兰厄恩湖峰会	全球经济稳增长、叙利亚问题、欧盟与美国开启自贸协定谈判	爱尔兰	促进公平税收、增进透明度和贸易开放,自由贸易协定谈判即将开启

(资料来源:网络资料整理。)

【专题】

推动共建丝绸之路经济带和21世纪海上丝绸之路的愿景与行动

2000多年前,亚欧大陆上勤劳勇敢的人民,探索出多条连接亚欧非几大文明的贸易和人文交流通路,后人将其统称为"丝绸之路"。丝绸之路起始于古代中国,连接亚洲、非洲和欧洲,最初的作用是运输中国古代出产的丝绸、瓷器等商品,后来成为东方与西方之间在经济、政治、文化等诸多方面进行交流的主要道路。千百年来,"和平合作、开放包容、互学互鉴、互利共赢"的丝绸之路精神薪火相传,推进了人类文明进步,是促进沿线各国繁荣发展的重要纽带,是东西方交流合作的象征,是世界各国共有的历史文化遗产。进入21世纪,在以和平、发展、合作、共赢为主题的新时代,面对复苏乏力的全球经济形势,纷繁复杂的国际和地区局面,传承和弘扬丝绸之路精神更显重要和珍贵。

2013年9月和10月,中国国家主席习近平在出访中亚和东南亚国家期间,先后提出共建"丝绸之路经济带"和"21世纪海上丝绸之路"(以下简称"一带一路")的重大倡议,得到国际社会的高度关注。中国国务院总理李克强在参加2013年中国-东盟博览会时强调,铺就面向东盟的海上丝绸之路,打造带动腹地发展的战略支点。加快"一带一路"建设,有利于促进沿线各国经济繁荣与区域经济合作,加强不同文明交流互鉴,促进世界和平发展,是一项造福世界各国人民的伟大事业。

"一带一路"建设是一项系统工程,要坚持共商、共建、共享原则,积极推进沿线国家发展战略的相互对接。为推进实施"一带一路"重大倡议,让古丝绸之路焕发新的生机活力,以新的形式使亚欧非各国联系更加紧密,互利合作迈向新的历史高度,中国政府特制定并发布《推动共建丝绸之路经济带和21世纪海上丝绸之路的愿景与行动》。

一、时代背景与意义

当今世界正发生复杂深刻的变化，国际金融危机深层次影响继续显现，世界经济缓慢复苏、发展分化，国际投资贸易格局和多边投资贸易规则酝酿变革调整，各国面临的发展问题依然严峻。共建"一带一路"顺应世界多极化、经济全球化、文化多样化、社会信息化的潮流，秉持开放的区域合作精神，致力于维护全球自由贸易体系和开放型世界经济。共建"一带一路"旨在促进经济要素有序自由流动、资源高效配置和市场深度融合，推动沿线各国实现经济政策协调，开展更大范围、更高水平、更深层次的区域合作，共同打造开放、包容、均衡、普惠的区域经济合作架构。共建"一带一路"符合国际社会的根本利益，彰显人类社会共同理想和美好追求，是国际合作以及全球治理新模式的积极探索，将为世界和平发展增添新的正能量。

共建"一带一路"致力于亚欧非大陆及附近海洋的互联互通，建立和加强沿线各国互联互通伙伴关系，构建全方位、多层次、复合型的互联互通网络，实现沿线各国多元、自主、平衡、可持续的发展。"一带一路"的互联互通项目将推动沿线各国发展战略的对接与耦合，发掘区域内市场的潜力，促进投资和消费，创造需求和就业，增进沿线各国人民的人文交流与文明互鉴，让各国人民相逢相知、互信互敬，共享和谐、安宁、富裕的生活。

当前，中国经济和世界经济高度关联。中国将一以贯之地坚持对外开放的基本国策，构建全方位开放新格局，深度融入世界经济体系。推进"一带一路"建设既是中国扩大和深化对外开放的需要，也是加强和亚欧非及世界各国互利合作的需要，中国愿意在力所能及的范围内承担更多的责任义务，为人类和平发展做出更大的贡献。

二、共建原则

（1）恪守联合国宪章的宗旨和原则。遵守和平共处五项原则，即尊重各国主权和领土完整、互不侵犯、互不干涉内政、和平共处、平等互利。

（2）坚持开放合作。"一带一路"相关的国家基于但不限于古代丝绸之路的范围，各国和国际、地区组织均可参与，让共建成果惠及更广泛的区域。

（3）坚持和谐包容。倡导文明宽容，尊重各国发展道路和模式的选择，加强不同文明之间的对话，求同存异、兼容并蓄、和平共处、共生共荣。

（4）坚持市场运作。遵循市场规律和国际通行规则，充分发挥市场在资源配置中的决定性作用和各类企业的主体作用，同时发挥好政府的作用。

（5）坚持互利共赢。兼顾各方利益和关切，寻求利益契合点和合作最大公约数，体现各方智慧和创意，各施所长、各尽所能，把各方优势和潜力充分发挥出来。

三、框架思路

"一带一路"是促进共同发展、实现共同繁荣的合作共赢之路，是增进理解信任、加强全方位交流的和平友谊之路。中国政府倡议，秉持和平合作、开放包容、互学互鉴、互利共赢的理念，全方位推进务实合作，打造政治互信、经济融合、文化包容的利益共同体、命运共同体和责任共同体。

"一带一路"贯穿亚欧非大陆，一头是活跃的东亚经济圈，另一头是发达的欧洲经济圈，中间广大腹地国家经济发展潜力巨大。丝绸之路经济带重点畅通中国经中亚、俄罗斯至欧洲（波罗的海）；中国经中亚、西亚至波斯湾、地中海；中国至东南亚、南亚、印度洋。21世纪海上丝绸之路重点方向是从中国沿海港口过南海到印度洋，延伸至欧洲；从中国沿海港口过南海到南太平洋。根据"一带一路"走向，陆上依托国际大通道，以沿线中心城市为支撑，以重点经贸产业园区为合作平台，共同打造新亚欧大陆桥、中蒙俄、中国—中亚—西亚、中国—中南半岛等国际经济合作走廊；海上以重点港口为节点，共同建设通畅安全高效的运输大通道。中巴、孟中印缅两个经济走廊与推进"一带一路"建设关联紧密，要进一步推动合作，取得更大进展。

"一带一路"建设是沿线各国开放合作的宏大经济愿景，需各国携手努力，朝着互利互惠、共同安全的目标相向而行。努力实现区域基础设施更加完善，安全高效的陆海空通道网络基本形成，互联互通达到新水平；投资贸易便利化水平进一步提升，高标准自由贸易区网络基本形成，经济联系更加紧密，政治互信更加深入；人文交流更加广泛深入，不同文明互鉴共荣，各国人民相知相交、和平友好。

共建"一带一路"是中国的倡议，也是中国与沿线国家的共同愿望。站在新的起点上，中国愿与沿线国家一道，以共建"一带一路"为契机，平等协商，兼顾各方利益，反映各方诉求，携手推动更大范围、更高水平、更深层次的大开放、大交流、大融合。"一带一路"建设是开放的、包容的，欢迎世界各国和国际、地区组织积极参与。共建"一带一路"的途径是以目标协调、政策沟通为主，不刻意追求一致性，可高度灵活，富有弹性，是多元开放的合作进程。中国愿与沿线国家一道，不断充实完善"一带一路"的合作内容和方式，共同制定时间表、路线图，积极对接沿线国家发展和区域合作规划。中国愿与沿线国家一道，在既有双多边和区域次区域合作机制框架下，通过合作研究、论坛展会、人员培训、交流访问等多种形式，促进沿线国家对共建"一带一路"内涵、目标、任务等方面的进一步理解和认同。中国愿与沿线国家一道，稳步推进示范项目建设，共同确定一批能够照顾双（多）边利益的项目，对各方认可、条件成熟的项目抓紧启动实施，争取早日开花结果。"一带一路"是一条互尊互信之路，一条合作共赢之路，一条文明互鉴之路。只要沿线各国和衷共济、相向而行，就一定能够谱写建设丝绸之路经济带和21世纪海上丝绸之路的新篇章，让沿线各国人民共享"一带一路"共建成果。

（资料来源：国家发改委、外交部、商务部：《推动共建丝绸之路经济带和21世纪海上丝绸之路的愿景与行动》，2015年3月，有改动。）

【专题】

"一带一路"顺应当今世界大势

美国前国务卿基辛格在《世界秩序》一书中写道："评判每一代人时，要看他们是否正视了人类社会最宏大和最重要的问题。"当今世界面临什么样的重要问题？习近平主席在"一带一路"国际合作高峰论坛开幕式发表的主旨演讲中指出："和平赤字、发展赤字、治理赤字，是摆在全人类面前的严峻挑战"，并提出将"一带一路"建成和平、繁荣、开放、创新、文明之路。这是在中国近40年改革开放中所探索出的创新、协调、绿色、开放、共享五大发展理念基础上，提出的解决世界性难题的中国方案。

"一带一路"国际合作高峰论坛吸引了来自130余国和70多个国际组织的约1500名代表参与，美日等国也派员参加。论坛达成的5大类、76大项、270多项具体成果全球瞩目。高峰论坛为何有如此巨大的吸引力和影响力？这不仅因为"一带一路"倡议蕴含着古丝绸之路的悠久魅力和中国改革开放经验的巨大感召力，更因为"一带一路"顺应了当今世界大势：

一是全球化之势。全球化进程是不可逆转的世界发展大势，世界经济不能从大海退回到湖泊，任何国家、组织甚至个人，想要逆全球化的历史潮流，倒退回"孤国寡民""自给自足"的封闭时代，既不现实，更会徒劳无功。"一带一路"所倡导的全球化，论其特点，不是资本全球化，而是实体经济全球化；论其路径，不是规则导向全球化，而是发展导向全球化；论其方向，不是单向度全球化，而是包容性全球化；论其目标，不是竞争型全球化，而是共享型全球化。"一带一路"正在扬弃传统全球化，开创新型全球化，其前景在于打造开放、包容、均衡、普惠的合作架构，构建人类命运共同体。

二是发展大势。发展是硬道理。民粹主义的抬头、恐怖主义的困扰，本质上仍然是近年一些国家发展失去动力、失去方向累积的恶果。发展中国家亟待补齐基础设施和能源等发展短板。发展是各国最大公约数，是解决一切问题的总钥匙，以发展促进安全，以安全保障发展，这是"一带一路"推动全球治理和国家治理的重要思路。

三是合作之势。西方在近代以来开创了竞争推动进步的全球化、现代化，"一带一路"则正在开创合作推动共同进步的包容性全球化、共同现代化以及南南合作、南北合作，奏响了全球合作大乐章。

四是中国崛起之势。国际金融危机爆发以来，中国经济增长对世界经济增长的贡献率高达三成，是美国的两倍多。中国在迅速崛起的过程中，既不干涉他国内政，也不输出中国模式，而是鼓励各国走符合自身国情发展道路。这是中国提出"一带一路"倡议而得到一呼百应的重要原因。

"一带一路"是伟大的事业，需要伟大的实践。越来越多的事实表明，"一带一路"已成为世界和平、发展、合作主题的伟大践行者。和平合作、开放包容的理念绵延万里，互学互鉴、互利共赢的精神传承千年。顺大势、应民心，"一带一路"的朋友圈定会越来越广，合作之路定会越走越宽。

（资料来源：王义桅：《"一带一路"：顺大势，必长久》，人民日报海外版，2017年5月17日。）

【专题】

亚投行：完善国际金融体系的新平台

2016年1月16日上午，亚洲基础设施投资银行（以下简称"亚投行"）开业仪式在北京钓鱼台国宾馆举行。这是国际经济治理和金融体系改革进程中具有里程碑意义的重大事件，标志着亚投行作为一个多边开发银行的法人地位正式确立。

中国国家主席习近平出席开业仪式并致辞，强调中国倡议成立亚投行，就是要努力承担更多国际责任、推动完善现有国际经济体系、提供国际公共产品的建设性举动，有利于促进各方实现互利共赢。

1. 开放包容新平台

亚投行从倡议变为现实，这一多国参与的国际金融机构仅用了两年多时间。2013年10月，习近平主席在访问东南亚时提出了筹建亚投行的倡议，迅即在亚洲乃至世界引起了广泛关注和积极响应，亚洲区域内外57个创始成员国先后签署加入意向书。在筹建过程中，中国作为倡导国，秉持"亲、诚、惠、容"的理念，以极大的热情、诚意、谦让、包容和协调能力，努力贯彻落实"开放、透明合作、共赢"的筹办原则和高标准的治理模式，尽可能满足参与各方的利益诉求和实际需要，积极协调推进各项筹备工作。

在各方精诚合作及共同努力下，截至2016年年末，已有17个意向创始成员国完成国内法律程序，批准加入亚投行协定，并提交了批准书，股份总和占比50.1%，达到了正式成立开业运行的基本条件。

亚投行正式成立开业，标志着这艘满载亚洲和世界人民新希望的航船扬帆启航。亚投行首批贷款将在今年年内批准，计划放贷15亿至20亿美元，预计此后5~6年每年放贷额可达100亿~150亿美元。初期投资重点领域包括能源与电力、交通和电信、农村和农业基础设施、供水与污水处理、环境保护、城市发展以及物流等。对于本地区来说，这些贷款支持的项目可加快互联互通，不断增强自我发展能力，为经济发展注入持久动力。同时，也有利于扩大全球总需求，促进世界经济复苏。

未来，横跨亚欧大陆和海洋的"一带一路"建设将为亚投行拓展业务提供广阔市场。从资金供给方面看，亚投行作为"一带一路"倡议的投融资平台，可以解决亚洲区域的资源错配问题，实现其储蓄和投资的有效配置，并在全球进行融资和投资，这也将改善"一带一路"沿线国家的投资环境；从资金需求方面看，目前"一带一路"沿线国家和地区有大量的基础设施建设项目，需要大量引进外部资金，而这正是亚投行资金的用武之地。

2. 互补而非零和竞争关系

有人担心亚投行将成为世界银行"强有力对手"。这是完全没有必要的，世界之大，太平洋之宽，容得下亚投行和其他世界多边金融机构共同发展。由于定位和业务重点不同，亚投行与现有多边开发银行是互补而非零和竞争关系，新老机构互补空间巨大，可以通过开展联合融资、知识共享、能力建设等多种形式的合作和良性竞争相互促进，取长补短，共同提高，提升多边开发机构对亚洲基础设施互联互通和经济可持续发展的贡献度。

长期以来，广大发展中国家普遍抱怨原有的多边金融组织审批项目效率不高、限制和门槛过高、对借贷国主权干预、能发放的贷款金额不够等。亚投行的成立将完善现有世界金融体系存在的缺陷，弥补现有多边机构在亚洲基础设施建设投资上的缺口。

当前，亚洲基础设施融资需求巨大，据亚洲开发银行此前的预测，2010—2020年十年间，亚太区域基础设施建设需要投入8万亿美元，而亚行每年提供的基础设施项目贷款仅为100亿美元，亚太地区基础设施融资缺口巨大。而目前，世行、亚行等多边开发机构主要致力于全球和区域范围内减贫工作，投向亚洲区域内基础设施的资金非常有限，远不能满足亚洲国家基础设施开发的需求。

未来，亚投行将奉行开放的区域主义，同现有多边开发银行相互补充，以其优势和特色给现有多边体系增添新活力，促进多边机构共同发展，努力成为一个互利共赢和专业高效的基础设施投融资平台，在提高地区基础设施融资水平、促进地区经济社会发展中发挥应有作用。

3. 建成新型多边金融机构

有人担心中国主导下的亚投行难以实现高水平的治理和高标准、高质量的运行，这种担心完全没必要。不可否认，亚投行是中国积极倡议和推动的，在一定程度上被认为带有强烈的中国色彩，这也是少数人担心的主因。根据以 GDP 为基本依据的股权分配模式，中国是亚投行最大股东。但在未来亚投行的具体决策、管理运营阶段，中国将始终坚持"共商共建共享"原则，而绝非一家独大。亚投行将始终作为所有成员共同拥有的多边发展银行，按照现有的、大家达成一致意见的公司治理框架，在董事会的直接领导下进行运作。

中国作为亚投行倡议方，在银行成立后，将坚定不移支持其运营和发展，除按期缴纳股本金之外，还将向银行即将设立的项目准备特别基金出资 5000 万美元，用于支持欠发达成员国开展基础设施项目准备。全力支持、先人后己，不谋求主导权和控制权，坚持合作共赢的理念和实实在在的做法，彰显中国作为负责任大国的担当和无私贡献。

习近平在亚投行开业致辞中强调指出，亚投行是各成员国的亚投行，是促进地区和世界共同发展的亚投行。未来，亚投行要继续坚持"开放、透明"的原则，积极吸纳新成员，努力实现合作共赢；亚投行要加强同现有多边开发机构的合作，为投资项目提供联合融资；亚投行要在认真吸收现有多边开发性金融机构好的经验、正视其问题与教训的基础上取长补短，创新性地设计治理结构和运营管理决策机制，按国际通行规则实施有效治理和运营，同时要避免其他多边开发银行存在的弊端，确保专业运营、高效运作和透明廉洁，努力将亚投行建成为一个精干、廉洁、绿色、可持续和具有 21 世纪先进治理理念的新型多边金融机构，最终实现多赢共赢，造福亚洲和世界人民。

（资料来源：石建勋：《亚投行：完善国际金融体系的新平台》，中国报道，2016 年第 2 期。）

复习思考题

1. 简述国际经济关系的产生与发展过程。
2. 国际经济关系的基本原则是什么？
3. 第二次世界大战后国际经济关系有什么新特点？
4. 试列举并分析对国际经济关系产生重要影响的历史事件。

参考文献

[1] 董漫远. 发展中国家大分化的战略影响 [J]. 国际问题研究, 2008(5).
[2] 刘青建. 八国集团框架下的南北对话探析 [J]. 现代国际关系, 2007.
[3] 罗会钧. 论经济全球化背景下改善南北关系的途径 [J] 湘潭大学学报：哲学社会科学版,

2006(3).

[4] 苗迎春. 主权财富基金的兴起与国际经济关系的新变化——兼论中美经贸摩擦的新博弈 [J]. 国际问题研究, 2008(5).

[5] 孙叶青. 试析日本缓和日欧贸易摩擦的举措 [J]. 商场现代化, 2008(30).

[6] 王帆. 美日经贸关系与美日同盟 [J]. 国际关系学院学报, 2001(2).

[7] 王仕英. 美国对欧洲一体化政策研究综述 [J]. 兰州学刊, 2008(8).

[8] 王维, 胡欣, 黎峰. 挑战抑或融合: 政治经济学视角下的南北关系 [J]. 世界经济与政治论坛, 2009(5).

[9] 魏宁. 冷战后南北关系新变化研究综述 [J]. 理论学习, 2008(1).

[10] 钟昌标. 南北关系从全球走向区域的标志和原因分析 [J]. 世界经济研究, 2003(10).

[11] 王海峰. 特朗普新政及对中美经济关系的影响 [J]. 国际贸易 2017 (3).

[12] 隆国强. 新兴大国的竞争力升级战略 [J]. 管理世界, 2016 (1).

第七章

国际经济协调

本章学习目标

1. 了解国际经济协调的基础、作用和类型。
2. 从总体上把握国际经济协调的发展。
3. 理解国际经济协调的传导机制。

【导入案例】

凝聚全球改革共识的中国担当

如果说今后数月或数年,对世界经济具有系统性冲击力的事件是美联储加息的话,那么今后十年乃至数十年,对世界经济构成系统性风险的当属"去全球化浪潮",及其反映出的保护主义甚至"关门主义"倾向和结构性改革惰性。

在此关键时刻,需要有担当者挺身而出,针对全球时弊凝心聚力,找到应对之道;同时协调利益冲突,实现各方利益交集的最大化。在2016年的20国集团(G20)领导人杭州峰会上,中国就成为这样一位有担当、有号召力的"攒局人"。

这位"攒局人"没有让世界失望。国际社会普遍反映,中国作为东道主,办事牢靠、待客周到,最关键的是中国提出了不少新主张、新倡议,切中全球时弊,深得众多与会者心意。

创新发展方式,挖掘增长动能,是G20峰会上的一大共识。会议通过了《二十国集团创新增长蓝图》,决心从根本上寻找世界经济持续健康增长之道,全面提升世界经济中长期增长潜力。可以说,结构性发展瓶颈是不少经济体面临的共同问题,中国的经验是突破传统思维、创新发展模式、落实供给侧结构性改革。实施结构性改革如同对自己开刀,起初并不容易,但最终却有利于化解深层次矛盾、实现长远增长。

建设开放型世界经济,继续推动贸易投资自由化和便利化,更是G20的当务之急。当前,"反全球化"趋势渐成气候:英国"退欧"重创欧洲一体化,"跨太平洋伙伴关系协定"(TTP)和"跨大西洋贸易与投资伙伴关系协定"(TTIP)均有胎死腹中之虞,"特朗普现象"和极右翼政党势力在西方崛起。针对这些问题,G20杭州峰会制定了《二十国集团全球贸易增长战略》和全球首个多边投资规则框架《二十国集团全球投资指导原则》,继续支持多边贸易体系,重申反对保护主义承诺。全球观察人士普遍认为,中国推动达成的这一成果有利于推进全球化进程,加速全球经济复苏。

G20杭州峰会还决心"完善全球经济金融治理，提高世界经济抗风险能力"。完善全球治理，简而言之就是要提高新兴经济体在全球经济治理中的发言权，实现权责平衡，让新兴经济体有机会增加在国际货币基金组织（IMF）和世界银行等多边金融机构的出资份额；同时也让它们在涉及金融救助、发展援助等全球治理领域说话有人听，办事有人帮，真正实现"众人拾柴火焰高"。

当前，中国不仅有意愿，也有能力成为世界经济的"攒局人"，积极担当全球治理的改进者、跨境产业合作的传递者、复杂交易的撮合者、国际资本技术要素的集纳者、南北合作的搭桥者，以强大的兼容力、吸引力、整合力，促进各国互利合作、扩大开放，促进实现更高水平、更宽领域的共赢格局。

（资料来源：http：//news.xinhuanet.com/world/2016-09/07/c_1119525673.htm。）

国际经济协调与经济全球化的快速发展密不可分。在经济全球化发展程度较低的时代，各国主要致力于国内经济的调整，其国内经济政策措施对其他国家产生的影响微乎其微。第二次世界大战以后，随着经济全球化迅猛发展和新自由主义思潮的再次兴起，通过市场机制来配置全球资源的作用日益凸显；同时，由于各国经济联系日趋紧密，一国经济的调整会因"传染机制"而扩散开来，并因"蝴蝶效应"进一步放大，进而影响世界经济运行的稳定性。例如，1997年的东南亚金融危机起于泰国却迅速蔓延至印度尼西亚、菲律宾、马来西亚等地，甚至波及遥远的俄罗斯及拉丁美洲。又如，2008年由美国引发的"次贷危机"迅速波及欧洲，扩至全球，对世界经济产生极大的负面影响。经济学家普遍都意识到，市场机制在资源配置中存在失灵的可能性，而在经济全球化的宏大背景下，这种可能性将会放大。在这种情况下，各国就需要一个超国家的机构或机制进行灵活、有效的协调，以纠正全球经济中存在的市场失灵问题。

第一节　国际经济协调的基础和作用

国际经济协调是指各国政府通过国际经济组织、国际会议和建立区域经济合作组织等方式进行对话协商，共同对国际经济运行过程和国际经济关系进行干预和调节的行为。国际经济协调行为意在解决各国在经济利益中的矛盾与冲突，维护世界经济稳定，促进全球经济可持续发展。国际经济协调的主体是具有独立主权的国家，在实际的经济协调实践中，是由各国政府及其指派的机构来完成的。

一、国际经济协调产生的客观基础

国际分工的发展与深化带动要素的跨国界流动，使得世界经济的相互依赖性逐渐增强，国际经济协调也应运而生。在没有国际分工或国际分工不发达的时代，各国经济处于封闭状态，国际分工无从谈起，有限的经济往来也仅限于易货贸易，而且更多地具有展示功能。例如，古代著名的丝绸之路。在此期间，中国汉代对外贸易也主要在于宣示国威，而非重于其经济性。在性格张扬的汉武帝的行为中，这种展示性更是表露无遗。例如，《汉书·张骞传》云："是时，上（武帝）方数巡狩海上，乃悉从外国客，大都多人则过之，散财帛赏赐，厚具饶给之，以览视汉富厚焉。大角氐（抵），出奇戏诸怪物，多聚观者，行赏赐，酒池肉林，令外国客遍观各仓库府藏之积，欲以见汉广大，倾骇之。及加其眩者之工，而角氐（抵）奇戏岁增变，其益兴，自此始。"① 在这种情况下，一国经济的繁荣与衰退对世界上其他国家不会产生或仅会产生极其微小的影响。

第二次世界大战以来，国际分工不断深化与拓展，分工模式从产业间分工发展到产业内分工，如今已经向产品内分工发展。这种分工模式客观上需要各类生产要素跨国界自由流动。资金、劳动力和技术等要素跨国界流动，使得金融、贸易和投资出现全球化趋势，并将全世界的经济紧密联系在一起。在经济全球化背景下，一国政策具有溢出效应和传递效应，国家之间的相互依赖关系变得复杂多变，一个国家的经济发展取决于其他国家的经济政策。如果没有国际经济协调，一国的经济政策可能对他国产生负的外部效应。同时，在世界各国经济联系日益紧密的当代，发展不平衡与竞争的加剧，会导致贸易、投资等领域的摩擦。这些都会促使各国产生相互协调的共鸣，建立国际经济协调机制和机构也就成为顺理成章的事情。

二、国际经济协调的作用

总的来看，国际经济协调的作用在于：各国政府通过一定方式寻求各国经济利益的共同点，以相互依赖关系和经济传递机制为纽带，实现各国整体利益的最大化和各国国内外经济平衡基础上的世界经济均衡②。具体来说，国际经济协调的作用主要表现在：

（一）促进了世界经济持续和稳定发展

为简化分析，假定存在两个国家：A 国和 B 国③。每个国家都有两个政策可以选择：高度紧缩的货币政策和比较紧缩的货币政策。各国都想以最少量的失业增加换得通货膨胀最大幅度的下降。表 7-1 中的数字代表通过调整货币政策，在不同的政策组合下，各国以失业增加换取通货膨胀率下降的比例收益。根据表 7-1 提供的 A 国和 B 国的博弈支付矩阵，具体分析如下：在"以邻为壑"的非合作博弈框架下，各国独立选择货币政策来使自己的效用达到最大化，而不去理会货币政策的"溢出"效应。此时，对于 A 国而言，当 B 国采取比较紧缩的货币政策时，其最优选择是采取高度紧缩的货币政策（收益为 8/7）；当 B 国采取高度紧缩的货币政策时，其最优的政策选择是采取高度紧缩的货币政策（收益为 5/6）。而对于 B 国而言，当 A 国实施比较紧缩的货币政策时，其最优的选择是高度紧缩的货币政策（收益为 8/7）；当 A 国实施高度紧缩的政策时，其最优选择是高度紧缩的货币政策（收益为 5/6）。因此，两国非合作的纳什均衡解为（高度紧缩，高度紧缩），两国的收益为（5/6，5/6）。但是可以发现，如果两国同时采取比较紧缩的货币政策，则两国收益都可以达到 1，大于高度紧缩时候的 5/6。这说明，如果没有国际经济协调，两国单独行动就会陷入"囚徒困境"，选择低福利的高度紧缩的货币政策。

---

① 侯家驹：《中国经济史学（上）》，新星出版社，2008 年版，第 224 页。
② 张幼文、屠启豪、李刚：《世界经济概论》，高等教育出版社，2004 年版，第 272 页。
③ 保罗·克鲁格曼、茅瑞斯·奥伯斯法尔德：《国际经济学》，中国人民大学出版社，1998 年版，第 559－561 页。

表 7-1 不同货币政策组合后的效用

A 国 \ B 国	比较紧缩	高度紧缩
比较紧缩	1 \ 1	8/7 \ 0
高度紧缩	0 \ 8/7	5/6 \ 5/6

在上述案例中,要想避免两国陷入高度紧缩货币政策的"囚徒困境"状态,A 国和 B 国必须达成一个有约束力的协议,协调彼此的政策选择。在保证各国不采用欺骗手段的情况下,同时实施比较紧缩的货币政策,两国都将获得通货膨胀和失业的理想组合。也就是说,只要国际经济协调机制中的违约惩罚机制有效,并能够有效克服多边协调中的"搭便车"问题,通过国际经济协调完全可以实现帕累托改善,从而保障各国经济持续、健康发展。

(二) 促进了经济全球化的深入发展

第二次世界大战以来,鉴于各国间的"以邻为壑"的经济政策会导致均输的局面,各国政府也都意识到需要加强国际协调。因此,世界银行(WB)、国际货币基金组织(IMF)、关税及贸易总协定(GATT)应运而生。由于这些国际经济组织的存在,它们适时推动政府间的谈判和协调,大量削减关税和非关税壁垒,放松投资管制和市场准入,对汇率、财政和货币政策进行协调,客观上促进了经济全球化的深入发展。

(三) 有利于平抑世界经济周期波动

在开放经济时代,如果没有国际经济协调,一国发生经济危机,会通过一定的传染机制波及世界。一般将危机传染机制划分为三类①:贸易传染效应、金融传染效应以及预期传染效应。贸易传染效应是指一国的经济危机恶化了与其有紧密贸易往来的另一国的经济运行。金融传染效应是指一国由于宏观经济波动而导致的金融市场流动性缺乏,导致另一个与其有密切金融关系国家的流动性缺乏,从而引发该国金融危机。预期传染效应是指即使不存在贸易、金融联系,不同国家之间的金融危机也可能传染,这是由于一个国家发生危机,另一些类似国家的市场预期发生变化,进而影响到投机者的信心与预期,从而导致投机者对这些国家的货币进行冲击。

通过国际经济协调,减弱甚至阻断了危机在国际上的传递。"二战"后,经济危机有时只是发生在个别国家,世界性危机的可能性在减少。其原因就在于,当今世界各国,特别是大国虽有利益冲突,但利益协调却可以避免更大的灾难。当出现经济大动荡的威胁时,各国往往协调行动,以避免大震荡的发生或缓和其发展②。实际上,回顾 20 世纪 90 年代以来的四次金融危机,无论是 1992—1993 年英国英镑、意大利里拉的贬值所导致的欧洲货币系统危机,或是 1994—1995 年墨西哥比索危机所引发的拉美危机,抑或是 1997—1998 年泰国货币危机所演变成的东南亚金融危机,还是 2007 年年底由美国"次贷危机"引发的全球金融危机,其共同特征是:这些金融危机都带有明显的传染效应。但是,在每一次危机之中,都能看到国际经济协调的存在,不管是双边的还是多边的。各国都希望通过协调阻止经济危机

---

① 黄薇:《金融危机传染机制的综合分析》,上海金融报,2001-04-21 (3)。
② 朱明侠:《论国际经济协调对经济周期的影响》,国际贸易问题,1996 年第 2 期。

扩散，避免或减少本国利益受损。也正是因为国际经济协调，才使得前三次金融危机没有演变成全球性的金融危机，也使得近期的全球金融危机最终没有演变成为20世纪的"大萧条"。基于以上论述，国际经济协调能够能对世界经济周期波动起到一定的平抑作用。

第二节　国际经济协调的类型

国际经济协调纷繁复杂、形式多样，可以通过不同的方法对其进行划分。下面从程度、组织形式、协调方式的规律性、成员数、内容等方面进行详细的分类。

一、按照程度分类

国际经济协调依据的程度可由低到高分为以下六个层次[⊖]：

（1）信息交换（Information Exchange）。信息交换是各国政府相互交流本国为实现经济内外均衡而采取的宏观调控的政策目标范围、政策目标侧重点、政策工具种类、政策搭配原则等信息，但仍在独立、分散的基础上进行本国的决策。通过信息交换，各国政府可以避免对别国政策调控活动的估计错误，更好地分析本国经济与外国经济之间的溢出效应。信息交换是一种最低层次的国际政策协调形式。

（2）危机管理（Crisis Management）。危机管理是指针对世界经济中出现的突发性后果特别严重的时候，各国进行共同的政策以缓解、渡过危机。危机管理这一协调形式是比较偶然出现的、临时性的措施。它的主要目的在于防止各国独善其身的政策使危机更为严重或蔓延。例如，2008年以来，主要发达国家和发展中大国频频召开会议，协商如何采取一切可能的经济和金融手段确保金融市场稳定和正常运行。美国、英国、德国、日本、韩国以及中国等国积极开展救市行动，共同阻止金融危机向实体经济蔓延。

（3）避免共享目标变量的冲突（Avoiding Conflicts over Shared Targets）。共享目标变量是指两国所要面对的同一目标。例如，浮动汇率制下两国之间的汇率。由于两国共享目标是同一个，因此如果两国对其设立了不同的目标值，便意味着两国之间直接的冲突。两国之间的相应政策就成为具有竞争性的"以邻为壑"的政策。国家间的竞争性贬值是共享目标冲突的最典型形式。

（4）合作确定中介目标（Cooperation Intermediate Targeting）。两国国内的一些变量的变动会通过国家间的经济联系而形成一国对另一国的溢出效应，因此，各国有必要对这些中介目标进行合作协调，以避免它对外产生不良的溢出效应。这一中介目标有可能是共享目标变量，如固定汇率制下的一国货币供给量。

（5）部分协调（Partial Coordination）。部分协调是指不同国家就国内经济的某一部分目标或工具进行协调。例如，仅对各国的国际收支状况进行协调，而国内经济的其他变量则不纳入协调范围。又如，仅对各国的货币政策进行协调，而听任各国根据具体情况独立使用财政政策。

（6）全面协调（Full Coordination）。全面协调是指将不同国家的所有主要政策目标、工具都纳入协调范围，从而最大限度地获取政策协调的收益。

⊖ 姜波克：《国际金融学》，高等教育出版社，1999年版，第306-307页。

二、按照组织形式划分[1]

按照组织形式的不同，国际经济协调可以划分为四种形式：国际经济组织协调、区域经济集团协调、国际经济条约与协定协调和国际会议协调。它们在国际经济协调中充当着不同的角色，对各国经济的约束与影响以及对世界经济的贡献也各不相同。

（1）国际经济组织协调。国际经济组织是指政府间的以协商解决经济问题为主的国际组织，它是由三个以上的主权国家或地区通过条约或协定所组建的国际性经济协调管理机构。国际经济组织有着明确的宗旨和制度，其成员方既是其主体，也是其权力的授让者或让渡者。各成员方必须按照条约或协定规定，接受国际经济组织的管理。比较知名的国际经济组织包括联合国的相关组织、世界贸易组织和世界银行等。国际经济组织按照不同的划分标准可以分为全球性的和区域性的、综合性的和专门性的、政府间的和非政府间的。随着人们对国际经济组织要求的不断提高，一些国际经济组织的成员方逐渐让渡出部分国家主权，因而又有了国家间的协调机构和超国家协调机构之分。

（2）区域经济集团协调。与国际经济组织的协调相比，区域经济集团所覆盖影响到的国家要少得多。但是，区域经济集团的成员方往往会通过协议，让渡部分的国家主权给区域经济集团。这就使得区域经济集团所涉及的范围更广、程度更深。例如，欧盟就可以对其成员国间的贸易、金融、投资、劳动力等各个方面进行协调，且执行力度和效果明显优于其他经济组织。区域经济集团的协调效果与该集团成员方之间的一体化程度有直接联系。一体化程度越高，其协调对成员方经济发展的促进作用也就越明显。

（3）国际经济条约与协定协调。国际经济条约与协定是指两个或两个以上的国家或地区为了确定彼此之间的经济权利和经济义务而缔结的书面协议。国际经济条约与协定具有法律效力，并且具有时效性。它由各国分别落实，但没有专门的机构组织协调，当出现新的问题时，由国家之间进行临时磋商解决。国际经济条约与协定以书面的形式管理、协调国际经济的交往，使世界经济的运行更加规范。由于国际经济条约与协定自身时效性的特点以及新的经济状况不断地发生，都促使这些条约与协定随着世界的发展而不断地更新、完善。当然，在这个过程中存在着时滞的问题。《巴塞尔协议》就是其典型代表。该协议是在1974年联邦德国的赫斯塔特银行和美国的富兰克林银行倒闭的背景下产生的，致力于银行的监管问题，减少国际金融风险。随着国际金融自由化和经济全球化的发展，巴塞尔委员会也随之推出了各种修正案。

（4）国际会议协调。国际会议是指主权国家政府代表通过会晤，就相互间经济关系和有关国际经济问题进行协商，进而规定各方权利和义务的协调方式。相对于其他几种组织形式而言，国际会议的约束力较差，大多是临时性的，而且很不稳定。国际会议一般没有长期固定的议题，与会国主要就当前迫切需要处理的经济问题交换意见、协商，最终达成某项共识。会议可能成立国际经济组织或区域经济集团，也可能产生国际经济条约与协定，但也可能仅就某方面的政策性协调表明共同的意见或立场。国际会议的参与国数量、级别和举行期限都不固定，因此比较灵活，会议形式包括双边的和多边的、首脑级的与部长级的以及定期

---

[1] 黎兵：《新兴大国崛起中的国际经济协调——中美战略经济对话研究》，上海社会科学院世界经济研究所博士论文，2009年，第27-28页。

的与不定期的等多种形式。目前，在众多国际会议中对世界经济影响最大的是西方八国集团首脑会议①以及财长和央行行长会议，历次八国集团首脑会议的简单介绍如表7-2所示。除八国集团首脑会议外，发展中国家也有不结盟国家和政府首脑会议、"77国集团"等②。

表7-2 历次八国集团首脑会议简介

届次	举行日期	主办国	主办国首脑	主办城市
1	1975年11月15日至17日	法国	瓦莱里·吉斯卡尔·德斯坦	朗布依埃
2	1976年11月17日至28日	美国	杰拉尔德·福特	波多黎各圣胡安
3	1977年5月7日至8日	英国	詹姆斯·卡拉汉	伦敦
4	1978年7月16日至17日	西德	赫尔穆特·斯密特	波恩
5	1979年6月28日至29日	日本	大平正芳	东京
6	1980年6月22日至23日	意大利	弗朗切斯科·科西加	威尼斯
7	1981年7月20日至21日	加拿大	皮埃尔·特鲁多	魁北克省蒙特贝洛
8	1982年6月4日至6日	法国	弗朗索瓦·密特朗	凡尔赛
9	1983年5月28日至30日	美国	罗纳德·里根	弗吉尼亚州威廉斯堡
10	1984年6月7日至9日	英国	玛格丽特·撒切尔	伦敦
11	1985年5月2日至4日	联邦德国	赫尔穆特·科尔	波恩
12	1986年5月4日至6日	日本	中曾根康弘	东京
13	1987年6月8日至10日	意大利	阿明托雷·范范尼	威尼斯
14	1988年6月19日至21日	加拿大	马丁·布赖恩·马尔罗尼	多伦多
15	1989年7月14日至16日	法国	弗朗索瓦·密特朗	巴黎
16	1990年7月9日至11日	美国	乔治 H.W. 布什	得克萨斯州休斯敦
17	1991年7月15日至17日	英国	约翰·梅杰	伦敦
18	1992年7月6日至8日	德国	赫尔穆特·科尔	慕尼黑
19	1993年7月7日至9日	日本	宫泽喜一	东京
20	1994年7月8日至10日	意大利	西尔维奥·贝卢斯科尼	那不勒斯
21	1995年6月15日至17日	加拿大	让·克雷蒂安	新斯科舍省哈利法克斯
22	1996年6月27日至29日	法国	雅克·希拉克	里昂
23	1997年6月20日至22日	美国	比尔·克林顿	科罗拉多州丹佛
24	1998年5月15日至17日	英国	托尼·布莱尔	伯明翰
25	1999年6月18日至20日	德国	格哈德·施罗德	科隆
26	2000年7月21日至23日	日本	森喜朗	冲绳
27	2001年7月20日至22日	意大利	西尔维奥·贝卢斯科尼	热那亚
28	2002年6月26日至27日	加拿大	让·克雷蒂安	艾伯塔省卡尔加里
29	2003年6月2日至3日	法国	雅克·希拉克	埃维昂莱班
30	2004年6月8日至10日	美国	乔治 W. 布什	佐治亚州
31	2005年7月6日至8日	英国	托尼·布莱尔	格伦伊格尔斯
32	2006年7月15日至17日	俄罗斯	弗拉基米尔·普京	圣彼得堡

① 八国集团首脑会议（G8 Summit）由西方七国集团首脑会议演变而来，其成员为美国、英国、法国、德国、意大利、加拿大、日本和俄罗斯，又称八国集团，简称G8。
② 李琮：《世界经济学新编》，经济科学出版社，2000年版，第486页。

(续)

届次	举行日期	主办国	主办国首脑	主办城市
33	2007年6月6日至8日	德国	安格拉·默克尔	海利根达姆
34	2008年7月7日至9日	日本	福田康夫	北海道札幌市洞爷湖町
35	2009年7月8日至10日	意大利	西尔维奥·贝卢斯科尼	拉奎拉
36	2010年6月25日至26日	加拿大	史蒂芬·哈珀	安大略省亨茨维尔
37	2011年5月26日至27日	法国	尼古拉·萨科齐	多维尔
38	2012年5月18日至19日	美国	贝拉克·奥巴马	戴维营
39	2013年6月17日至18日	英国	戴维·卡梅伦	北爱尔兰厄恩湖
40①	2014年6月4日至5日	比利时	埃利奥·迪吕波	布鲁塞尔
41	2015年5月6日至7日	德国	安格拉·默克尔	加米施-帕滕基兴市
42	2016年5月26日至27日	日本	安倍晋三	三重县

① 2014年3月G7国家领导人共同声明,俄罗斯对乌克兰克里米亚采取的军事干预不符合其G8成员身份,将暂停俄罗斯的G8成员地位。自此,俄罗斯不再参加G8峰会。

三、按照协调的方式是否具有规律性划分

根据协调的方式是否具有规律性,国际经济协调可以划分为制度化的经济协调与临时性的经济协调。

(1) 制度化的经济协调。制度化的经济协调是指定期举行、具有固定的组织形式、已经形成一种制度的协调方法。例如,八国集团首脑会议、国际经济组织和区域经济组织等形式的协调均属于制度化的经济协调。

(2) 临时性的经济协调。临时性的经济协调是指为了应对突发事件或解决不同国家相互间出现的问题而临时进行的对话协商。

四、按照参与协调的成员数划分

依照参与协调的成员数,国际经济协调可以划分为双边国际经济协调和多边国际经济协调。

(1) 双边国际经济协调。双边国际经济协调是指两国就汇率政策、财政政策和货币政策等进行协调。双边国际经济协调常常发生在具有紧密经贸关系的两国之间。通过双边国际经济协调,可以增进两国之间互相了解,化解利益冲突,推动互利合作,促进两国经济关系的稳定健康发展。例如,始于2006年12月的中美战略经济对话⊖,是最大的发达国家与最大的发展中国家之间的协调。协调不仅覆盖传统的财政、贸易、货币经济政策以及能源政策,还包括非传统的医疗卫生、劳动保障等社会政策及环境保护政策。中美战略经济对话使得两国在经贸领域有了一个新的、规格更高的、更加综合性的框架来弥合分歧、防止冲突,促进双方经济利益的最大化。

(2) 多边国际经济协调。如果参与国际经济协调的国家达到三个和三个以上,则为多边国际经济协调。第二次世界大战以来,多边框架下的国际经济协调就汇率、贸易、投资、货币和财政政策等经济政策,在各成员方之间展开磋商和协调,促进了各国经济的稳定增

⊖ 王国兴:《中美战略经济对话:国际经济协调新框架》,世界经济研究,2007年第3期。

长。世界贸易组织、国际货币基金组织、世界银行、欧盟、北美自由贸易区等机构和组织的多边国际经济协调，对世界经济的稳定发展起到了重要作用。

五、按照内容划分

国际经济协调按照内容，其可划分为微观方面的经济协调与宏观方面的经济协调。

（1）微观方面的经济协调。其包括双边和多边税收优惠的协调，各国出口补贴协调、产业扶持政策协调、石油能源政策协调等。

（2）宏观方面的经济协调。第二次世界大战后，在吸取两次世界大战国际经济缺乏协调而导致世界经济混乱的基础上，发达国家普遍认识到需要通过国际经济协调来维护世界经济的稳定。经过一定的筛选，将经济增长率、通货膨胀率、贸易差额和经常收支、政府财政赤字、货币目标和汇率等内容作为国际宏观经济协调的主要内容。

第三节　国际经济协调的产生与发展

尽管世界市场早已形成，且早在19世纪就已经有一些国际组织存在，但这些组织或者是地区性的，或者是技术性的、专业性的，对世界经济的运行和国际经济关系的发展进行宏观调节的作用并不大[一]。直到20世纪20年代，除了国际联盟或偶尔举行的国际会议之外，仍没有建立什么国际机构。而国际联盟和那些国际会议，也没有一个取得很大的成功[二]。但是，其后发生的两次重大事件使得世界各国普遍认识到国际经济协调的重要性：其一，1929—1933年的全球经济"大萧条"。这次经济危机很快从美国蔓延到其他工业国家，企业和银行大量倒闭，证券市场剧烈动荡，劳工大量失业；而处于危机中的各国为维护本国利益，竞相采取贸易保护政策，这进一步加剧了经济萧条。事后，当反思这次"大萧条"时，世界各国均认为当初如果进行国际经济协调的话，至少不至于产生这么严重的经济危机。其二，第二次世界大战的爆发。这场战争前后有61个国家和地区、超过20亿人口被卷入战争，战争中军民共伤亡9000余万人，4万多亿美元的财产付诸东流。以上两个事件的发生，客观上促进了战后国际经济协调的发展。

国际经济协调的发展主要分为以下三个阶段：

一、第一阶段：第二次世界大战后到20世纪70年代初

这一阶段的国际经济协调以国际经济组织协调为主。特别是世界经济的三大支柱（世界银行、国际货币基金组织、关税及贸易总协定），对世界经济的复苏及发展起到了积极的作用。这一时期的国际经济协调主要体现出以下特点：

（1）美国掌握着国际经济协调的主动权。这一时期，其他发达国家遭受着第二次世界大战的重创，发展中国家的发展才刚刚起步。当时的国际经济秩序基本上是以布雷顿森林体系为框架，以关税及贸易总协定为基础，美国凭借其雄厚的经济实力制定游戏规则。事实上，国际经济体系的三大支柱都是在美国主导下，以美国的强大经济实力为基础而成立的。

[一] 李琮：《世界经济学新编》，经济科学出版社，2000年版，第477页。
[二] A 凯恩克劳斯：《经济学与经济政策》，商务印书馆，1990年版，第76页。

它们的活动在很大程度上体现了美国的全球战略要求,为发达国家坚持国际经济旧秩序服务[1]。不过,这种以美国为核心的国际经济协调仅仅是战后国际经济协调发展的初级阶段,随着20世纪70年代初美国经济实力的相对衰弱、布雷顿森林体系的瓦解,其在国际经济协调中的地位也逐渐下降。

值得一提的是,1949年1月,苏联、保加利亚、匈牙利、波兰、罗马尼亚、捷克斯洛伐克6国宣布成立"经济互助委员会"(简称经互会)。经互会的宗旨就是在东欧社会主义国家和苏联之间建立紧密的经济联系,在国际分工的基础上发展全面的经济合作。其通过联合和协调各成员国的力量,促进各成员国国民经济有计划地发展,加快其经济技术进步,提高工业不发达国家的工业化水平,不断提高成员国的劳动生产率和人民福利。

(2) 区域经济一体化组织开始崭露头角。成立于1958年1月1日的欧洲经济共同体是当时最重要的区域经济一体化组织,也就是欧盟的前身。1960年,欧洲自由贸易联盟成立;1967年,欧洲共同体成立。与此同时,发展中国家为加强经济合作、提高其在国际经济协调中的话语权,陆续也成立了一些区域经济组织。例如,1961年成立的东南亚国家联盟、1962年成立的中美洲共同市场以及1963年成立的非洲统一组织等。

(3) 发展中国家开始积极合作,反对不合理的国际经济旧秩序。1964年由发展中国家组成的"77国集团"即是一个典型的代表。该集团建立的初衷就是为扭转发展中国家在国际经济中被动地位的经济组织,反映了发展中国家为维护自己的切身利益而走向联合的共同愿望。经过发展中国家的不懈努力,联合国贸易和发展会议于1968年召开的第二届会议通过普惠制协议,协议规定发达国家承诺对从发展中国家或地区输入的商品,特别是制成品和半制成品,给予普遍的、非歧视的和非互惠的关税优惠待遇。另外,由于许多发展中国家依赖于原材料的生产和出口,这一时期,许多原料出口国组织相继成立。例如,成立于1960年的石油输出国组织(OPEC)采取协调和统一各成员国的石油政策,通过产量控制来维护产油国家共同的利益。

二、第二阶段:20世纪70年代中期到20世纪80年代

这一时期,随着日本和欧洲经济的高速增长,美国经济实力相对衰落,发达国家形成美、日、欧三足鼎立的格局。由于越南战争需要庞大军费支出,美国经常项目开始并长期逆差,且国内出现较为严重的通货膨胀,最终导致布雷顿森林体系瓦解,全球进入浮动汇率时代。同时,20世纪70年代以来,西方国家普遍面临石油危机以来的滞胀问题,各国在经济领域的纠纷矛盾更加尖锐。这一特定的历史时段,促使国际经济协调有了进一步的发展,具体表现在以下几个方面:

(1) 以七国首脑会议为代表的国际会议协调大展拳脚。尽管有关税及贸易总协定的多边回合谈判成果,世界银行和国际货币基金组织也继续履行其职责,但这一时期在发达资本主义国家仍然发生了令人头痛的滞胀、能源危机等问题。这些新的问题需要新的协调机制,西方七国集团首脑会议(G7)也应运而生。从20世纪70年代中后期开始,G7在国际经济协调方面发挥了越来越重要的作用,涉及各国财政政策协调、货币政策协调、汇率政策协

---

[1] 李琮:《世界经济学新编》,经济科学出版社,2000年版,第489页。

调、贸易政策协调、能源政策协调等经济生活的方方面面，且协调的内容和目标也与当时世界经济发展中遇到的问题紧紧相联。

（2）发展中国家破除国际经济旧秩序的行动暂时陷入低潮。20世纪60年代，发展中国家反抗国际经济旧秩序的斗争如火如荼，但从20世纪70年代中期后，逐渐陷入低潮。尽管也通过斗争争取到联合国的《发展十年国际发展战略（1971—1980）》以及《发展十年国际发展战略（1981—1990）》，两个十年发展战略的目的都是促进发展中国家的经济和社会发展，但由于缺乏约束力，许多政策仍是"口实而惠不至"。结果是发展中国家的经济发展仍然滞后，旧有的国际经济秩序仍旧束缚着发展中国家㊀。

（3）各种性质的区域经济合作方兴未艾。1981年，巴林、科威特、阿曼、卡塔尔、沙特阿拉伯、阿联酋等国成立海湾合作委员会（GCC）。其目标是通过商品、服务和生产要素的自由流动实现成员国间的一体化。1989年，美国、加拿大自由贸易区成立，其后拓展为美国、加拿大、墨西哥自由贸易区，成为世界上第一个由发达国家和发展中国家组成的经济一体化组织。1989年11月5～7日，澳大利亚、美国、加拿大、日本、韩国、新西兰和东盟6国在澳大利亚首都堪培拉举行亚太经济合作会议首届部长级会议，标志着亚太经济合作组织（APEC）成立。APEC的宗旨和目标致力于为各成员提供区域经济、科技、贸易和发展等多方面的多边合作机会。

三、第三阶段：20世纪90年代以后

1990年以来，苏联解体，"冷战"结束，世界朝着多极化趋势发展。以临时身份运转多年的关税及贸易总协定终于在1994年被具有法人地位的世界贸易组织（WTO）取代，与关税及贸易总协定相比，WTO的成员方更具广泛性，谈判议题进一步拓展。这一时期，一方面，美、日、欧在世界经济中仍占据主导地位；另一方面，发展中国家，特别是中国、印度、巴西等国的经济迅速增长，在世界经济中的地位日益提高。这一时期，国际经济协调的特点主要有：

（1）发展中国家在国际经济协调中的地位和作用大大增强。20世纪90年代以来，以巴西、俄罗斯、印度、中国和南非为代表的"金砖国家"，经济迅猛发展，发展令世人瞩目。2009年6月16日，"金砖四国"领导人在俄罗斯的叶卡捷琳堡举行首次会晤，重点就应对国际金融危机、G20峰会议程、国际金融机构改革、粮食安全、气候变化等重大紧迫问题交换看法。

这一时期，对于七国集团协调改革的呼声越来越强。七国集团也随之进行如下改革：一方面，于1998年正式接纳俄罗斯为正式成员，七国集团因此更名为八国集团（G8）；另一方面，加强与新兴工业化国家联系和协调，最终促成20国集团（G20）成立。G20包括八国集团、欧盟及11个重要的新兴工业化国家（中国、阿根廷、澳大利亚、巴西、印度、印度尼西亚、墨西哥、沙特阿拉伯、南非、韩国和土耳其）。历次G20峰会相关内容如表7-3所示。

㊀ 为减少贫困、增进健康、促进和平等目标，联合国于2000年9月促成各国首脑签署《联合国千年宣言》。与十年发展规划关注的经济增长目标不同，该宣言将人类福利和减少贫困放在发展目标的中心位置。但这些目标的实现也非常依赖于发达国家的援助，是否仍然是"口实而惠不至"，还不得而知。

表 7-3 历次 G20 国峰会相关内容

时间	地点	议题
1999 年 12 月 15 日至 16 日	德国柏林	就全球及区域经济和金融形势、国际金融体制改革的方向等问题交换了意见
2000 年 10 月 24 日至 25 日	加拿大蒙特利尔	如何应对全球化的挑战，如何减轻金融危机的危害等
2001 年 11 月 16 日至 18 日	加拿大渥太华	主要就"9·11"事件对全球经济和金融的影响，在打击恐怖融资活动方面的作用等展开了讨论
2002 年 11 月 22 日至 23 日	印度新德里	探讨了防范与应对金融危机、全球化、打击恐怖主义融资以及保持经济持续增长等议题
2003 年 10 月 26 日至 27 日	墨西哥莫雷利亚	讨论了金融危机防范与应对、发展融资、打击恐怖融资以及全球化与经济发展、金融机构建设等议题
2004 年 11 月 20 日至 21 日	德国柏林	讨论了当前宏观经济形势、金融部门机构建设、打击滥用国际金融体系、老龄化的挑战与移民、主权债务重组、布雷顿森林机构60年回顾、全球化背景下促进稳定与增长以及区域一体化等议题
2005 年 10 月 15 日至 16 日	中国北京	主题为"加强全球合作：实现世界经济的平衡有序发展"；各成员方讨论了布雷顿森林机构改革、发展融资、发展理念创新等 5 个议题
2006 年 11 月 18 日至 19 日	澳大利亚墨尔本	以"建设和维持繁荣"为主题，着重探讨了当前世界经济形势和发展问题、能源与矿产、布雷顿森林机构改革等话题
2007 年 11 月 17 日至 18 日	南非开普敦	如何确保世界金融市场稳定以及国际货币基金组织和世界银行的改革问题
2008 年 11 月 8 日至 9 日	美国华盛顿	把保持全球复苏作为焦点，并将金融监管作为最热议题
2009 年 4 月 1 日至 2 日	英国伦敦	如何摆脱目前危机，使经济尽快复苏；如何改革国际金融体系，加强监管，防止危机再次发生
2009 年 9 月 24 日至 25 日	美国匹兹堡	推动世界经济复苏、国际金融体系改革和全球经济失衡等议题
2010 年 6 月 26 日至 27 日	加拿大多伦多	与会领导人强调采取下一步行动，推动世界经济全面复苏
2010 年 11 月 11 日至 12 日	韩国首尔	聚焦汇率、金融安全及金融改革、贸易保护以及美国第二次量化宽松政策
2011 年 11 月 3 日至 4 日	法国戛纳	以重振经济增长、创造就业、维护金融稳定、促进社会融合和令全球化为人类需求服务
2012 年 6 月 18 日至 19 日	墨西哥洛斯卡沃斯	寻求强劲、可持续、平衡的经济增长
2013 年 9 月 5 日至 6 日	俄罗斯圣彼得堡	协调宏观经济政策、加强全球经济治理
2014 年 11 月 15 日至 16 日	澳大利亚布里斯班	建设反腐败合作网络、推动创新发展、实现联动增长
2015 年 9 月 4 日至 5 日	土耳其安塔利亚	共同行动以实现包容和稳健增长
2016 年 9 月 4 日至 5 日	中国杭州	促进开放的投资和贸易、促进劳动力市场的活力、促进创新

（资料来源：1.《聚焦G20韩国峰会》, http: // www. huanqiu. com/zhuanti/finance/G20Toronto2010/。
2. 2011—2016 年数据作者补充。）

目前，G20 峰会已经成为一个重要的国际经济合作论坛，而且国际货币基金组织与世界银行同时列席该组织的会议。G20 峰会的目的是防止类似东南亚和墨西哥金融危机的重演，让有关国家就国际经济、货币政策举行非正式对话，以利于国际金融和货币体系的稳定。以 2010 年 11 月在韩国首尔召开的 G20 峰会为例，这次峰会涉及汇率、金融安全、贸易以及

IMF份额改革等问题。在汇率问题上，G20各国承诺避免汇率竞争性贬值，发达经济体承诺将严防汇率过度波动以及失序走势，发展中国家承诺增加汇率弹性。在贸易问题上，反对一切形式的贸易保护主义，致力于减少贸易壁垒。在金融安全上，要求各国改善监管，有效解决具有系统性重要地位金融机构问题的措施，并辅之以更有效的监督和审查，运用工具来强化全球金融安全网，向各国提供克服国际资本流动突然转向的操作工具，以帮助它们更好地应对金融波动。在IMF份额改革议题上，决定由欧盟向发展中国家转让2个席位和6%的投票权。最终中国的份额达到6.32%，排名上升至第三位，俄罗斯份额达到2.75%，印度为2.62%，巴西为2.16%，"金砖四国"的份额得到较大提升。

发展中国家在多边贸易谈判中也体现出"抱团取暖"的趋势。例如，农产品贸易谈判中的凯恩斯集团。该集团包括阿根廷、澳大利亚、巴西、加拿大、智利、哥伦比亚、秘鲁、巴基斯坦、玻利维亚、哥斯达黎加、危地马拉、印度尼西亚、马来西亚、新西兰、巴拉圭、菲律宾、南非、泰国和乌拉圭19个国家。这19个国家占有1/4的世界农业出口量，而且绝大部分为发展中国家，在农产品贸易谈判中发挥了举足轻重的作用。

(2) 区域经济协调的进程进一步加快。虽然国际经济组织继续发挥作用，但近年来却遭到越来越多的质疑和批判。从墨西哥金融危机到东南亚金融危机，国际货币基金组织就因为无法有效地采取行动，以及援助贷款附带苛刻条件而为人所诟病。新成立的世界贸易组织也因为始于2001年的"多哈回合"谈判进展缓慢、久拖不决而使得其吸引力下降。因此，此期间区域经济集团迅猛发展。在欧洲，1993年11月1日，《马斯特里赫特条约》正式生效，欧洲共同体更名为欧洲联盟（简称欧盟，EU）。1999年1月1日，欧元开始正式使用。目前，欧盟拥有28个成员国，人口达到5亿，总面积达到432.2万km^2。在美洲，1994年1月1日，包含美国、加拿大和墨西哥三国的北美自由贸易区宣布成立。在东亚地区，东南亚金融危机之后，东亚地区成立了由东盟10国加上中国、日本、韩国三国的次区域性合作组织，即"10+3"，确立了首脑定期会晤、财长定期会商和政策对话等协调机制[⊖]。2010年1月1日，中国与东盟10国自由贸易区正式全面启动，成为一个涵盖11个国家、19亿人口的巨大经济体，是目前人口最多的自由贸易区，也是发展中国家中最大的自由贸易区。另外，东盟10国提出，计划到2020年年底之前创建一个类似欧盟的经济共同体。

(3) 议题更为广泛。在国际经济协调中，传统议题已经无法处理人类发展中出现的许多重大问题。近年来，国际经济协调议题更为广泛，甚至涉及能源安全、公共卫生安全、气候变化等问题。在气候变化协调上，1992年5月9日，在纽约联合国大会上通过《联合国气候变化框架公约》。公约规定发达国家应采取措施限制温室气体排放，同时要向发展中国家提供新的额外资金以支付发展中国家履行该公约所需增加的费用。1997年12月，《京都议定书》在日本京都通过。至2009年2月，共有183个国家通过了该条约，但美国没有签署该条约。议定书规定，发达国家从2005年开始承担减少碳排放量的义务，而发展中国家则从2012年开始承担减排义务。2009年12月7~18日在丹麦首都哥本哈根召开联合国气候变化大会，商讨《京都议定书》一期承诺到期后的后续方案，就未来应对气候变化签署新的协议，但会议仅仅达成无约束力的《哥本哈根协议》。

⊖ 黎兵：《新兴大国崛起中的国际经济协调——中美战略经济对话研究》，上海社会科学院世界经济研究所博士论文，2009年，第34页。

第四节　国际经济协调的传导机制

通过国际经济协调，各国适当调整现行的经济政策或者联合采取某项具体行动，可以通过特定的传导机制平抑世界经济的周期波动，缓和各国之间的矛盾和冲突，促进各国经济稳定增长。国际经济协调的传导机制主要依赖于国际贸易渠道、国际资本流动渠道、信息和预期渠道、国际生产渠道等。

一、国际贸易渠道传导

国际贸易的迅猛发展使世界各国的经济联系更加密切。通过国际贸易，贸易伙伴之间的经济繁荣与衰退、通货紧缩与通货膨胀、失业等均可以实现传导。假设 A 国与 B 国为重要的贸易伙伴，即两国相互的对外贸易依赖性较强。如果 B 国出现经济衰退，进口规模萎缩，则通过国际贸易传导，A 国将出现出口规模下降，出口部门失业增加，经济衰退；同样，如果 A 国出现衰退，则也会对 B 国产生不良影响。此时，如果两国通过国际经济协调，共同采取扩张性的货币政策，协调避免贸易摩擦，两国的出口都将恢复，失业也将减少。同样的道理，为防止通货膨胀通过国际贸易的跨国传递，各国也有协调财政政策的必要。例如，1993 年生效的《马斯特里赫特条约》对成员国财政政策做出原则性规定，即从 1994 年起，欧盟各成员国的财政赤字占 GDP 的比重（即赤字率）不能超过 3%，政府债务占 GDP 的比重（即债务率）不能超过 60%。很显然，一国进出口贸易额占其国内生产总值的比例越大（即对外贸易依存度越高），开放部门占国民经济中的比重越高，国际贸易的传导机制作用越强。因此，贸易自由化强化了国际贸易传导渠道的作用[⊖]。

二、国际资本流动渠道传导

自布雷顿森林体系瓦解以来，伴随着各国资本管制的放松趋势，国际资本对世界经济的影响越来越大。货币政策的协调可以通过国际资本流动渠道发挥重要作用。仍然以 A、B 两国为例进行说明。在各国自行决定货币政策时，若 A 国采取扩张性的货币政策刺激经济发展，A 国利率低于 B 国，则扩张性的货币政策导致 A 国的通货膨胀率高于 B 国，A 国过剩的资本在逐利本性的驱动下流往 B 国，造成 B 国货币供给失衡。此时，B 国出现输入性的通货膨胀。如果有一个机制或机构对两国进行货币政策协调，将货币供给增加幅度进行一些制度上的限制，两国通货膨胀的势头即可得到有效遏制。汇率政策的协调通过国际资本流动渠道发挥作用。如果一国政府利用本币贬值来扩大商品出口，则其国际收支状况将得到改善，国内出口部门就业增加，但同时会把失业和国际收支失衡传递给他国。因此，尽管在牙买加货币体制下，世界各国汇率制度已经多样化，但是，国际货币基金组织等机构仍然要求各国保持汇率的稳定，保持成员国之间有秩序的汇率安排。特别是在金融危机期间，更是要求各国不要采取"以邻为壑"的货币贬值政策。

⊖ 张幼文、屠启豪、李刚：《世界经济概论》，高等教育出版社，2004 年版，第 275 页。

三、信息和预期渠道传导

三次科技革命极大地降低了信息的传递成本,世界范围内的信息传递在瞬间即可完成。快速传递的信息在预期的作用下,通过"蝴蝶效应"进行放大,对世界经济产生巨大冲击。1998 年东南亚金融危机和 2008 年全球金融危机就是信息和预期渠道传导的最佳例证。在东南亚金融危机期间,自泰国 1997 年 7 月宣布放弃固定汇率制度实行浮动汇率制度开始,短短 6 个月时间,危机就迅速波及整个东南亚地区;而始于美国"次贷危机"的 2008 年全球金融危机,很快地扩展到欧洲、日本、韩国以及中国等国家和地区,造成全球经济衰退,股市暴跌,失业增加。

往往还会出现这样一种情况:有人预测某国可能实施降息的经济政策,政策还未出台,却已经影响别国的预期,并对别国的经济政策制定产生实际作用,如决定随之降息还是维持利率不变[①]。在世界遭遇经济危机需要进行国际经济协调时,通过一系列的振兴经济措施,重塑人们对经济向好的正确预期非常重要。

四、国际生产渠道传导

第二次世界大战以来,世界对外直接投资迅猛增长,而对外直接投资的主体——跨国公司的发展对世界经济起到了极大的推动作用。当代跨国公司通过垂直专业化分工将其生产环节进行分解,并在世界各地生产,技术也随之扩散。但当跨国公司母国经济衰退时,失业增加、劳动力成本降低,跨国公司可能减缓对东道国的直接投资,从而影响东道国的就业甚至经济状况;跨国公司也可能将利润抽回,从而影响东道国的国际收支乃至经济状况[②]。而当东道国出现经济危机时,出于安全的考虑,跨国公司也极有可能抽回投资或减资;大量减资或撤资行为必然导致东道国的就业状况进一步恶化,加剧经济衰退。这就需要国际经济协调机构采取有效措施平抑经济波动,为跨国公司创造一个良好的投资环境。

另外,跨国公司为获取最大利润,通常会利用其技术垄断地位限制发展中国家企业的技术引进。发展中国家企业在引进技术的过程中,经常被要求在技术引进合同中订立不平等、不合理的限制性商业条款。长期以来,跨国公司垄断技术贸易市场和价格,这有碍于先进科学技术在国际间的传播和流动,也限制了国际技术贸易的正常发展。针对此情况,1974 年 5 月联合国贸易和发展大会第六次特别会议通过决议,决定着手起草一项有关国际技术转让的行动守则。通过发展中国家的不懈努力,尽管《国际技术转让行动守则》还没有正式通过,但其对各国的指导作用还是较为明显的,而且,诸多发展中国家参照该守则制定了本国技术进出口的相关法律法规。通过这样的国际协调,发展中国家的企业可以借助跨国公司的全球化生产,更为容易地接触到先进技术,从而促进发展中国家企业的技术进步。

第五节 国际经济协调的局限性

"二战"后的国际经济协调为世界经济发展创造了一个较为良好的环境,各国经济迅猛

[①][②] 张幼文、屠启豪、李刚:《世界经济概论》,高等教育出版社,2004 年版,第 276 页。

发展，经济全球化步伐明显加快。尽管世界经济也遭受到经济危机的冲击，但都无法与"大萧条"时代相比。当今世界各国经济发展水平各异，利益、要求和目标不尽相同，能把这些国家协调到一起实属不易。对世界经济的各种问题能克服矛盾、消弭分歧、达成一致就更困难。这就是为什么国际经济组织的规章并不严密，多有漏洞，在进行国际经济协调时，往往行动迟缓、软弱无力，或者议而不决，决而不行，大大影响其效果的原因⊖。因此，尽管国际经济协调取得的成绩有目共睹，但其局限性也无法避免。

一、"搭便车"行为导致协调效果打折

任何政策的协调都是有成本的。如果在协调合作的体系内部缺乏制度化的监督机制，那么，政策协调带来的经济福利的改善就可能成为类似公共物品的东西，导致一些参与国产生"搭便车"的动机⊜。例如，在进行货币政策协调时，一方面宣称进行货币政策合作，分享合作带来的福利，提高好处；另一方面，在制定本国货币政策的时候，不考虑政策溢出的外部效应，从而达到逃避协调成本的目的。这样看来，如果没有强有力的惩罚和约束机制，各经济主体"搭便车"行为的泛滥，必然会导致国际经济协调低效运行，最终使得国际经济协调的吸引力下降，破坏世界经济的平稳运行。

二、国际经济协调中缺乏足够的公正与公平

在"二战"后国际经济协调的发展历程中，处处体现出以美国为首的发达国家的意志。国际经济组织往往被发达国家所操控，协调措施也往往对发达国家有利，发展中国家的利益关注并不充分。由于发展中国家的经济实力较弱，对发达国家的经济依赖性较强，这种相互依赖之间的不对称性导致发展中国家在国际经济谈判中处于非常不利的境地。发达国家通过"胡萝卜加大棒"的方式维持着对其有利的国际经济秩序，要求各国接受市场经济，放松市场管制，进行结构改革，实行贸易和投资自由化。而发展中国家也因此付出了惨痛的代价。例如，1998年爆发的东南亚金融危机，就与这些国家过快的金融自由化不无关系。而且更为糟糕的是，一旦发展中国家出现危机需要援助时，可能得不到援助，或援助不及时。国际货币基金组织对发展中国家发放贷款时，往往有附加条件，而这些条件通常是不合理的，有的甚至会导致发展中国家的经济状况进一步恶化。

三、缺乏完善的监督和惩罚机制

为了保证协调的顺利进行，通常需要采用某种惩罚机制来防止成员方违反其承诺。这也涉及国际经济协调手段的可信度以及国际经济协调的可持续性。但由于涉及国家经济主权，大部分国际协调机构及机制实际上不可能使用强有力的监督和惩罚方式对那些不履行协调责任的成员方进行惩罚，许多只是具有道义上的谴责而已。完善的监督和惩罚机制的缺乏，会使得国际经济协调机构内部的成员方纪律松散，难以达到预期的协调目标。例如，相对而言，WTO的监督机制在关税及贸易总协定的基础上前进了一大步，并且其约束机制较国际

⊖ 李琮：《世界经济学新编》，经济科学出版社，2000年版，第503页。
⊜ 虞伟荣、胡海鸥：《国际货币政策协调低效的经济学分析》，世界经济与政治论坛，2005年第1期。

货币基金组织和世界银行更严格。但即便如此,仍然无法避免1998年的"海龟案"[1]以及"美国钢铁特保案"[2]的发生。

此外,国际经济协调往往是危机出现时采取的临时性应急措施,缺乏长远性、战略性,达成的协议往往缺乏约束性和权威性。因此,私人部门对政策的可持续性常常持怀疑态度。而公众预期可能导致政策协调的结果与最初的设想偏离。例如,以单边自由主义为特色的APEC,如果其成员方之间就经济政策的协调达成某种方案,但有效的监督和惩罚机制的缺乏使得微观市场主体对政策协调持怀疑态度,从而就难以实现其政策目标。

四、信息不对称导致国际经济协调目标与效果之间存在差异

在社会政治、经济等活动中,一些成员拥有其他成员无法拥有的信息,由此会造成经济系统中的信息不对称。信息不对称会产生交易关系和契约安排的不公平或者市场效率降低等问题。在国际经济协调中,信息不对称反映在各国在政策协调过程中,对自己的政策信息是完全知晓的,但对其他成员方的经济政策信息并不完全了解。而这种不完全信息状态就可能使国际经济协调偏离原定目标,效果自然也与目标相差甚远。

五、协调领域的不断拓展使得部分协调成果仅具有象征性

当前,国际经济协调日益突破传统的宏观经济政策协调范畴,甚至扩展到能源与环境、气候等领域。在这些领域中,各方利益分歧太大,达成有约束力的协议非常困难。例如,在哥本哈根世界气候大会的谈判中,虽然各方做出努力,但因利益冲突太大,最终并没有达成具有法律约束力的实质性协议。

毋庸置疑,第二次世界大战以来的国际经济协调是经济全球化发展的必要要求,同时也取得了积极的效果,但其局限性也非常明显。展望未来,经济全球化背景下国际经济协调必将继续发展。只有减少大国操纵,消除其负面影响,吸收有代表性的发展中国家参加,充分考虑各方面的关系,才能推动协调机制不断完善,使世界经济持续、健康发展。

复习思考题

1. 为什么要进行国际经济协调?
2. 试比较国际经济协调的不同组织形式。
3. 简述国际经济协调的产生和发展。
4. 如何理解国际经济协调的局限性?

---

[1] 用拖网船捕捞海虾时,也会顺带捕杀海龟。美国根据其《濒危物种法》增设第609条款,规定凡未能在捕虾同时放活海龟者,禁止该国的海虾向美国出口。

[2] 2002年3月,当时的美国总统布什宣布,为了保护美国的钢铁行业免受外来产品冲击,决定向进口的钢铁制品征收为期3年的高额关税。之后,欧盟、日本等分别向WTO组织提起诉讼。WTO专家组于2003年7月做出裁决,认定美国违反国际贸易规则。裁决的依据主要是美国无法证明外国钢铁的进入对美国钢铁行业造成实质损害。

参考文献

[1] 侯家驹. 中国经济史学：上册 [M]. 北京：新星出版社，2008.
[2] 黎兵. 新兴大国崛起中的国际经济协调——中美战略经济对话研究 [D]. 上海：上海社会科学院世界经济研究所，2009.
[3] 王国兴. 中美战略经济对话：国际经济协调新框架 [J]. 世界经济研究，2007(3).
[4] 徐晶. 国际经济协调下的国家利益分析 [D]. 哈尔滨：哈尔滨工业大学，2009.
[5] 叶华. 西方七国集团国际经济协调机制研究 [D]. 武汉：华中师范大学大学，2006.
[6] 虞伟荣，胡海鸥. 国际货币政策协调低效的经济学分析 [J]. 世界经济与政治论坛，2005(1).
[7] 朱明侠. 论国际经济协调对经济周期的影响 [J]. 国际贸易问题，1996(2).
[8] 陆燕. G20：改善全球贸易治理 [J]. 国际贸易，2016，(8).
[9] 于立新，裘莹. 中国"一带一路"战略布局思考 [J]. 国际贸易，2016，(1).

第八章

国际经济组织

本章学习目标

1. 了解国际经济组织的发展历程、类型和功能。
2. 熟悉重要的国际经济组织。

◆【导入案例】

石油输出国组织

1960年9月,伊朗、伊拉克、科威特、沙特阿拉伯和委内瑞拉的代表在巴格达开会,决定联合起来共同对付西方石油公司,维护石油收入。14日,五国宣告成立石油输出国组织(Organisation of Petroleum Exporting Countries,OPEC),简称"欧佩克",欧佩克总部设在奥地利首都维也纳。随着成员的增加,欧佩克发展成为亚洲、非洲和拉丁美洲一些主要石油生产国的国际性石油组织。现在,欧佩克旨在通过消除有害的、不必要的价格波动,确保国际石油市场上石油价格的稳定,保证各成员国在任何情况下都能获得稳定的石油收入,并为石油消费国提供足够、经济、长期的石油供应。

欧佩克的决定相当影响国际油价。例如,在1973年石油危机中,欧佩克拒绝运送石油至第四次中东战争,支持以色列对抗埃及和叙利亚等西方国家。这使油价上升4倍,从1973年10月17日至1974年3月18日,持续5个月之久。1975年1月7日,欧佩克成员同意将原油价格提高10%。2014年下半年国际油价暴跌,其关键因素之一就是OPEC石油大亨沙特阿拉伯无视油价下跌,继续不减产甚至为了市场份额一度增产,WTI原油直接从80美元继续下跌。

石油输出国组织是国际经济组织之一,其他重要的国际组织还有国际货币基金组织(IMF)、世界银行(WB)、世界贸易组织(WTO)等,它们在当今世界政治、经济与社会发展中发挥着日益重要的作用。

(资料来源:由百度百科石油输出国组织资料整理而得。)

国际经济组织是指两个或两个以上国家政府或民间团体为了实现共同的经济目标,通过缔结、加入国际条约或协定而成立的组织。自1815年第一个官方国际经济组织——欧洲莱茵河沿岸国家组建莱茵河委员会以来,国际经济组织伴随着世界经济的发展而快速增加,对世界经济协调和均衡起到日益重要的作用。

第一节　国际经济组织的发展历程

生产力的发展促进了国家之间的经济交往，国家之间的频繁交往及由此产生的冲突产生了对国际经济组织的需要。因此，可以说国际经济组织是伴随着世界经济的发展而发展起来的，经历了一个漫长的发展过程。

早期的国际经济交往是由民间进行的，为推动这种交往并协调交往中产生的矛盾，便出现了民间的国际团体。到19世纪，国家之间开始大量采用国际会议来解决问题，包括经济问题，于是形成了从民间团体到政府间国际会议的一次历史性的飞跃。资产阶级革命的胜利带来了生产力的巨大发展，跨国经济活动迅猛增加，临时性的国际会议用来解决国际经济领域的问题已不能胜任，于是出现了常设性的国际经济组织。现代意义的国际经济组织出现在19世纪后半期。1865年建立的国际电报联盟、1874年建立的国际邮政总联盟、1875年建立的国际度量衡组织和1883年建立的国际保护工业产权联盟等是最早的一批现代意义上的国际经济组织。这一时期的组织主要是技术性的，政治色彩比较淡，作用比较有限，国际经济活动主要依靠双边的通商条约和市场自动调节。

第二次世界大战后，国际经济组织迅猛发展，出现了大量的国际经济组织。这一时期活跃在世界经济舞台上的国际经济组织，如联合国（UN）、关税及贸易总协定（GATT）、世界贸易组织（WTO）、国际货币基金组织（IMF）、世界银行（WB）、欧洲联盟（EU）、亚太经济合作组织（APEC）、东南亚国家联盟（ASEAN）、加勒比共同体（CARICOM）等都是第二次世界大战以后才建立起来的。随着国际经济组织调整的对象扩大、手段增多、效力加强，其对世界经济的影响已是早期国际经济组织不可比拟的。早期的国际经济组织结构一般比较简单，职能分配和议事规则也不够明确、不够合理。新出现的国际经济组织则一般有比较完善的结构安排，出现了组织内部权力机构、执行机构、争端解决机构的分工，并发展出具有国际经济组织特色的议事规则等组织制度。

与之前相比，战后国际经济组织在很多方面发生了较大变化：

（1）从活动范围看，国际经济组织已经从战前的主要协调跨国经济活动中的技术标准发展到对国际贸易、金融、投资等各领域的全面协调和管理。

（2）从活动内容看，国际经济组织制定的法律规范已经不再局限于对国家经济管理的加强和补充，而是开始从国际经济整体立场出发，以促进国际协调、建立国际经济的法律秩序为目标。

（3）从活动方式看，国际经济组织调节经济活动的手段也从主要采取协商、调解等传统的外交手段发展到利用仲裁、诉讼等法律手段。

（4）区域性的国际经济组织方兴未艾。区域性的国际经济组织迅猛发展主要有以下两个原因：一是以国际货币基金组织为代表的三大国际经济组织多年来深受美国政府的操纵和控制，其他国家，特别是发展中国家并不满意这样的国际经济格局。二是尽管三大国际经济组织在国际经济协调中起到越来越大的作用，但随着成员的增加，谈判的议题越来越复杂，各国力量的博弈使得很多问题久拖不决。而区域性的国际经济组织成员少，共同利益多，相对容易调和，所以发展非常迅速。其中具有代表性的有：马来西亚、菲律宾和泰国三国于

1961年7月31日在曼谷成立的东南亚国家联盟[1]；1989年成立的亚太经济合作组织[2]；1993年11月1日，《欧洲联盟条约》生效，欧盟[3]正式步入历史舞台。

第二节 国际经济组织的类型

一、根据功能和管辖范围不同划分

根据功能和管辖范围不同，国际经济组织可以划分为综合性和专业性国际经济组织。

（1）综合性国际经济组织。综合性国际经济组织具有较广泛的职能，在政治、经济、社会各领域都有活动，如联合国、经济合作发展组织、亚太经济合作组织、东南亚国家联盟等。

（2）专业性国际经济组织。专业性国际经济组织是主要在某一具体经济领域活动的组织。根据国际经济活动的构成，其又分为国际贸易组织、国际金融组织、国际投资组织、国际税收组织等。贸易领域的组织，如世界贸易组织；金融领域的组织，如国际货币基金组织、世界银行、国际清算银行；投资领域的组织，如解决一国与他国民间投资争端的国际中心等。

二、根据参加者类型不同划分

根据参加者类型不同，国际经济组织可分为政府间和民间国际经济组织。

（1）政府间国际经济组织。政府间国际经济组织的参加者是各国政府，是基于政府间的协议建立和运作的。这种组织在国际经济事务中发挥着重要作用。国际货币基金组织、世界银行、世界贸易组织、世界知识产权组织等都是典型的政府间国际经济组织。

（2）民间国际经济组织。民间国际经济组织不是由政府间协议创建的国际经济组织，其参加者不是主权国家的政府，而是个人、民间团体、法人等。这种组织在国际经济关系的特定方面往往也有重要的影响力，典型的如国际商会、国际清算银行等。

三、根据涉及的地域范围不同划分

根据涉及的地域范围不同，国际经济组织可分为全球性和区域性国际经济组织。

（1）全球性国际经济组织。全球性国际经济组织是致力于调节全球经济发展的国际经济组织。这种组织一般都是联合国的机构或专门机构，如作为联合国主要机构之一的经济及社会理事会，作为联合国专门机构的国际货币基金组织、世界银行等[4]。

---

[1] 东南亚国家联盟，简称东盟，目前拥有10个成员国：马来西亚、菲律宾、泰国、印度尼西亚、新加坡、文莱、越南、老挝、缅甸、柬埔寨。

[2] 目前，亚太经济合作组织共有21个成员：澳大利亚、文莱、加拿大、智利、中国、中国香港、印度尼西亚、日本、韩国、马来西亚、墨西哥、新西兰、巴布亚新几内亚、秘鲁、菲律宾、俄罗斯、新加坡、中国台北、泰国、美国和越南。

[3] 欧盟是目前世界上经济一体化程度最高的区域经济组织，现有28个成员国：英国、法国、德国、意大利、荷兰、比利时、卢森堡、丹麦、爱尔兰、希腊、葡萄牙、西班牙、奥地利、瑞典、芬兰、马耳他、塞浦路斯、波兰、匈牙利、捷克、斯洛伐克、斯洛文尼亚、爱沙尼亚、拉脱维亚、立陶宛、罗马尼亚、保加利亚、克罗地亚。2017年，英国首相正式启动"脱欧"程序。

[4] 但也有部分不属于联合国系统，如世界贸易组织建立时，其成员方就力图使它避免受到联合国的影响。

（2）区域性国际经济组织。区域性国际经济组织是在一定地域范围内对经济发展进行调节并产生影响的国际经济组织，如欧洲联盟、北美自由贸易区、东南亚国家联盟、亚太经济合作组织等。它接收成员时，一般只对特定区域的国家或地区主体开放，关注的问题主要是本区域内的经济合作与发展[1]。区域性经济组织主要是区域经济一体化组织，涉及本区域的贸易、投资等经济活动领域，以促进本地区经济合作为目标。也有的区域性经济组织只关注经济活动的特定方面，如阿拉伯货币基金组织等各种区域性的货币组织，就只限于促进区域内成员的货币合作，这类组织被称为一般区域性经济组织。

第三节　国际经济组织的功能

随着社会生产力的发展，资源配置的边界从一国国内向世界扩展。在这个过程中，市场机制的有效运行需要超国家机构来进行协调，国际经济组织就是顺应这一形势而产生的。具体说来，国际经济组织具有以下功能：

一、为国际贸易建立系统规范的法律秩序和规范

国际经济组织是国际贸易法制定的有效组织者、主持者及编纂者。国际经济组织在国际经济制度创新、立法和造法等方面对国际贸易法起到了重要的作用。由某个国家或几个国家来主持某个法域的协商和立法在主权林立的国际社会是难以被接受的，而国际经济组织却可担当起这个职责。例如，关税及贸易总协定支持下的八轮多边谈判；世界贸易组织成立以来主持的各种议题的协商与协议等；国际商会主持的《跟单信用证统一惯例》；一些国家主持签订的建立关税或自由贸易区的多边条约等。国际经济组织在这方面做了许多工作，并取得了较大成果。同时，国际经济组织在长期的谈判中不断进行制度创新。例如，世界贸易组织的协商一致原则、透明度原则、非歧视原则、世界贸易争端解决机制等，以及国际贸易中处理南北贸易关系的普遍优惠制。有些制度创新被国际经济组织以国际条约形式规定下来。例如，1974年的《联合国国际货物买卖时效期限公约》，1976年的《联合国国际贸易法委员会仲裁规则》，1978年的《联合国海上货物运输公约》，1980年的《联合国国际货物销售合同公约》和1985年的《联合国国际贸易法委员会国际商事仲裁示范法》等，乌拉圭回合谈判达成的《1994年关税及贸易总协定》《服务贸易总协定》《与贸易有关的知识产权协议》等。这些都对国际贸易法产生了重大影响。

二、协调主权国家在各领域的合作

各主权国家在彼此交往中，既存在共同利益，又可能出现矛盾和冲突。单靠一个国家单方面的行动以求得矛盾和冲突的解决，是十分困难的，有时甚至是不可能的；而通过国际组织，则可以达到协调冲突、缓解矛盾、促进合作的目的。国际组织具有一套既能维护国家主权，又能促进主权国家之间共同利益的制度与方法。主权国家通过以协定形式建立的国际组织来进行国际性的集体协调，能取得依靠单个国家独自干预所不能取得的成就。

---

[1] 亚太经济合作组织是一个例外。它寻求开放的地区主义，既对区域内开放，又对区域外开放，是一种全新的开放型区域经济合作模式。

在绝大多数情况下，国际组织不仅可以为各国提供达成有关合作决定的场所，还可以通过其执行机制将这些合作决定付诸实施。国际组织不仅是多边合作、集团外交的重要场所，而且可以通过自身努力来促进国际合作。例如，联合国可以向冲突地区派遣维和部队，向发展中国家提供官方发展援助，向受灾地区和难民提供人道主义救济等。同时，联合国为各会员国提供交换意见和多边交往的机会与场所。在区域性国际组织中，欧洲联盟、东南亚国家联盟在促进本地区合作方面的成就格外引人注目。在专门性国际组织中，世界银行集团、国际货币基金组织和世界贸易组织在维护世界经济安全方面所取得的成就为世界所称颂。

三、伸张国际正义，关注人类共同利益

国际社会不仅存在各国的国家利益、各民族的民族利益，而且存在人类的共同利益，如和平、发展、环境保护、和平开发与利用外空和海底资源等。在动员世界舆论重视和关心人类共同利益方面，国际组织发挥了重大作用。它们积极活动，出版和传播有关资料，进行广泛宣传；举行各种国际会议，与世界不同阶层的人士交换意见和磋商，唤起各国人民对人类利益的注意和重视；设立机构进行调查研究，建立世界性调查监测体系；呼吁各国人民投身于维护人类共同利益的活动；在国际发展合作方面，国际多边开发机构向发展中国家提供了大量的官方发展援助。因此，在注重人类共同利益方面，国际组织起了先锋作用。这无疑对人类社会的和平与发展具有重大、深远的意义。

当然，国际经济组织实际上所起的作用总是与人们所期望的目标有一定的距离。这些年来，不管是综合性的联合国，还是专业性的世界银行、国际货币基金组织、世界贸易组织等，均受到不同程度的指责和质疑。但这并不能否认这些组织的存在意义，而恰恰说明，这些国际组织还需要进一步的改革与努力，以便在国际关系协调中发挥更大的作用。

第四节　重要的国际经济组织

一、联合国

联合国的前身是国际联盟，该组织是在第一次世界大战的背景下构思出来的。国际联盟是根据《凡尔赛条约》，于1919年成立的，其宗旨是促进国际合作、实现世界和平和安全。由于未能防止第二次世界大战爆发，国际联盟随后停止了其一切活动。

"联合国"这一名称是由美国总统富兰克林 D. 罗斯福（Franklin D. Roosevelt）设想出来的，于1942年1月1日发布《联合国宣言》时首次使用。时值第二次世界大战进行期间，当时26个国家派出的代表承诺其政府将继续共同对轴心国作战。1945年4月25日至6月26日，来自50个国家的代表参加了在美国旧金山举行的联合国国际组织会议，会议的目的是起草《联合国宪章》。各国代表在中国、苏联、英国和美国四国代表于1944年8~10月在美国敦巴顿橡树园会议上提出的提案基础上进行了讨论。1945年6月26日，50个国家的代表签署了《联合国宪章》。波兰当时没有派代表参加此次会议，但后来签署了《联合国宪章》，因而成为联合国51个创始会员国之一。在中国、法国、苏联、英国和美国以及大多数其他签字国批准《联合国宪章》之后，联合国组织于1945年10月24日正式成立。联合国并非世界政府，不制定法律。但是，联合国提供协助解决国际冲突的办法，并就

影响各国的事项拟订政策。在联合国，所有会员国，不论大小和贫富，不论其政治观点和社会制度为何，都在这一过程中享有发言权和投票权。

(一) 联合国的宗旨

根据《联合国宪章》的规定，联合国宗旨如下：

(1) 维持国际和平及安全；并为此目的，采取有效办法，以防止且消除对于和平之威胁，制止侵略行为或其他和平之破坏；并以和平方法且依正义及国际法之原则，调整或解决足以破坏和平之国际争端或情势。

(2) 发展国际间以尊重人民平等权利及自决原则为根据之友好关系，并采取其他适当办法，以增强普遍和平。

(3) 促成国际合作，以解决国际间属于经济、社会、文化及人类福利性质之国际问题，且不分种族、性别、语言或宗教，增进并激励对于全体人类之人权及基本自由之尊重。

(4) 构成一协调各国行动之中心，以达成上述共同目的。

(二) 联合国的组织结构

联合国总部设在纽约，但在亚的斯亚贝巴、曼谷、贝鲁特、日内瓦、内罗毕、圣地亚哥和维也纳也设有多个机构，它的办公室遍布世界各地。

联合国现有193个成员国，2个观察员国（梵蒂冈和巴勒斯坦）。联合国有6个主要机关。其中，大会、安全理事会、经济及社会理事会、托管理事会和秘书处5个机关设在纽约联合国总部；第6个主要机关是国际法院，设在荷兰海牙。联合国组织结构如图8-1所示。

(1) 大会。大会是联合国的主要审议机构。它由全体会员国的代表组成，每一会员国都有一项投票权。虽然大会仅有权就其职权范围内的国际问题向会员国提出不具约束力的建议，但是大会已经采取政治、经济、人道主义、社会和法律行动，对世界各地数以百万计人的生活产生了影响。2000年，大会通过了里程碑式的《联合国千年宣言》，反映了会员国决心达到宣言中提出的实现和平、安全和裁军的目标；同时，明确了从事发展和消灭贫穷、保护共同的环境、满足非洲的特殊需要和加强联合国的目标。

(2) 安全理事会。联合国安全理事会（简称安理会）负有维护国际和平和安全的主要责任。当关于和平受到威胁的指控提交到安理会时，安理会首先采取的行动通常是建议各方尽力通过和平手段达成协议。在争端导致战火时，安理会首要关切的是尽快使战火平息。

(3) 经济及社会理事会。经济及社会理事会的职能有：负责协调联合国及各专门机构的经济和社会工作；研究有关国际间经济、社会、发展、文化、教育、卫生及有关问题；就其职权范围内的事务召开国际会议，并起草公约草案提交联合国大会审议；其他联合国建议执行的职能。

(4) 托管理事会。托管理事会作为联合国的一个主要机关，其任务是监督置于托管制度之下的托管领土的管理。其主要目标是促进托管领土居民的进展以及托管领土朝自治或独立方向的逐渐发展。随着联合国最后一块托管领土帕劳于1994年10月1日取得独立，托管理事会于1994年11月1日停止运作。

(5) 国际法院。国际法院是联合国的主要司法机关，根据1945年6月26日在旧金山签署的《联合国宪章》设立，以实现联合国的一项主要宗旨："以和平方法且依正义及国际法之准则，调整或解决足以破坏和平之国际争端和情势"。国际法院于1946年开始工作，取代1920年在国际联盟主持下设立的常设国际法院。国际法院具有双重作用：依照国际法解决各国向其提交的法律争端,并就正式认可的联合国机关和专门机构提交的法律问题提供咨询意见。国际法院设在荷兰海牙和平宫,是联合国 6 个主要机构中唯一设在纽约以外的机构。

(6)秘书处。秘书处由在联合国纽约总部和世界各地工作的全体国际工作人员组成,从事联合国各种日常工作。到 2009 年 6 月 30 日为止,秘书处有来自世界各地的约 4 万名工作人员。秘书处为联合国其他主要机关服务,并执行这些机关制定的方案与政策。秘书处的首长是秘书长,秘书长由大会根据安全理事会的推荐任命,任期 5 年,可以连任。秘书处的职责同联合国所处理的问题一样多种多样,范围从管理维持和平行动到调停国际争端,从调查经济及社会趋势和问题到编写关于人权和可持续发展问题的研究报告。秘书处工作人员还使世界各通信媒体了解和关心联合国的工作;就全世界所关切的问题组织国际会议;监测联合国各机构所做决定的执行情况;将发言和文件翻译成联合国各正式语言。

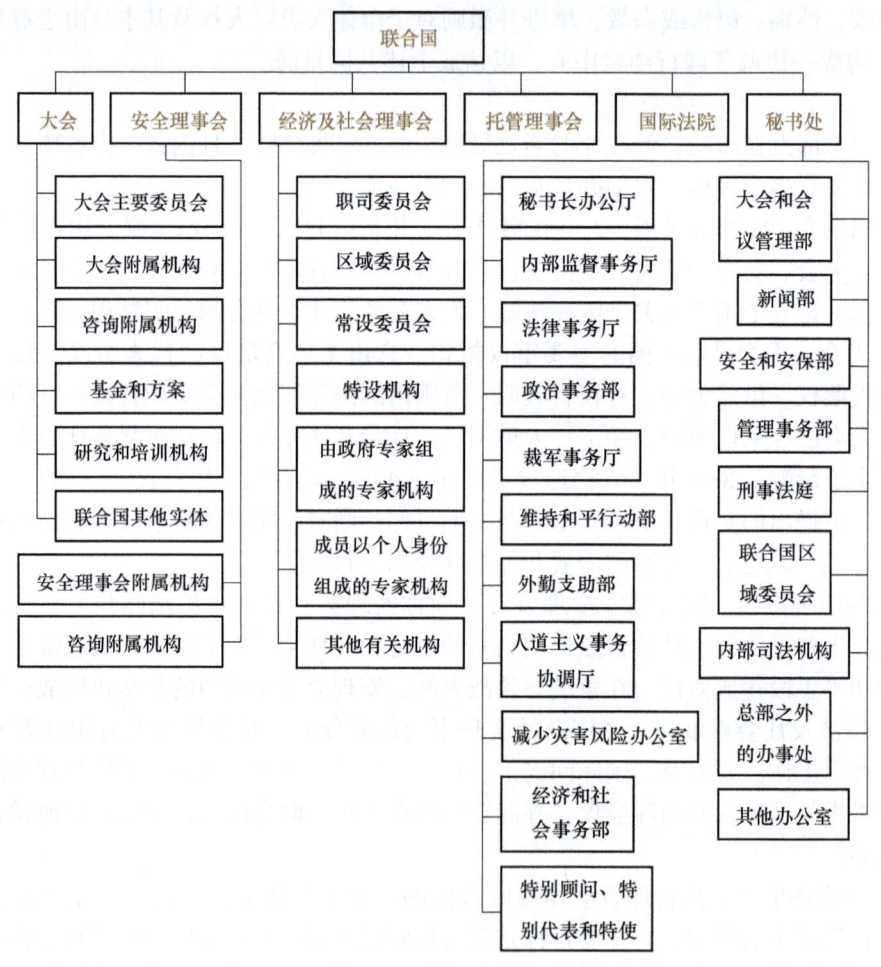

图 8-1 联合国组织结构简图

(资料来源:由联合国官方网站组织与结构图简化而得。)

(三)联合国贸易和发展会议

联合国贸易和发展会议,简称贸发会议(UNCTAD),成立于 1964 年,是联合国的一个独立机构。UNCTAD 致力于推动发展中国家融入全球经济,在当前政策制定过程中以及世界未来发展问题上，已成为一个权威的研究机构。它特别关注国内和国际行动的相辅相成，以实现可持续发展。该组织主要有以下三个主要作用：①为政府间论坛提供场所，并提供专家帮助和经验交流，意图达成共识；②为政府代表和专家提供研究报告、政策分析及数据收集工作；③为发展中国家，特别是最不发达国家和转型国家提供技术援助；必要时，UNCTAD将与其他组织一起提供技术援助。为更好发挥以上作用，UNCTAD 秘书处不断加强与联合国其他机构、政府机构和非政府组织、私营部门、贸易和工业协会以及全世界的大学和科研机构的沟通与交流。

二、世界贸易组织：从 GATT 到 WTO

（一）关税及贸易总协定

20 世纪 30~40 年代，世界贸易保护主义盛行。国际贸易的相互限制是造成世界经济萧条的一个重要原因。第二次世界大战结束后，解决复杂的国际经济问题，特别是制定国际贸易政策，成为"二战"后各国所面临的重要任务。

1946 年 2 月，联合国经社理事会举行第一次会议。会议呼吁召开联合国贸易与就业问题会议，起草国际贸易组织宪章，进行世界性削减关税的谈判。随后，经社理事会设立了一个筹备委员会。1946 年 10 月，筹备委员会召开第一次会议，审查美国提交的国际贸易组织宪章草案。参加筹备委员会的与会各国同意在"国际贸易组织"成立之前，先就削减关税和其他贸易限制等问题进行谈判，并起草《国际贸易组织宪章》。1947 年 4~7 月，筹备委员会在日内瓦召开第二次全体大会，就关税问题进行谈判，讨论并修改《国际贸易组织宪章》草案。经过多次谈判，美国等 23 个国家于 1947 年 10 月 30 日在日内瓦签订了《关税及贸易总协定》。按照原来的计划，关税及贸易总协定只是在国际贸易组织成立前的一个过渡性步骤，它的大部分条款将在《国际贸易组织宪章》被各国通过后纳入其中。但是，鉴于各国对外经济政策方面的分歧以及多数国家政府在批准《国际贸易组织宪章》这样范围广泛、具有严密组织性和国际条约所遇到的法律困难，使得该宪章在短期内难以被通过。因此，关税及贸易总协定的 23 个发起国于 1947 年底签订了"临时适用议定书"，承诺在今后的国际贸易中遵循关税及贸易总协定的规定。该议定书于 1948 年 1 月 1 日生效。此后，关税及贸易总协定的有效期一再延长，并为适应情况的不断变化，多次加以修订。

1948—1994 年，关税及贸易总协定（GATT）为世界贸易提供规则并见证国际贸易的快速增长。但成绩耀眼的背后并不能掩盖 GATT "临时性"的特征：它仅仅是一个临时性议定，只不过时间稍微长些而已。因此，GATT 成为唯一的多边贸易调解机制管理着世界贸易，直至 1995 年世界贸易组织（WTO）的成立。GATT 的 47 年历史大部分是在日内瓦写就的。但在古巴首都哈瓦那、法国安纳西、英国托基、日本东京、乌拉圭埃斯特角、加拿大蒙特利尔、比利时布鲁塞尔，最后到 1994 年摩洛哥的马拉喀什，都留下了 GATT 谈判的足迹。在这 47 年中，国际贸易体系置于 GATT 框架之下运行，并通过八轮多边回合贸易谈判建立了一个强有力且持续繁荣的多边贸易体系。但在 20 世纪 80 年代，各方认识到多边贸易体系需要进行彻底的改革，并同意启动第八轮"乌拉圭回合"的谈判，最终促成 WTO 的成立。GATT 历次谈判的基本情况如表 8-1 所示。

表 8-1　GATT 历次谈判简表

项目次数	年份	谈判地点	谈判议题	参加国家数目/个
第一轮	1947	日内瓦	关税	23
第二轮	1949	安纳西	关税	13
第三轮	1951	托基	关税	38
第四轮	1956	日内瓦	关税	26
第五轮	1960—1961	日内瓦（狄龙回合）	关税	26
第六轮	1964—1967	日内瓦（肯尼迪回合）	关税、反倾销措施	62
第七轮	1973—1979	日内瓦（东京回合）	关税、非关税措施及框架协议	102
第八轮	1986—1994	日内瓦（乌拉圭回合）	关税、非关税措施、服务、知识产权、争端调解机制、纺织品、农产品及 WTO 的创立等	123

　　第一轮谈判于 1947 年 4~10 月在日内瓦举行，谈判促成了一系列贸易规则的出台及 45000 项关税减让，使占资本主义国家进口值 54% 的商品平均降低关税 35%，影响 100 亿美元的商品贸易，占世界总贸易量的 1/5。

　　第二轮谈判于 1949 年 4~10 月在法国安纳西举行，使占应征税进口值 5.6% 的商品平均降低关税 35%。

　　第三轮谈判于 1950 年 9 月~1951 年 4 月在英国托基举行，使占进口值 11.7% 的商品平均降低关税 26%。

　　第四轮谈判于 1956 年 1~5 月在日内瓦举行，使占进口值 16% 的商品平均降低关税 15%。

　　第五轮谈判于 1960 年 9 月~1961 年 7 月在日内瓦举行，被称为"狄龙回合"，使占进口值 20% 的商品平均降低关税 20%。

　　第六轮谈判于 1964 年 5 月~1967 年 6 月在日内瓦举行，被称为"肯尼迪回合"，使关税税率平均水平下降 35%。

　　第七轮谈判于 1973 年 9 月~1979 年 4 月在日内瓦举行，被称为"东京回合"，共有 102 个成员参加，继续大力推动关税减让，促成世界主要的九大工业品平均削减 1/3 的关税，使工业品总体平均关税降至 4.7%。

　　第八轮谈判于 1986 年 9 月开始，被称为"乌拉圭回合"，涉及货物贸易，并首次将劳务贸易列入多边贸易谈判范围，除了货物贸易外，还将知识产权和投资问题列入了谈判内容。

　　GATT 成立以来的半个世纪，其基本法律原则并没有发生多大变化。总的来说，在早期年份，GATT 谈判集中在关税减让。但"肯尼迪回合"谈判开始涉及反倾销以及发展议题，特别是"东京回合"谈判则全面涉及非关税贸易壁垒和贸易体系改革，到"乌拉圭回合"谈判，其议题更为广泛，达成一系列协定并促成 WTO 成立。

（二）对关税及贸易总协定的评价

　　尽管 GATT 是在有限领域的临时协定，但是在它存在的 47 年中，在促进贸易自由化方面功不可没。其主要表现在：

　　（1）通过多边贸易谈判，在互利互惠的基础上大幅度削减了关税。在"乌拉圭回合"谈判之前，发达国家的平均关税下降到 4.7%，发展中国家和地区的平均关税在同期下降到

13%；"乌拉圭回合"谈判后，各缔约国的关税再次大幅度下降。

（2）削减了其他各种非关税壁垒。在"乌拉圭回合"谈判中，把"非关税措施"列入议题进行谈判，并制定出一些守则来对非关税壁垒加以约束。

（3）为各国，特别是为解决发展中国家和发达国家之间在经贸上的矛盾提供了谈判的场所和对话的机会。GATT 在解决矛盾、消除纠纷方面取得了一定成就，特别是在消除发达国家对发展中国家的歧视方面。在第七轮谈判中，经过发展中国家的努力，增列了对发展中国家的贸易优惠和出口利益方面的条款。

（4）GATT 保障了国际贸易环境的稳定性。根据规定，GATT 全体缔约方通过承诺关税减让，为世界贸易提供了一个较为稳定的、可以预见的基础和环境。

但是，在 20 世纪 80 年代早期，GATT 与世界贸易发展的现实就已经显得不合时宜。其主要表现在：经济全球化趋势悄然形成，GATT 没有管辖的服务贸易成为越来越多国家关注的利益所在，国际投资也在快速扩张；在农产品贸易领域，多边贸易体系中的漏洞被扩大利用，农产品贸易自由化的努力遭受挫折；在纺织品和服装部门，20 世纪 60 年代及 70 年代早期议定的《多种纤维协定》就游离在 GATT 之外。基于此，WTO 替代了 GATT。

（三）世界贸易组织的宗旨、目标及原则

1995 年 1 月 1 日 WTO 的成立标志着第二次世界大战以来国际贸易体制的最大变革。它使得 1948 年未能实现的国际贸易组织（ITO）以一种更新的形式成为现实。目前，WTO 已经成为协调各成员方国际贸易政策、促进货物与服务贸易、知识产权保护的重要国际经济组织。WTO 被认为是多边贸易体制的代表，其核心是世界贸易组织的各项协定。这些协定是由世界上绝大多数国家和地区通过谈判达成并签署的，已经各成员立法机构的批准。这些协定包含了国际贸易通行的法律规则，一方面保证了各成员的重要贸易权利，另一方面对各成员政府起到约束作用，使它们的贸易政策保持在各方议定且符合各方利益的限度之内。这样做是为了向产品制造者和服务提供者提供帮助，并便利进出口业务的开展。

WTO 成员分四类：发达成员、发展中成员、转轨经济体成员和最不发达成员。美国、英国、德国、法国、日本、意大利、加拿大七名 G8 成员国自 WTO 成立伊始即为 WTO 成员，最后一名 G8 成员国俄罗斯于 2012 年 8 月 22 日加入 WTO。至此，G8 成员国全部加入 WTO。

2001 年 12 月 11 日，中国正式加入 WTO，成为其第 143 个成员。

2016 年 7 月 14 日，利比里亚成为 WTO 第 163 个成员。2016 年 7 月 29 日，阿富汗成为 WTO 第 164 个成员。据此，WTO 正式成员已经达到 164 个。近年来加入 WTO 的国家如表 8-2 所示。

表 8-2　近年加入 WTO 国家简表

序　号	国　　家	入世时间	序　号	国　　家	入世时间
1	佛得角	2008 年 7 月 23 日	7	塔吉克斯坦	2013 年 3 月 2 日
2	黑山共和国	2012 年 4 月 29 日	8	也门	2014 年 6 月 26 日
3	萨摩亚	2012 年 5 月 10 日	9	塞舌尔	2015 年 4 月 26 日
4	俄罗斯	2012 年 8 月 22 日	10	哈萨克斯坦	2015 年 11 月 30 日
5	瓦努阿图	2012 年 8 月 24 日	11	利比里亚	2016 年 7 月 14 日
6	老挝	2013 年 2 月 2 日	12	阿富汗	2016 年 7 月 29 日

资料来源：WTO 网站。

1. WTO 的宗旨与目标

WTO 的宗旨是在提高生活水平和保证充分就业的前提下，扩大货物和服务的生产与贸易，按照可持续发展的原则实现全球资源的最佳配置，努力确保发展中国家，尤其是最不发达国家在国际贸易增长中的份额与其经济需要相称，以及保护和维护环境。

WTO 的目标是建立一个完整的、更具有活力的和永久性的多边贸易体制。WTO 的首要目标是帮助开展平稳、自由、公平的贸易。WTO 的基本职能包括：管理和执行共同构成 WTO 的多边及诸边贸易协定；作为多边贸易谈判的讲坛；寻求解决贸易争端；监督各成员的贸易政策，并与其他国际机构进行合作。

2. WTO 的基本原则

WTO 的基本原则贯穿其法律文件，构成了多边贸易体制的法律基础。WTO 所适用的基本原则主要来自 GATT，由若干规则和这些规则的例外所组成。以下介绍几条主要原则[①]：

（1）非歧视原则。非歧视原则包括最惠国待遇原则和国民待遇原则两个部分。最惠国待遇原则是指缔约方的一方现在或将来给予第三方的一切优惠，应无条件地、无补偿地、自动地适用于缔约方的另一方。该原则在 WTO 的三大支柱协议——管理货物贸易的 GATT 第 1 条、管理服务贸易的 GATS 第 2 条以及与贸易有关的知识产权协议 TRIPs 第 4 条中均有提及。国民待遇原则是指一缔约方从另一缔约方进口的产品，在国内税收和法令规章方面享受其国内同类产品同等的待遇。该原则可视为最惠国待遇的补充，是非歧视原则在对进口产品的国内措施方面的体现，以防止由于国内行政及立法措施而造成的贸易保护。国民待遇原则体现在 GATT 第 3 条、GATS 第 17 条以及 TRIPs 第 3 条中。

最惠国待遇原则存在例外，主要表现在：

1) 货物贸易领域的例外。在货物贸易领域的例外表现在：GATT 第 1 条第 2、3、4 款规定了关于最惠国待遇的例外和实施的条件：①成员方为保障动、植物及人民的生命、健康、安全或一些特定目的对进出口采取的所有措施。②国家安全的例外。当一国的国家安全受到威胁时，可以不履行最惠国待遇的义务。③特定成员方之间不适用。其条件是：两个缔约方之间没有进行关税谈判；缔约方的任何一方在另一方成为缔约方时不同意对它实施本协定或本协定的第 2 条所规定的优惠。第 35 条第 2 款还规定，经任何缔约方提出请求，缔约方全体可以检查在特定情况下本条规定的执行情况，并提出适当建议。例如，建议两个成员方进行关税减让谈判，达成协定实行后实行最惠国待遇。④对发展中国家的单方面优惠安排。例如，发达国家给予发展中国家的工业品及半成品以更加优惠的差别关税待遇；在非关税措施方面给予发展中国家更为优惠的差别待遇；对最不发达国家实行特殊优惠。发达国家单方面承诺对来自发展中国家的货物实行免税进入市场的单方贸易优惠，称为非互惠安排。根据 GATT 和东京回合 1979 年 11 月 28 日 GATT 缔约方全体大会的决定，这种单方面优惠有：普惠制，即发达国家允许来自所有发展中国家进口的工业品和部分农产品适用更优惠的税率和免税税率；《洛美协定》，即欧盟成员国允许来自一些非洲和加勒比海地区国家及亚太地区的最不发达国家的进口货物免税进入欧盟市场；加勒比海盆地安排，即美国允许免税进口来自加勒比海地区国家的货物。⑤自由贸易区、关税同盟及边境贸易。允许少数国家享受的待遇可以不给予其他 WTO 成员；经济一体化组织内部的待遇可以不给予其他非该组织

[①] 来源于世界组织官方网站关于基本原则的介绍：http://www.wto.org/english/thewto_e/tif_e/fact2e.htm。

的 WTO 成员；欧盟内部成员国之间的零关税待遇可以不给予美国、加拿大等。这一例外的意义是：关税同盟和自由贸易区的成员之间可以适用更低或者免税的优惠，可以不扩展到 WTO 的其他成员。GATT 第 2 条对此做了肯定："各缔约方认为，通过自愿签订协定发展各国之间经济一体化，以扩大贸易自由化是有好处的。"该条第 5 款规定："本协定的各项规定，不得阻止各缔约方在其领土之间建立关税同盟或自由贸易区，或为建立关税同盟或自由贸易区的需要采用某种临时协定。"例如，2003 年 6 月 29 日，我国中央政府与我国香港特区政府在港正式签署《内地与香港关于建立更紧密经贸关系的安排》，就是这一例外的体现。⑥GATT 允许采取的其他措施，主要包括反补贴、反倾销及在争端解决机制下授权的报复措施。⑦多边贸易协定（政府采购协定、民用航空器协定）中规定的最惠国待遇，对于不加入该种协定的成员没有约束力。

2）服务贸易领域的例外。《服务贸易总协定》（GATS）规定了最惠国待遇的例外和豁免安排，允许成员方在特定条件下不受最惠国待遇原则的管辖和约束。协定规定了两种合法的豁免：①第 2 条第 3 款规定的过境服务贸易，限于当地生产和消费的服务贸易。②第 2 条第 2 款规定的成员方自行列入《免除第 2 条义务附件》的措施。附件提出的程序性条件，即原始成员方可在协定生效之前一次性提出自己的豁免清单；协定生效后的任何豁免都必须有 3/4 以上的 WTO 成员同意；豁免的时间原则上不得超过 10 年，并且可由将来举行的多边贸易谈判予以变更；服务贸易理事会成员对超过 5 年的豁免将进行定期审查。

3）知识产权领域的例外。《与贸易有关的知识产权协定》（TRIPs）第 4 条规定，在知识产权保护方面，某一成员提供给其他成员国民的任何利益、优惠、特权或豁免，均应立即无条件地给予全体其他成员方的国民。但一成员方提供其他成员方国民的任何下述利益、优惠、特权或豁免，不在其列：①由一般性的司法协助及法律实施的国际协定或协议引申出的，并且不是专门为保护知识产权制定的有关措施；②按《保护文学艺术作品伯尔尼公约》1971 年文本或《保护表演者、音像制品制作者和广播组织罗马公约》规定的按互惠待遇提供的待遇；③《与贸易有关的知识产权协定》没有规定的表演权、录音制品制作者权及广播组织权；④在 WTO 成立前已经生效的知识产权的国际协议中已经规定的，且将这些协议对其他成员方的国民不构成随意或不公平的歧视即可。此外，TRIPs 第 5 条还规定了一项关于不歧视原则的例外，即世界知识产权组织主持下缔结的没有纳入本协定的其他关于知识产权的多边协定所产生的优惠好处，不适用于本协定所规定的国民待遇和最惠国待遇。

国民待遇原则同样存在着各种例外，主要表现为：

1）国民待遇原则在货物贸易领域的例外。GATT 对国民待遇原则做了例外规定，集中体现在第 20 条"一般例外"条款中。例如，成员方可依据该条款的规定，为维护公共道德和保障人民或动、植物的生命或健康，对进口产品实施有别于本国产品的待遇。又如，在国内原料的价格被压到低于国际价格水平时，作为政府稳定计划的一部分的期间，为了保证国内加工业对这些原料的基本需要，有必要采取限制这些原料出口的措施。此外，在 WTO 其他多边货物协议中也规定了国民待遇例外。例如，《补贴与反补贴措施协定》规定，从 WTO 协定生效之日起的 5 年内，允许发展中国家成员对使用国内产品进行补贴；对于最不发达国家成员，这一期限可延至 8 年。

2）国民待遇在服务贸易领域的例外。服务贸易总协定将国民待遇作为成员方经谈判而承担的具体义务，而不是必须遵守的一般义务。这一规定与总协定的其他原则规定是有区别的，成员方谈判承担义务时，可在承诺表中列出不按照国民待遇的安排，包括有关服务提供者或服务。

(2) 渐进自由贸易原则。降低贸易壁垒是最为重要的促进贸易自由化的措施之一。这些贸易壁垒包括关税壁垒和诸如进口禁令或选择性的数量配额限制、繁杂的手续以及汇率政策等。GATT 创立以来，共进行八轮多边回合谈判；WTO 创立以来发起的"多哈回合"谈判正在进行中。前期的谈判主要集中在进口关税的降低上。20 世纪 80 年代，谈判的议题开始扩展至非关税壁垒、服务贸易和知识产权保护等。经过历次多边回合谈判，20 世纪 90 年代中期，工业化国家的工业制成品的平均关税税率已经降至不到 4%。

开放市场可以带来巨大的利益，但也需要调整。WTO 允许各成员方采取"渐进的贸易自由贸易化原则"开放市场。发展中国家在履行义务时，通常被给予更长的宽限期。

(3) 可预见性原则。承诺未来不提高贸易壁垒与降低贸易壁垒同样重要，因为这样的承诺将给企业一个对未来机会更清晰的看法。在贸易政策稳定与可预见的情况下，投资被激励，就业机会被创造，消费者可以享受到竞争带来的利益：更多的选择机会和更低的产品价格。多边贸易体制就是各国政府企图使贸易规则和商业环境具有稳定和可预见性的一种尝试。在 WTO 框架下，一国同意开放它们的货物和服务贸易市场时，意味着它们做出了有约束的承诺。通过表 8-3 可以看出"乌拉圭回合"谈判前后各种类型的国家约束关税比例的变化。对于货物贸易，这些约束关税构成税率上限。发展中国家经常将进口税率定在约束税率之下，而发达国家的实际关税水平已大致与约束税率相同。

一个国家可以在与其贸易伙伴谈判的情况下，改变其关税约束水平，这可能意味着需要对贸易伙伴的损失进行补偿。"乌拉圭回合"谈判的重要成果之一就是各成员方增加约束关税的数量（见表 8-3）。这些约束关税将给予贸易和投资商更高的市场安全保证。

表 8-3 关税约束比例变化："乌拉圭回合"谈判前后（%）

	乌拉圭回合前	乌拉圭回合后
发达国家	78	99
发展中国家	21	73

注：计算标准按税目而不是贸易额。

多边贸易体制还试图以其他方式改善政策的可预见性和稳定性：①阻止使用配额和其他限制进口数量的措施，因为配额管理将会带来国际贸易的烦琐手续以及不公平贸易问题。②促进各成员方的贸易规则尽可能透明和公开。WTO 要求各成员方政府就其贸易政策和实践，采取国内公开披露或通知 WTO 的做法。通过常规的贸易政策审议机制对各国贸易政策进行定期监督和审议，提高其政策透明度。

(4) 促进公平竞争原则。WTO 有时被描述为"自由贸易"机构，但这并不完全准确。WTO 目前仍然允许关税存在，并且允许有限的其他形式的贸易保护存在。因此，更确切地讲，WTO 是一个致力于开放、公平和无扭曲的竞争规则体系。非歧视性——最惠国与国民待遇原则——旨在确保公平贸易，制定关于倾销和补贴规则的目的也在于此。这些议题非常复杂，WTO 规则试图确定政策的公平性以及各成员方如何征收附加税来补偿不公平贸易造成的损失。WTO 中其他领域的协议，诸如农业、知识产权、服务贸易等领域的协议，均旨在促进公平竞争。例如,《政府采购协议》(一个"多边"协议,只有少数 WTO 成员签字)也同样希望将其规则延伸至更多成员方。

(5) 促进发展和经济改革原则。WTO 致力于促进各国经济发展。一方面,发展中国家在履行 WTO 协议时候需要一定的灵活性,而 WTO 协议本身也继承了 GATT 中给予发展中国家特别援助和贸易优惠的条款。超过 3/4 的 WTO 成员是发展中国家。在七年半的"乌拉圭回合"谈判中,60 多个国家主动实行贸易自由化。与此同时,发展中国家和转轨国家在"乌拉圭回合"谈判中表现得比以往更为积极,同样,"多哈回合"谈判中的表现也是如此。在"乌拉圭回合"结束时,发展中国家将要承担发达国家承担的大部分义务,但协议也允许有一定的过渡期。"乌拉圭回合"结束之时,部长会议提出发达国家应该加快落实对最不发达国家出口产品的市场准入承诺,同时寻求提高对这些国家的技术援助。

三、世界银行

世界银行(WB)仅指国际复兴开发银行(IBRD)和国际开发协会(IDA);世界银行集团则包括 IBRD、IDA 及三个其他机构,即国际金融公司(IFC)、多边投资担保机构(MIGA)和国际投资争端解决中心(ICSID)。这五个机构密切联系、相互配合,以实现世界银行集团的减贫目标。世界银行的两个直属机构——国际复兴开发银行(IBRD)和国际开发协会(IDA)——向不能获得优惠国际信贷市场准入或无法获得国际信贷市场准入的国家提供低息或无息贷款及赠款。同其他金融机构不同的是,世界银行不以营利为目的。国际复兴开发银行以市场为依据,并利用其较高的信用等级将低息资金借给其发展中国家借款国。世界银行的经营成本由自己承担,因为世界银行不求助外部资金来源来提供经常性开支。

(一) 世界银行的宗旨及取得的成绩

世界银行的宗旨是:①对用于生产目的的投资提供便利,以协助成员国的复兴与开发;鼓励较不发达国家生产与资源的开发。②利用担保或参加私人贷款及其他私人投资的方式,促进成员国的外国私人投资。当外国私人投资不能获得时,在条件合适时,运用本身资本或筹集的资金及其他资金,为成员国生产提供资金,以补充外国私人投资的不足,促进成员国外国私人投资的增加。③用鼓励国际投资以开发成员国生产资源的方法,促进国际贸易的长期平衡发展,并维持国际收支的平衡。④在贷款、担保或组织其他渠道的资金中,保证重要项目或在时间上紧迫的项目,不管大小都能优先安排。⑤在业务中适当照顾各成员国的国内工商业,使其免受国际投资的影响。

对于世界银行来说,最根本的成绩是取得了减贫成果,对减贫产生了积极的影响。虽然贫困问题仍然存在,但相关工作已取得了显著成就,主要表现为:过去 40 多年间,发展中国家人口平均预期寿命提高了 20 岁,大致相当于 20 世纪中期之前所取得的成就;过去 30 多年间,发展中国家的成人文盲率降至 25%,降幅近一半;过去 30 多年间,尽管全球人口总数增长了 16 亿,但日均生活费不到 1.25 美元的绝对贫困人口数量首次开始下降;过去 10 多年间,发展中国家的经济增长率超过了发达国家,这有助于提供就业,增加贫困国家政府提供基本服务所需的财政收入。

(二) 世界银行的运作机制及结构

世界银行就像一个合作社,截至 2017 年 8 月,拥有 189 个成员国。国际复兴开发银行协定条款规定,一国成为世界银行的成员,必须首先加入国际货币基金组织。国际开发协会、国际金融公司和多边投资担保机构的成员国资格,取决于国际复兴开发银行的成员国资格。世界银行结构简图如图8-2所示。世界银行董事会和世界银行行长(兼任董事会主席)

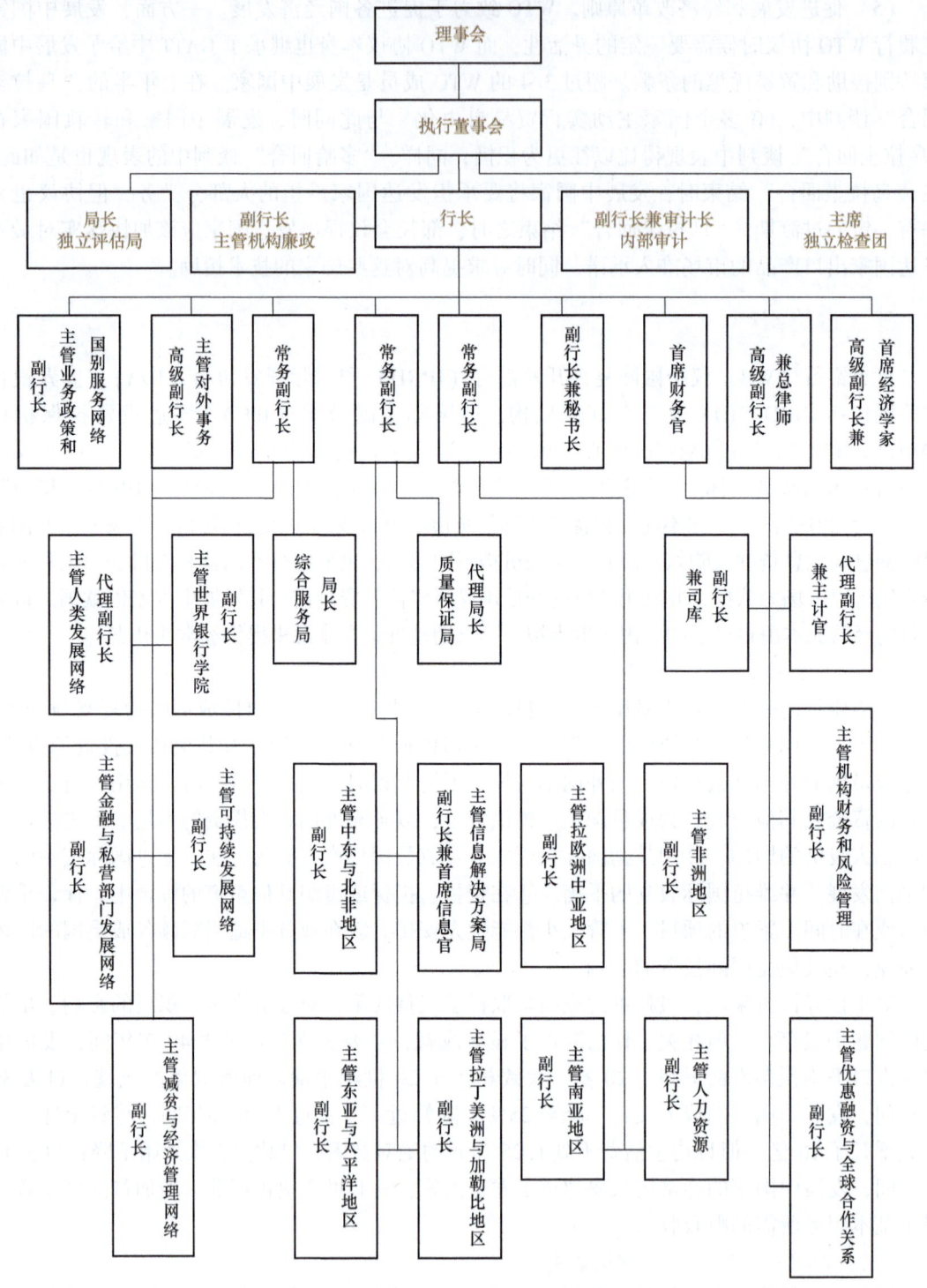

图8-2 世界银行结构简图

(资料来源:根据世界银行官方网站组织结构图改编而得。)

主管世界银行的一般性业务，监督世界银行的日常工作，行使理事会赋予的职责。执行董事每周在华盛顿召开两次会议，审批新贷款项目，审查世界银行的业务与政策。董事会包括189个成员国股东，他们是世界银行的最终决策者。一般而言，理事为各成员国财政部长或发展部长兼任，他们每年集中一次，参加世界银行集团和国际货币基金组织理事会年会，目的是制定世界银行集团的总体政策，审查成员国资格，同时履行其他职责。由于所有理事每年只集中一次，因此将具体工作委派给24名执行董事，后者在世界银行总部办公。世界银行协定条款规定，五个最大的股东国——法国、德国、日本、英国和美国，每个国家均任命一名执行董事，而其他成员国则由19名执行董事代表，他们分别代表由几个国家组成的不同选区。每位执行董事均由一个或一组国家通过两年一度的选举产生。选举通常能够保证维持董事会中广泛的地域平衡。根据传统，行长——世界银行的最大股东美国提名，并由美国公民担任。一项长期非正式协定也规定，世界银行行长为美国人，而国际货币基金组织总裁则为欧洲人。

（三）世界银行的任务

1. 筹措资金

世界银行通过几种不同方式筹集资金，支持世界银行（国际复兴开发银行和国际开发协会）向发展中国家和最贫困国家提供低息贷款和无息贷款（软贷款）以及赠款。国际复兴开发银行对发展中国家的贷款主要通过在世界银行金融市场上出售3A级债券筹集。这些债券的买方众多，包括北美洲、欧洲和亚洲地区的私营和机构投资者。虽然国际复兴开发银行可通过其贷款少量获利，但大部分收入还是来自出借世界银行自有资本金，包括多年来累积的储备和世界银行189个成员国股东所支付的费用。国际复兴开发银行收入也支付世界银行经费，同时还用于国际开发协会和减债工作。世界银行坚持严格的财务纪律，以保持其债券的3A级地位，继续向发展中国家提供融资。对世界银行来说，股东支持也非常重要。该支持体现在他们通过履行偿还国际复兴开发银行债务的责任为世界银行提供的资本支持上。世界银行还拥有1780亿美元的"可认购资本"。一旦需要用它来偿还国际复兴开发银行的借款（债券）或履行担保责任，可以由股东缴付，作为后备。国际复兴开发银行从来没有被迫使用过这项资源。

国际开发协会（IDA）是世界上向最贫困国家提供无息贷款和赠款援助最多的机构，其资金每三年由其45个成员国（捐赠国）回补。针对35~40年期无息贷款的还款可以再次形成新增资金，后者可再次用于贷款业务。国际开发协会贷款额占世界银行贷款总额的近40%。

通常情况下，世界银行在各财年年底确实有一定盈余，其来源为部分贷款的利息以及世界银行提供的部分服务的收费。其中，部分盈余流向国际开发协会，即世界银行向世界最贫困国家提供赠款和无息贷款的机构；其余或用于针对重债贫困国的减债服务，或增加资金储备，或帮助世界银行应对突发性人道主义危机。

国际复兴开发银行向发展中国家提供的贷款资金主要通过在世界金融市场出售3A级债券来筹集。尽管世界银行从其贷款挣得少量利润，但其大部分收入来自其自有资本的外贷。此类资本由两部分构成：一是过去多年来积累的储备金；二是世界银行189个成员国股东支付的会费。此外，国际复兴开发银行的收入也用于支付世界银行的经营开支，还用于资助国际开发协会及债务减免。

2. 贷款

世界银行通过国际复兴开发银行和国际开发协会提供两种基本类型的硬贷款和软贷款，即投资贷款和发展政策贷款。借款国将投资贷款用于货物和服务采购以及工程建设，以支持实施经济和社会各部门的发展项目。发展政策贷款（以前称调整贷款）可提供快速支付型融资，支持国别政策和制度改革。借款人的每个项目建议须通过论证，以确保项目在经济、财务、社会和环境等方面的可行性。贷款谈判期间，世界银行和借款人就项目的发展目标、产出、绩效指标和实施计划以及贷款支付计划等一系列内容签署协议。尽管世界银行对每个项目的实施情况和成果进行检查，但具体实施工作由借款人按照协议条款开展。由于世界银行30%的工作人员在其设于全世界的100多个国别代表处工作，因此，3/4的未支付贷款由驻在国的国家局局长负责管理。

国际开发协会的长期贷款（软贷款）为无息贷款，但要求对已支付贷款收取0.75%的手续费。国际开发协会贷款承诺费率为未支付贷款余额的0～0.5%。世界银行已将2009财年承诺费率定为0。

3. 信托基金、赠款管理与使用

捐赠国政府和广泛的私营和公共机构将款项存入由世界银行保管的信托基金。这些赠款资金用于撬动各类发展项目的实施。这些项目在规模和复杂性方面存在很大差异，既有投资几十亿美元的项目，如碳金融、全球环境基金和重债最贫困国家动议，以及抗击艾滋病、结核病和疟疾全球基金等项目，也有规模很小和简单的单独项目。世界银行也为国际开发协会优惠融资和赠款动员外部资源，为非贷款类技术援助和咨询服务动员资金，以满足发展中国家的特殊需求，还为共同融资项目动员资金。世界银行直接向公民社会组织提供的赠款强调广泛的利益相关方在发展过程中的参与，其宗旨是提升贫困和边缘化群体在发展过程中的话语权和影响力。

国际开发协会赠款或由合作机构直接资助，或通过这些机构进行管理。长期以来，此类赠款的用途为：减轻重债最贫困国家的债务负担、改善卫生条件和供水设施、支持免疫接种工作以降低疟疾等传染病的发病率、阻止艾滋病流行、资助公民社会组织、制订温室气体减排计划。

4. 分析与咨询服务

世界银行是一个广为人知的融资机构，同时也向其成员国提供分析研究服务和信息，以便使它们实现其人民所需的持久经济和社会发展。世界银行通过各种方式提供这些服务和信息：①通过环境、贫困、贸易和全球化等领域的经济研究和数据采集；②通过开展国别非贷款类工作。此项工作通过考察一国的银行业系统和金融市场以及贸易、基础设施、贫困和社会保障网络等事项，评估其经济前景。

5. 能力建设

世界银行的另一项核心任务是增强其发展中国家合作伙伴和人民以及世界银行工作人员的能力，帮助他们获得提供技术援助、改善政府绩效和提供服务、促进经济增长以及持续实施减贫计划所需的知识和技能。世界银行建立了许多与知识共享网络的链接，目的在于满足对发展信息和开展发展问题对话的需求。世界银行有25种以上咨询服务，对询问给予答复的工作人员（咨询人员）可以迅速满足世界银行的客户、合作伙伴及世界银行自身工作人员的知识需求，从而为其工作提供帮助。通常情况下，这些咨询人员是公众与世界银行取得联系的第一联络人，也可能是唯一的联络人。

全球发展学习网是一个由远程学习中心组成、覆盖范围广泛的网络。它利用先进的信息与通信技术，实现世界发展领域从业人员的联通和沟通。就经济体制和制度体系、教育、创新以及信息与通信技术等世界银行知识经济的四大支柱领域向借款国提供政策建议，协助它们向知识经济转型。B-SPAN 网播服务是一个依托互联网的播放站点，通过流式视频介绍世界银行可持续发展和减贫座谈会、研讨会和会议情况。就紧急发展问题进行的讨论和辩论未经剪辑，吸引了政府官员、发展界从业人员、学者、学生、研究人员、记者、非政府组织代表和社会大众的关注。

能力建设资源中心是一个涵盖能力建设领域文献、案例研究、经验教训和良好做法等内容的资料库。能力建设是取得发展成效的关键。世界银行学院全球及地区培训计划通过网络将发展领域的从业人员集中起来，面对面地进行在线经验交流并增强技能。

四、国际货币基金组织

1944 年 7 月，来自 44 个国家的代表团在美国新罕布什尔州布雷顿森林召开会议，商议成立机构以处理第二次世界大战后的国际经济关系。当时，他们决意防止重蹈第一次世界大战后巴黎和会的覆辙。成立国际复兴开发银行有助于恢复经济活动，而成立国际货币基金组织（IMF）有助于恢复货币的可兑换性和多边贸易。对于英国代表团团长、经济学家约翰·梅纳德·凯恩斯（John Maynard Keynes）和美国代表团基金组织章程主要起草人哈里·德克斯特·怀特（Harry Dexter White）来说，设立基金组织的动因不仅仅是为了避免再次出现大萧条，而是通过设立这样一个机构，防止重新陷入闭关自守和保护主义，从而促成战后经济增长。1947 年 3 月 1 日，国际货币基金组织正式开始营业。

（一）国际货币基金组织的宗旨

国际货币基金组织的宗旨如下：①为成员国在国际货币问题上进行磋商与协作提供所需的机构，借此来促进国际合作；②促进国际贸易的均衡发展，扩大生产能力，借此达到高水平的就业与实际收入；③促进汇率的稳定，避免各国竞争性的通货贬值；④为经常性交易建立一项多边支付和汇兑制度，并设法消除对世界贸易发展形成障碍的外汇管制；⑤在临时性的基础上和具有保障的条件下，为成员国提供金融资金，使它们在无须采取有损于本国和国际繁荣措施的情况下，纠正国际收支的不平衡；⑥争取缩短和减轻国际收支不平衡的持续时间和程度。

（二）国际货币基金组织的运作机制及组织结构

国际货币基金组织虽然是联合国的一个专门机构，并参加联合国经济与社会理事会，但它独立运作，有自己的章程、治理结构、规定和资金来源。国际货币基金组织目前有 189 个成员国，比联合国少 4 个。这 4 个国家是：古巴、安道尔、列支敦士登和摩纳哥。古巴是国际货币基金组织最初的成员国，但于 1964 年退出；其他 3 个国家都没有申请加入。要成为 IMF 的成员国，一国必须提出申请，并得到大多数现有成员国的接受。对国际货币基金组织进行政治监督主要是国际货币与金融委员会的责任。该委员会的 24 位成员是在执行董事会派有代表的那些国家和选区的财政部部长或中央银行行长。国际货币基金组织的组织结构简图如图 8-3 所示。国际货币与金融委员会每年召开两次会议，并就主要政策方向对基金组织提供咨询。国际货币与金融委员会的大多数成员也是理事会的成员，每个成员国在理事会都有一位理事。理事会每年召开一次会议并就主要机构决策（例如，是否增加基金组织的资金，或是否接纳新成员国）投票。与国际货币与金融委员会一样，发展委员会也有24位部长级成员。它就发展中国家面临的问题向基金组织理事会和世界银行理事会提供咨询。发展委员会每年召开两次会议。

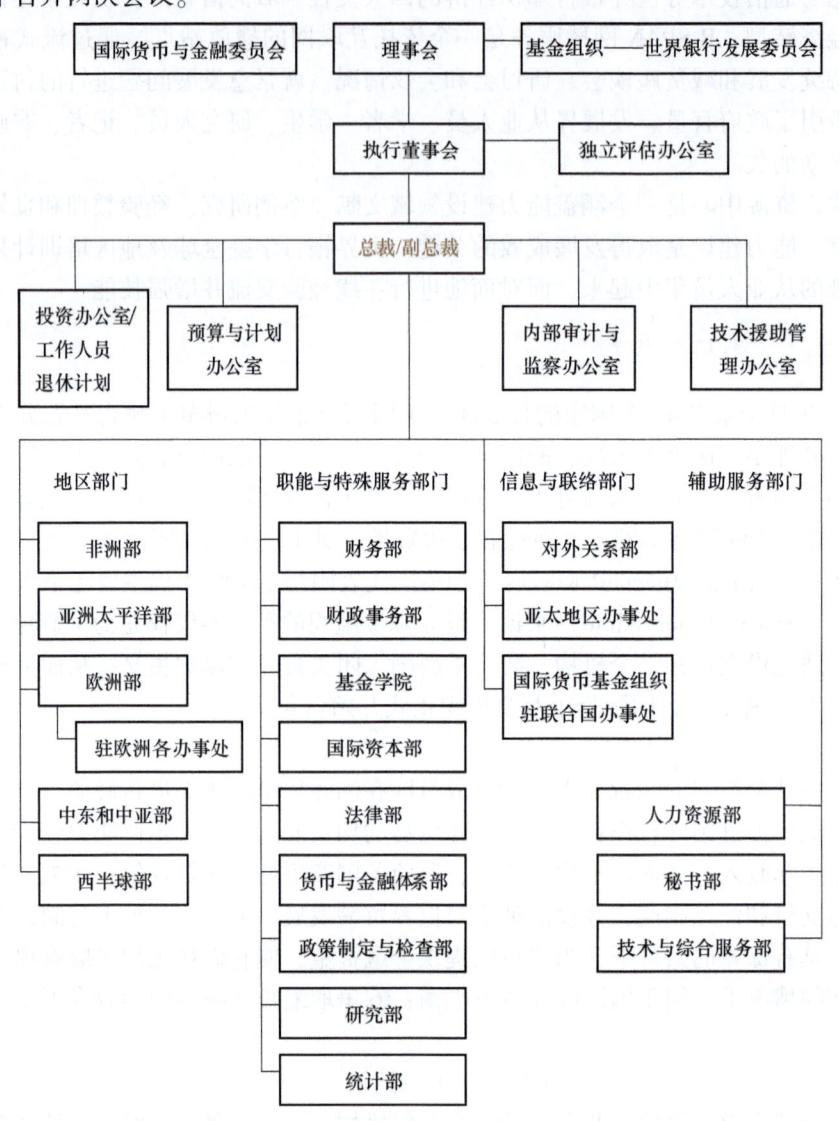

图 8-3 国际货币基金组织的组织结构简图

（资料来源：聚焦基金组织，《基金组织概览》增刊，2006年第35期。）

国际货币基金组织的负责人是总裁，由执行董事会（总裁担任执行董事会主席）遴选，任期5年，其总裁一直都是欧洲人。三位副总裁协助总裁工作，包括第一副总裁（一直都是美国人）和其他两位副总裁（来自其他国家）。执行董事会制定政策并负责大多数决策，由24位执行董事组成。在国际货币基金组织中份额最大的5个国家（美国、日本、德国、法国和英国）任命执行董事；另有3个国家（中国、俄罗斯和沙特阿拉伯）有足够的份额选举自己的执行董事；其他176个国家分为16个选区，每个选区选举一位执行董事。选区由利益相似并通常来自相同地区的国家组成,例如,非洲法语国家。

(三) 国际货币基金组织的资金来源

国际货币基金组织是一个金融合作机构,在某些方面类似信用社。在加入时,每个成员国存入一笔认缴款,称为"份额"。一国的份额主要由其相对于其他成员国的经济地位决定,考虑成员国国内生产总值、经常账户交易和官方储备的规模。份额决定成员国向基金组织认缴的股本金以及它们可以借款的限额。份额大小还决定成员国的投票权。国际货币基金组织成员国认缴的股本金汇合成一个资金库,国际货币基金组织用它向遇到金融困难的国家提供暂时帮助。这些资金使国际货币基金组织可以提供国际收支融资以支持成员国实行经济调整和改革规划。国际货币基金组织执行董事会按不超过5年的固定时间间隔检查成员国的份额,并根据全球经济发展情况和成员国相对于其他成员国经济地位的变化,决定是否向理事会建议调整其份额。为增强所有成员国的公平发言权和代表权,国际货币基金组织正在对份额格局进行审查,以反映各国在世界经济中的地位和作用的变化。

各国以储备资产支付其认缴份额的25%,储备资产定义为特别提款权或主要货币(美元、欧元、日元或英镑);如有需要,国际货币基金组织可以要求成员国用本币支付剩余部分以供贷款使用。国际货币基金组织的全部份额为2135亿特别提款权(约3240亿美元)。每个国家的投票权是其"基本投票权"和以份额为基础的投票权之和。国际货币基金组织的每个成员国都有250张基本票(所有国家相同),每10万特别提款权的份额再增加一票。如有必要,国际货币基金组织可以通过借款补充其份额资金。国际货币基金组织具有在必要时向成员国借款的两套常备安排,以便应对国际货币体系面临的任何威胁。在这两项安排下,国际货币基金组织总共可以借入不超过340亿特别提款权(约490亿美元)。

对低收入国家的优惠贷款和债务减免来自国际货币基金组织管理的信托基金。国际货币基金组织的费用来源与其他金融机构一样,从贷款利息和收费中获得收入,并用这些收入弥补融资成本、支付行政开支和积累预防性资金。例如,2006财年,国际货币基金组织从借款国收到的利息和收费以及其他收入总计25亿美元,对成员国认缴份额中用于国际货币基金组织业务支付的利息为12亿美元,行政开支(包括工作人员的工资和养老金、差旅以及办公用品费用)总计10亿美元,剩余的3亿美元加入国际货币基金组织储备金。

现行的收入框架高度依赖贷款收入。国际货币基金组织今后的重点是建立一个能从其他渠道获得稳定而可靠的长期收入的新的框架。作为最初的一步,国际货币基金组织执行董事会批准设立了87亿美元的投资账户,以期在中期内增加组织的收入。另外,国际货币基金组织于2006年5月任命了一个由"杰出人士"组成的外部委员会,对国际货币基金组织弥补营运成本的资金来源做出独立评估。

(四) 国际货币基金组织和世界银行的区别

在1944年7月的布雷顿森林会议上,人们构想国际货币基金组织和世界银行是加强国际经济合作和帮助建立更加稳定和繁荣的全球经济的机构。虽然这些目标仍是两个机构的核心,但它们的使命和职能不同,其工作根据新的经济发展情况和挑战而逐渐演化。国际货币基金组织通过国际货币合作并向成员国提供政策建议、临时贷款和技术援助,旨在使成员国能够实现并保持金融稳定和对外生存力,并建立和维持强劲的经济。而世界银行旨在通过提供技术和资金支持(包括帮助各国改革特定部门或实施具体项目,如修建学校和医疗中心、供水和供电、防治疾病和保护环境),促进长期经济发展和减贫。国际货币基金组织提供贷款，旨在为解决国际收支问题（即一国无法以能够负担的条件获得充分的融资来履行国际支付义务的情况）的政策规划提供支持。国际货币基金组织的一些贷款期限较短（约1年内拨付，3～5年内偿还），并由成员国提供的份额缴款提供资金；其他贷款期限较长（最长3年内拨付，7～10年内偿还），包括在贴息基础上向低收入成员国提供的优惠贷款，贴息资金来源于国际货币基金组织过去出售黄金的收入和成员国的捐款。世界银行的资金援助一般是长期的，由成员国缴款和发行债券提供融资。国际货币基金组织的大多数专业工作人员是经济学家；与国际货币基金组织工作人员相比，世界银行工作人员的技能包括更广泛的学科。

尽管存在差异，但国际货币基金组织和世界银行在多个领域存在协作，特别是在支持低收入国家的政府实施减贫战略、向最贫困国家提供债务减免以及评估各国的金融部门方面。同时，两个机构每年举行两次联合会议。

【专题】

国际货币基金组织份额"洗盘"：中国将跃升为第三大份额国

世界经济版图已经发生巨大变化，全球治理的格局也将做出相应改革。国际货币基金组织（IMF）与世界银行（WB）秋季年会将为2010年决定的国际货币基金组织份额改革做最后冲刺。

这项改革意义深远，尤其对中国而言。中国的份额将从目前的3.994%大幅上升至6.390%，跃身为仅次于美国和日本的国际货币基金组织第三大份额国。这标志着中国的综合实力和全球话语权的显著提升。

1. 份额改革后中国将成第三大份额国

份额认缴（Quota Subscriptions）是国际货币基金组织资金的主要来源。国际货币基金组织的每个成员国都会基于该成员国在世界经济中的相对地位被分配一定的份额（Quota）。成员国的份额决定了其向国际货币基金组织出资的最高限额和投票权，并关系到其可从国际货币基金组织获得贷款的限额。

2010年12月15日，国际货币基金组织最高决策机构理事会批准了关于国际货币基金组织份额和治理改革的方案，并完成了第14次份额总检查。改革方案将涉及修正国际货币基金组织协定，并需要占总投票权85%的3/5的成员国接受。

一经成员国批准和实施，这项改革将带来前所未有的改变：不仅总份额将增加一倍，份额比重也将被大幅调整，以更好地反映国际货币基金组织成员国在全球经济中相对权重的变化。

国际货币基金组织的上一次份额改革是2008年改革，2011年3月3日生效。2008年的改革通过特别增加54个国家的份额，提高了有活力经济体的代表权，并通过将基本票（Basic Votes）增加至原来的近3倍，提高了低收入国家的发言权和代表权。

份额以国际货币基金组织的记账单位——特别提款权（Special Drawing Right, SDR）计值。国际货币基金组织的最大成员国是美国，目前其份额为421亿特别提款权（约合640亿美元）；最小成员国是图瓦卢，目前其份额为180万特别提款权（约合270万美元）。

而新一轮改革（即第14次份额总检查）将会带来意义深远的变化：一方面，国际货币基金组织份额将翻番，从约2384亿SDR增加到约4768亿SDR（按目前汇率，约合7200亿美元）；另一方面，超过6%的份额将从代表性过高的成员国转移到代表性不足的新兴市场国家和发展中国家。

份额比重的显著调整对中国的影响格外明显。改革后，中国的份额将从目前的3.994%大幅上升至6.390%，跃身为国际货币基金组织第三大份额国，比第二位的日本（6.461%）仅低0.071个百分点，而美国依然是第一位（17.398%）。"金砖四国"（巴西、中国、印度和俄罗斯）将全部跻身国际货币基金组织份额最高的十大成员国之列。

按照改革后的最新份额比重，国际货币基金组织十大成员国将依次为美国、日本、中国、德国、法国、英国、意大利、印度、俄罗斯和巴西。

此外，最贫穷国家的份额和投票权比重将被维持。这些国家是符合低收入"减贫与增长信托"（PRGT）资格的成员国，它们的人均收入在2008年低于1135美元——国际开发协会（IDA）设定的上限，或对于小国而言，低于该数额的2倍。

2. 不可小觑的份额公式

根据国际货币基金组织的计划，第14次份额总检查是基于现行份额公式不变为前提进行的改革。对这一公式的全面检查将于2013年1月结束，第15次份额总检查将于2014年1月之前结束。

国际货币基金组织的份额公式是该组织评估一个成员国相对地位的指导原则。因此，理解公式是理解国际货币基金组织份额向新兴市场转移的基础。

具体来说，现行的份额公式是包括以下变量的加权平均值：GDP（权重为50%）、开放度（主要是衡量经常项目收支总和，权重为30%）、经济波动性（经常项目收入和资本净流动的波动度，权重为15%），以及国际储备（权重为5%）。这里的GDP是以市场汇率计算的GDP（权重为60%）和以购买力平价（PPP）计算的GDP（权重为40%）的混合变量。公式还包括一个"压缩因子"（0.95%），用来缩小成员国计算份额的离散程度。

因此，尽管中国的GDP规模已经超过日本，仅次于美国，但由于GDP权重仅占份额公式的一半，所以中国并不能立刻成为份额第二大国家。

值得注意的是，2012年3月，国际货币基金组织执行董事会对份额公式改革进行了首次正式讨论，强调需要就一个"更能反映成员国在全球经济中相对地位"的份额公式达成协议，并在4月的国际货币基金组织春季年会上重申了在2013年1月前完成全面重估的承诺。

国际货币基金组织目前的份额公式改革讨论是基于其工作人员的研究报告进行的。根据国际货币基金组织于2012年10月9日发布的最新研究报告，董事会重申，GDP应该继续在份额公式中拥有最大权重。其中，"很多"董事呼吁增加GDP权重，"几位"董事仍然偏好只有GDP变量的公式，但有"几位"董事不愿增加GDP权重，尤其是"相对开放度"这一变量。

这份报告将目前最有可能的几种改革的潜在影响进行了量化：通过去掉一个或多个变量来简化公式（如只用GDP）、增加GDP中购买力平价（PPP）的相对权重（目前是40%）、设定金融开放度占GDP份额比重的上限、增加金融开放度的权重，以及纳入成员国的资金贡献。这些情景的计算能够促进讨论，但并不代表工作人员的建议。

对于经济规模不断扩大的新兴市场国家而言，GDP 的变化带来的影响无疑是最大的。研究结果显示，如果公式仅包含 GDP 一个变量，同时又维持基于市场汇率和 PPP 的 GDP 权重不变的话，美国和中国的份额将分别上升至 20.1% 和 10.1%，尽管日本也会上升到 7.2%，但将落后中国而位列第三。

此外，资金贡献与份额挂钩也是新兴市场所期待的。中国在 2012 年 6 月的 G20 洛斯卡沃斯峰会上表示，将向国际货币基金组织注资 430 亿美元（授信额度），巴西、印度、俄罗斯和墨西哥也将分别注资 100 亿美元。如果上述提议得到考虑，那么新兴经济体本次增资既能突显其参与国际经济金融事务的实力与意愿，又能为未来份额公式的技术性调整做好准备。

3. 为什么份额如此重要

首先，份额认缴（份额比重）。成员国认缴的份额决定了其向国际货币基金组织提供资金的最高限额。成员国在加入国际货币基金组织时，必须全额缴纳份额：25% 必须以特别提款权或广泛接受的货币（如美元、欧元、日元或英镑）缴付，其余以成员国本币缴付。

其次，投票权（投票权比重）。份额基本上决定了成员国在国际货币基金组织决策中的投票权。国际货币基金组织每个成员国的投票权由基本票加上每 10 万特别提款权的份额增加的一票构成。2008 年的改革将基本票固定为占总投票的 5.502%。目前的基本票数几乎是 2008 年改革生效之前基本票数的 3 倍。

最后，获得贷款。成员国可从国际货币基金组织获得的融资数额（贷款限额）以其份额为基础。例如，在备用和中期安排下，成员国每年可以借入份额 200% 以内的资金，累计最多为份额 600%。然而，特殊情况下的贷款限额可能更高。

国际货币基金组织理事会通常每隔五年会进行一次份额总检查。份额的任何变化必须经过 85% 的总投票权批准，并需要 113 个成员签字认可，而一个成员国的份额未经本国同意不得改变。

4. 美国大选"拖累"改革进展

尽管国际货币基金组织董事会承诺将在 2012 年国际货币基金组织秋季年会前落实 2010 年改革，但这项备受期待的改革至今迟迟未到位，很大程度上是因为国际货币基金组织的最大股东美国未能将改革决议提交国会批准。

包括中国在内的不少新兴市场国家担心，由于国际货币基金组织规定要求 85% 的总投票，而美国又独占超过 17% 的最大份额，2012 年 11 月迎来大选的美国恐怕不会在新总统上任之前批准这项改革。

国际货币基金组织第一副总裁大卫·利普顿（David Lipton）此前曾对《第一财经日报》记者表示："我们会竭尽所能争取到尽可能多的国家来投票批准这项治理改革。我们希望美国能够有所行动。美国已经表示，由于目前其正处于选举期，因此决定暂时不提交任何新的法案。但我们会敦促其尽快通过，并尽快完成这项治理改革。"

正如国际货币基金组织总裁拉加德（Lagarde）所说："我们正在竭尽全力帮助成员国向终点线冲刺——即使不能在 10 月实现，也要在之后尽快完成。"

（资料来源：第一财经日报，2012 年 10 日 10 日。有改动。）

【专题】

国际组织中的权利计算——以 IMF 份额与投票权改革为例的分析

投票机制（voting mechanism）是国际组织进行决策的重要机制，投票过程反映的是权力的博弈。IMF 在建设初期就将投票机制作为其获得决策合法性和体现决策效率的根本机制。根据《国际货币基金组织协定》（以下简称"IMF 协定"），关于份额、汇兑、业务与交易、组织与管理、特别提款权相关条款、成员国的退出、紧急措施、协定的修改和解释等原则性或重大核心业务及管理方面的决定均需要通过投票的方式予以确定。

1. 制度安排

IMF 的投票机制由份额、投票权以及投票规则三大部分构成。

(1) 份额的定义与计算。份额是 IMF 的主要资金来源，由成员国根据协议缴纳。份额的多寡与成员国在 IMF 的权利与义务有紧密联系。IMF 各成员国的份额计算，主要考虑了成员国在世界经济中的相对位置、财政实力以及潜在的借款规模，具体体现为成员国经济规模（市场价的国内生产总值、购买力平价衡量的国内生产总值）、经常性收支情况、净资本流量和官方储备。

(2) 投票权的构成原则。在国际多边合作中，投票机制大体可以分为两类：一类是一国（或成员）一票制，强调平等原则。这类机制常见于联合国、金砖国家新开发银行等国际组织的决策中。其中，全体一致的投票结果就其理论而言可以实现福利经济学意义上的帕累托最优。另一类则是加权投票制，强调效率原则。根据投票者贡献大小，赋予其不同的投票数量。这类机制主要用于联合国下属机构。在一国一票制度下各国具有相同的权力分布。而在加权投票制下，由于拥有投票票数的多寡会对选择结果造成不同影响，因此投票票数的多少通常被视为权力大小的代理变量。IMF、世界银行、亚洲开发银行等国际多边金融机构，大多采用加权投票制，即根据一定标准给予成员（国）不同的投票表决票数，以此来确定各成员（国）的投票权大小。该制度的产生可追溯至 1815 年建立的"保护莱茵河国际委员会"（ICPR）。该委员会规定，表决权的大小由成员（国）境内的河流长度确定。尽管名义上 IMF 采取的是平等（基本投票权，即一国一票制）与效率（加权投票权，即一元一票制）相结合的投票权分配制度，但实际其投票权多寡主要由加权投票权决定。总体上看，权利与义务相匹配的加权投票制是在国际多边金融机构的决策中占据主导地位的投票模式。

(3) 投票权的测算方法。根据 2011 年版的 IMF 协定，IMF 将投票权分为基本投票权和加权投票权两部分。基本投票权与份额无关，而加权投票权则与份额挂钩。根据 IMF 协定第十二条第 5 款："(a) 每个成员的总票数等于基本票数和以份额为基础的票数之和。ⅰ) 每个成员国的基本票是，所有成员国总投票权加总之和的 5.502% 在所有成员国之间平均分配所得票数。基本票数应为整数。ⅱ) 以份额为基础的票数是，按份额每 10 万特别提款权（SDR）分配 1 票。"同时，若一国份额在表决前发生过买卖变化，则该国份额每购入（卖出）40 万特别提款权对应增加（减少）1 票。基本投票权的设置是为了体现国家主权平等原则，照顾小国及贫穷国家的利益。每个成员国拥有相同数量的基本投票权。由于增资持续不断，IMF 的资金规模不断扩大，但基本投票权却被极大地稀释。IMF 的基本投票权占总投票权比重已从 1945 年的 11%，下降至 2006 年的 2%。直到 2008 年的改革方案中提出将基本投票权扩大 3 倍后，该比重才提升至现在的 5.502%，但仍大幅落后于初期水平。与基本投票权关注的平等原则不同，加权投票权则体现了责任与权力相一致的效率原则。为鼓励大国承担更大的出资义务，IMF 有关加权投票权的规定、特别提款权所代表的份额多少是确定成员国投票权大小的重要依据。

（4）主要决策规则。IMF 的决策机制大致可以分为两类：一类采用协商一致的方式达成共识；另一类即是投票表决。协商一致在 IMF 协定中被列为成员国的一般义务，通常被用于外汇制度磋商。但除非有明确规定，IMF 的所有决议均以投票方式进行。实践中，投票表决又分为两种方式：一种是单纯基于投票权的多数获胜制，一种是结合参与投票成员数量与投票权的双重多数获胜制。例如，IMF 协定的修改就采用了双重多数获胜制，即 3/5 的成员国参与且获得 85% 的总投票权支持，方可获得修订的合法性。根据 IMF 协定的不同安排，多数票获胜规则存在三种情况：50% 以上获胜、70% 以上获胜和 85% 以上获胜。

2. 份额与投票权改革

由于份额决定了投票权比重的大小，因此通常情况下 IMF 成员国会努力在增资过程中争取扩大其份额。回顾 IMF 的历史，成员国对于份额分配的争议从未平息过。1946 年，澳大利亚要求将该国份额规模从布雷顿森林会议设定的份额计算公式所确定的 1.34 亿美元，恢复至布雷顿森林会议之前确定的 2 亿美元；紧随其后，埃及代表赛德（Saad）提出，埃及和伊朗也应该以同样理由将份额分别从 4500 万美元和 2500 万美元，恢复到原来的 6000 万美元和 3500 万美元。最终，作为妥协的结果，两个提议均被通过。作为 IMF 的创始成员国，中国的份额规模曾一度居于第 3 位。新中国成立初期，由于中国的代表权问题没有得到及时解决，中国在 IMF 的份额一度降至第 16 位。直到中国恢复联合国合法席位，IMF 于 1980 年 4 月正式取消台湾当局的代表资格，此后，中国才得以顺利参与到 IMF 的增资活动中，并成为 IMF 份额与投票权改革的推动者。

尽管 IMF 在加权投票制度中设置了基本投票权以保障平等原则，但在经历了历次增资所导致的基本投票权大幅稀释之后，份额已经成为投票权的决定因素。然而，由于一国作为关键参与者所形成的获胜联盟的情况存在差异，投票权比重的变化与决策权变动之间并不存在完全一致的线性关系。当一国投票权比重上升时，有可能导致其决策权下降；而当两国的投票权比重不同时，两国仍可能拥有相同的决策权。这种情况的存在，一方面给各成员国提供了以最小代价实现最高收益的机会，另一方面也对各国参与国际决策机制改革或建设的能力提出了更高要求。

此外，对于中国等新兴市场经济体而言，着力推动 IMF 采用 70% 多数票获胜规则将有助于维护自身的决策权。在 70% 多数票获胜规则下，中国的决策权将与投票权比重保持同步上升，其综合决策权力、阻止行动的权力以及倡议行动的权力均有显著上升。

总体上看，IMF 改革所带来的权力分布呈现出明显的趋势，即成员国决策权间的差距在缩小、欧美等发达国家的决策权得到稀释。而这一趋势完全符合中国国家主席习近平对全球治理所做的判断和预期,"世界上的事情越来越需要各国共同商量着办,建立国际机制、遵守国际规则、追求国际正义成为多数国家的共识……推进全球治理体制变革并不是推倒重来,也不是另起炉灶,而是创新完善,使全球治理体制更好地反映国际格局的变化,更加平衡地反映大多数国家特别是新兴市场国家和发展中国家的意愿和利益"。

(资料来源:黄薇:《国际组织中的权力计算蚌——以 IMF 份额与投票权改革为例的分析》,中国社会科学,2016 年第 12 期。有改动。)

复习思考题

1. 简述国际经济组织的功能和作用。
2. WTO 有哪些基本原则和例外条款?
3. 世界银行与国际货币基金组织有什么不同?

参考文献

[1] 蔡宏波,扈爽,赵田园. WTO 成员方会利用最惠国待遇条款"搭便车"吗——基于中国参与多边贸易谈判的实证研究 [J]. 国际贸易问题,2016 (12).
[2] 赵龙跃,李家胜. WTO 与中国参与全球经济治理 [J]. 国际贸易,2016 (2).

第九章

经济全球化

本章学习目标

1. 了解经济全球化的概念、发展历程及其快速发展的原因。
2. 熟悉经济全球化在国际贸易、国际金融和国际投资领域的体现。
3. 理解经济全球化对世界经济的影响。

◆【导入案例】

世界经济论坛迎来中国风

2017年1月17日,世界经济论坛迎来了中国国家主席习近平,这是中国国家主席首次出席这一被称为"世界经济风向标"的全球规格最高的非官方经济论坛。

当世界经济复苏困难,并面临国际贸易投资低迷、保护主义抬头、多边贸易体制受到冲击等挑战,经济全球化进程受到质疑之时,中国国家主席首次出席素有"世界经济风向标"之称的世界经济论坛无疑带给外界更多的期待。而经济全球化问题也正是习近平主席在1月17日发表题为《共担时代责任 共促全球发展》的主旨演讲时首先谈及的话题。习近平主席选择经济全球化问题作为主旨演讲的切入点,那么,习近平主席是如何看待经济全球化的呢?

习近平主席引用狄更斯小说中的名句"这是最好的时代,也是最坏的时代"来阐释我们确实生活在一个矛盾的世界之中。一方面,物质财富不断积累,科技进步日新月异,人类文明发展到历史最高水平;另一方面,地区冲突频繁发生,恐怖主义、难民潮等全球性挑战此起彼伏,贫困、失业、收入差距拉大,世界面临的不确定性上升。

随后,习近平主席为经济全球化这个概念"正本清源",他表示,历史地看,经济全球化是社会生产力发展的客观要求和科技进步的必然结果,不是哪些人、哪些国家人为造出来的。经济全球化为世界经济增长提供了强劲动力,促进了商品和资本流动、科技和文明进步、各国人民交往。

在为经济全球化进行有力"辩护"的同时,习近平主席并没有忽视经济全球化存在的问题。他表示,我们也要承认,经济全球化是一把"双刃剑"。当世界经济处于下行期的时候,全球经济"蛋糕"不容易做大,甚至变小了,增长和分配、资本和劳动、效率和公平的矛盾就会更加突出,发达国家和发展中国家都会感受到压力和冲击。

"甘瓜抱苦蒂，美枣生荆棘"，面对经济全球化这个并非十全十美的事物，习近平主席表示，经济全球化确实带来了新问题，但我们不能就此把经济全球化"一棍子打死"，而是要适应和引导好经济全球化，消解经济全球化的负面影响，让它更好地惠及每个国家、每个民族。

习近平主席在演讲中列举了一组数字——1950—2016年，中国在自身长期发展水平和人民生活水平不高的情况下，累计对外提供援款4000多亿元人民币，实施各类援外项目5000多个，其中成套项目近3000个，举办11000多期培训班，为发展中国家在华培训各类人员26万多名。改革开放以来，中国累计吸引外资超过1.7万亿美元，累计对外直接投资超过1.2万亿美元，为世界经济发展做出了巨大贡献。国际金融危机爆发以来，中国经济增长对世界经济增长的贡献率年均在30%以上。

习近平主席表示，从这些数字可以看出，中国的发展是世界的机遇，中国是经济全球化的受益者，更是贡献者。他同时表示，中国人民张开双臂欢迎各国人民搭乘中国发展的"快车""便车"。

显然，中国在谋求自身发展，受益于经济全球化的同时，也希望借助经济全球化对世界经济的发展做出贡献。

（资料来源：http：//world.people.com.cn/n1/2017/0207/c1002-29064071.html。）

经济全球化是世界经济日益融合的过程。作为一种不可阻挡的发展趋势，它极大地影响了20世纪下半叶以来世界各国的经济发展。经济全球化的发展促进了生产资料在全球范围内的合理配置，使得跨国贸易、金融、投资和制度创新有了较之以往的质的飞跃。与此同时，全球化也给世界经济带来了一些挑战，如环境、能源、贫困和人口问题以及全球化的扩展对各国国家主权的制约。如何抓住机遇并控制风险，已经成为新的国际环境下各国都必须解决的战略性难题。

第一节　经济全球化概述

一、经济全球化的概念

经济全球化已经显示出强大的生命力，并对世界各国经济、政治、军事、社会、文化等方面产生了深远影响。但是，究竟什么是经济全球化？经济全球化的含义是什么？学术界并没有形成一个统一的定义。下面列举几个具有代表性的观点：

1999年6月，八国科隆峰会发布的公报陈述道："全球化是一个复杂的过程，涉及全球思想、资本、技术、货物及服务的快速和日益增加的流动。这个过程已给我们的社会带来了深刻的变化，我们的角色也与以前完全不同。更大程度的开放和活力有助于广泛改善生活水平和大大减少贫穷。一体化有助于刺激效率、机会与增长。信息革命和更直接地接触相互的文化与价值观，加强了对民主的渴望和对人权与基本自由的争取，同时刺激了创造和革新。"

国际货币基金组织对经济全球化的定义为：全球化是通过贸易、资金流动、技术涌现、信息网络和文化交流，世界范围内的经济高速融合，亦即世界范围内各国成长过程中的经济通过正在增长中的大量与多样的商品劳务的广泛输送，国际资金的流动，技术的快捷广泛传播而形成的相互依赖现象。其表现为贸易、直接资本流动和转让①。

另外，有关学者认为，经济全球化是世界经济发展到高级阶段出现的一种现象，它是在科技和社会生产力达到更高水平，各国经济互相依赖、相互渗透大大加强，阻碍生产要素在全球自由流通的各种壁垒不断削减，规范生产要素在全球自由流通的国际规则逐步形成并不断完善的这样一个历史过程②。

尽管不同的机构和学者对经济全球化做出了定义，且侧重点有所不同。但是，任何经济全球化的定义都必须包括这样几个内容：首先，经济全球化是指一个过程，是商品、技术和资本跨国界流动逐步深入的综合体现，代表各国经济互相依赖、互相融合的过程；其次，经济全球化是指经济全球主义，文化、军事及环境等因素不应被强行拉入其框架；最后，真正意义上的经济全球化只是第二次世界大战以后的事情。当然，还必须认识到，经济全球化发展到今天，并不是终点，全球经济一体化才是其终极目标。

二、经济全球化的发展历程③

（一）第一阶段：19 世纪中期萌芽

19 世纪中期，以电力发展和广泛应用为标志的第二次科技革命不仅促进了已有工业的生产能力，而且推动了化工、汽车、航空等一系列新兴产业的诞生。新兴工业的不断涌现，使国际分工进一步深化，从而引起国际间技术合作、资金合作和劳务合作的增强。为适应这种分工格局，世界性的生产组织——跨国公司应运而生。跨国公司在世界范围内进行专业化生产和投资，加强了生产和资本的国际化趋势。与此同时，由于铁路运输和无线电通信的出现，各国相互独立的区域性市场逐渐连接成统一的世界市场，从而形成了 19 世纪末 20 世纪中期的第一次经济全球化高潮。

（二）第二阶段：第二次世界大战结束后初步发展

第二次世界大战结束后，殖民体系的瓦解、民族国家的兴起、国际分工体系的拓展，以电子技术、信息技术、新材料技术与核能技术等技术群的出现和发展为特征的第三次科技革命的推动，对经济和社会生活在广度和深度上产生了重大影响，使世界经济迎来了 20 年的黄金时代。以电子计算机为本质特征的科技革命开辟了机器代替人的部分脑力劳动的新时代，工业劳动生产率成倍增长，新部门、新行业、新产品不断涌现，国际交换不断增加，跨国公司迅猛发展，世界市场进一步扩大。不仅如此，依靠这次科技革命的伟大成就和对传统工业的技术革新，一些国家一跃成为发达国家，不少发展中国家也迎头赶上，形成了今天的世界政治、经济和军事格局，以及由以自然资源为基础的世界范围内的工业和农业的分工转变为以现代科技为基础的工业分工的国际分工新格局。在它的带动下，经济全球化经历了第二次高潮。

（三）第三阶段：20 世纪 90 年代以来迅速发展

"冷战"结束以后，国家间、国家集团间的关系明显缓和，各国都把注意力集中在经济

---

① 国际货币基金组织：《世界经济展望》，1997 年。
② 李琮：《世界经济学新编》，经济科学出版社，2000 年版，第 510 页。
③ 庄宗明：《世界经济学》，科学出版社，2007 年版，第 239—240 页。

发展和综合国力的提升上，这为生产要素的国际流动创造了良好的外部条件。以信息产业为主要内容的技术革命，为资本大规模越出国界、加速国际资本循环运动和金融服务全球化创造了便利条件，并大大缩短了世界各国在时间和空间上的距离，为世界市场的整合和全球化提供了物质保障。世界经济信息化、市场全球化和贸易组织成立三大重要因素，推动着经济全球化进入了 20 世纪 90 年代以来的加速发展时期，并使这次经济全球化成为具有新的技术内涵和时代特征、范围更广、程度更深的全球化浪潮。至今，经济全球化已经发展成为以科技革命和信息技术为先导，涵盖生产、贸易、金融和投资领域，囊括世界经济和与之相关的各个方面的庞大体系。

三、经济全球化迅猛发展的原因

（一）社会生产力和国际分工发展的需要

这是经济全球化的内在动力。自产业革命以来，连续三次科技革命使得世界生产力得到极大提高，客观上要求分工深化和市场规模扩张。分工的深化使得资源的使用效率不断得到提高，剩余产品大量出现，需要市场拓展以实现其价值。因此，市场从国内拓展到国外，国际贸易高速增长。同时，出于全球资源最优配置的需要，跨国公司在全球调配资源，国际投资也渐趋活跃。跨国投资的活跃进一步拓展了分工模式，公司之间的分工也越来越细化，当今世界已经出现了产品内分工这一现象。例如，在全球处于垄断地位的波音公司制造的 B-747 巨型喷气客机的 450 万个零部件，分别由美国、英国等 6 个国家的 11000 家大企业和 15000 家中小企业合作生产。跨国性投资、生产与贸易活动的大量增加，必然要求国际金融市场的快速发展，以保障这种跨国经济活动的高效运行。外汇市场每天 24 小时处于全天候运行状态，各国金融外汇市场瞬间沟通，资金在全球快速流动。

（二）科学技术的进步使要素的流动成本大大降低

经济全球化的表现主要体现为贸易全球化、金融全球化以及投资全球化，而这一切的实现必须依赖于要素和产品流动成本的降低。在古代社会，由于运输条件的限制，运输成本非常高昂，以至于中国经由丝绸之路卖到罗马的丝绸价比黄金。即便到近代社会，货物买卖过程中所涉及的运输成本、信息传输成本仍然十分高昂。但自产业革命开始，运输成本就出现下降趋势。诺斯（North，1958）[一] 依据美国出口数据整理得出，19 世纪到 20 世纪初 100 多年间的远洋运输成本就不断下降，因为蒸汽机代替帆船，极大地降低了海运成本。由于运输成本的下降，商品贸易在 19 世纪后半期和第一次世界大战前就曾经达到一个高峰。因此，也有学者认为经济全球化在此时达到一个高峰，甚至不逊当今。第二次世界大战以来，以原子能技术、航天技术、电子计算机、人工合成材料等应用为代表的第三次科技革命极大地降低了要素流动的成本。电子计算机的发明、海底光缆的使用，特别是传真机和互联网的使用，使金融跨国服务的信息传送成本大大降低；航天技术的发展使劳动力要素流动成本下降，极大地促进了相互了解和相互联系。1877 年，跨越大西洋发送电报非常昂贵；而 1927 年，甚至到 1977 年，洲际长途电话也是非常昂贵的。公司和富有者使用洲际长途电话，而

[一] North Douglass (1958), Ocean Freight Rates and Economic Development 1750-1913, The Journal of Economic History, Vol. 18, Issue 4, pp. 537-555.

普通百姓则采用写信的方式,除非紧急情况才打长途电话。到 1999 年,互联网几乎是免费的,跨越太平洋的长途电话费用也不过每分钟几美分○。据世界贸易组织估算,1980—1990年,空运成本从每吨公里 68 美分降到 11 美分,1990—1997 年,世界出口商品的运输成本仅占其价值的 2%;1930—1996 年,从纽约到伦敦的 3min 电话,话费从 330 美元降到 1 美元,到 2010 年大约降至 3 美分。这些新技术的采用进一步促进了商品、资金和技术的全球流动,极大地促进了当今全球化的进程。有一点可以肯定的是,今天的经济全球化已经不同于 19 世纪。19 世纪的服务贸易微乎其微,资本和劳动力的流动远没有当今频繁;更重要的是,当今的金融全球化绝不是 19 世纪可以匹敌的○。

(三) 战后国际经济政治的变化为经济全球化创造了条件

经历了两次世界大战的创伤,许多国家意识到合作交流的重要性,国际货币基金组织、世界银行、关税及贸易总协定也应运而生。这些组织的建立和发展促进了世界各国的经济联系,投资贸易迅猛发展,有力地促进了经济全球化。同时,"冷战"期间,美国和苏联为实现全球争霸的目的,不断扩大自己的阵营,客观地促进了经济全球化的进程。一方面,对于美国而言,通过"马歇尔计划"帮助西欧国家走出战争创伤、快速实现经济恢复,以拉拢西欧国家。同时,处在美、苏两国缓冲地带的西欧国家为了自强,也开始酝酿走向一体化的道路。它们认识到单靠一国的力量根本无法与美、苏相抗衡,因此,只有加强各国之间的联合,才能维护它们在欧洲乃至世界上的地位。20 世纪五六十年代西欧经济迅猛发展,使得要求联合的呼声更为强烈。1951 年 4 月,法国、联邦德国、意大利、荷兰、比利时和卢森堡六国签订《欧洲煤钢联营条约》,建立煤钢共同市场;1965 年 4 月 8 日,上述六国签订《布鲁塞尔条约》,决定将欧洲煤钢共同市场、欧洲原子能共同体和欧洲经济共同体统一起来,统称欧洲共同体,并于 1967 年 7 月 1 日生效。1993 年,基本建成欧洲统一大市场。1999 年,欧元正式启动。另一方面,苏联为对抗以美国为首的北大西洋公约组织,联合一些社会主义国家建立华沙条约组织。尽管该组织是一个准政治军事同盟,但客观上促进了这些国家内部的经济合作与交流。

(四) 国际制度环境的协调与改善

交易成本的存在限制了商品、资本和劳动力要素的跨国界流动。运输成本的降低极大地减少了商品和要素流动成本,但由于各国经济法律制度的差异导致合同谈判、签约以及合同执行的监督活动造成的高额成本仍然没有解决。经济全球化需要市场经济体制的趋同、商法体制的趋同。当今世界,已经有越来越多的国家认识到,只有选择市场经济体制,才能合理配置自己的资源,提高本国经济的运转效率和国际竞争力。封闭经济由于缺少外部资源、信息与竞争,经济发展比较缓慢。计划经济体制则由于存在众所周知的信息不完全、不充分、不对称和激励不足等问题,导致资源配置与使用的低效率。所以,无论是传统的封闭经济,

---

○ (美) 罗伯特·基欧汉,约瑟夫·奈:《权力和互相依赖》(第三版),门洪华译,北京大学出版社,2002 年版,第 293 页。

○ 也有学者对此提出质疑。例如,20 世纪下半叶与 1913 年相比,英国和法国的对外贸易依存度只有少许增长,而日本的贸易依存度甚至有所降低。按照这个标准,20 世纪初经济全球化的程度应当更深;而且,19 世纪下半叶,有 6000 万人离开欧洲寻找新世界,似乎那时的人员流动程度更高。参见 Keith Griffin, "Globalization and the Shape of Things to Come", in Macalister International: Globalization and Economic Space 7 (Spring 1999): 3; "One World?" The Economist (Oct. 18, 1997): 79-80.

还是起源于苏联的计划经济,都不约而同地走上了向市场经济转型的道路。各国在经济体制上的趋同,消除了商品、生产要素、资本以及技术在国家与国家之间进行流动的体制障碍,促成了经济全球化的发展。近年来,主导世界的两大法系——英美法系和大陆法系也出现互相融合与趋同发展的趋势。另外,各个国际经济组织也在积极协调各国以实现贸易便利化。贸易便利化是指国际贸易程序(包括国际货物贸易流动所需要的收集、提供、沟通及处理数据的活动、做法和手续)的简化和协调。通过简化和协调贸易程序,适用法律和规定的协调等,为国际贸易投资活动创造一个简化的、协调的、透明的、可预见的环境,加速商品、服务和要素的跨境流通。

四、经济全球化的主要特征

由于经济全球化是世界经济日益融合的过程,经济全球化的特征与国际贸易、国际金融、跨国投资联系在一起,主要体现为:①全球贸易迅猛发展。1980 年,世界贸易仅占全球 GDP 的 39%,2015 年,该比例达到 58%(见图 9-1)。同时,服务贸易发展迅速,世界服务贸易进出口总额从 1980 年的 7675 亿美元发展到 2015 年的 92450 亿美元,年均增速达到 7.37%。②跨国投资高速发展。1970 年,世界外商直接投资流入仅为 132.57 亿美元,而 2015 年已经达到 17621.55 亿美元,年均增长 10.03%。③金融全球化不断拓展。自 20 世纪 90 年代以来,世界范围内的资本流动自由化和金融市场一体化的速度急剧加快。以外汇市场为例,20 世纪 80 年代中期,全球外汇市场的日周转额为 2000 亿美元,到 2007 年已高达 3 万多亿美元。④产品生产流通过程全球化。人类社会经历了从古典的产业间分工模式、产业内分工模式向贸易投资一体化背景下的产品内分工模式转变。不管是发展中国家还是发达国家,产业内贸易程度都在不断加深(见表 9-1)。近年来,产品内分工已然成为一种趋势。⑤跨国公司全球扩张。联合国贸易和发展会议发布的《2016 年世界投资报告》指出,目前全球跨国公司约有 82000 家,其国外子公司近 810000 家,外国子公司的就业人数达到 7950 万。1990 年跨国公司子公司的资产总额为 49950 亿美元,而到 2015 年则达到 1057780 亿美元(见表 9-2)。⑥科技开发和应用的全球化。科技开发和应用的全球化是指先进技术和研发能力的大规模跨国界转移,以及跨国界联合研发的广泛存在。

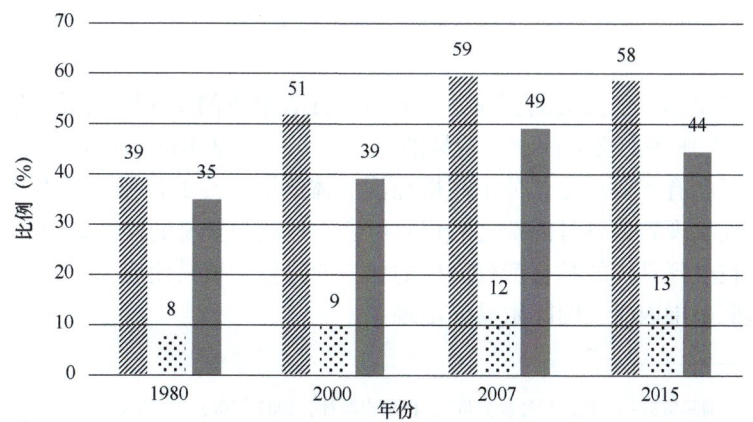

图 9-1 世界贸易在全球国内生产总值中的比例

(资料来源:根据 UNCTAD 数据库计算所得。)

本章还将从国际贸易、国际金融和国际投资方面进一步讨论经济全球化。

表 9-1　部分国家制造业部门产业内贸易指数

工业化国家＼年份	1970	1987	2015	发展中国家＼年份	1970	1987	2015
美国	55.1	61.0	76.7	印度	22.3	37.0	98.8
日本	32.8	28.0	80.9	巴西	19.1	45.5	69.3
德国	59.7	66.4	81.3	墨西哥	29.7	54.6	98.7
法国	78.1	83.8	96.0	土耳其	16.5	36.3	88.4
英国	64.3	80.0	83.9	泰国	5.2	30.2	93.7
意大利	61.0	63.9	84.3	韩国	19.4	42.2	72.7
加拿大	62.4	71.6	78.5	阿根廷	22.1	36.4	49.3
西班牙	41.2	67.4	96.0	新加坡	44.2	71.8	87.3
平均	56.8	65.3	84.7	平均	22.3	44.3	82.3

（资料来源：海闻：《国际贸易》，上海人民出版社，2003 年版，第 161 页；WTO 数据库。）

表 9-2　跨国公司各项经济指标统计：当期价值　　（单位：10 亿美元）

项目＼年份	1990	2005—2007（危机前平均值）	2013	2014	2015
跨国并购	98	729	263	432	721
外国子公司销售额	5101	20355	31865	34149	36668
外国子公司资产总额	4595	40924	95671	101254	105778
外国子公司出口额	1444	4976	7469	7688	7803
外国子公司就业人数/千人	21454	49565	72239	76821	79505

（资料来源：根据 UNCTAD《世界投资报告 2016》中表 1 整理而得。）

第二节　国际贸易

一、国际贸易的发展历程

（一）国际贸易的产生

贸易（或者更具一般意义的交易）是指货物或者服务的交换[1]。国际贸易便是发生在国家之间[2]的货物与服务的交换活动。贸易的发生需要三个基本的条件：一是社会分工；二是剩余产品；三是私有产权制度。分工使得经济主体能够"专其所长，弃其所短"，提高效率和生产力，进而实现满足自身消费之后仍有所余。这就为贸易的发生提供了可能。当这种剩余产品的所有权受到具体的私有产权制度的保护的时候，贸易便成为现实。当上述三个基本条件扩展到国际范围内时，国际贸易便出现了。

---

[1] 程大中：《国际贸易——理论与经验分析》，格致出版社，2009 年版，第 1-2 页。

[2] 国家之间，即国际。严格意义上讲，在海关和关税制度出现之前，国际贸易是指跨越国境的交易，而现代国际贸易则更多是跨越关境的交易。虽称国际贸易，但其贸易主体却不仅限于国家，个人、企业或者特殊区域都可以作为主体参与到国际贸易过程中。

第九章　经济全球化

真正意义上的国际贸易产生过程见图9-2。

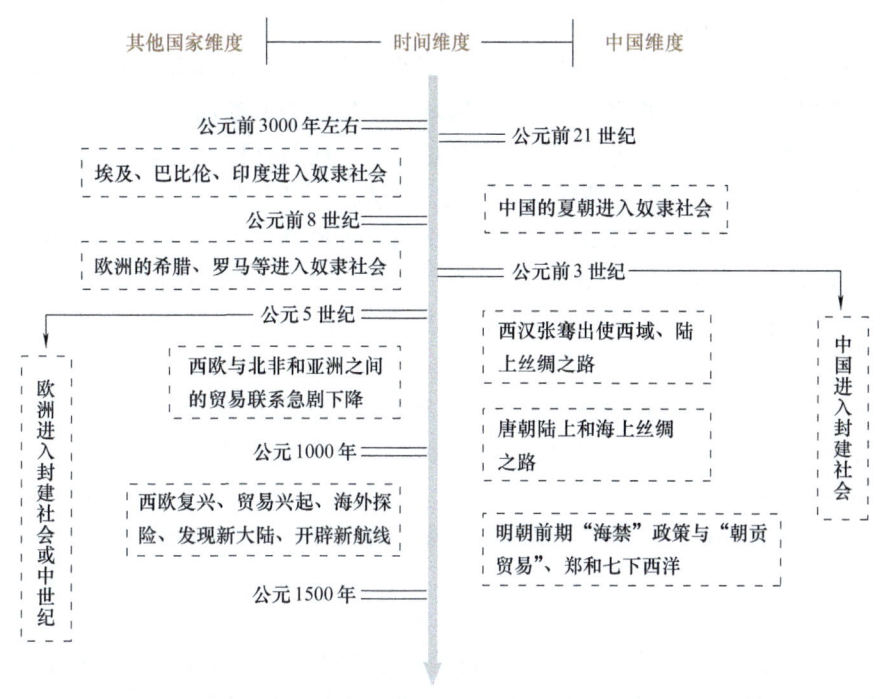

图9-2　真正意义上的国际贸易产生过程

（资料来源：程大中：《国际贸易——理论与经验分析》，格致出版社，2009年版，第2页。）

（二）奴隶社会的世界贸易

奴隶社会制度最早出现在古代东方各国，如埃及、巴比伦、中国（夏朝时期中国已进入奴隶社会），但以欧洲的希腊、罗马的古代奴隶制最为典型。早在公元前2000多年前，由于水上交通便利，地中海沿岸的各奴隶社会之间就已经展开了对外贸易，出现了腓尼基、迦太基、亚历山大、希腊、罗马等贸易中心和贸易民族。例如，当时的腓尼基人手工业已相当发达，能够制造出玻璃器皿、家具、染色纺织品和金属用品等，并用他们的手工业产品同埃及人交换谷物、象牙、驼毛，从塞浦路斯贩运铜，从西班牙贩卖金银和铁，从希腊贩卖奴隶，从东方贩运丝绸、香料和其他奢侈品㊀。这一时期，国际贸易主要是为了满足奴隶主贵族阶级的需要，并且进行的贸易基本上是王室（和神庙）垄断与奴隶主私人经营并存，以前者为主。例如，在埃及奴隶制强盛时期，即托勒密王朝，国家垄断了油料、食盐等的销售和出口；在古印度的孔雀王朝，国家的市政官严格控制并监督商业，王室专营矿产品、盐、酒之类物品。奴隶主则合伙经营商业，贩卖奴隶、羊毛等物品㊁。

总的来说，奴隶社会是以自然经济占主导的经济形态，整体生产力水平和技术水平相对较低。社会生产的直接目的是满足最基本的生活消费，进入流通领域进行交换或贸易的部分很少。加上生产技术落后、交通工具简陋，各个国家对外贸易的范围受到很大限制。即使对

㊀ 张二震、马野青：《国际贸易学（第三版）》，人民出版社，2002年版，第13页。
㊁ 程大中：《国际贸易——理论与经验分析》，格致出版社，2009年版，第3页。

于那些商业较为发达的国家或民族，对外贸易在当时仍然是一种局部现象。

（三）封建社会的世界贸易

进入封建社会后，人类社会生产力进一步提高，农业、手工业和商业得到空前的发展，国际贸易也出现了前所未有的繁荣景象[一]，区域性的贸易中心纷纷涌现。到14世纪，在欧洲形成了几个主要的贸易区，包括以意大利的威尼斯、热那亚和比萨等为中心的地中海贸易区，以布鲁日为中心的北海和波罗的海贸易区，以基辅、诺夫哥罗得、车尔尼戈夫、彼列雅斯拉夫尔等为中心的东俄罗斯贸易区，德意志北部和北欧斯堪的纳维亚地区的汉萨贸易区，以及不列颠贸易区。在亚洲，形成了以中国、朝鲜和日本为中心的东亚贸易区，以占婆（今越南南部）和扶南（今柬埔寨）为中心的东南亚贸易区，以及以印度为中心的南亚贸易区。

除了各主要贸易区内部的贸易联系之外，跨越欧亚大陆的洲际贸易也是这一时代的特色。最具代表意义的便是"丝绸之路"，即西汉时，由张骞出使西域开辟的以长安（今西安）为起点，经甘肃、新疆，到中亚、西亚，并连接地中海各国的陆上通道，后来经过元朝的三次西征，将疆界扩大至黑海和波斯湾地区，进而打通了从中国直至欧洲的通道。除此之外，从地中海出发，经红海和印度洋到印度，或从波斯湾经阿拉伯海到印度的海上通道也进一步打通。

在15世纪之前，各国的经济主要是以自给自足的自然经济为主，贸易只是经济生活中的补充。因此，当时各国之间的贸易还处于不连续、不稳定的状态。

（四）资本主义早期的世界贸易

如果说，15世纪前的世界贸易主要局限于各洲之内和欧亚大陆之间，那么，15世纪的"地理大发现"及由此产生的欧洲各国的殖民扩张则大大发展了各洲之间的贸易，从而开始了真正意义上的"世界贸易"[二]。

"地理大发现"使世界贸易发生了巨大的变化。一方面，欧洲的经济成长迅速，并出现了商业革命。"地理大发现"之后，各国地理和资源上的差距使得国际流通中的商品种类与数量大大增加，贸易的扩大又促进了以交换为目的的专业化分工。同时，为了适应新的大规模的贸易，欧洲建立起在全世界专门从事贸易活动的新型合股公司，如最著名的东、西印度公司。至此，国际贸易不再是少数商人单枪匹马的行为，而成为以牟利为主要目的的巨大产业。另一方面，"地理大发现"引发了长达两个世纪的殖民扩张和殖民贸易，推动了洲与洲

[一] 对国际贸易的第一次大推动是中世纪后期西欧势力的扩张。从公元11世纪到13世纪，十字军多次东征，夺得地中海，从而使地中海再一次成为欧亚大陆贸易的海上通道，更主要的是将西欧融入世界。11世纪末，西欧社会生产力有了长足的发展，手工业从农业中分离出来，城市崛起，已有的财富已不能满足封建主贪婪的欲望，他们渴望向外攫取土地和财富，扩充政治、经济势力；西欧的城市商人，特别是威尼斯，热那亚和比萨的商人，企图从阿拉伯和拜占庭手中夺取地中海东部地区的贸易港口和市场，独占该地区的贸易，因而也积极参与了十字军。十字军东征将欧洲的旅行者和商人同一个发展中的世界融合了起来。对中东奢侈品日益增长的需求，意味着欧洲必须拿出自己的物品来交换，由此促进了欧洲羊毛和纺织业的发展。十字军东征和中东拉丁王国的结束意味着获得亚洲贸易品的难度增加，但需求却并未因此而减少。（详见海闻、P. 林德特、王新奎：《国际贸易》，上海人民出版社，2003年版，第6页；（德）曼弗里德·瓦索勒德：《十字军东征》，高建中译，湖北长江出版集团，湖北教育出版社，2010年版，第1-20页。）

[二] 海闻、P. 林德特、王新奎：《国际贸易》，上海人民出版社，2003年版，第7页。

之间的贸易。"地理大发现"之后，西欧各国先后走上了向亚洲、美洲和拉丁美洲扩张的道路，在殖民制度下进行残酷而血腥的资本原始积累过程。殖民主义者用武力、欺骗和贿赂的办法，实行掠夺性的贸易，把广大殖民地国家卷入国际贸易中。国际贸易的范围空前地扩大了。

这一时期，国际贸易已经从单纯的互通有无变成了以追逐利润为主的商业活动，贸易中的商品结构开始转变，工业原料和城市居民消费品比重上升，贸易的主要方式则是宗主国控制下的殖民贸易。

（五）工业革命后的世界贸易

从18世纪60年代开始，欧美国家逐渐形成了资本主义的生产关系，并先后发生了工业革命。工业革命可以分为两个阶段：第一阶段大约从1770年到1879年，主要发生在英国。英国工业革命以蒸汽动力机的广泛使用为标志，它开创了以机器代替手工工具的时代。工业革命的第二阶段持续时间约从1870年到20世纪初，主要发生在德国和美国。这一时期也常被称为"第二次工业革命"。第二次工业革命以电力和内燃机的发明为标志。这一时期，大批量生产的技术得到了改善和运用。

两次工业革命极大地提高了劳动生产率，促进了生产，并使得世界贸易发生了前所未有的大发展。随着生产力水平的提高和交通运输工具的革新，世界贸易量猛增。此前从18世纪到19世纪初的将近一个世纪，世界贸易总额增长了1倍多；然而，仅在1800—1870年的70年间，世界贸易就增长了6.7倍[1]。工业革命还改变了贸易的产品结构，用于贸易的产品从此前的以初级农产品为主转向以工业原料和工业制成品[2]为主，且产品的种类日益丰富。机器纺织品，特别是棉纺织品成为欧洲最重要的大宗出口商品，是19世纪国际贸易中最主要的工业制造品。

经过工业革命，世界上大部分国家都被卷入资本主义的世界分工体系当中，世界各国较之以往联系更加紧密。但是，贸易在很大程度上成为殖民地宗主国进行经济控制甚至政治控制的重要手段之一。这一时期形成了殖民地出口大宗农产品、工业原料，宗主国出口工业制成品的国际贸易结构。这一贸易结构对后来世界贸易格局产生了至关重要的影响。

（六）战后的世界贸易

两次世界大战不仅造成了重大的人员伤亡和经济损失，大大削弱了欧洲各国的经济和军事实力，同时也极大地影响了世界贸易。第一次世界大战后，世界贸易量仅为战前的40%，直到1924年才略微超过战前水平，到1937年，世界贸易额仅为254.8亿美元[3]。第二次世界大战前的"大萧条"使得各国贸易保护主义抬头，国际贸易量一直萎靡不振。

---

[1] 海闻、P. 林德特、王新奎：《国际贸易》，上海人民出版社，2003年版，第9页。

[2] 资本主义国家出口的工业制成品很多是传统贸易大国的替代品，如英国的机器纺织品以低廉的价格和上好的质量取代中国、印度的手工纺织品；还有一些是出口到殖民地用于殖民开发的工业制成品，如英国、法国出口到殖民地的铁轨、机车、蒸汽机以及矿山机械等。而殖民地国家则更多出口大宗农产品和棉花、黄麻、生丝、矿产原料等工业原材料。（详见海闻、P. 林德特、王新奎：《国际贸易》，上海人民出版社，2003年版，第11页。）

[3] 海闻、P. 林德特、王新奎：《国际贸易》，上海人民出版社，2003年版，第11页。

根据 WTO 官方数据，到 1948 年，以出口额①计算的全球货物贸易量仅为 580 亿美元。

第二次世界大战后，长时期相对和平的国际环境、科技革命的推动以及国际经济协调所带来的世界经济新秩序为世界贸易的高速发展创造了历史性的机遇。1956 年，世界出口额突破 1000 亿美元，到 2005 年，世界出口额突破 10 万亿美元。50 年间增长了近 100 倍，速度之快，史无前例。这一时期，世界贸易的对象从此前的以货物贸易为主转为货物贸易和服务贸易同步发展，贸易的主体从国家逐步转向跨国公司，贸易方式从产业间贸易逐步转向产业内贸易、公司内贸易和产品内贸易，世界贸易模式从传统的"南北贸易"转向"北北贸易"，区域性的贸易组织在促进贸易自由化、维护正常的贸易秩序方面发挥着越来越重要的作用。总之，从第二次世界大战结束后到 21 世纪初的 50 多年里，世界经济发生了天翻地覆的变化。世界各国的经济日益融为一体，经济全球化成为 20 世纪以来的世界经济发展的主要趋势。

二、第二次世界大战后国际贸易的发展特点

经过数世纪以来的快速发展，国际贸易早已成为世界经济中不可或缺的组成部分。作为货物和服务以及资本流动的平台，国际贸易不仅成为满足各个国家和地区消费者日常生活需要的必要途径，更为重要的是，它成为影响国际分工格局的关键因素。早期国际贸易的特点在前面已有介绍，在此不赘述。由于很多国际贸易模式、特征都是在第二次世界大战后发展起来的，而且，国际贸易的规则和国际惯例也主要在这一时期形成，因此，下面重点介绍第二次世界大战结束以来国际贸易的发展特点。

（一）国际经济协调机制逐步完善，国际贸易在相对稳定的环境下快速发展

第二次世界大战结束后，以美国为首的发达国家逐渐认识到建立统一的国际经济秩序以及进行国际经济协调的重要性。战争不仅对世界物质财富造成了极大的破坏，同时也使得经济国际化或全球化进程被迫中断。因此，战后经济的重建任务不仅包括各国国内经济的重建，也包括国际经济秩序的修复。1948 年 1 月 1 日正式生效的 GATT 是关于降低关税壁垒、商定国际贸易政策的共同准则，调整各国国际贸易关系的国际多边协定。1946 年 3 月正式成立的 IMF 则是在 1944 年布雷顿森林协议基础上建立的关于各国汇率制度安排和调整的国际协调组织。从"二战"后初期到 20 世纪 70 年代，国际经济协调是在布雷顿森林体系的基本框架下运行的，尽管这一体系是以美国为中心，但与"二战"前的国际制度安排相比较，它毕竟是多个国家共同协商所产生的一种新型的国际经济制度②。在此框架下，各国通过相对平等的谈判来表达自己的意愿，共同分享经济全球化的成果。

（二）世界各国积极参与国际分工，产品内分工模式日益凸显

第二次世界大战后，第三次科技革命的爆发导致了全球范围内新一轮的科技创新和工艺革新，在长时期相对和平稳定的环境下和各国促进经济增长政策的拉动下，世界经济飞速发展，

---

① 根据 WTO "2004 Technical Notes"，世界贸易额是将世界所有经济体的出口额折算为统一货币（美元）加总。理论上讲，如果忽略人为错误和遗漏，所有经济体的进口和出口总额应该相等。但是，由于国际惯例通常将出口按照 FOB 价格核算，而进口则是包含了保险费和运费的 CIF 价格，因此，相对进口，出口更能真实地反映世界贸易额。（详见 http://www.wto.org/english/res_e/statis_e/its2004_e/its04_technotes_e.htm）

② 雷达：《国际经济协调和世界三大经济组织》，求是，2003 年第 24 期。

全球经济迅速融为一体。各国纷纷采取对外开放，发展外向型经济的战略，生产要素迅速在全球范围内得到有效配置。发达国家充分利用发展中国家的政策优势（吸引 FDI 的优惠措施）、资源优势（相对廉价的土地成本）、劳动力优势（较低的工资水平），在全球范围内采购原材料、组织生产、销售产品。与此同时，发展中国家积极参与到国际分工的过程中，在更加有效地发挥自身优势的同时，充分利用各种外溢效应，提升技术水平，优化产业结构。随着国际分工的深化和细化，产业或部门内，甚至是产品内都被分割为诸多专业化的环节。国际生产"片段化（Fragmentation）"逐渐取代"一体化（Integration）"，产品内分工模式日益凸显。

（三）国际服务贸易得到空前的发展

国际分工的进一步专业化使得服务业逐渐成为一个独立的产业部门，在各国国民经济中的地位也显得越来越重要。各国纷纷推出了促进服务业发展的政策措施，并且科技革命带来的一系列创新打破了传统意义上空间交换的壁垒，尤其是数据传输技术的应用，这在很大程度上促进了国际服务贸易的发展。1970 年，世界服务业出口总额为 800 多亿美元，1980 年增加到 3956 亿美元，1990 年翻了一番，为 8313 亿美元，2013 年则进一步达到 47201 亿美元⊖。

从图 9-3 中可以看出，服务的出口地主要是发达经济体，发展中经济体则相对滞后。进入 21 世纪以后，随着发达国家平均服务成本的提高，越来越多的企业和个人在国外寻找服务提供商，这使得发展中经济体的服务出口明显增加。随着服务贸易的发展，关于服务贸易的规范性制度也在各国的推动下逐步完善。1994 年结束的乌拉圭回合达成了《服务贸易总协定》（GATS）和《与贸易有关的知识产权协定》（TRIPs），正式将服务贸易以及发达国家重点关注的知识产权的贸易纳入国际贸易的规范性条款里。

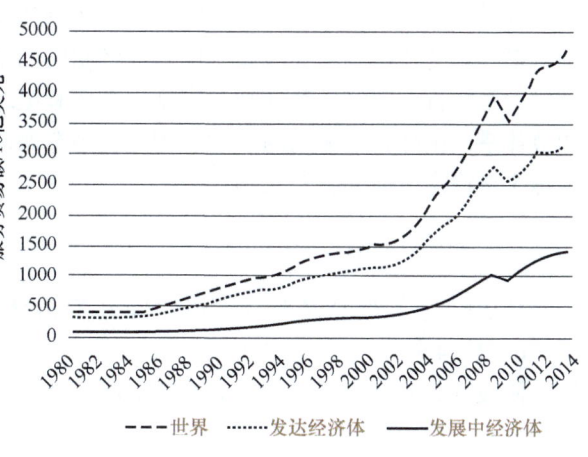

图 9-3　1980—2014 年世界服务贸易额

（资料来源：UNCTAD Statistical Databases Online。）

（四）跨国公司在全球整合资源，贸易投资一体化趋势明显

蒙代尔（Mundell，1957）在 H-O 模型的分析框架下，提出贸易投资替代理论。该理论认为对国际贸易的限制会促进要素的流动，而对要素流动的限制则会促进国际贸易。马库森（Markusen，1983）放松了 H-O 模型中关于两国技术相同的假设，得出结论：要素的流动会增加国际贸易，二者之间呈现出互补的关系。而现实中的情形更多地倾向于后者。这主要是因为跨国企业依靠竞争优势，借助投资活动，在全球范围内对资源进行整合⊖，然后，通过其全球销售网络转移到世界各地。跨国投资的目的不是简单地为了规避贸易壁垒，而是为了更好地利用东道国的要素；贸易的目的也不是单纯为了消费，而是谋求以

⊖ 海闻、P. 林德特、王新奎：《国际贸易》，上海人民出版社，2003 年版，第 12 页；数据部分来自 UNCTAD 网站。
⊖ 张二震、马野青：《贸易投资一体化与国际贸易理论创新》，福建论坛（人文与社会科学版），2002 年第 1 期。

更低的成本在全球组织生产，即跨国公司进行的国际贸易和对外直接投资日益一体化[1]，简称为"贸易投资一体化"。所谓"贸易投资一体化"[2]，是指在以跨国公司为主导的、以要素分工为特点的国际分工体系中，跨国公司通过在全球范围内配置和利用资源，进行全球化生产和全球化经营，使得越来越多的国际贸易和国际直接投资，在跨国公司的安排下，围绕着跨国公司国际生产的价值链，表现出相互依存、联合作用、共生增长的一体化现象。

第三节 国际金融

国际金融是国家和地区之间由于经济、政治、文化等联系而产生的货币资金的周转和运动。国际金融关系的实质就是国际货币关系。在市场经济体制下，各国之间的货币金融交往，都要受到国际金融体系的约束。国际金融是判断世界经济运行的"晴雨表"和重要渠道。

国际货币体系是随着国际经济交往的不断扩大而产生与发展的。由于各国之间商品劳务往来、资本转移日趋频繁，速度也日益加快，这些活动最终都要通过货币在国际间进行结算、支付，因此，就产生了在国际范围内协调各国货币关系的要求。国际货币体系正是在协调众多国家的货币制度、法律制度及经济制度的基础上形成的。国际货币体系是对国际货币金融关系进行调节的各种规则、安排、惯例和组织形式，主要包括国际汇率制度、国际收支调节体系、国际资本流动的管理、国际货币金融政策的合作框架，以及国际金融机构在促进全球金融稳定方面的各种机制。

一、国际货币体系的发展历程

从历史的发展过程来看，现代国际货币体系大致经历了三个发展阶段：第一阶段（1816—1914年），国际金本位制时期；第二阶段（1945—1975年），布雷顿森林体系时期；第三阶段（1976年至今），牙买加货币体系时期。

（一）国际金本位制时期

1. 国际金本位制的形成

在19世纪之前，许多西方国家实行金银复本位制度，即以金币和银币同时作为本位货币。后来，由于白银产量大幅增加，金银相对价值不稳定，使得货币制度陷入混乱，许多国家改以金币作为本位货币。英国于1816年颁布《铸币条例》，规定以金币为本位币，一盎司黄金为3镑17先令10.5便士；拉丁货币联盟国（法国、比利时、瑞士、意大利等国）至1878年时已禁止银币铸造，采用所谓"跛行金本位制"；德国于1871年获得战争赔款后，发行金马克作为本位货币，实行金本位制；美国于1873年也以法令禁止银币的自由铸造，实际上开始采用金本位制，只是由于国内对此长期争论，直到1900年才正式通过《金本位法案》；俄国和日本也于1897年相继改用金本位制。至19世纪后期，金本位制已在西方各国普遍实行，具有了国际性质。

从历史上看，金本位制的国际化并非国际协议的结果，而是由交易制度、交易习惯和国

---

[1] 罗伯特·吉尔平：《全球政治经济学——解读国际经济秩序》，上海人民出版社，2003年版，第230页。
[2] 张二震、马野青，等：《贸易投资一体化与中国的战略》，人民出版社，2004年版。

内法缓慢发展而形成的结果。由于当时英国是世界上最大的经济强国，在国际贸易中居于支配地位，加之英国率先于 1819 年和 1844 年通过一系列法规规范黄金的进出口和中央银行的业务，较早地实现了黄金的国际流通、英镑的国际化和英国金融市场的国际化，由此形成了以英镑为中心、以黄金为基础的国际金本位制度。

2. 国际金本位制的内容

金本位制是以一定成色和重量的黄金为本位货币的一种货币制度，黄金是货币体系的基础。在国际金本位制下，各国货币均应以黄金作为基础，具有法定的含金量（如金币或受黄金准备数量限制的纸币），不同国家的货币依其含金量而形成一定的比价；在国际金本位制下，不同的货币符号（如金属辅币和银行券）可以自由地以法定价格兑换为黄金，因而黄金和代表一定黄金的货币符号可以混合流通，并起到国际支付手段的作用；在国际金本位制下，黄金可以在各国之间自由地转移，由此发挥黄金国际储备和保障外汇行市稳定的职能。由此可见，要使国际金本位制发挥作用，不仅要求主要贸易国家的通货均以黄金为基础，而且主要贸易国家必须实行黄金自由铸币、自由兑换和自由输出输入的政策。这正是国际金本位制发挥自动调节作用所要求各国必须遵守的基本规则。

3. 国际金本位制的影响及缺陷

国际金本位制对世界经济的发展曾经起到了重要的保障作用。它有利于各国货币币值的稳定，促进了各国商品流通和信用的发展；它保障了汇率的稳定，以法定平价（依含金量计算的汇兑比价）作为汇率变动的基本依据，由此保障了对外贸易与对外信贷的安全，为国际贸易和国际资本流动提供了良好的条件；它通过黄金的国际流动，起到自动调节国际收支的作用，比较公平地解决了各贸易国的国际收支平衡问题；它有利于各贸易国协调其经济政策。总之，在国际金本位制下，由于各国通货均以黄金为基础，黄金充分发挥了世界货币的作用，这就加强了世界各国之间的经济联系，促进了世界经济的发展。

但是，金本位制也具有严重的缺陷。这主要表现在：首先，国际金本位制要求各国所遵守的基本规则并没有国际保障和国际监督，其可实现性仅取决于各国的承认；其次，国际金本位制有效发挥调节作用以没有大量的国际资本流动为条件，不能适应大量国际资本流动的冲击；最后，金本位制在 1897—1914 年的有效运行实际上与当时黄金的产量增加和充分供应有着内在的联系。当这些条件不复存在时，金本位制就会出现问题。

4. 国际金本位制的崩溃

第一次世界大战之前，随着资本主义矛盾的发展，国际金本位货币体系的不稳定因素日益凸显。其具体表现在：①少数发达强国占有世界黄金存量的 2/3 左右，而其他国家货币制度的基础则遭到削弱，金字塔式的金本位货币体系的矛盾突出；②一些国家因战备和经济危机而超量发行银行券，使黄金兑换越来越困难，自由兑换原则遭到破坏；③经济危机使得商品输出大幅减少，资金外逃严重，导致各国限制黄金输出，破坏了黄金自由输出原则。由于维持金本位制的必要条件均被破坏，国际货币体系的稳定性也就失去了保障。第一次世界大战爆发后，各国纷纷停止黄金兑现，并禁止黄金出口，原有的汇率制度瓦解，金本位制陷入崩溃。

5. 两次世界大战之间的国际货币体系

第一次世界大战后，世界经济格局发生了重大变化。美国经济实力显著增强，继续实行金币本位制。英国、法国则采用金块本位制。金块本位制的特征是：金币仍然作为本位货币，但在国内不流通金币，而是以纸币代替金币流通；政府规定黄金官价；不允许人们自由铸造金币；当人们在国际支付或工业方面需要黄金时，可按规定向中央银行兑换金块。这种币制的最大优点在于最大限度地节约了黄金，而以储备货币作为黄金的补充，有利于摆脱黄金产量对世界经济增长的限制。

从世界范围来看，这一阶段的国际货币制度为金汇兑本位制。实行金汇兑本位制的国家，国内不再流通金币，而只能流通银行券，银行券只能兑换外汇，这些外汇在国外才能兑换黄金。实行这种制度国家的货币与另一实行金本位制国家的货币保持固定的比价，并在该国存放大量的外汇或黄金，以备随时出售外汇。

由于第一次世界大战期间停止了黄金的兑换，并且"一战"后各国的通胀率和经济增长水平有很大差异，所以战后人为恢复的金平价和固定汇率没有基础。另外，随着资本主义危机的加深，各国往往着重于国内经济的稳定，不愿遵守金本位制的规则，因而国际收支的自动调节机能也失去了作用。1929年爆发的世界性经济危机和1931年的国际金融危机，终于瓦解了国际金汇兑本位制。1937年以后，世界上没有任何一个国家实行任何一种形式的金本位制。

（二）布雷顿森林体系时期

1. 布雷顿森林体系的建立

20世纪30年代的经济大危机和第二次世界大战在宣告了金本位制垮台的同时，也宣告了英国作为世界经济中心的终结。美国经济的迅速强大，为其在第二次世界大战后迅速掌控世界经济运行态势提供了充足的实力。从1941年3月11日到1945年12月1日，美国根据《租借法案》向盟国提供了价值500多亿美元的货物和劳务。黄金源源不断流入美国，美国的黄金储备从1938年的145.1亿美元增加到1945年的200.8亿美元，约占世界黄金储备的59%，由此登上了资本主义世界盟主地位。美元的国际地位因其国际黄金储备的巨大实力而空前稳固。这就使建立一个以美元为支柱的、有利于美国对外经济扩张的国际货币体系成为可能。

1944年7月，在美国新罕布什尔州的布雷顿森林召开了有44个国家参加的联合国与联盟国家国际货币金融会议，通过了以"怀特计划"为基础的《联合国家货币金融会议的最后决议书》以及《国际货币基金组织协定》和《国际复兴开发银行协定》两个附件，总称为"布雷顿森林协定"。

2. 布雷顿森林体系的主要内容

布雷顿森林体系的实质是建立一种以美元为中心的国际货币体系。其基本内容是美元与黄金挂钩，其他国家的货币与美元挂钩，实行固定汇率制度。

布雷顿森林体系的主要内容包括以下几个方面：

（1）建立一个永久性的国际金融机构，即国际货币基金组织（IMF），对国际货币事项进行磋商。

（2）美元成为世界上主要的国际货币和储备资产，实行黄金—美元本位制。规定实行双挂钩原则，即美元按每盎司黄金35美元的官价与黄金挂钩，各国货币按固定比价与美元挂钩，各国政府有义务通过干预外汇市场，使汇率波动不超过上下各1%的幅度。

（3）国际货币基金组织通过向会员国提供资金融通，帮助它们调整国际收支不平衡。

（4）取消外汇管制。会员国不得限制经常项目支付，不得采取歧视性的货币政策措施，并实行自由多边结算制度。

（5）争取实现国际收支的对称性调节。国际货币基金组织有权宣布国际收支持续顺差国的货币为稀缺货币，其他国家有权对稀缺货币采取临时性的兑换限制。这一项内容并未得到实际贯彻。

3. 布雷顿森林体系的积极作用

（1）布雷顿森林体系的形成，暂时结束了"二战"前货币金融领域里的混乱局面，维持了"二战"后世界货币体系的正常运转。

（2）布雷顿森林体系的形成，在相对稳定的情况下扩大了世界贸易。美国通过赠与、信贷、购买外国商品和劳务等形式，向世界散发了大量美元，客观上起到了扩大世界购买力的作用；同时，固定汇率制在很大程度上消除了由于汇率波动而引起的动荡，有利于国际贸易的发展。

（3）布雷顿森林体系的形成，有助于生产和资本的国际化。由于汇率的相对稳定，避免了国际资本流动中引发的汇率风险，这有利于国际资本的输入与输出。同时，有助于金融业和国际金融市场发展，也为跨国公司的国际化生产创造了良好条件。

（4）布雷顿森林体系形成后，国际货币基金组织和世界银行的活动对世界经济的恢复和发展起了一定的积极作用。一方面，国际货币基金组织提供的短期贷款暂时缓和了"二战"后许多国家的收支危机；另一方面，世界银行提供和组织的长期贷款和投资不同程度地解决了会员国"二战"后恢复和发展经济的资金需要。此外，国际货币基金组织和世界银行在提供技术援助、建立国际经济货币的研究资料及交换资料情报等方面，对世界经济的恢复与发展也起到了一定作用。

4. 布雷顿森林体系的内在缺陷及其崩溃

虽然布雷顿森林体系有助于国际金融市场的稳定，对"二战"后的经济复苏也起到了一定的作用，但是它却存在着严重的缺陷。首先，以美元为中心的国际货币制度能在一个较长的时期内顺利运行，与美国雄厚的经济实力是分不开的。若美国国际收支持续性逆差，美元对外价值长期不稳，则美元会丧失其中心地位，危及布雷顿森林制度存在的基础。其次，美国要履行35美元兑换一盎司黄金的义务，必须拥有充足的黄金储备。若美国黄金储备流失过多，难以履行兑换义务，则布雷顿森林体系就难以维持。再次，若美国黄金储备不足，无力进行市场操作和平抑金价，则美元比价就会下降，国际货币制度的基础也会随之动摇。最后，该制度规定汇率浮动幅度需保持在1%以内，汇率缺乏弹性，限制了汇率对国际收支的调节作用，而且它实际上仅着重于国内政策的单方面调节。

1971年7月，第七次美元危机爆发，尼克松政府于8月15日宣布实行"新经济政策"，停止履行外国政府或中央银行可用美元向美国兑换黄金的义务。这意味着美元与黄金脱钩，支撑国际货币制度的两大支柱有一根已经倒塌。1973年3月，西欧又出现抛售美元、抢购黄金和马克的风潮。同年3月16日，欧洲共同市场9国在巴黎举行会议并达成协议，联邦德国、法国等国家对美元实行"联合浮动"，彼此之间实行固定汇率。至此，战后支撑国际货币制度的另一支柱，即固定汇率制度也完全垮台。这宣告了布雷顿森林制度的最终解体。

（三）牙买加体系时期

1. 牙买加体系的形成

布雷顿森林体系崩溃后，国际金融关系动荡混乱，各国未能就国际货币体制的改革达成一致意见。美元的国际地位不断下降,出现国际储备多元化状况。欧洲整体经济规模和在世界贸易中所占的份额均处于世界首位,完全有能力在新的国际储备货币格局中与美元相抗衡。此外,日元、马克、英镑、瑞士法郎等也占有一定地位。在这种情况下,许多国家实行浮动汇率制,全球汇率波动剧烈,国际收支失衡现象日益严重。1976 年 1 月,国际货币基金组织(IMF)组织临时委员会在牙买加的金斯敦达成了《牙买加协议》。同年 4 月,国际货币基金组织理事会在此基础上通过了《IMF 协定第二次修正案》。从此,国际货币体系发展便进入到牙买加体系时期。

2. 牙买加体系的主要内容

除了保留并加强了 IMF 的作用外,牙买加体系同布雷顿森林体系存在一些重大差别:储备货币多元化、汇率安排多元化以及国际收支调节渠道多元化。其主要内容如下:

(1)实行浮动汇率制度的改革。牙买加协议正式确认了浮动汇率制的合法化,承认固定汇率制与浮动汇率制并存的局面,成员国可自由选择汇率制度。同时,IMF 继续对各国货币汇率政策实行严格监督,并协调成员国的经济政策,促进金融稳定,缩小汇率波动范围。

(2)推行黄金非货币化。协议做出了逐步使黄金退出国际货币的决定,并规定:废除黄金条款,取消黄金官价,成员国中央银行可按市价自由进行黄金交易;取消成员国相互之间以及成员国与 IMF 之间须用黄金清算债权债务的规定,IMF 逐步处理其持有的黄金。

(3)增强特别提款权的作用。主要是提高特别提款权的国际储备地位,扩大其在 IMF 一般业务中的使用范围,并适时修订特别提款权的有关条款。

(4)增加成员国基金份额。成员国的基金份额从原来的 292 亿特别提款权增加至 390 亿特别提款权,增幅达 33.6%。

(5)扩大信贷额度,以增加对发展中国家的融资。

3. 牙买加体系的评价

在一定程度上,牙买加体系下并不存在像布雷顿森林体系内那样严格统一的国际货币制度。一方面,在牙买加体系下,国际经济环境动荡不定,国际货币金融危机时有爆发。各国之间的矛盾冲突进一步突出,各国在本国经济和政治力量的支持下,利用浮动汇率机制打击其他国家,谋取本国利益的最大化。另一方面,由于众多不稳定因素的存在,各国之间的合作也变得尤为重要。正是在此情景下,欧洲各国货币领域的合作取得令人瞩目的发展,并深刻地影响了当代的国际经济和政治关系。总之,对应着世界经济多元格局的牙买加体系,对国际关系的影响是多方位的:西方国家内部关系得到重新调整;南北关系受到较大冲击;欧洲一体化的进程进一步加快。

二、经济全球化背景下国际金融发展的特点

伴随着实体经济的全球化,以服务实体经济为目的的金融全球化的过程也越来越快,程度也越来越高,并表现出诸多不同的特征。

(一)金融自由逐渐成为主流

在经历了国际金本位时期和布雷顿森林体系时期的固定汇率之后,各国基于自身经济发展的考虑,纷纷要求扩大金融自主权。自 20 世纪中叶开始,一场以金融自由化改革的浪潮席卷主要发达国家和地区。这场改革的最终结果便是放松金融活动的管制,加强金融业的自由竞争,以及推进金融市场的快速发展。

首先，放松利率管制，实行利率自由化。利率管制一直都是各国金融管制最基本、最广泛的措施之一，发达国家如此，发展中国家亦如此。因此，各国在金融自由化的过程中，首先便采取了利率自由化的措施。英国在 1971 年 5 月公布了《竞争和信贷控制法案》，开始了利率自由化的第一步。1981 年 8 月，英格兰银行将基础贷款利率与市场利率关联，实行利率自由化。1976 年 2 月，联邦德国提出废除利率管制的议案，并于同年 4 月全面放松了利率管制。美国于 1980 年通过了修改存款机构利率限制的《1980 年银行法》。发展中国家也在 20 世纪 80 年代逐步放开对利率的管制。

其次，放松外汇管制，实行汇率自由化。大多数国家在开放国内金融市场的同时也在逐步实现对外金融自由化，而放松外汇管制便是开放外部金融市场的重要步骤。英国于 1979 年 10 月取消了外汇管制，允许本国居民自由地借入外币资金或将本币贷出。日本于 1980 年 6 月修订了《外汇与外贸管理法》，取消外汇管制。1981 年 12 月，美国正式通过法案，允许欧洲货币在美国境内通过国际银行及其相关机构进行交易，从而加强了美国与其他国际金融中心的联系。法国 1984 年取消了对非居民征收的债权利息预付税，1985 年取消了禁止发行欧洲法郎债券的限制，1986 年最终废除了全部外汇管制。伴随着发达国家对于资本控制的放松，许多发展中国家和地区也基本取消了对资本流动的限制，并实行更为灵活的汇率安排。

最后，放开金融机构，实现竞争自由化。20 世纪 30 年代资本主义经济大危机后，各国普遍对金融业务采取分业经营的模式。20 世纪 80 年代以来，各国金融机构纷纷突破原有的专业分工的限制，经营各种综合金融业务。美国的《1980 年银行法》和《1982 年高恩-圣杰曼存款机构法》打破了几十年来形成的不同金融机构之间严格的业务界限，取消了储蓄机构与商业银行的区别，允许商人银行跨行业、跨州兼并，并开展跨州业务。在英国，从 20 世纪 80 年代起，商业银行和清算银行已经没有明显的区别，清算银行可以设立自己的国外业务部门，商人银行转变为现代商业银行，业务也从证券交易、票据业务转为集长、短期金融业务于一身。1981 年，日本颁布了新的《银行法》，标志着金融机构进入业务综合化的时代。该法案明确规定银行可以经营国家债券、地方政府债券、政府保付债券等，彻底打破了证券公司独家经营的格局；同时，证券公司也争取到了办理银行发售的大额可转让定期存单的转让业务。

（二）全球资本流动加速发展

金融自由带来的结果之一便是减少资本流动的限制。伴随着各国资本项目的放开、全球贸易往来的频繁，各国资本流动出现空前的繁荣。

按照国际货币基金组织的标准，资本流动包括直接投资、证券投资和其他投资流量，根据需要还可以包括储备资产的变动。从总量上看，20 世纪最后 20 年是全球资本流动增长最为显著的阶段。1986—1998 年，国际资本市场融资和外国直接投资总额从 2.8 万亿美元增加到 13.8 亿美元，增长了近 500%。这一时期国际资本流动快速增长的主要原因是 20 世纪 70 年代后期全球范围内资本流动管制的放松。而随着潜在压力的释放和国际资本市场的进一步成熟，这种增长在 20 世纪 90 年代后期开始趋于平稳。进入 21 世纪后，情况出现了变化。在经历了 2000 年高峰期后，西方各主要国家的资本流动有所萎缩，直到 2003 年后才开始恢复增长，2004 年首次超过 2000 年的水平。

发达国家，尤其是七国集团，一直都是国际资本流动的重要目的地。在 2000 年，七国集团的资本流入和流出分别高达2.6万亿美元和2.3万亿美元，分别占全球资本流动的70%和60%，而美国的资本流入和流出量就分别占全球的1/3和1/5。2004年，美、日、欧三大经济体仍然占据了全球资本流动的大部分。新兴市场和发展中国家作为一个整体来看，呈现出快速增长的趋势，流入和流出规模均超过日本。

全球资本流动的另一个特征是地区结构差别明显。在较长一段时间里，全球资本流动一直表现为由发达国家向新兴市场国家的单向流动。随着发展中国家和地区剩余资本的增加，近年来，出现了资本双向流动的趋势。1982年，美国由资本流出国转变为资本净流入国，此后逐渐增加，到2004年，资本金流入增加为5846亿美元，成为世界上最大的净资本流入国。作为一直以来资本流入重点的新兴市场经济国家，2004年资本净流出为3650亿美元。

（三）全球金融市场高度繁荣

伴随着金融国际化、自由化改革的深入，全球金融市场呈现出空前繁荣的局面，主要体现在跨国金融交易增加、全球金融资产数量增加、国际金融衍生品急剧膨胀。

（1）国际金融市场的发展带来跨国金融交易的增加。1994年国际信贷规模只有5000亿美元左右，到2004年增加到1.8万亿美元。国际债券市场也有明显的增长。1997年国际债券的年发行额只有0.5万亿美元，1999年发行额首次突破1万亿美元大关，2005年达到1.8万亿美元。跨国金融交易体现在股票市场就是股票的跨国发行与交易规模的扩大。根据世界交易所联盟的统计，1996年全球证券交易所外国公司股票交易额为1.4万亿美元，而到2005年这一数据已经达到5.8万亿美元，增长了420%。

（2）伴随跨国金融交易的增加，全球金融资产数量激增。根据IMF的统计，1980年全球金融资产只有12万亿美元，1993年为53万亿美元，到2004年，约为152万亿美元，约为GDP的4倍。全球金融资产的增加在很大程度上依赖债券资产的快速增长。2001年全球债券资产约为42万亿美元，2004年将近58万亿美元，3年间增长了近40%。其中，私人债券的增加成为主要动力。2001年私人债券资产约为20万亿美元，到2004年将近35万亿美元，增长了近80%。

（3）金融市场的繁荣离不开金融衍生工具的发展壮大。在金融自由化改革的大潮中，金融风险的增长使得诸多金融机构积极寻求规避风险的技术工具和手段。据国际清算银行的统计，1998年全球场外交易衍生工具名义未清偿合约80万亿美元，2005年已达到285万亿美元，6年内增长了350%。与此同时，原本为了规避风险的金融衍生品市场的急剧膨胀又在很大程度上加剧了金融市场的波动和系统性风险。具有超级市场力量的金融机构为了自身利益的最大化和风险最小化，纷纷将风险转移，释放后的风险便在系统中的薄弱环节寻找突破。

（四）全球金融风险扩散加剧

随着各国金融联系的加强，越来越多的金融机构携带着越来越多的金融衍生品在全球范围内随意活动。这就使得原本相对独立的一国金融体系变得直接暴露于全球金融体系的风险中。在这样的金融环境中，某些环节，尤其是大国金融体系的扩散效应对体系中的其他成员便具有越来越明显的影响，在监管不力的情况下，相对薄弱的环节便很容易遭受冲击。有时候，这种冲击有可能是致命的。

金融风险扩散背后有着深层次、系统性的根源，主要有以下三类：汇率利率波动、国际资本投机和金融衍生品泛滥。首先，汇率利率是国际金融行为在国际和国内的传导机制，相对自由的利率形成机制会根据外汇市场的波动进行调节,这就在很大程度上将外部金融市场的风险转嫁到内部;其次,国际资本在股票、期货、外汇等市场的过度投机也是加剧金融风险的重要原因;最后,所有金融活动背后都离不开纷繁复杂的金融衍生品,它打破了银行业与金融市场之间、衍生品与原生品之间以及各国金融体系之间的传统界限,具有极大的渗透性,加剧了全球金融风险的扩散。

自1997年东南亚金融危机以来,国际金融界普遍存在着强化金融监管,约束金融投机,改革金融机构的诉求。世界各国纷纷提出要求以IMF为首的国际金融机构制定"一揽子"货币政策,对国际金融行为进行有效监管,降低国际金融行为的系统性风险,进而确保世界经济的平稳运行。然而,2007年世界金融危机的再次爆发从反面证实了世界金融体系的脆弱、金融衍生品的泛滥以及国际金融投机的猖獗。

第四节 国际投资

近20多年来,世界经济发展的最突出的特征之一就是"全球化"。如果要为这一特征找寻背后最为强劲的推动力,那么非国际投资莫属。国际投资从根本上确保了生产国际化、贸易国际化的蓬勃发展,并为金融国际化提供了充足的发展空间。

一、国际投资的发展历程

国际投资最初起源于资本主义国家对剩余资本的转移。早期工业化国家,如英国、法国和德国,在工业革命完成后,因贸易的发展而积累了大量的资金,而对于"外围"国家资本则严重缺乏。因此,便出现了以国际间接投资为主要形式的国际投资。

国际投资的发展大致经历了以下五个阶段:

(一)国际投资萌芽阶段

这一阶段大致从18世纪末19世纪初开始到第一次世界大战爆发。由于第二次工业革命对生产力的推动,国际分工体系初步形成,早期工业化国家资本出现相对过剩,并逐渐出现了早期的国际投资。主要投资国以英国、法国和德国为首,其中英国所占比重最大。这一时期投资的主要方式是间接投资[1],投资的主要来源是私人资本,资本的主要流向地是资源型国家和殖民地国家,资本的主要用途则是基于母国资本主义发展过程中所需要的资源开发和基础设施建设。

(二)国际投资初步发展阶段

1914—1945是国际投资的初步发展阶段。在这一时期,由于两次世界大战的影响以及世界经济大萧条,国际投资基本上呈现低迷、徘徊的状态。到1945年,主要投资国的对外投资总额仅为380亿美元[2],低于1914年的水平(410亿美元[3])。这一阶段,世界经济整

---

[1] 以当时世界主要资本输出国英国和法国为例,1913年,英国有70.5%的对外投资是证券投资;法国也是以债券资本输出为主,故而有"高利贷帝国主义"之称。直到1914年,国际投资的90%都是证券投资,生产性直接投资仅占10%。(详见王东京:《国际投资论》,中国经济出版社,1993年版,第137页。)

[2] 张中华、李荷君:《国际投资理论与实务》,中国财政经济出版社,1995年版,第17页。

[3] 杨大楷、刘庆生、蒋萍:《国际投资学》,上海财经大学出版社,2003年版,第9页。

体的风险性提高，使得传统的私人投资比重减少，官方资本不断增加。同时，由于世界经济格局出现了根本性变化，美国取代英国成为主要国际投资国，而且这一时期国际直接投资也有了较快增长，但间接投资仍为主体。

（三）国际投资恢复增长阶段

1946—1970 年是国际投资的恢复增长阶段。美国凭借战争中积累的雄厚经济实力，在"二战"后迅速登上世界主要债权国的位置。随着美国在全球的经济扩张，美元逐渐成为主要的储备货币。这一时期世界政治局势相对稳定，加之第三次工业革命的推动，国际投资呈现了快速复苏的趋势。美国政府于 1947 年宣布实施旨在帮助欧洲"二战"后重建的"马歇尔计划"，在 1948—1953 年间就向欧洲提供了 136 亿美元的资金。随着欧洲主要资本主义国家经济的恢复，其主导的国际投资呈现出逐步恢复的特征。这一阶段的另一个特征是对外直接投资逐渐取代间接投资，成为主要的投资方式。

（四）国际投资高速发展阶段

进入 20 世纪 70 年代，一直到 2000 年，随着生产国际化程度进一步提高，国际投资也呈现出前所未有的繁荣局面。在科技创新、金融创新、投资自由化和跨国公司全球化战略等多重因素的共同作用下，国际投资在这一阶段蓬勃发展。

图 9-4 反映的是这一阶段的全球国际直接投资（FDI）流量，可以明显看出其快速增长的趋势，尤其是 20 世纪 90 年代以后，国际投资便进入快速增长的通道。同时，这一时期国际直接投资的增长速度明显高于世界产出和出口的增长速度。这一时期由于西欧、日本的经济实力迅速恢复并得到长足发展，美国独领国际投资领域的局面逐渐被打破。1973—1983 年，美国海外投资占世界投资总额的比重从 49% 下降为 43.9%，而同期的英国从 13% 上升至 18%，联邦德国从 5.7% 上升至 7.2%，日本从 5% 上升至 6.2%[1]。这种局面的调整最终形成了以美国、西欧和日本三足鼎立的对外投资格局。

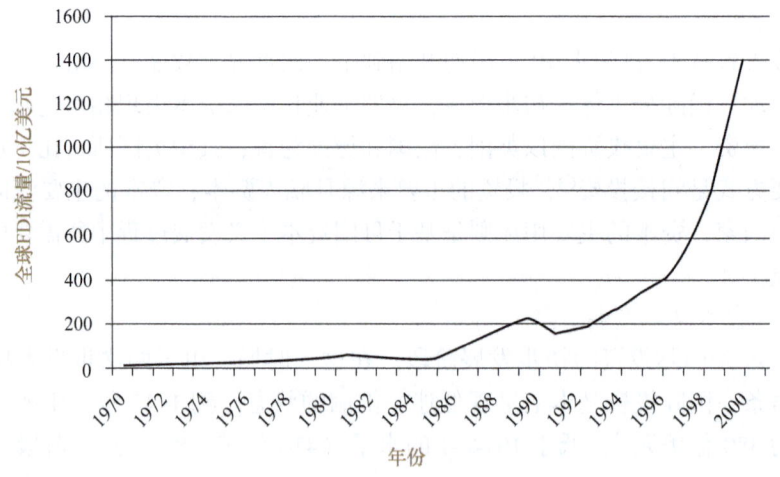

图 9-4　1970—2000 年全球 FDI 流量
（资料来源：UNCTAD Stat 数据库。）

---

[1] 葛亮、梁蓓：《国际投资学》，对外贸易教育出版社，1994 年版，第 16 页。

(五) 国际投资波动整理阶段

进入 21 世纪,由于全球大部分国家和地区经济增长速度放缓,复苏前景黯淡,国际投资规模出现了持续大规模的下滑。2002 年,全球对外直接投资总额为 6510 亿美元,仅为 2000 年额度的一半,流入量降至 1988 年以来的最低点。在 195 个经济体中,有 108 个在 2002 年的流入量低于 2001 年[①]。2003 年,全球外国直接投资流入量继续下滑,降至 5600 亿美元。进入 2004 年,全球直接投资流入量出现反弹,并实现连续 4 年的持续增长。2007 年增至 2.1 万亿美元,达到 2000 年历史记录的[②] 1.5 倍。经历了 2008 年世界金融危机,全球 FDI 流入出现严重下滑,2009 年仅为 1.1 万亿美元。2010 年与 2011 年全球外国直接投资流入量开始反弹,实现连续增长。2011 年增至 1.5 万亿美元。受发达经济体外国直接投资流入量连续下降影响,全球对外直接投资自 2012 年起连续 4 年下降。2015 年外国直接投资强劲复苏,全球外国直接投资的流量跃升了 38%,达 1.76 万亿美元,是自 2008—2009 年全球经济和金融危机以来的最高值,造成这一反弹的主因是跨境合并与收购数额骤增。从图 9-5 可以看出,发达经济体仍然是吸引 FDI 的主体,发展中经济体和转型经济体总量较小,但同时受世界经济运行格局的影响较小,波动不像发达经济体那么剧烈。这一阶段世界经济整体出现了较大波动,如 2001 年的"9·11 事件"、2008 年的世界金融危机等,都是造成这一阶段国际投资波动的主因。随着在危机后期各国刺激经济措施的出台,国际投资下滑的颓势有望得到一定程度的缓解。

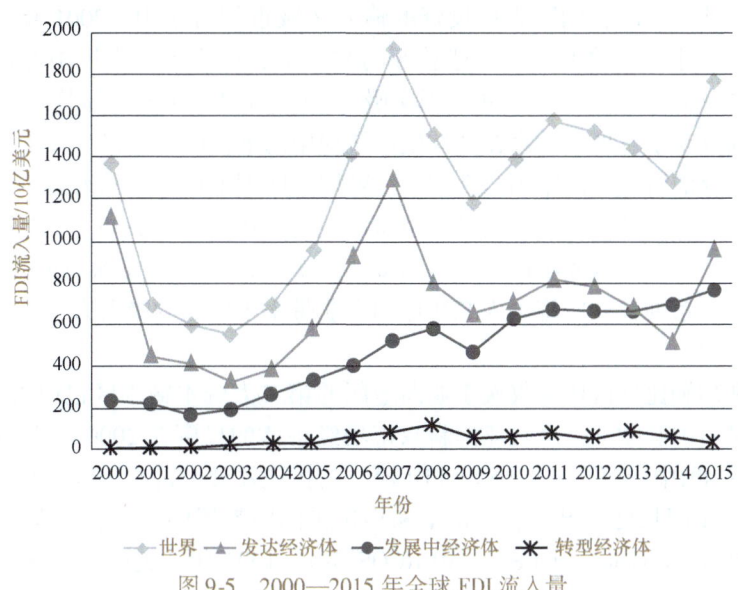

图 9-5　2000—2015 年全球 FDI 流入量

(资料来源:UNCTAD Stat 数据库。)

二、国际投资的发展特征

国际投资的发展在第二次世界大战之后呈现出许多新的特征,包括投资的区域结构和行

[①] 资料来源:联合国贸发会议,《世界投资报告 (2003)》。
[②] 资料来源:联合国贸发会议,《世界投资报告 (2004)》《世界投资报告 (2007)》。

业结构、投资主体、投资形式等若干层面。具体如下：

（一）资本输出区域结构特征

第二次世界大战后至20世纪70年代，美国凭借其政治经济的绝对优势，疯狂进行海外扩张，对外资本输出一直占有绝对优势地位。此后，随着日本、欧洲经济的快速恢复和发展，它们在对外投资中的地位不断上升，从而在国际资本输出区域结构上呈现出"三足鼎立"的态势。进入20世纪90年代，经济全球化的步伐明显加快，各国经济合作的规模和范围越来越大，国际直接投资总额出现了大幅度上升。根据联合国贸易和发展会议统计，1986—1990年FDI流入年均增长23.6%，1991—1995年，年均增长20%，1996—2000年，年均增长40.1%[一]。世界上五大对外投资国约占全球资本输出总额的近70%。进入21世纪，发展中经济体对外直接投资逐步增加，到2000年，发展中经济体对外投资总额达到7103亿美元，是1980年的43倍。其中，来自亚洲新兴工业化国家的投资约占80%。中国作为重要的新兴市场经济体，对外投资逐年增加，尤其是"十一五"期间。据商务部统计，2006—2010年，中国对外直接投资（非金融类）流量合计2166亿美元，在全球的排名由"十五"末期的第18位跃升至第5位，迈入对外投资大国行列。

（二）资本输入区域结构特征

国际直接投资的输入地在第二次世界大战后发生了显著变化。第二次世界大战前，主要的输入地是殖民地、半殖民地和经济落后的国家和地区；第二次世界大战后，发达国家成为主要的资本输入地。同时，国际直接投资的输入区域也相对集中。2001年，全球承接FDI前十位的发达经济体吸收的FDI占全球总额的87.7%，前十位的发展中经济体吸收的FDI占发展中经济体总额的78.7%。发展中国家吸收FDI的增长速度明显快于发达国家，这一事实从一个侧面反映了发展中国家在全球生产格局中的地位明显增强。其中，亚太地区是吸收资本输入最重要的区域，而中国、新加坡、韩国、印度尼西亚、马来西亚等国则是FDI最主要的东道国。这一区域接受FDI的模式也从区域内逐步转向区域外。主要原因在于，这一时期区内的发达经济体日本面临诸多发展困境，欧美跨国企业对亚洲的重视程度逐渐提高，同时，东道国的一系列开放措施也为FDI母国企业带来了巨大的吸引力，促使它们更多地在亚洲地区配置资源。

拉丁美洲和加勒比地区作为仅次于亚洲地区的第二大资本输入区也取得了较快的发展。主要的投资方是美国和欧洲，来自亚洲新兴市场经济体的投资在2000年以后有了较快的增长，尤其是韩国和中国台湾。这一区域FDI流入的快速发展也得益于区域经济一体化协议的刺激。1991年，由阿根廷、巴西、巴拉圭和乌拉圭四国签署的《亚松森条约》宣布建立南方共同市场（Mercado Común del Sur，MERCOSUR）。1992年，美国、加拿大和墨西哥签署了《北美自由贸易协定》（North American Free Trade Agreement，NAFTA）。这两大区域经济一体化协议极大地促进了区域内部的交流，拉动了这些经济体的经济增长。

（三）资本流入行业结构特征

第二次世界大战后，随着各国一系列经济复苏政策的实施，制造业逐渐成为国际资本青睐的对象。以美国对外投资为例，流入制造业的比重1950年为32.5%，1985年达到44%[二]。

[一] 黄梅波：《世界经济学》，复旦大学出版社，2009年版，第221页。
[二] 美国商务部：《美国对外直接投资（2008）》，第45页。

英国、德国、法国等主要投资国也重点将资本投向机械、电子、计算机、仪器制造、化工等行业。到 20 世纪 70 年代中期，随着世界主要经济体结构的调整和国际服务贸易的发展，服务行业在国际直接投资中的比重不断上升。1990—2000 年，美国、日本、德国和意大利四国的对外直接投资中有 50% 进入了服务行业。2004 年上半年，发生在全球服务业的以跨国并购为投资形式的金额高达 995 亿美元，同比增长了 5.7%[一]。尤其是金融服务业，2004 年跨国并购总额中涉及金融服务业的比重超过 20%[二]。

随着互联网技术的发展和产业分工的细化，越来越多的制造业被分离出生产环节，并逐渐发展成为一个新兴行业，即生产者服务业。这一行业正受到越来越多的国际资本的追捧，很快成为国际直接投资的新宠。根据 UNCTAD 的估计，2003 年，生产者服务业在所有服务业中所占比重在 50% 左右。随着生产者服务业吸收的国际直接投资的增加，其方式也逐渐多样化，除了并购和绿地投资之外，很多选择外包的形式将投资与贸易融为一体。

（四）资本流入方式演变特征

第二次世界大战以前，大部分的国际投资都是绿地投资，即进入东道国设立分支机构，组织生产或者经营。随着国际间接投资的发展，国际投资的方式也呈现出新的特征。发达经济体越来越多地以跨国并购的方式进行投资，同时使并购所涉及的行业在全球范围内重新洗牌；而发展中经济体则仍然以绿地投资为主，跨国并购相对较少。造成发展中经济体跨国并购较少的原因在于：一方面，由于通过私有化引入的投资逐渐减少，一些经济体试图通过各种激励政策吸引绿地投资；另一方面，诸多发展中经济体的产业结构与发达经济体之间存在明显的互补关系，而非竞争关系，因此，进入发展中经济体的资本多数以绿地投资方式进行投资。2001 年，国际直接投资流入量比 2000 年减少 50%，仅为 7800 亿美元，这是 10 年来首次下跌，也是近 30 多年来的最大跌幅。同时，资本流出量也比 2000 年减少 55%。造成这一现象的主要原因之一便是世界三大经济体衰退带来的跨国并购的骤减。这充分反映了跨国并购在全球资本流动中所扮演的举足轻重的角色。

三、跨国公司的全球战略

（一）跨国公司的总体情况

随着跨国公司在全球经济中发挥着越来越重要的作用，其本身也受到越来越多的关注。跨国公司已成为国际经济活动的主要载体，是国际投资活动的主体。同时，跨国公司也是国际贸易和国际研发的主导力量。

根据 UNCTAD《世界投资报告（2002）》的定义，跨国公司是由母公司及其海外分支机构组成的联合与非联合的企业。其中，母公司被定义为通常以拥有股本金的方式来控制其本国以外地区的其他实体企业。海外分支机构可以是联合企业，也可以是非联合企业。跨国公司最典型的特征就是企业内部组织的相对封闭与经营管理模式的相对开放的有机结合。跨国经营便是其资源配置方式相对开放的有力体现。

根据联合国贸易和发展会议 2007 年[三]统计，20 世纪 90 年代初，全世界跨国公司大约有

[一] 谢康，等：《国际投资》，电子工业出版社，2007 年版，第 31 页。
[二] 黄梅波：《世界经济学》，复旦大学出版社，2009 年版，第 222 页。
[三] 详见 UNCTAD：《The Universe of the Largest Transitional Corporations》，2007，第 4 页。

37000家，其海外分支机构约为17万个。到2004年，跨国公司的数目已经增至77000家，海外分支机构超过77万个。这些分支机构创造了超过4.5万亿美元的增加值，雇佣员工超过6200万人，出口货物及服务额超过4万亿美元⊖。

从表9-3中可以看出，在过去的10多年中，主要跨国公司海外分支机构在销售额、总产出、总资产、出口额以及雇员数等指标都取得了长足的发展。虽然2008年经历了比较明显的下滑，但后期很快复苏，并实现了连续发展。

表9-3　2004—2015年跨国公司主要相关指标　　　　（单位：10亿美元）

年份 项目	2004	2005	2006	2007	2008	2009	2010	2011	2012	2013	2014	2015
海外分支机构销售额	18677	22171	25177	31764	30311	29298	22574	24198	25980	31865	34149	36668
海外分支机构总产出	3911	4517	4862	6295	6020	5812	5735	6260	6607	7030	7419	7903
海外分支机构的资产	36008	45564	51187	73457	69771	77057	78631	83043	86574	95671	101254	105778
海外分支机构的出口	3690	4214	4707	5775	6664	5186	6320	7436	7479	7469	7688	7803
海外分支机构的雇员/万人	5739	6210	7263	8040	7739	7983	6304	6785	7170	7224	7682	7951

注：1. 表中数据不包括母、子公司之间的非权益（Non-equity）销售额以及母公司自身的销售额。其中，海外分支机构全球销售额根据来自以下跨国公司的海外分支机构进行估计而得：奥地利、加拿大、捷克、芬兰、法国、德国、意大利、日本、卢森堡、葡萄牙、瑞典及美国；总产出估计自捷克、葡萄牙、瑞典及美国；总资产估计自奥地利、德国、日本及美国；出口估计自奥地利、捷克、日本、葡萄牙、瑞典及美国；雇员人数估计自奥地利、德国、日本、瑞士及美国。所有国家都以对外直接投资在世界的份额为权重。
2. 资料来源：UNCTAD：《World Investment Report》，2005—2016年相关各期。

跨国公司在全球范围内组织生产和销售，其国际化程度深刻影响着全球经济的运行。根据UNCTAD《世界投资报告（2010）》，2008年跨国公司海外分支机构在总资产、销售额以及雇员数分别占跨国公司整体的57%、62%和58%。UNCTAD一直采用跨国指数⊖（Transnationality Index，TNI）作为衡量跨国公司国际化程度的指标。发达经济体一直是跨国投资的主体。2002年，TNI最高的跨国公司来自比利时和卢森堡，分别为77.1%和69.3%。2008年，TNI最高的跨国公司来自英国和法国，分别为75.5%和66.6%。来自发展中经济体和转型经济体的跨国公司近几年也积极实施全球战略，开始在全球范围内配置资源。2004年，在发展中经济体中，TNI最高的跨国公司来自东南亚和东亚，分别为57.2%和53.2%。2008年，TNI最高的跨国公司来自非洲和南亚，分别为58.8%和57.9%。这一变化凸显出发展中经济体在转型过程中的不稳定性，同时暗示了跨国投资领域的激烈竞争。

（二）发达国家的跨国公司

跨国公司最早诞生于发达国家⊖，这不仅是由于西方国家较早实现了工业化生产，急于在全球范围内扩张其生产和经营，更是早期世界经济格局严重不平衡的必然结果。早期发达国家成立的跨国公司很多都是为殖民地贸易服务的经营性企业，比如18世纪以前，英国、荷兰、

⊖ 资料来源：UNCTAD：《World Investment Report》，2006。

⊖ 跨国指数是将海外分支机构资产占跨国公司总资产的比值、海外分支机构销售额占跨国公司总销售额的比值、海外分支结构雇员数占跨国公司总雇员数的比值三种比率求平均值。详见UNCTAD：《World Investment Report》，2010，第18页，Table 1.8。

⊖ 世界上第一家跨国公司可以追溯到1600年英国在印度成立的东印度公司，20世纪出现的美国通用电气公司、德国电器总公司等都是早期发达国家跨国公司的代表。（详见《人民日报海外版》，2001年9月28日第十版）

丹麦、葡萄牙、法国、瑞典各自成立的东印度公司都服务于宗主国与殖民地之间的殖民地贸易。19世纪60年代，逐渐出现了以跨国直接投资为主要目的的跨国公司①。第一次世界大战后，跨国公司的投资在较多国家和地区展开，投资方式以间接投资为主。第二次世界大战后，由于国际政治环境的相对稳定以及各国努力改善本国经济政策，跨国公司获得了空前的发展。

发达国家跨国公司历史悠久、变革频繁，在漫长的演化过程中形成了各具特色的经营、管理、生产模式，对全球跨国经营模式的演变产生了根深蒂固的影响。具体如下：

(1) 早期跨国公司的建立多数是为占领国际市场进行的资本扩张，后来逐渐演变为规避贸易壁垒、维持垄断优势的资本扩张。在19世纪60年代，真正意义上的跨国公司出现。当时，发达国家的大企业为了扩大其业务范围，赚取高额利润，纷纷对外投资设立分支机构。例如，1865年，德国的拜耳化学公司在美国纽约设立的苯胺制造工厂，就是为了占领奥尔巴尼的苯胺市场，将其对手吞并后成立的分支机构。而且，这一时期的跨国公司大部分都是以制造业为主要投资方向，化学产品生产和基础制造成为其中的热点。第二次世界大战后，随着各国在恢复经济过程中对自身产业保护的加强，各种形式的关税壁垒、非关税壁垒相继出现，使得商品贸易通道严重受阻。这时，跨国公司便采取到进口商所在国投资设厂，绕过贸易壁垒，直接进入市场的策略。

(2) 发达国家跨国公司的投资区域经历了发达国家—发展中国家—发达国家的变化轨迹。早期的跨国公司大多数都是进入发展水平相似的国家进行投资，因为这些国家的产业结构和市场结构与本国存在很强的关联性，竞争也最为激烈。随着发展中国家产业结构的日渐成熟和完善，低廉的生产成本、优惠的投资政策和宽松的投资环境使得发达国家的跨国公司纷纷将投资的目标转移到发展中国家和地区。之后，由于国际产业转移的深化以及产业内贸易的兴起，发达国家之间产业结构也出现了越来越明显的替代性，而且同一个产业格局中，发达国家的配套环境更加优越。因此，发达国家之间的相互投资逐渐成为跨国公司全球战略的重点。

(3) 投资的行业呈现出由低到高逐渐升级的特征。发达国家跨国公司最初的投资领域多数是初级产品加工、基础制造和采矿业。进入20世纪90年代，发达国家对外直接投资逐渐升级为高端制造业和服务业领域。以美国为例，1914年，美国对加拿大的跨国投资中，46.1%投向了采矿、石油和农业部门；美国对欧洲的跨国投资中，34.9%投向基础制造业②。1929年，美国对外投资中制造业所占比重出现了快速增长，投资额达到18.13亿美元，是1914年的3.79倍。交通、通信和公共工程的投资额达到16.1亿美元，是1914年的4.15倍。1990年，美国服务业直接投资所占比重为48.2%，超过制造业的39.5%。到2003年，服务业增至71.9%，制造业下降为21.1%。从以上数据明显可以看出，发达国家跨国公司对外投资的重点逐渐偏向高端产业和以金融、保险、房地产为重点的服务业。

---

① 按照邓宁 (John Dunning) 1958年的研究，美国公司很早就到欧洲进行生产销售，这不仅是美国技术进步的结果，也是当时大西洋经济联系紧密的反映。胜家 (Singer) 缝纫机公司在欧洲的扩张是一个典型的例子。1855年胜家通过在法国的代理人开始在法国当地销售，1867年在苏格兰的格拉斯哥设立工厂。起初，胜家从美国本土进口部件在欧洲装配，1882年在格拉斯哥新设工厂之后，就可以直接在英国当地制造零部件了。

② 赵春明：《跨国公司与国际直接投资》，机械工业出版社，2007年版，第205页。

(4)"并购"成为发达国家跨国公司扩张的主要形式。早在20世纪80年代,跨国公司兼并和收购当地企业就已成为其扩大规模的一种重要方式。进入90年代,尤其是1995年以来,全球企业并购再起狂潮。1997年全球购并涉及金额为1995年的2倍,而1998年又比创纪录的1997年再增加约50%。进入21世纪,为了进一步加速实现全球化目标,获取规模效益,跨国公司加大了并购力度。根据表9-4,尽管发达国家跨国并购增速有所下降,但其在全球并购中所占比重仍然超过50%。其中,欧盟国家和美国是发达国家跨国并购的主要力量。随着全球竞争压力的进一步增强,跨国公司跨国并购的目的将不仅为寻求资产规模的扩大和利润的增加,而且意在寻求优势互补的战略合作伙伴、延伸产业门类和发展空间以应对各种挑战。可以预见,21世纪中进一步加剧的跨国公司并购风潮将深刻地影响着各国经济,极大地改变全球竞争格局和竞争规则。

表9-4 2004—2015年跨国并购额在不同经济体中的分布(%)

年份 东道国经济体	2004	2005	2006	2007	2008	2009	2010	2011	2012	2013	2014	2015
世界	100	100	100	100	100	100	100	100	100	100	100	100
发达经济体	83	84	83	74	72	69	66	78	56	46	59	81
欧盟	47	60	49	39	38	32	32	31	13	-11	13	44
法国	5	4	5	3	3	2	3	7	-1	1	3	3
德国	9	9	6	6	5	4	4	1	5	3	1	6
英国	15	24	17	10	10	7	9	13	-1	-24	-17	5
美国	22	15	20	18	17	17	16	25	22	23	21	17
日本	2	0	0	2	2	2	2	11	12	22	11	7
发展中经济体	14	13	14	22	23	23	25	18	38	49	36	17
非洲	1	1	2	2	2	1	2	1	0	1	1	0
拉丁美洲和加勒比地区	6	3	4	6	6	5	8	3	9	6	2	1
亚洲	7	8	8	14	16	16	16	15	28	41	33	15
东南欧及独联体国家	3	2	3	4	5	8	9	2	3	1	0	1

(资料来源:UNCTAD:《World Investment Report》,2004—2015年相关各期。)

(5)发达国家跨国公司经营战略逐渐从宽业务范围的多元化战略转向以核心业务为基础的适度多元化战略。20世纪90年代以后,跨国公司的并购不再单纯追求经营规模的扩张,而是在追求规模经济的同时更注重资源的结构优化,即更注重企业内在竞争力的提高。在此基础上,跨国公司逐渐剥离非核心业务,逐步实现从宽范围的多元化战略向以核心业务为基础的适度多元化战略转变。其背后的原因主要在于产品生命周期大大缩短,使跨国公司的技术领先优势难以在较长时间内维持。同时,20世纪90年代出现的核心能力理论认为,基于公司的核心资源创造比发展企业自身的核心竞争力更为重要。因此,不少发达国家的跨国公司通过业务剥离、产品外包、核心并购等方式实现适度多元化战略,逐步将经营范围收缩至最核心的环节㊀。

㊀ 赵春明:《跨国公司与国际直接投资》,机械工业出版社,2007年版,第216页。

（三）发展中国家的跨国公司

20世纪60年代[1]之前，大部分发展中经济体都是作为发达经济体跨国投资的东道国存在的，较少谈及其作为投资母国的情形。根据UNCTAD发布的《世界投资报告（2003）》，发展中经济体FDI流出存量1980年为602亿美元，占全球FDI流出的10.7%；1990年为1286亿美元，占全球FDI流出的7.3%；2000年为7933亿美元，占全球FDI流出的13.3%；2009年为27万亿美元，占全球FDI流出的14.2%[2]。可以看出，发展中经济体在全球FDI的地位是在缓慢上升的。《世界投资报告（2006）》就以"来自发展中及转型经济体的FDI：发展的内涵"作为副标题，这从一个侧面凸显了来自发展中经济体跨国公司在全球对外投资中的地位和作用。

从表9-5中可以看出，自20世纪70年代以来，发展中经济体对外直接投资呈现快速增长的态势。1970年来自发展中经济体的FDI仅为1亿美元，20年后增长了100多倍，2000年这一数字已经增至1300多亿美元，2014年发展中经济体对外直接投资已经接近4500亿美元的历史最高水平。在所有发展中经济体的跨国投资中，亚洲的总量和增速明显高于非洲和拉丁美洲，而中国在整个亚洲对外直接投资中占据主体，2015年所占比重接近30%。

表9-5　1970—2015世界FDI输出流量　　　　　　（单位：亿美元）

年份 资本输出地	1970	1980	1990	2000	2007	2008	2009	2010	2011	2012	2013	2014	2015
世界	142	516	3047	15928	27431	21878	12200	13919	15576	13088	13106	13185	14742
发达经济体	141	484	2907	14547	23995	18311	9397	9834	11280	9177	8259	8007	10652
欧盟	51	219	1306	8131	12873	9158	3885	5855	5587	4114	3197	3110	5763
法国	4	31	362	1774	1643	1611	1472	482	514	316	250	429	351
德国	—	—	242	566	1625	1346	627	1255	779	622	404	1062	943
英国	17	79	179	2334	3184	1611	185	480	956	207	-188	-818	-614
美国	76	192	310	1426	3935	3305	2481	2777	3966	3182	3079	3165	3000
日本	4	24	508	316	735	1280	747	562	1076	1225	1357	1136	1287
发展中经济体	1	32	118	1349	2921	2961	2291	3580	3739	3578	4089	4456	3779
非洲	0	11	6	15	106	99	50	87	61	123	155	152	113
拉丁美洲和加勒比地区	0	9	3	497	560	820	474	572	483	415	323	314	330
亚洲	0	11	109	837	2255	2042	1767	2915	3186	3024	3589	3976	3318
中国	—	—	8	9	225	522	480	688	747	878	1078	1231	1276
东南欧及独联体国家	—	—	22	32	515	606	512	504	557	332	758	722	311

（资料来源：UNCTAD：《World Investment Report》，2003—2015年相关各期。）

---

[1] 虽然早在1928年，阿根廷制造商"美洲工业机械公司"就在巴西投资建立了一个制造汽油泵的子公司，但发展中国家和地区具有一定规模的对外直接投资活动始于20世纪60年代。当时，中国香港、新加坡、韩国、中国台湾、印度、巴西等经济体随着经济的发展而开始走向生产国际化。到70年代，发展中国家和地区的跨国公司更以人们始料不及的速度飞速发展。70年代初，发展中国家和地区仅有17家企业到海外投资，其中8家在拉美，4家在非洲，3家在亚洲，2家在中东；到80年代初，发展中国家和地区到海外投资的企业已多达963家，拥有1964家国外分公司、子公司，投资地区广布于125个国家和地区，投资国有40多个。进入90年代，发展中国家跨国公司的发展更为迅速，1998年发展中国家的跨国公司已增加到7932家，在全球跨国公司中所占比重已上升到17.8%。（陈建南：《发展中国家跨国公司发展及其启示》，世界经济研究，1999年第2期，第39页。）

[2] 根据UNCTAD：《World Investment Report》，2003年附表B4，2009年附表2计算而得。

以中国为代表的新兴市场经济体的跨国公司正日渐活跃在国际投资领域,未来一段时间,其地位和作用也将进一步提高。但发展的道路从来不是一片坦途,其间充满了各种机遇和挑战,如何更好地把握机遇并控制风险,已成为发展中经济体必须面对的问题。

1. 面临的发展机遇

在目前全球经济一体化和技术快速扩散的大格局下,发展中经济体的跨国公司面临着前所未有的发展机遇。具体表现在以下几个方面:①金融全球化、网络化的发展为发展中国家跨国公司的融资提供了便利;②跨国公司的技术扩散为发展中国家跨国公司带来良好的机遇;③世界经济一体化使世界市场日益形成单一市场,为发展中国家跨国公司扩大商品出口创造了条件;④世界信息化的发展,为发展中国家跨国公司研发高新技术、增强国际竞争力带来良好机遇。

2. 面临的挑战

发展中国家跨国公司由于起步较晚,在规模、技术水平、组织架构、管理模式上都远不如发达国家的跨国公司。在参与到全球化的竞争当中时,发展中国家跨国公司不可避免地会面临多方面的挑战:①全球范围内的跨国并购对发展中国家跨国公司构成严峻的威胁;②发达国家跨国公司的全球运营体系给发展中国家跨国公司带来挑战;③跨国公司的战略、结构与经营方式发生根本性重组,给发展中国家跨国公司带来挑战;④金融波动与危机的全球联动为发展中国家的跨国公司带来挑战⊖。

【专题】

世界 500 强

《财富》世界 500 强排行榜一直是衡量全球大型公司的最著名、最权威的榜单,被誉为"终极榜单",由《财富》杂志每年发布一次(见表 9-6~表 9-9)。2016 年,上榜 500 家公司的总营业收入为 27.6 万亿美元,净利润之和为 1.48 万亿美元,同比分别下降 11.5% 和 11.3%。入围门槛为 209.2 亿美元,比 2015 年的 237.2 亿美元下降 11.8%。

表 9-6 2016 年《财富》杂志评选的世界 500 强前十强

2013年排名	2012年排名	公司名称[中文(英文)]	营业收入/百万美元	利润/百万美元	国　家
1	1	沃尔玛(WAL-MART STORES)	48213	14694	美国
2	7	国家电网公司(STATE GRID)	329601.3	10201.4	中国
3	2	中国石油天然气集团公司(CHINA NATIONAL PE-TROLEUM)	299270.6	7090.6	中国
4	2	中国石油化工集团公司(SINOPEC GROUP)	294344.4	3594.8	中国
5	3	荷兰皇家壳牌石油公司(ROYAL DUTCH SHELL)	272156	1939	荷兰
6	5	埃克森美孚(EXXON MOBIL)	246204	16150	美国
7	8	大众公司(VOLKSWAGEN)	236599.8	-1519.7	德国
8	9	丰田汽车公司(TOYOTA MOTOR)	236591.6	19264.2	日本
9	15	苹果公司(APPLE)	233715	53394	美国
10	6	英国石油公司(BP)	225982	-6482	英国

⊖ 赵瑾璐、张小霞:《经济全球化对发展中国家跨国公司的影响》,北京社会科学,2001 年第 4 期。

表 9-7　2016 年世界 500 强国家总数排名

名次	国家	500 强公司总数/家	名次	国家	500 强公司总数/家
1	美国	134	6	英国	26
2	中国	110	7	瑞士	15
3	日本	52	8	韩国	15
4	法国	29	9	荷兰	12
5	德国	28	10	加拿大	11

注：联合利华公司为英国、荷兰共同所有，故将其分别算入英国、荷兰中。

表 9-8　2016 年世界 500 强各行业榜单

排名	行业名称	上榜公司总数/家	排名	行业名称	上榜公司总数/家
1	银行：商业储蓄	47	6	食品店和杂货店	20
2	炼油	38	7	电信	18
3	车辆与零部件	34	8	公用设施	18
4	采矿、原油生产	25	9	电子、电气设备	17
5	人寿与健康保险（股份）	23	10	财产与意外保险（股份）	16

表 9-9　2016 年世界 500 强中国内地公司前十名

排名	上年排名	公司名称	营业收入/百万美元	总部所在城市
2	7	国家电网公司	329601.3	北京
3	4	中国石油天然气集团公司	299270.6	北京
4	2	中国石油化工集团公司	294344.4	北京
15	18	中国工商银行	167227.2	北京
22	29	中国建设银行	147910.2	北京
27	37	中国建筑股份有限公司	140158.8	北京
29	36	中国农业银行	133419.2	北京
35	45	中国银行	122336.6	北京
41	96	中国平安保险（集团）股份有限公司	110307.9	深圳
45	55	中国移动通信集团公司	106760.6	北京

在近几年《财富》世界 500 强公司中，一个引人注目的看点是中国企业群体的崛起。2013 年中国世界 500 强企业仅有 95 家，2016 年这个数字已经上涨到 110 家。这使得中国企业在世界 500 强公司榜单中更加显眼。

1. 中国 500 强企业的规模

中国 500 强企业是一个大企业群体，其中大多数都是行业龙头企业或地区支柱企业。中国 500 强企业共拥有约 5 万家控股子公司、1.03 万家参股公司、1.26 万家分公司，在国民经济与社会发展中有着重要作用。2016 年中国 500 强企业的营业收入总额达到了 59.46 万亿元，与上年中国 500 强企业营收总额持平；其营收总额相当于 2015 年中国国内生产总值（GDP）67.67 万亿元的 87.87%。2016 年中国 500 强企业的营业收入总额同口径同比下降了 0.98%，较上年中国 500 强企业营收总额下降了 0.07%，为中国企业 500 强历史上首次出现营收规模下降现象。2016 中国 500 强企业中，营业收入超过 1000 亿元的共有152家，其中4家超过1万亿元：国家电网公司（2.07万亿元）、中国石油天然气集团（1.88万亿元）、中国石油化工集团（1.85万亿元）、中国工商银行（1.08万亿元）。其他营业收入超过1000亿元的大企业有148家，比上年净增8家，12家企业新晋千亿级企业。

2. 中国500强企业的行业特征

2016年的《财富》（中文版）中国500强榜单折射出了中国经济近年来的一种新趋势：实体经济与虚拟经济冰火两重天。一方面，第二产业的上榜公司数量下降，亏损公司数量上升，去库存和去产能仍然面临着压力。另一方面，金融深化是企业生产效率提升的自然结果；但是如果倒果为因，将导致经济体系的泡沫化和资源错配。不过，值得一提的是，实体经济中也有不少亮点：美的成了中资公司海外收购的先锋；腾讯领先BAT中的其他两家，首先突破1000亿元收入；中国宏桥仍然是全球铝业当中还在赚大钱的公司之一；网易成为排位上升最快的中国互联网公司；天合光能蝉联全球第一大光伏组件供应商。

3. 中国500强企业的效益特征

2016年中国500强企业中，亏损企业有72家，比上年500强增加了15家，亏损面为14.4%；72家企业的亏损额达到1478.14亿元；营业收入下降的有155家，较上年增加了61家；净利润下降的有170家，较之上年基本持平，另有25家亏损加大的企业。营业收入和净利润下降的企业主要集中在煤炭、钢铁、化工、石油石化、房地产等行业领域。另一方面，2016年中国企业500强的净利润总额达到2.74万亿元（6家企业未提供净利润数据），同口径同比增长了3.47%，较上年中国500强企业的2.58万亿元净利润增长了6.20%，净利润增速保持在较低水平上。收入利润率和资产利润率近几年也进入一个较为稳定的新阶段。2016年中国500强企业的收入利润率为4.61%，较上年中国500强企业有所上升；资产利润率为1.23%，连续5年下降。近两年的收入利润率和资产利润率走势有比较明显的"背离"现象。

4. 中国500强企业的所有制格局

2016年中国500强企业中有295家国有企业、205家民营企业，分别占500家企业的59%和41%，国有企业的上榜数量仍保持近六成的上榜比例，仍具有数量优势。尽管民营企业在上榜数量上超过了40%，但它们与国有企业的差距还非常大。2016年中国500强企业中，国有企业在营业收入、资产、利润、纳税、职工人数等指标上，分别占中国500强企业的75.94%、89.74%、76.76%、88.51%、81.09%，占了中国500强企业"总盘子"的大多数；民营企业的上述指标分别占24.06%、10.26%、23.24%、11.49%、18.91%。

中国的大企业过去长期赖以生存和发展的经营模式正在面临着再造和大幅度调整，未来该如何"转方式、调结构、转型升级、提质增效"，是中国大企业目前迫切需要解决的命题。影响大企业发展的体制环境仍在不断调整而未定型，大企业必须加快自我更新和调整的能力以适应经济环境的变化。

（资料来源：财富中文网，http://www.fortunechina.com/fortune500/；张风华，《全方位解析2016年中国世界500强》https://sanwen8.cn/p/604hi23.html. 有改动。）

第五节 经济全球化对世界经济的影响

经济全球化的发展促进了世界资源的合理配置，世界投资、贸易和金融的发展使得各国之间的联系日益紧密。但是经济全球化的发展对发达国家和发展中国家的影响存在一定的差异。简而言之，经济全球化如同一把"双刃剑"，既有积极的一面，也有负面影响。

一、经济全球化对发达国家的影响

（一）经济全球化对发达国家的有利影响

1. 发达国家通过制定规则获得好处

发达国家通过跨国公司和跨国金融机构，利用自己的运行规则和体系，通过经济全球化，将其技术、资金和先进的管理方法和理念带到世界各地，不断推动经济全球化的深入。在这个过程中，发达资本主义国家通过不对等的国际规则体系，低成本地获取更大的收益。这反过来又进一步加强发达国家的优势地位和对国际制度的主导权。也就是说，发达资本主义国家不仅因历史延续可以在经济全球化中获取更多的利益，而且这种状况在一定程度上是可以自我加强和自我维持的。

2. 发达国家通过国际资本流动获得好处

资本的逐利性是国际资本流动最根本的原因。跨国公司在发展中国家进行对外直接投资，扩展产品市场，逐步垄断国际市场，获得丰厚的垄断利润。同时，通过迫使发展中国家不断开放金融市场，发达国家金融服务机构的海外市场得到极大拓展。在国际货币市场，美元、日元及欧元几乎垄断了市场交易的全部份额。发达国家可以凭借其整体经济实力和宏观经济表现决定国际货币市场上的资金流动，也可以利用利用其货币发行权和货币政策直接改变货币资本的流动方向和方式。

3. 发达国家通过贸易全球化获得好处

国际贸易的增长速度远远超过世界国内生产总值的增长。据 UNCTAD《2009 年统计手册》统计，1980—2008 年，世界国际贸易年均增长率达到 7.38%，而世界 GDP 年增长率仅为 5.79%。在国际贸易的强劲发展势头中，发达国家是国际贸易的最大受益者，同时又是最大的垄断者。发达国家跨国公司一方面通过贸易全球化不断扩大其产品销售市场，另一方面又利用其垄断地位在全世界购买物美价廉的原材料，以降低生产成本。

（二）经济全球化对发达国家的不利影响

经济全球化给发达国家带来巨大利益的同时，不可避免地会对其经济产生一些冲击。

例如，对于全球化的一个重要观点认为，全球化导致了发达国家就业的下降。但对该问题的分析应该一分为二：国际贸易的发展，尤其是发展中国家对发达国家出口的增长，可能会对发达国家的工资和收入水平产生一些负面影响；但如果发展中国家增加进口，则又会拉动发达国家的出口和与之相关的生产及收入的增长，不仅可以增加就业机会，而且工资水平也能得以提高。而且，从理论上说，随着发达国家对发展中国家对外投资的不断增加，虽然会造成一定程度的就业机会转移，但也有对外投资为自己创造就业机会的有力例证。又如，金融全球化推动了世界经济增长，同时也带来了不容忽视的金融风险和经济冲击。而要协调处理这种国际金融风险和冲击，不可避免地要让渡部分经济主权。

总的来说，经济全球化带给发达国家的巨大经济利益远远超过其对发达国家就业及金融市场带来的冲击。一直以来，发达国家都是经济全球化的积极推动者。

二、经济全球化对发展中国家的影响

（一）经济全球化对发展中国家的有利影响

1. 促进发展中国家经济发展

发展中国家通过融入全球化，使得国内资源得到充分利用，国内工业得到发展，财政收入不断增加，人民生活水平不断改善，国内经济发展水平逐步提高。

2. 促进发展中国家技术进步

对于发展中国家而言，学习和吸收发达国家的先进技术是实现技术进步的重要手段。伴随经济全球化的拓展，国际贸易和国际投资迅猛发展，发展中国家的企业更容易接触到前沿技术，通过模仿学习，有效缩短与跨国公司的技术差距。一般而言，发展中国家获得国外先进技术的途径包括进口商品的逆向工程、技术许可证贸易、国外技术人员的引进、国外先进生产设备的使用、跨国公司的准入与鼓励、国外会展和研讨会的参加、国外研究资料和其他信息资料的分析等[1]。而经济全球化程度越高，发达国家跨国公司向发展中国家公司和企业技术扩散的可能性越大。曼斯费尔德和罗密欧（Mansfield and Romeo，1980）[2]认为，外商直接投资进入不需要发展中国家支付技术引进费用，也不需要发展中国家完全消化引进的技术。因此，外商直接投资是发展中国家实现技术进步的最为廉价的手段。外商直接投资不仅为发展中国家带来了先进的技术和管理经验，而且促进了本土供应商的技术进步。

3. 促进发展中国家就业，劳动者素质得到提高

发展中国家普遍存在劳动力过剩的问题。跨国公司进入东道国，一方面雇用东道国劳动力，并通过必要的培训提高发展中国家劳动者素质；另一方面提高原材料的本土采购比例，刺激东道国国内关联产业发展，进而促进当地就业。尽管一些学者对跨国公司的就业效应持怀疑态度，认为短期由于发展中国家与跨国公司相竞争的国内企业适应能力较差，跨国公司进入后可能导致其倒闭、破产，由此产生对东道国的就业挤出效应。但考虑到中长期效应，就业效应就有可能显现出来。以中国为例，资料显示，截止到2017年5月，中国累计设立外商投资企业近88万家，实际使用外资1.82万亿美元[3]。

4. 促进南南合作

"冷战"结束后，由发达国家推动的经济全球化浪潮席卷南、北半球，地处南半球的部分发展中国家抓住机遇，实现了快速发展。但发达国家主导的国际游戏规则对发展中国家极为不利，发展中国家必须加强合作。1955年，在印度尼西亚召开的万隆会议确定了南南合作的开始。20世纪60年代初期的不结盟运动和77国集团是南南合作两个最大的国际组织，它们通过一系列的纲领性文件，为南南合作规定了合作领域、方法与原则。在联合国贸易会议的框架下，发展中国家依靠这两个组织积极与发达国家进行对话与磋商。1982年，首届

---

[1] 张二震、马野青：《贸易投资一体化与长三角开放战略的调整》，人民出版社，2008年版，第194页。

[2] Mansfield E、RommoA, "Technology Transfer to Overseas Subsidiaries by U. S. Based Firms", Quarterly Journal of Economics, 1980, Vol. 95, pp: 737-749.

[3] 根据商务部网站数据整理而得。

南南合作会议在印度新德里召开，其后于 1983 年和 1989 年先后在北京和吉隆坡召开。联合国在 2003 年 12 月 23 日通过 58/220 决议，决定每年的 12 月 1 日为南南合作日，以进一步增强人们对南南合作重要性的认识。大会要求各国际组织和多边机构考虑增拨人力、技术和财政资源支持南南合作。

（二）经济全球化对发展中国家的不利影响

1. 发展中国家经济发展的结构性矛盾仍然突出

发展中国家利用自己资源禀赋优势融入发达国家推动的全球化，在实现经济增长的同时，也逐步形成了其特有的二元经济结构。二元结构是指当代发展中国家现代化的工业和技术落后的传统农业并存的结构。其经济是由两个部门组成的：一个是传统的人口过剩的劳动部门，边际生产率低下；另一个是现代工业部门，劳动生产率较高。

在国际分工体系中，处于经济发展边缘地带的发展中国家，易于与发达国家形成垂直分工体系，其产业结构具有单一性和从属性。在经济全球化背景下，发达国家跨国公司为维护自己的垄断利润，利用自身的科技和资本优势主导国际分工格局，将生产链的低附加值环节放在发展中国家，使得发展中国家的产业锁定在"微笑曲线"[1]的底端。发展中国家产品结构单一薄弱，在资金、技术等方面严重依赖发达国家，难于迅速改变经济落后的面貌[2]。1960—2006 年，除亚洲地区外，发展中国家人均国内生产总值年均增长率普遍低于经济合作与发展组织，中非国家甚至出现负增长。

2. 发展中国家的对外依赖程度不断提高，经济主权受到威胁

在经济全球化背景下，发达国家由于拥有资本、技术等优势资源，充当着市场垄断者的角色，不仅控制着国际经贸规则的制定和修改，而且支配着世界市场的国际分工格局乃至国际交换体系。这种不平衡的国际交换体系使得发展中国家的对外依存程度不断提高，经济主权受到很大威胁。在贸易全球化进程中，发展中国家由于经济实力和资源禀赋的制约，仍沿袭着传统的贸易模式，出口资源或劳动密集型产品。而这类产品的生产率增长前景十分有限，在世界市场上缺乏动态的活力。在商品贸易方面，发展中国家出口对发达国家市场的依存度高达 75% ~ 80%，而发达国家对发展中国家市场的依存度仅为 20% ~ 25%。在服务贸易方面，发达国家既是主要的出口国，又是主要的进口国，而发展中国家则主要是进口国，即依赖于发达国家的出口[3]。

3. 发展中国家的债务不断增加，金融主权受到严重威胁

发展中国家在融入经济全球化的过程中，不可避免地与外来资本打交道。以美国为首的发达国家凭借本国货币在国际货币体系中的特殊地位，借金融自由化之机，加强对发展中国家经济的控制与渗透，使得发展中国家的金融主权面临重重危机。一些发展中国家对国际金融市场过分乐观，借债发展本国经济，超过了自身的清偿能力，最终酿成债务危机。严重的债务危机对发展中国家的经济发展造成了重大影响。近年来，发展中国家的债务问题正逐步加重。

---

[1] "微笑曲线"是指微笑嘴型的一条曲线，中间代表制造加工环节，附加值比较低；而左边的研发和右边的营销附加值均比较高。

[2] 温俊萍：《经济全球化进程中的发展中国家经济安全研究：发展经济学的视角》，华东师范大学博士论文，2006 年，第 106 页。

[3] 赵景峰：《论贸易全球化下国家交换关系的本质》，当代亚太，2005 年第 3 期。

【专题】

"特朗普主义"下的逆全球化冲击与新的全球化机遇

美国正式开启了"特朗普时代"。"特朗普主义"的核心是以"美国优先"的全球利益再分配。因此，无论是就业政策、产业政策、贸易政策、能源政策还是外交政策无不以所谓的纠偏"全球化轨道"为出发点，重构全球秩序与格局。未来无论特朗普的施政纲领还有多少不确定性，但特朗普是带着对"全球化"的"怨恨"和"愤怒"，以反建制、反主流的角色上台了，这不仅预示着全球层面由此引发一场经济结构的再造，同时，也意味着全球将不得不面对以强硬的保护主义和资源要素流动壁垒为特征的逆全球化的冲击。

1. "逆全球化"及其根源的主要观点

这些年，"逆全球化"风潮愈演愈烈，在全球范围内不乏其基础。为什么全球化会发生逆转？全球化导致重要的结构性变化，这些转变对不同社会群体的影响并不相同，那些认为在全球化过程中导致"利益分配"不均，特别是所谓的"受益群体"与"受损群体"之间的矛盾是全球化逆转的重要推动力。

在一些发达经济体和成熟的工业化国家眼中，发达经济体内部逐渐失去竞争优势的产业不断向国外转移，造成本国产业空心化趋势。这些都使得以传统农业和传统制造业为代表的"旧经济部门"利益受损，部门内出现利润下滑和失业率增加。

理论界对"逆全球化"的根源也有分析。国际学者哈罗德·詹姆斯坚信制度是导致全球化逆转的罪魁祸首。在他关于上一轮全球化的研究中，他找到了显示"钟摆运动"逆转开始的重要信号：国际金融秩序的失灵会导致严重的金融危机；商品和人的跨国自由流动对各工业国生活水平和工作机会带来的消极影响会激起人们对自由贸易和移民的强烈政治反弹。

有的研究从金融资本主义的角度进行分析，认为以美国为代表的金融扩张集中在两个具体的领域：一是快速飙升的联邦债务，二是以次级贷款为代表的住房贷款抵押证券。联邦债务的居高不下与"二战"后国际金融秩序的制度缺陷有直接关系。这个金融秩序隐含的流动性创造机制中的"铸币权"问题，正是金融虚拟经济助长了美国政府对政策自主性强烈的选择偏好，并导致美国实体经济特别是制造业的萎缩以及"产业空心化"问题。

而一些发展中经济体和后发国家也持有"逆全球化"的主张。他们认为，以美国为代表的消费国和以中国为代表的大部分生产国，在这一全球分工结构中都获得了较大部分的实际利益。消费国得到了全球供应的廉价商品，生产国实现了产能、技术、资本的积累和劳动力素质的提升。但更多依赖资源出口的资源国和价值链低端的生产国并未享受到这种红利，主要表现为在全球化进程中出现的增长低迷、资源透支、效率低下、产业不振等。

受此影响，2008年国际金融危机后，"全球化"进入深度调整期，特别是全球需求的萎缩和增长低迷导致全球存量市场资源进一步收缩，在经过长期由全球化和全球贸易推动的经济增长之后，各国政府在经济困难时期越来越多地寻求保护本土产业。近年来出现的各种形式的保护主义、分离主义在内的"逆全球化"，甚至是"去全球化"的现象，不仅影响了经济全球化的深入发展与合作，也导致全球贸易增长受到重创。WTO的一项统计研究表明，WTO成员国自2008年全球金融危机以来已经推出了2100多项限制贸易的措施。美国更是高举保护主义大旗，2015年实施贸易保护措施624项，为2009年的9倍。其中，2015年美国采取了90项贸易歧视措施，位居各国之首，成为限制贸易自由化最激进的国家。

然而，我们不仅要问，现在全球的问题是"全球化"导致的危机吗？"逆全球化"、重归保护主义、孤立主义就可以解决当前的问题吗？事实证明，金融危机已经过去9年，但全球并没有真正从危机中走出来。长期以来作为世界经济增长引擎的国际贸易年均增速为世界经济增速的1.5~2倍，而愈演愈烈的保护主义直接导致这一"引擎"开始严重放缓、停滞，甚至面临"熄火"风险。根据《全球贸易增长报告》，1990—2007年全球国际贸易增长6.9%，2008—2015年平均增长约3.1%。2016年，全球贸易增长率不仅低于GDP增长率而且只有后者的80%。国际货币基金组织（IMF）的一项测算表明，在20世纪90年代，全球经济每增长1%能为贸易带来2.5%的增长，而近年来，同样的经济增长只能带来0.7%的贸易增长。更令人尤为担忧的是，如此低迷的全球贸易增速在过去50年里仅遇到五次，分别是1975年、1982年、1983年、2001年和2009年（正好对应着经济危机期间），然而这一次却是连续四年低于3%的水平。

2. 本世纪以来全球经贸体系早已出现新的结构性变化

事实已经证明，用保守思维对付开放的世界注定是违背历史潮流的。本世纪以来全球的经济和贸易体系正在出现新的变化，其主要特点就是全球价值链模式下中间产品贸易增多，跨国投资驱动、服务贸易对生产网络的运转发挥重要作用，使全球生产早已成为"全球化"发展的核心驱动力量。当前，国际分工越来越表现为相同产业不同产品之间和相同产品内不同工序、不同增值环节之间的多层次分工。国际分工的范围和领域不断扩大，逐渐由产业间分工发展为产业内分工，进而演进为以产品内部分工为基础的中间投入品贸易（称为产品内贸易），从而形成了"全球价值链分工"。

在全球价值链分工时代，全球经济体系与其以"发达国家和发展中国家"区分，不如以全球生产者和消费者来划分。全球生产和贸易模式正从最终品贸易转向价值链贸易。在新的国际分工和全球价值链模式下，产品流动，尤其是中间产品的跨境流动实质上是参与全球生产的一个过程和流转环节。全球价值链革命造成中间品贸易在国际贸易中的迅猛增长，这意味着与传统意义上的所谓"外需"已经截然不同，在这种新价值链模式下，产品生产已经具有了"世界制造"的意义，"世界制造"正在取代"美国制造""德国制造""中国制造"，成为新的大趋势。

各国产业结构的关联性和依存度大大提高，一国产业结构必须在与其他国家产业结构互联互动中进行，在互利共赢中实现动态调整和升级，也因此才能获得资源整合、要素配置效率和全要素生产率的提高所带来的全球共同发展的红利。中国作为全球价值链的重要环节，以及全球最大的中间品贸易大国对全球贸易存在巨大的贸易创造效应，这意味着中国不但没有压缩，反而给其他经济体创造了更多的贸易机会。从成为全球最大的出口国到跃居为世界最大的贸易国，中国既是贸易自由化与投资便利化的参与者与受益者，更是贸易全球化的直接推动者。据IMF发布的数据，2009—2015年，中国对全球经济增长的贡献率每年都在25%以上，而且中国出口占全球的份额已经上升至13.8%。

与之相反，2008年之后，一方面，美国举起保护主义大旗，2015年美国采取了90项贸易歧视措施，位居各国之首，成为限制贸易自由化最激进的国家。另一方面，美国大力实施"本土化制造"，但美国经济潜在增长率和全要素生产率依旧徘徊不前。根据世界大型企业联合会数据，自2008年以来，美国劳动生产率增速滑落到上世纪80年代的水平。美国劳工部的数据也显示，其非农部门的劳动生产率自2015年四季度以来已连续三个季度下滑。2007—2014年，美国全要素生产率年均增长率仅为0.5%，远远落后于1995—2007年间1.4%的水平，这意味着"回归本土"战略对提升经济产出和要素效率并未产生实质性影响。

3. 中国需要积极引导并推动新一轮全球化发展

过去几十年中，中国参与全球化所获得的红利是显而易见的，而未来中国应该在全球化格局中处于何种位置，应该扮演何种角色，不仅将决定中国自身的发展，也势必影响未来全球化的走向。

从中美可能爆发贸易战的角度看，作为全球两个最大的经济体一旦出现报复性贸易战将导致两败俱伤，并给世界经济带来重创。根据美国彼得森国际经济研究所测算，即使发生短暂的贸易战，美国私营领域也将失去130万个工作岗位，占私营领域总工作人数的1%。作为美国第一大贸易伙伴，中国可以凭借对美国进口的农产品和服务的贸易反制，拥有与美国谈判的地位。因此，中国采取"以牙还牙""针锋相对"的政策并不是上策，中国需要建立新的对冲风险的战略框架。

毋庸置疑，当前全球政经格局正处于前所未有的新的调整时期，在这个过程中发生的冲突与博弈正是这一变化的突出表现。根本而言，商品、资本和人员的自由流动是全球化繁荣的基础，一切阻碍这种要素自由流动的无异于是对全球化的巨大挑战。因此，当特朗普逐步兑现他在竞选时宣扬的修筑边墙、撕毁贸易条约、大幅提高关税的各项"承诺"时，并高举贸易保护主义大旗，注定会使全球范围内出现前所未有的摩擦、冲突、碰撞。

近年来，中国积极推进包括构建对外开放新体制，以及"一带一路""亚太自贸区"等在内的全球化进程。特别是中国政府提出"三个共同体"论，即责任共同体、命运共同体和利益共同体。责任共同体注重中国与利益相关者都有共同维护地区和世界和平、安全与繁荣的责任，在地区治理和全球治理中责任共同担当；命运共同体强调人类社会在全球化时代已经形成了相互依赖的关系，各国息息相关，紧密相连，同呼吸，共命运；利益共同体强调尊重彼此利益，共生共赢。"三个共同体"论反映了中国希望推动全球化发展的新思维。

"逆全球化"冲击对于积极倡导"全球化"、主张构建"包容性"发展的中国而言，无疑是一次重大挑战，但更是一次难得的历史性机遇。中国需要推动新一轮全球化，以全球价值链重塑为契机全面提升国家的产业结构竞争力，也需要更好地贡献治理理念和治理规则这样的"公共产品"来创造新的全球化净收益。从这一点来讲，"特朗普主义"下的逆全球化冲击既是前所未有的重大挑战，但也很可能为全球带来一次重大变革的机遇。在全球结构和秩序重建和重构过程中，那些真正符合未来发展趋势的潮流和规则，以及价值主张才是最有生命力的。

（资料来源：张茉楠：《"特朗普主义"下的逆全球化冲击与新的全球化机遇》，求是，2017年第4期。有改动。）

复习思考题

1. 简述经济全球化的发展历程。
2. 经济全球化迅猛发展的原因是什么？
3. 试分析经济全球化对世界经济的影响。
4. 如何理解经济全球化的双重性？
5. 发展中国家应如何应对经济全球化？

参考文献

[1] 李东燕．全球政治与安全报告（2003）［M］．北京：社会科学文献出版社，2003．
[2] 路爱国．全球化与资本主义世界经济：经济全球化研究综述［J］．世界经济，2000（5）．
[3] 罗伯特·基欧汉，约瑟夫·奈．权力和互相依赖［M］．3版．门洪华，译．北京：北京大学出版社，2002．
[4] 宋留清．正确认识和对待全球化问题［J］．哈尔滨市委党校学报，2004（5）．
[5] 温俊萍．经济全球化进程中发展中国家经济安全研究：发展经济学的视角［D］．上海：华东师范大学，2006．
[6] 赵景峰．论贸易全球化下国家交换关系的本质［J］．当代亚太，2005（3）．
[7] 张二震，马野青，等．贸易投资一体化与中国的战略［M］．北京：人民出版社，2004．
[8] 赵春明．跨国公司与国际直接投资［M］．北京：机械工业出版社，2007．
[9] 赵瑾璐，张小霞．经济全球化对发展中国家跨国公司的影响［J］．北京社会科学，2001（4）．
[10] Mansfield E. Rommo A Technology Transfer to Overseas Subsidiaries by U. S. Based Firms［J］. Quarterly Journal of Economics，1980（95）．
[11] 关立新．经济全球化发展趋向及中国对策研究［M］．北京：中国财政经济出版社，2004．
[12] 金碚．论经济全球化3.0时代——兼论"一带一路"的互通观念［J］．中国工业经济，2016（1）．
[13] 李向阳．"反全球化"背景下中国引领经济全球化的成本与收益［J］．中国工业经济，2017（6）．

第十章

区域经济一体化

本章学习目标

1. 了解区域经济一体化的内涵、分类及成因。
2. 理解区域经济一体化与经济全球化的关系。
3. 熟悉重要的区域经济一体化组织。

◆【导入案例】

英国脱欧

欧洲，世界上经济最发达的地区之一，经济一体化的逐步深化又促进了该地区经济的进一步繁荣。随着1993年1月1日《马斯特里赫特条约》的签订与统一的欧洲货币——欧元的正式启动，欧盟趋向于完全经济一体化的经济同盟。2013年，欧盟28个成员国国内生产总值达到12万亿欧元，人均国内生产总值为23100欧元。欧盟为世界货物贸易和服务贸易最大进出口方。在欧盟的对外贸易中，美国、中国、俄罗斯、瑞士为其主要贸易伙伴。欧盟也是全球最不发达国家最大出口市场和最大援助者，多边贸易体系的倡导者和主要领导力量。

欧盟的经济实力已经超过美国，居世界第一。而随着欧盟的扩大，欧盟的经济实力将进一步加强，尤其重要的是，欧盟不仅因为新加入国家正处于经济起飞阶段而拥有更大的市场规模与市场容量，而且是世界上最大的资本输出的国家集团和商品与服务出口的国家集团，再加上欧盟相对宽容的对外技术交流与发展合作政策，对世界其他地区的经济发展，特别是包括中国在内的发展中国家至关重要。欧盟可以称得上是个"经济巨人"。

然而，这个"巨人"最近遇上了麻烦。

2017年3月16日，英国女王伊丽莎白二世批准"脱欧"法案，授权英国首相特雷莎·梅正式启动脱欧程序。

英国是欧洲最强的国家之一，是支撑欧盟的三根台柱子之一。从人口数量来看，英国总人口6488万，占欧盟总人口的12.76%，仅次于德国和法国。从经济总量来看，英国GDP占欧盟的17.56%，仅次于德国。从对外贸易来看，英国对欧盟对外进口的贡献率高达14.5%，对出口的贡献率达11.6%，也仅次于德国。如果英国脱欧，欧盟不仅是损失会员费那么简单，其国际地位和影响力均会受到影响。这将会给其他国家带来示范效应，"脱欧"洪水很可能会进一步泛滥。

欧盟大部分国家表示希望英国留在欧盟。

德国外长希望英国能以积极的态度留在欧盟，而不是选择对其有益的方面，对欧盟通过的协议挑三捡四。欧洲需要继续加强一体化程度，而不是分裂。

法国政府发言人也表示，法国总统希望英国留在欧盟。他指出，作为欧盟的一分子，需要履行其成员国义务，对于所有成员而言，团结是必须的原则，否则欧盟发展将存在问题。

如果英国与欧盟就此分道扬镳，势必导致双方利益受损，出于利益角度的考虑，"脱欧"实难真正实现。在经济和贸易上，双方相互依存度极高，一旦英国退出欧盟，不仅英国受损，欧盟其他成员国也将蒙受交易成本上升的巨大损失。在政治上，英国是安理会常任理事国之一，在其他国际组织和机构中也占有重要地位，欧盟对其还多有借重之处。同样，一旦欧盟能够从当前的危机中脱困，仍能在相当一段时期内保持其作为世界第一大经济体和最大的发达国家集团的地位，这对于英国来说也是可以利用的巨大资源。

（资料来源：http：//world.people.com.cn/n1/2017/0207/c1002-29064071.html。）

随着经济全球化的发展，各国经济的相互依赖程度日益加深，相互影响日益增强，各国越来越需要对彼此间的经济发展、经济政策的制定和执行进行协调，以求共同发展。当单个主权国家无法独立解决自身经济发展过程中出现的问题时，必然促使同一地区的国家间携手合作，以一定的国际分工为基础，通过各自让渡部分经济主权，组成超国家的经济合作组织。

第一节　区域经济一体化概述

随着经济生活国际化的发展，各国经济发展中的相互依赖日益加深，相互影响日益增强，各国越来越需要对彼此间的经济发展、经济政策的制定和执行进行协调，以求共同发展。当单个主权国家无法独立解决自身经济发展过程中出现的问题时，必然促使同一地区的国家间携手合作，以一定的国际分工为基础，通过各自让渡部分经济主权，在再生产的某些环节、某些领域组成超国家的经济合作组织。

一、区域经济一体化的内涵

区域经济一体化或区域经济集团化是"二战"后出现的新现象和新概念，在不同的学者和国际组织之间，使用的名称有一定的差别，例如，萨尔多（Salvatore，1995）在《国际经济学》中和巴拉萨（Balassa，1987）在《新帕尔格雷夫经济学大辞典》中就称其为"经济一体化"（Economic Integration）；世界贸易组织的官方网站和出版物称其为"区域贸易协定"（Regional Trade Agreements，RTAs）；世界银行的网站和出版物称其为"区域一体化协定"（Regional Integration Agreements，RIAs）；巴格沃蒂（Bhagwati，2002）和克罗格曼（Krugman，1991）就称其为"特惠贸易协定"（Preferential Trading Agreements，PTA）；而我国称其为"区域经济一体化"。它通常是指一些地缘邻近的国家或地区，为谋求相互之间的市场开放、加深分工协作、促进经济联系、发展规模经济，从而实现成员方共同发展，并增强各国和区域整体在世界经济中的实力，在平等互利的基础上，在彼此自愿地约束自己的部分经济主权，甚至对等地分享或让渡部分国家主权的条件下，通过签订协议、规章组建国际调节组织和实体，使部分或全部生产要素在成员方之间自由流动，使资源在成员方内部得以优化配置，实现产业互补和共同经济繁荣的过程。它是经济生活国际化和各国各地区之间经济联系与依赖程度不断加深的产物。

区域经济一体化与通常所说的经济国际化有着明显的区别。这主要表现在：①经济国际化是指各民族国家随着相互之间贸易的发展，各种生产要素日益跨越国界流动的一种状态，是各国经济活动由国内扩展到国外，扩大经济交往，使经济生活国际化的现象。在这里，不发生国家主权让渡的问题。而区域经济一体化则要求其成员方各自让渡部分主权，在此基础上共同行使一部分经济主权。②在接近国际化过程中，各国不一定要建立共同的国际性组织或机构，也不需要签订特殊的协定或协议。而区域经济一体化则最终需要建立共同的国际性组织或机构，签订共同遵行的准则、协定，代表各成员共同管理区域经济。③经济国际化过程虽然也受到国家的干预和影响，但经济国际化本身并非以国家的直接干预或参与作为前提条件。而区域经济一体化则要求各成员方按共同协议或准则直接参与经济合作，对区域经济活动实行干预。

传统的区域经济合作最初多发生于区域内的相邻国家间，随着区域经济合作实践的发展，区域经济一体化组织的地理空间迅速扩展，出现跨洲性规模的发展趋势。例如，亚太经济合作组织在短短的几年内一再吸纳新成员，目前已扩大到 21 国，地理范畴包括亚洲、北美洲、拉丁美洲和大洋洲，东西横跨 11 个时区，南北纵穿寒、温、热带。据 WTO 统计，截至 2017 年 7 月，全球已通告 WTO 的区域贸易协定达到 659 项，其中生效的共计 445 项[⊖]。

二、区域经济一体化的分类

区域经济一体化的形式可以按不同的标准进行划分。比如，按一体化的范围划分，可以分为部门一体化和全盘一体化；按参加国的经济发展水平划分，可以分为水平一体化和垂直一体化。

而目前更为人们熟悉和接受的标准是按照贸易壁垒的撤销程度划分的，由此可将区域经济一体化分为：

（1）优惠贸易安排（Preferential Trade Arrangements，PTA）。这是区域一体化中最低级、最松散的一种形式。其特点是在实行优惠贸易安排的成员方之间对全部或部分商品实行特别的关税优惠。

（2）自由贸易区（Free Trade Area，FTA）。这是一种签订有自由贸易协定的国家间组成的贸易区。其特点是在成员方之间废除关税壁垒和非关税壁垒，使区内商品完全自由流动，但每个成员仍保持自己对非成员方的贸易壁垒，即对外不实行统一的关税政策。

（3）关税同盟（Customs Union，CU）。它比自由贸易区更进一步。其特点是在成员方之间取消关税或其他壁垒，并对非同盟方实行共同的对外贸易政策，统一对外关税率（即

⊖ 资料来源：http://www.wto.org/english/tratop_e/region_e/regfac_e.htm。

共同对外关税，Common External Tariff，CET）；

（4）共同市场（Common Market，CM）。简单地讲，共同市场就是关税同盟加生产要素自由流动，即成员方之间完全取消关税和数量限制，建立对非成员方的统一关税，在实现商品自由流动的同时，还实现了生产要素的自由流动。

（5）经济同盟（Economic Union，EU）。它建立在共同市场的基础上，成员方之间还存在逐步废除政策方面的差异，如制定和执行统一对外的某些共同的经济政策和社会政策，以便形成一个有机的经济实体。

（6）完全经济一体化（Complete Economic Integration）。它是指在经济联盟的基础上，成员方之间实行完全的贸易、金融和财政政策，并且这些政策由超国家的经济组织制定和实施。其特点就是在成员方之间完全取消商品、资本、劳动力和服务等自由流动的人为障碍，并且区域内各国在经济、金融和财政等方面均完全统一。

以上六种形式在贸易壁垒的撤销方面是逐步递进的，但并不是说只有实现了低级形式后才能发展到高级形式，在实践中完全可以实现跨阶段的发展。

三、区域经济一体化的成因

1. 深化的国际分工和不断提高的经济生活国际化程度

在"二战"后新技术革命的推动下，世界各国、各地区之间的分工与经济依赖日益加深，生产社会化、国际化程度不断提高，使各国的生产和流通及其经济活动进一步越出国界。这就必然要求消除阻碍经济国际化发展的边界障碍、市场障碍和体制障碍，必然要求改变旧的国家关系和经济关系，建立新的、更加密切的经济政治合作关系。建立区域性经济一体化组织就是这一要求得以实现的载体或实现形式。国际分工的深化和经济生活国际化程度的不断提高，是区域经济一体化发展的主要经济基础。

2. 经济发展不平衡和世界经济多极化

经济发展不平衡和世界经济多极化是区域经济一体化形成的重要原因。世界经济走向一体化是社会经济发展的客观趋势，是经济全球化发展的必然结果。但是，经济政治发展不平衡又是世界各国和各地区发展长期存在的客观现实。这个现实决定了世界或全球经济走向一体化的过程必然会经历许多过渡性步骤，不可能一蹴而就。区域经济一体化的各种形式，就是世界经济走向一体化的各种步骤和各种过渡形式。各种区域一体化组织合作层次不断升级的过程和合作范围不断扩大的过程，就是世界经济走向和接近一体化的过程。同时，在世界经济政治发展不平衡的变化中，各国的经济实力及在世界经济中的地位也是经常发生变化的。这种变化使旧的不平衡关系不断被打破，新的不平衡关系不断生成。在此过程中，各国之间的摩擦和矛盾不断扩大和加剧，各国都力图扩大自己的势力范围，在世界经济中占据优势地位。

3. 各国的积极干预

听凭市场机制在全球化进程中不受控制地发挥作用，对于一些发展中国家具有很大的风险。作为一种折中的办法，可以借助于区域经济一体化来化解经济全球化所产生的消极影响，以使得经济全球化真正成为一种促进各国福利提高的过程。广大的发展中国家虽处境不同，但在现有的世界经济秩序下，在国际竞争中都处于不利的地位。它们为了促进本国经济的稳定和发展，寻求有利的贸易条件和投资环境，一方面在加强发展中国家相互之间的联合和合作，组成层次不同的区域经济一体化组织，另一方面，一些国家也在积极地向发达国家的区域一体化组织靠拢。这些情况无疑也促进了区域经济一体化的形成和发展。

在现代市场经济条件下，国家不仅广泛而有力地干预国内经济的运行过程，而且也广泛地干预并直接参与国际经济活动。区域经济一体化是面对国际竞争日益激化，国家积极干预经济生活的一个必然产物。国家参与区域一体化既有经济动因，也有政治动因。经济动因主要包括：可以增加该国的贸易福利，减少其交易费用，有助于一国抵御经济全球化的影响。政治动因则主要包括：加强该国的安全保障，有助于解决该国的国内问题并加强其国际谈判能力。

4. 日益激烈的国际竞争

高效率的形成和竞争力的提高需要开放和互相依靠，而开放和互相依靠又为更高的效率和竞争力提供动力。正如列宁所指出的那样，从自由竞争中成长起来的垄断并不消除竞争，而是凌驾于竞争之上，与此并存，因而产生许多特别尖锐的矛盾、摩擦和冲突。当今的世界经济市场也正是这样。而日益激烈的竞争正是区域经济一体化发展的直接动因。各个国家都在寻求进一步消除贸易障碍，提高竞争力，缓解国家之间的经济摩擦和矛盾的途径。而建立区域经济一体化组织，是实现这一目标的重要途径。以建立的欧共体大市场为例，仅消除过境的手续费一项，一年即可节省120亿左右欧元；统一技术标准和产品规格，每年可给企业带来500亿欧元的利益；通过消除贸易障碍，将降低经营成本20%~30%。

如果说1958年《罗马条约》的签订是欧共体一体化的外部推动力，那么欧共体跨国公司在区域内的相互投资及区域外对区域内部的投资，则是一体化的内部凝聚力。跨国公司使欧共体从微观层次上形成了一体化，从而加速了西欧经济一体化进程。据联合国跨国公司中心的统计，1980年欧共体七个主要国家的跨国公司设立在发达国家的子公司，大部分分布于欧共体内部。从国别看，比重最高的是荷兰，其跨国公司中国外72.4%的子公司分布在欧共体内；其次是比利时，比重达70.9%；法国、意大利、联邦德国、丹麦、英国五国的比重依次是59.2%、59.2%、48.3%、48.1%、36.5%。值得一提的是，1980年西班牙设在发达国家的404家跨国公司子公司中，有83.4%分布于欧共体。这说明在1988年西班牙正式加入欧共体以前，它的跨国公司已率先在欧共体内实现了生产一体化。这些跨国公司不再以单个国家为市场目标，而是以整个欧共体，甚至全世界为经营出发点，来构造企业的技术优势、区位配置优势和资源互补优势。同时，伴随着成员国之间相互投资的增加，成员国之间的人员等生产要素流动更加频繁，各国之间的货币制度、就业制度、财政制度差异性的缺陷越发显现。因此，改革原有的合作框架，提升合作层次，建立新的合作框架就成为进一步发展的必然选择。欧洲经济一体化程度加深的过程，实际上是跨国公司投资一体化过程深化的必然要求。

第二节 区域经济一体化与经济全球化的关系

世界经济一体化或全球经济一体化，是指整个世界形成统一的经济规则，民族国家的经济主权将完全让渡给全球性经济组织；而区域经济一体化，是指部分国家的经济合作组织或一体化组织。从动态上说，它是世界经济走向一体化的过渡形式和步骤。尽管有很多人把区域经济一体化看成是经济全球化的一种过渡或局部表现，但从控制风险角度来讲，两者却具有本质的区别。如果说经济全球化是一个自发的市场机制起着主导作用的过程,那么区域经济一体化则是一个国家起着主导作用的过程。在经济全球化的过程中,风险是很难规避和控制的,而在区域经济一体化中,由于是在政府的主导下部分开放,风险是可以得到控制和化解的。根据科斯定理,当使用市场的成本大于使用直接权威的成本时,企业就会在内部放弃市场机制而代之以权威和指令来完成资源的配置。如果将科斯定理推广开来,并把国家或者国家间的经济联盟看作全球化市场中的企业,按照科斯定理的逻辑就会发现:当使用全球化市场的成本和风险大于国与国之间的谈判成本时,一体化的区域经济也会使用国家的直接权威将一部分全球市场内部化为区域市场①。

经济全球化和一体化已经成为当今世界的明显趋势,其突出表现是:国际贸易、国际金融、国际投资的大发展;生产要素流动的规模不断扩大,流动速度不断加快;各国之间的经济联系、经济合作、经济融合的程度日益加深。其途径主要有三:①跨国公司的大发展,使各国资金、生产、技术、管理等领域的交流和联系日益密切,国际间的分工日益加深;②国际经贸组织,如国际货币基金组织、世界银行、世界贸易组织等的发展,使世界各国的贸易和金融关系日益紧密化,规范化和广泛化;区域经济一体化的大发展,将成员方之间的贸易、金融、生产、劳务等方面的关系,从自发的外部联系日益发展为制度性的内部结合。

在经济全球化的背景下,区域经济集团不断涌现,一般认为,迄今为止,"二战"后区域经济一体化已有过三次发展高潮。前两次分别发生在 20 世纪 50~60 年代以及 20 世纪 70 年代中期以后,而第三次大发展则从 20 世纪 80 年代末开始,时至今日仍在继续。与之前的区域经济一体化浪潮相比,此次区域经济一体化表现为一体化范围的扩大和程度的加深。具体来讲,有新的区域合作协定大量出现、原有区域合作协定范围不断扩大、对区域经济合作的认同感开始增强、区域经济一体化程度进一步加深等特点。但是,对于经济全球化与区域经济一体化的关系,人们至今仍然有着不同的认识。综合起来,主要有两种观点:一种是"障碍说";另一种是"阶段说"②。

1. 障碍说

"障碍说"主要认为区域经济一体化是经济全球化的"绊脚石",是经济全球化发展的障碍,而非推动力量。这种观点认为,从本质来看,区域化是区域主义的表现,全球化是多边主义的表现;区域化同意或默认"歧视原则",全球化则遵循"非歧视原则";区域化和全球化的过程与结果都是相冲突的。"区域化的核心在于强化区域利益,提高区域内各国的全面合作与协调,通过建立区域性对外经贸合作的壁垒,增强与区域外国家或其他组织的谈判与对抗能力。因此,不管是从区域化的动机和内部协调机制分析,还是从区域化对全球化的影响程度分析,区域化对全球化的发展都不能具有多数人所想象的促进作用,其结果将是数量更多的、规模更大的、更加难以协调和处理的冲突。"③并且,这种冲突是客观存在的。经济全球化通常以多边合作机制为基础,以统一的世界市场和国际经济规则为标志,促进的是全球生产要素和商品服务的自由流动;区域经济合作则以双边或多边合作机制

---

① 张鸿:《区域经济一体化与东亚经济合作》,人民出版社,2006 年版,第 17 页。
② 李玉潭、庞德良:《区域全球化与东北亚区域经济合作》,吉林人民出版社,2009 年版,第 20-21 页。
③ 薛誉华:《区域化:全球化的阻力》,世界经济,2003 年第 2 期。

为基础，以区域内的市场统一和规则统一为标志，促进的是区域内生产要素和商品服务的自由流动[1]。

2. 阶段说

"阶段说"主要认为区域经济一体化是经济全球化的"垫脚石"，"经济区域化并不是贸易和生产全球化的障碍，而是推动力"[2]。这种观点认为，尽管区域一体化和经济全球化在覆盖范围、发展动因、遵循原则、合作方式等方面不尽一致，但其目标和方向却是一致的，两者在本质上都是对生产要素、商品与服务交易跨越国界的流动与配置，最终都将推动世界经济的发展和各个地区经济之间的相互融合。区域经济一体化是经济全球化进程中的一个阶段、一个过程；就其作用来看，区域经济一体化是经济全球化的必要补充，而不是一种威胁。反过来，经济全球化的蓬勃发展，也为区域经济一体化的不断深化创造了外部环境、制度基础和发展方向。简言之，"区域经济一体化与经济全球化相辅相成，可以实现两种潮流互动，共同发展"[3]。

以上两种观点都是从不同侧面对两者之间关系进行的分析，都有其合理性。但将其完全对立起来，也有失偏颇。在探讨两种关系时，应遵循以下原则：

（1）差异性原则。经济全球化和区域经济一体化在发展动因、合作方式、经济影响等方面的差异是客观存在的。一些封闭型区域经济集团所实行的内外有别的贸易政策，与多边贸易体制所倡导的非歧视原则是相背离的。

（2）可协调性原则。尽管全球化和区域化之间存在差异，但这一差异并不占主导地位，它们之间的矛盾是可以协调的，其发展方向具有一致性。关税及贸易总协定和世界贸易组织都设有专门条款甚至机构对区域贸易协定进行规范、监督和评估，以确保在促进区域内贸易流动的同时不得提高对外部世界的壁垒。同时，近年来出现的开放式区域贸易协定，已经开始从机制上解决上述问题。

（3）阶段性原则。要承认区域经济一体化对经济全球化的促进、补充作用。它是在特定阶段中，在多边经济合作机制不能满足部分成员体对经济自由化的要求时的一种次优选择。某些区域经济一体化组织的市场开放程度已经超过了WTO，起到了一定的带动作用和示范效应。

第三节　区域经济一体化的组织

区域经济一体化组织以1958年成立的欧洲经济共同体为发端，到20世纪80年代后，越来越多的国家卷入区域经济一体化的潮流中，经济集团内部的国家经济边界日益模糊，经济集团间的经济关系日益取代国家间的经济关系，成为当代国际经济关系的主题。20世纪90年代以来，以欧洲联盟（EU）为核心的欧洲统一大市场和欧洲经济区相继建立，由美国、加拿大、墨西哥共同组成的北美自由贸易区（NAFTA）开始运行，亚太经济合作组织（APEC）不断加强各成员之间的协调和合作。

---

[1] 李向阳：《全球化时代的区域经济合作》，世界经济，2002年第5期。

[2] 戴维·赫尔德：《全球大变革——全球化时代的政治、经济与文化》，社会科学文献出版社，2001年版，第23页。

[3] 赵京霞：《东亚区域合作：经济全球化加速发展的结果》，国际贸易问题，2002年第12期。

一、欧洲联盟

(一) 欧盟的发展演变

欧洲经济共同体于 1958 年正式成立，此后其成员国不断增多，协调领域不断扩展，协调手段不断增强，成为目前世界上规模最大、合作程度最高、最为成功的区域性经济组织。自 1958 年成立欧洲经济共同体以来，在近 50 年的时间里，其一体化合作形式是从关税同盟发展到共同市场，从共同市场发展到经济联盟，进而是经济和货币联盟。

1957 年 3 月 25 日，法国、联邦德国、意大利、荷兰、比利时和卢森堡六国领导人在罗马签署了《欧洲经济共同体条约》和《欧洲原子能共同体条约》，后统称为《罗马条约》。该条约的签署标志着欧洲联盟的前身——欧洲经济共同体的诞生。该条约规定的目标是：消除分裂欧洲的各种障碍，加强各成员国经济的联结，保证协调发展，建立更加紧密的联盟基础等。条约涉及内容极为广泛，中心内容是："建立关税同盟和农业共同市场，逐步协调经济和社会政策，实现商品、人员、服务和资本的自由流通。关于工业品关税同盟，条约规定在 12 年过渡期内分三个阶段逐步取消成员国间一切关税和贸易限制。"[1]

1991 年 12 月，欧洲共同体马斯特里赫特首脑会议通过了《欧洲联盟条约》，通称《马斯特里赫特条约》(简称《马约》)。1993 年 11 月 1 日，《马约》正式生效，欧洲共同体更名为欧洲联盟，欧盟正式诞生。这标志着欧洲共同体从经济实体向政治实体过渡。欧洲共同体发展至今经历了数次扩张，地域范围从西欧逐步拓展到中东欧地区。截至 2017 年 8 月，欧盟共有 28 个成员国[2]，人口超过 5 亿，约占全世界人口的 7.5%，欧盟面积有近 430km^2。经过七次扩张后，欧盟成为目前世界上最大的区域经贸集团 (见表 10-1)，是一个功能涉及经济、政治、军事、文化、社会各个方面的全方位的联盟，总体经济实力与美国不相上下，欧盟总体国内生产总值和对外贸易总量均超过了美国和日本，成为世界上最大的经济实体和独一无二的政治体。在 2015 年世界货物贸易进出口排名前十位的国家中，欧盟成员国就占五个 (德国、英国、法国、荷兰、意大利)。

表 10-1　欧盟历次扩张一览表

时间	进入的国家
欧共体成立：1967 年	法国、联邦德国、意大利、荷兰、比利时、卢森堡
第一次扩张：1973 年	英国、丹麦、爱尔兰
第二次扩张：1981 年	希腊
第三次扩张：1986 年	西班牙、葡萄牙
第四次扩张：1995 年	芬兰、奥地利、瑞典
第五次扩张：2004 年	塞浦路斯、匈牙利、捷克、爱沙尼亚、拉脱维亚、立陶宛、马耳他、波兰、斯洛伐克、斯洛文尼亚
第六次扩张：2007 年	罗马尼亚、保加利亚
第七次扩张：2013 年	克罗地亚

---

[1] 赵玉焕：《区域经贸集团》，对外经济贸易大学出版社，2007 年版，第 41 页。

[2] 2013 年 7 月 1 日，克罗地亚正式加入欧盟，成为欧盟第 28 个成员国。截至 2017 年 8 月，英国已经启动脱欧程序，但程序并未结束，英国仍是欧盟正式成员。资料来源：https：//europa.eu/european-union/about-eu/countries_en。

尽管近年来欧盟自身吸纳新成员的能力受到质疑，但欧盟方面表示，克罗地亚入盟后，欧盟的大门仍是"敞开的"，申请入盟的其他国家只要达到入盟标准，将会随时被接纳。

（二）欧盟取得的成效

从发展顺序上看，欧盟一体化的发展大致经历了四个阶段，各阶段都取得了相当显著的成效㊀。

1. 第一阶段：从欧共体成立到 1968 年关税同盟的建设，以及 1969 年共同农业政策的实施

在这一阶段，欧共体主要取得了两大成效：实现关税同盟的预定目标和推行共同的农业政策。

关税同盟是欧洲共同体的重要支柱，也是实现经济一体化的最初目标。其主要内容是：对内在成员国之间逐步降低直至最后取消各种关税，达到共同体内部的商品自由流通；对外通过逐步拉平各成员国的关税率，筑起统一的关税壁垒，以抵制和排挤共同体以外的商品输入。经过各成员国的共同努力，比预计时间提前一年半，于 1968 年 7 月 1 日建成了关税同盟。现如今，欧盟已是世界上最大的无关税集团。

共同农业政策是欧共体另一重要支柱。它是欧共体的许多政策中最重要、影响最大的，也是其对外贸易政策的重要组成部分。制定共同农业政策的目的是提高共同体内的农业生产率，稳定市场，保障供给以及保证农业人员的收入等。为此，共同体采取的措施主要包括实行统一的农产品价格、取消农产品的关税、实行出口补贴制度、建立欧洲农业指导和保证基金等方面。到 1968 年 8 月，共同体内的大部分农产品均已实行了统一价格，并于 1969 年取消了成员国相互之间的农产品关税，农产品可在共同体范围内自由流通，而对非共同体国家的农产品则增收差价税。进入 21 世纪后，欧盟提出新的农业政策目标，包括提高农业竞争力、保证食品的安全性和质量、采取环保的农业生产方法、稳定农民收入等。为上述目标服务，财政支农政策既包括对农民的直接补贴，也包括对农业生产环境保护、农民技术培训、产业鼓励等间接补贴。而对农民的直接补贴与 WTO 的某些规则相冲突，欧盟的财政支农政策又将面临一些新的改革。

2. 第二阶段：自 20 世纪 70 年代开始，欧洲货币体系的建立，使欧共体变成了一个具有经济联盟性质的关税同盟

1971 年 2 月，欧共体就建立经济货币联盟问题达成协议。1979 年，欧共体宣布欧洲货币体系正式实施，其内容主要是成员国之间货币实行固定汇率，非成员国实行浮动汇率，以及创建欧洲货币单位和欧洲货币基金。从 1987 年起，欧共体还逐步取消外汇管制，实行内部资本自由流通。欧洲货币体系通过密切的货币合作以及协调成员国的汇率控制政策，不仅稳定了欧共体内部经济和贸易的发展，也巩固了欧洲经济一体化的成就，更是欧共体各国在货币一体化道路上迈出的关键性一步。

3. 第三阶段：20 世纪 80 年代中期至 90 年代前期，欧洲统一大市场的建立和欧洲经济货币联盟的启动

欧共体 12 国先后采取了 282 项具体措施，克服了有形壁垒和财政壁垒，于 1993 年 1 月 1 日正式启动了欧洲统一大市场，成员国之间取消了商品贸易、服务贸易、投资和自然人跨

㊀ 宣烨：《区域经济一体化与 FDI 流入》，合肥工业大学出版社，2007 年版，第 101 页。

国流动的限制，简化了海关程序和手续，制定了统一的安全、卫生和检疫标准，加强了技术合作，取消了内部金融管制，相互承认学历，允许区内人员自由流动和跨国就业，成为真正的统一大市场，并因此更名为欧洲联盟。"四大自由流动"促进了区域贸易、投资和就业的增长。2003年，欧盟15国的区域内贸易比重达60%，随着10个国家的入盟，这一比重增加至70%以上，经济资源配置也趋于最优状态。

4. 第四阶段：以20世纪90年代初期《马斯特里赫特条约》签订和统一的欧洲货币——欧元的启动为标志，欧盟变成了一个趋向于完全经济一体化的经济联盟

1993年11月1日，《马约》的正式生效标志着欧洲联盟的正式成立。它为欧共体建立政治联盟和经济与货币联盟确立了目标与步骤，标志着欧共体开始朝着国家联盟的方向实质性地发展。为了按计划启动单一货币，欧盟各国按照《马约》规定的经济趋同标准，努力控制本国的通货膨胀率并压缩财政赤字。1999年1月，欧盟15国中11个成员国（除希腊没有达标，英国、丹麦和瑞典不愿意加入）成为欧洲经济货币联盟的创始国成员，使用单一货币欧元。随后2000年6月，希腊被批准加入欧元区。从2002年7月1日起，12个国家的货币终止流通，欧元将完全取代上述12国货币，成为欧元区的单一法定货币。欧元的流通具有划时代的重大意义。正如"欧元之父"蒙代尔所说，它具有改变国际货币体系权力结构的巨大潜力，有可能成为另一种国际记账单位和储备货币而挑战美元。事实的确如此，欧元得到了世界的认可和接受，成为国际货币体系的两大支柱之一，并对欧盟各国以及世界各国的经济与贸易产生了重要影响。经济统一是政治统一的基础，而货币统一则将进一步推动经济统一。使用单一货币，有利于降低交易成本；有利于使市场更加透明化，缩小成员国之间的物价差异，减缓物价上涨压力，降低社会总体物价水平；有利于减少旅游者兑换货币的麻烦和成本开支；有利于促进金融服务的发展，增加贸易和投资，从而促进经济增长。

（三）欧盟在世界经济与贸易发展中的作用

欧盟对处理好与周边国家的关系一直非常重视。它在积极东扩的同时，还努力加强与乌克兰、白俄罗斯等独联体国家的关系，积极推动欧盟与地中海沿岸国家的合作。近年来，欧盟与世界上大多数国家和地区建立了外交关系，并缔结了各种经贸合作协定，在积极推进区域经济一体化深入发展的同时，促进了区域内外经贸的发展。

欧盟是世界上最大的贸易方，在世界货物贸易中的份额一直在30%以上。而在其贸易总额中，近74%是发生在成员国之间的贸易。1980—2015年欧盟、美国、日本三大经济体在世界货物贸易中所占的份额如表10-2所示。

表10-2　欧盟、美国、日本三大经济体在世界货物贸易中所占的份额（%）

年　份 经济体	1980	1990	1995	2000	2003	2009	2015
欧盟	38.95	43.80	39.65	35.90	38.10	40.9	32.3
美国	11.74	12.99	12.97	15.45	14.52	10.5	11.47
日本	6.61	7.48	7.47	6.55	5.62	4.55	3.83
总份额	57.3	64.27	60.09	57.9	58.24	55.95	47.54

注：资料来源：2009、2015年数据整理自WTO数据库；1980—2003年数据引自赵玉焕《区域经贸集团》第71页。

欧盟认为，多边贸易自由化能对全球经济产生极大的效益，由贸易自由化带来的经济增长改善了整个社会条件并有助于持续发展。从成立初期以来，欧盟就一直致力于消除各成员国之间的贸易壁垒，通过消除内部贸易壁垒，促进内部的经济繁荣、为各成员国和个人创造更多财富。同时，它也对世界上其他国家和地区积极推行相同的准则。在过去的半个世纪中，通过一系列国际谈判，欧盟取得了较为显著的成效，多边贸易体系日益自由化。

在 WTO 西雅图部长级会议结束之前不久，欧洲委员会发表了两项研究报告。报告认为，贸易进一步自由化能帮助可持续发展，每年还能为世界增加 4200 亿欧元的财富——相当于每年为全世界的国内生产总值增加一个韩国或荷兰的规模。欧盟自身在废除其内部贸易壁垒之后，创造了 50 万个新的就业机会，证明了经济增长能够为就业创造条件。

（四）英国"脱欧"事件及欧盟的发展前景[①]

2016 年 6 月 23 日，英国"脱欧"公投最终结果出炉，脱欧派获得最终胜利。经过 9 个多月的争论和酝酿，英国政府于 2017 年 3 月 29 日启动脱离欧盟的程序，英国"脱欧"由此迈出标志性一步。英国成为首个投票脱离欧盟的国家。

欧盟作为英国脱欧事件的当事方所受到的冲击是直接而巨大的。

首先，欧盟的国际影响力下降。欧盟的国际地位和影响力主要基于其享有自由流动的统一大市场、世界第二大货币、居世界首位的 GDP、5 亿人口的消费市场。英国作为欧盟第二大经济体、世界第五大经济体，其退出意味着欧盟的 GDP 将失去 1/6。欧盟的世界最大经济体的地位也将随之丧失。同时，英国虽然对于欧盟并未全心全意投入，但其联合国安理会常任理事国的身份、核大国地位，以及历史上形成的广泛的国际联系，使得其在欧盟外交与安全政策的制定和实施中发挥着不可替代的作用。此外，欧盟被广泛视为"规则力量"，尤其在国际机构和组织中拥有极其重要的话语权，而英国在其中的作用功不可没。随着英国"脱欧"，欧盟的地位和影响力下降将不可避免。

其次，欧盟的发展前景堪忧。近年来，欧盟遭遇了一系列空前严重的危机。2009 年爆发的主权债务危机一度令欧元陷入生存危机。2014 年乌克兰危机爆发后欧盟与美国一道对俄实施全面制裁，欧俄关系降到冷战结束以来最低点，双方合作至今仍陷入停滞。2015 年随着叙利亚、伊拉克内战的加剧，以及极端组织"伊斯兰国"的兴起，欧洲迎来了"二战"后最大规模的难民潮，为防止难民冲击国内社会秩序，不少欧盟国家重新恢复了边境检查，一体化最大成果之一的申根体系摇摇欲坠。在难民危机持续发酵的同时，巴黎、布鲁塞尔接连发生恐怖袭击，其中 2015 年 11 月 13 日巴黎系列"恐袭"导致了欧盟成员国之间的矛盾，而英国"脱欧"进一步刺激了欧洲各国的分离力量。目前，欧盟领导人最担心的是英国"脱欧"在其他国家可能产生的多米诺骨牌效应。德国和法国领导人均表达了欧盟各国要以"历史责任感"和"使命感"来阻止欧洲分裂。

目前，欧盟围绕如何避免分裂、走出危机展开了激烈辩论。欧洲一体化理论中有一种叫"危机推动说"，即"二战"后欧洲一体化是通过危机倒逼效应实现的。但从目前辩论的情况来看，英国"脱欧"危机可能不会让欧盟再度启动新的一体化宏伟计划，一种新的共识似乎正在形成，即欧盟该对自身问题进行深刻反思。欧洲理事会主席、前波兰总理图斯克明确认为，建立联邦的构想并不是应对解体幽灵的最好对策。德国总理默克尔同样认为，解决当前问题关键在于"能否建立一个让民众参与、认同，并受益的成功的欧洲"。在其看来，只有促进成员国经济增长和就业、减少青年失业、重振欧洲竞争力，才能从根本上打消对欧

[①] 冯仲平：《英国脱欧及其对中国的影响》，现代国际关系，2016 年第 7 期。

洲一体化正确性的怀疑。马丁·沃尔夫着眼于欧盟的合法性，认为欧盟要度过此次危机必须有积极措施、有能力解决当前民众关心的问题。在他看来，由于欧盟太大、太多元化，无法获得源于民主问责制的合法性。欧盟获得合法性的最佳途径是应对它所面临的实际挑战，核心是致力于造福欧盟境内的绝大多数公民，并且让人们看到这种努力。

二、东南亚国家联盟

第二次世界大战后初期，整个东南亚地区内合作还处于萌芽阶段，更多受到的是外部力量的操纵或主导，而不是内部国家的创设，直到1961年7月在曼谷成立了"东南亚联盟"。它是一个完全由东南亚国家发起和组成的最早的地区组织，也就是1967年8月诞生的东南亚国家联盟（简称东盟）的前身，成员包括马来西亚、菲律宾和泰国（前两个国家计划将其建成一个类似于欧共体的组织，但泰国则希望它是一个组织松散、没有强制性约束的机构）。东盟的成立，掀开了东南亚地区化进程的重要一页，标志着东南亚地区主义的发展进入了一个重要的历史阶段。东盟最初的成员国包括印度尼西亚、泰国、菲律宾、文莱、马来西亚和新加坡，但直到1992年东盟第四次首脑会议提出在15年内建成自由贸易区的时候，其经济一体化才真正开始，东盟的经济合作步伐也从此加快。经过10年的构建，原东盟六国于2002年正式启动自由贸易区，其他新成员国也将加快关税的削减速度。东盟自由贸易区（AFTA）的启动对东盟国家、东亚地区乃至世界经济的发展产生了重要的影响。

（一）东盟自由贸易区的发展演变

东盟的区域经济一体化，经历了从特惠贸易安排到自由贸易区的发展过程，大体经历了四个发展阶段[1]。

1. 东盟区域经济合作的初始阶段（1967—1976年）

这一阶段主要是促进东盟各国相互了解，增强东盟意识，合作的重点在于改善内部的政治关系，但经济合作进展缓慢。

2. 东盟区域经济合作的起步阶段（1976—1990年）

1976年2月，在印度尼西亚巴厘岛举行的东盟第一次首脑会议，正式提出要促进建立东盟区域内特惠贸易制度，以此推动成员国间的经济合作。这次会议成为东盟发展史上重要里程碑和推动区域经济合作的转折点，标志着东盟向区域经济一体化组织迈出了重要的一步。

3. 快速发展阶段（20世纪90年代至2003年）

自1978年起，东盟特惠贸易安排实施了15年，到1993年，东盟自由贸易区（AFTA）进程正式启动。随后这一进程不断加速，到2002年，原有六个成员国初步建成自由贸易区。随着东盟自由贸易区进程的加速以及东盟自由贸易区的成员不断扩大，其涵盖的领域也逐渐从贸易扩展至服务、投资以及其他经济合作领域。在东盟自由贸易区加速实现的过程中，越南、老挝、缅甸和柬埔寨相继加入东盟组织。

东盟官员们在筹备1992年新加坡首脑会议时承认，成立东盟自由贸易区最为重要的考虑就是为了增强东盟吸引FDI的能力。在东盟构造单一地区市场的进程中，两个重大事件的推动作用不容忽视：一个事件是GATT、APEC在贸易和投资自由化方面取得的进展。这些进展促使东盟国家为保持东盟自由贸易区对外国投资者的吸引力，拓展了经济合作的领域，

---

[1] 李皖南：《东盟经济一体化及其在东亚经济合作中的地位》，亚太经济，2009年第6期。

在 1995 年决定把农业、服务业和投资置于东盟自由贸易区的议程之中。另一个事件是东南亚金融危机的爆发。1997 年爆发的金融危机造成成员国经济的剧烈动荡，大量短期资本外逃，国内投资严重紧缩。在这种情况下，FDI 对增长和政权稳固就变得更为重要了，而东盟成员国要确保维持它们对 FDI 的吸引力，地区主义无疑是一个重要工具[①]。

4. 深化发展阶段（2003 年以来）

2003 年是东盟历史上又一个具有里程碑意义的年份。2003 年 10 月，东盟成员国在巴厘岛峰会上签署了《巴厘第二协约宣言》，明确提出在 2020 年建立类似于欧盟的一体化组织，包括"东盟经济共同体""东盟安全共同体"及"东盟社会和文化共同体"三大支柱的"东盟共同体"。此举展现了东盟区域经济一体化的发展远景。2006 年的部长会议又决定加快东盟经济共同体构建步伐，争取在 2015 年将共同体建成，比原计划提前 5 年。2007 年 11 月 20 日，东盟成员国领导人签署《东盟经济共同体蓝图宣言》，重申加速建设东盟经济共同体，明确了构成经济共同体的四大支柱，即一个统一的市场和生产基地、一个极具竞争力的经济区、一个经济平衡发展的经济区以及一个与全球经济接轨的区域。它为东盟经济一体化指明了方向。同时，签署了具有划时代意义的《东南亚国家联盟宪章》（简称《东盟宪章》），为建立东盟经济共同体提供了重要的法律保障。可以说，东盟经济共同体的提出和加速是东盟对已有的区域经济合作进行整合的产物，是东盟区域经济合作在 21 世纪进一步深化的重要表现。2012 年 11 月举行的第 21 届东盟首脑会议上，东盟领导人决定将 2015 年 12 月 31 日设定为建立东盟共同体的最后期限。2013 年 4 月，第 22 届东盟首脑会议明确了确保 2015 年建成东盟共同体必须采取的具体措施和步骤，并提出在 2015 年后努力实现真正"以人为本"的东盟长远目标。东盟共同体由三部分构成，即安全共同体、经济共同体和社会文化共同体。鉴于内部发展不平衡，东盟本着先易后难的原则，将率先实现经济共同体的目标。

（二）东盟自由贸易区取得的成效

20 世纪 90 年代以来，随着世界格局逐步走向多极化，世界经济区域化、集团化的步伐不断加快，贸易保护主义的加剧，加强亚太地区经济合作显得更为必要，以合作求发展已是亚太国家和地区的普遍愿望。亚太地区特有的产业结构和国际分工体系有利于亚太地区经济发展与合作，无论对于美国、日本、澳大利亚等国家，还是对于亚洲"四小龙"、东盟以及中国来说，它们都能较好地发挥自己的优势，从分工合作中获得明显的利益，从而推动地区经济的共同发展。东盟自由贸易区的建成有利于增强东盟各国的经济实力，使它们在亚太地区的地位明显上升，加强同发达国家或国家集体的谈判能力，是应对欧共体、北美经济集团化强大攻势的最佳出路。随着东盟自由贸易区计划的逐步实施，东盟将成为东南亚和整个亚太地区大国构筑新的国际关系格局时不容忽视的一支力量。按照 WTO 的统计，2006 年，世界前三大出口国——德国、美国和中国的出口额占世界总出口的份额分别为 9.2%、8.6% 和 8.0%，东盟作为一个经济整体，其占 6.4% 的份额超过了随后的日本（5.4%），可以排在第四位。这体现了东盟在世界经济中地位的上升。从 20 世纪 90 年代至今，东盟出口量占世界总出口的比例一直保持在 6% 以上。虽然变动不大，从一定程度上说明东盟经济一体化并没有明显改善作为一个整体的东盟在世界出口市场中的地位，但是考虑到 20 世纪 90 年代以来中国在世界出口市场份额迅速提升的背景，在出口市场上与中国存在较大竞争关系的东

[①] 郭宏：《全球市场、国内政治与东盟区域经济一体化》，中国经济出版社，2009 年版，第 284 页。

盟能做到这一点已属不易[○]。

东盟一开始并不是朝着自由贸易区的方向发展的，其政治用意一度甚于经济意图。有一种相对普遍的观点认为，东盟是披着经济合作外衣的政治或安全性质的地区组织。但是，卢光盛在其《地区主义和经济合作》一书中表示这种过分贬低东盟经济合作地位和作用的说法是不合理的。因为在本意上，东盟各国有着加强地区经济合作的意愿，且负责协调经济合作的机构在其组织框架中占据重要地位并延续至今，并不能完全以后来实际合作的效果来衡量这个组织本身的性质。而且相比政治和安全上的合作进展而言，东盟经济合作也同样取得了一定的成效[○]。

东盟自由贸易区的建立是在东盟内部经济发展、东盟经济合作日益加强以及世界经济形势变化的背景下提出的。它是东盟各国经济快速发展的结果，同时也是加强东盟经济合作的必然选择。地区内部贸易合作是东盟地区经济合作的最主要形式，也是到目前为止东盟框架下开展内容最多、目标最明确的地区经济合作形式。除贸易合作外，东盟还开展了工业合作、东盟投资区建设和多种形式的次区经济合作。在金融和货币合作方面，虽然东盟国家间有着长久的合作经历，但是更为具体和具有实质性内容的金融合作是在1997年东南亚金融危机之后才开始进入各国的关注视线内的。

1. 贸易方面

东盟自由贸易区《共同有效优惠关税》的实施使得区内成员国间相互贸易量增长迅速，从1993年的824.4亿美元增加到2000年的1595.9亿美元，年均增长率为13.37%。而同期，东盟区外贸易则从1993年的3457亿美元增长到2000年的5554亿美元，年均增长率为8.55%。区内贸易较区外贸易的增速更快。统计数据表明，经济形势好的年份，东盟区内贸易比区外贸易有更快的增长；而在经济形势较差的年份，区内外贸易呈等幅度下降。

从表13-3可以看出，1997年东南亚金融危机前，东盟国家间的出口每年都以超过10%的速度增长，受危机影响，1997年的区内出口增长率明显下降，1998年甚至出现了负增长，1999年东盟区内出口恢复增长，2000年的增长率更是高达27%。在经过2001年的暂时倒退后，从2002年开始，东盟的区内出口稳步增长，并于2003年突破了1000亿美元大关。在区内进口方面，1993—2007年，区内进口额一直稳步增长，经济危机后略有下降。2001年仍是一个转折点，之后区内进口开始以较高的速度增长，2004年也超过了1000亿美元。受2008年世界经济危机影响，2009年的东盟区内外进出口贸易额均明显下降，在2010年恢复增长，其出口总贸易额突破10000亿美元大关。2011年，东盟进口总贸易额突破10000亿美元大关。2012—2014年，东盟区内外贸易额稳步发展，波动幅度较小，总体呈增长态势。2015年，东盟区内进出口和区外进出口均大幅度下降。

表10-3 1993—2015年东盟的贸易量

项目 年份	区内贸易额 占总贸易额比	东盟区内贸易/亿美元		东盟区外贸易/亿美元		东盟总贸易/亿美元	
		出口	进口	出口	进口	出口	进口
1993	0.191753	436.81	387.63	1629.56	1845.48	2066.37	2233.11
1994	0.205179	585.72	469.12	1881.93	2203.30	2467.65	2672.42

○ 刘晨阳、于晓燕：《亚太区域经济一体化问题研究》，南开大学出版社，2009年版，第110页。
○ 卢光盛：《地区主义和东盟经济合作》，上海辞书出版社，2008年版，第73页。

(续)

项目 年份	区内贸易额占总贸易额比	东盟区内贸易/亿美元		东盟区外贸易/亿美元		东盟总贸易/亿美元	
		出口	进口	出口	进口	出口	进口
1995	0.201187	701.79	536.02	2265.18	2649.53	2966.97	3185.55
1996	0.215419	809.74	642.11	2423.88	2863.95	3233.62	3506.06
1997	0.214664	853.52	646.21	2573.18	2913.51	3426.70	3559.72
1998	0.209888	693.13	516.05	2473.38	2078.52	3166.51	2594.57
1999	0.212907	749.04	577.71	2669.08	2235.75	3418.12	2813.46
2000	0.223264	952.68	736.36	3154.26	2721.92	4106.94	3458.28
2001	0.221189	844.88	676.40	2860.60	2495.86	3705.48	3172.26
2002	0.22402	867.07	732.02	2971.48	2567.61	3838.55	3299.63
2003	0.250733	1156.01	911.31	3369.56	2808.51	4525.57	3719.82
2004	0.243222	1411.16	1195.81	4282.53	3828.97	5693.69	5024.78
2005	0.248916	1638.63	1410.31	4842.85	4357.12	6481.48	5767.43
2006	0.251118	1891.77	1635.95	5615.31	4905.03	7507.08	6540.98
2007	0.249518	2173.34	1845.86	6424.70	5663.97	8598.04	7509.84
2008	0.247802	2499.86	2201.26	7275.51	6994.64	9775.36	9195.90
2009	0.244768	1995.45	1766.33	6109.27	5497.72	8104.73	7264.05
2010	0.294281	2954.44	2925.75	7527.02	6970.34	10481.46	9500.08
2011	0.244883	3097.26	2747.07	9279.96	8147.54	12377.23	11488.61
2012	0.246635	3237.58	2860.05	9296.21	9329.41	12533.80	12189.46
2013	0.242307	3303.17	2782.40	9408.10	9621.48	12711.28	12403.88
2014	0.240592	3298.76	2788.11	9629.24	9583.47	12928.00	12371.58
2015	0.239506	3056.93	2380.59	8763.38	8502.20	11820.31	10882.79

(资料来源：根据东盟秘书处网站有关数据计算整理。)

东盟内部贸易占地区贸易总额的比重变化不大，大致保持在20%～25%这一比例。这样看来，东盟自由贸易区并没有带来东盟内部贸易份额的大幅提高。然而，值得注意的是，把地区贸易份额作为衡量东盟自由贸易区效应的评价指标可能并不恰当，因为它并不必然意味着这一份额越大，地区合作的成效越好，而合作的成效更多地取决于地区内部贸易份额是如何提高的。如果为了提高东盟内部的贸易份额，对内大幅降低优惠关税，同时保持着较高的对外关税，那么，对于东盟来说，付出的代价是相当高昂的[1]。但是，区域一体化从一定程度上提高了东盟区内贸易产品的资本和技术密集程度，部分优化了东盟区内贸易的结构。例如，1980—2000年，印度尼西亚的中高技术产品占出口比重从3.6%增加到31.3%，马来西亚从28.5%增加到73.7%，菲律宾从8.9%增加到81.8%，新加坡从40.5%增加到78.3%，泰国从13.1%增加到58.7%[2]。

2. 投资方面

20世纪90年代，东盟国家曾一致同意在投资自由化项目（AIA）中先于外国投资者给

---

[1] Chia Siow Yue and Marcello Pacini, ASEAN in the New Asia: Issues & Trends, Singapore: Institute of Southeast Asia Studies, pp. 85.

[2] 王勤:《东盟国家对外贸易及其结构变化》，东南亚研究，2005年第3期。

予东盟投资者以优待，试图使国内企业利用这些投资优先性政策进行地区扩张活动，包括形成东盟跨国公司来提升其与跨国公司的竞争能力。然而到了 2001 年中期，当全球经济停滞和 FDI 流入下降的趋势越来越明显时，东盟国家就不得不对 AIA 进行重大调整了。

对于东盟在投资开放问题上一度采取的歧视性规定，存在两种看法：一种看法认为此举可以理解，不值得大惊小怪，因为这些规定从根本上与东盟自由投资的机制是相违背的，维持的时间不长。另一种看法则认为不然，东盟这个短暂的投资歧视行为有着深刻的意义，它充分体现了东盟希望通过给予区内投资以保护期来促进其成长、保护区内某些重要的产业以待日后参与国际竞争的战略考虑。这是"发展型地区主义"的一种典型表现。东盟对 FDI 区别待遇歧视性规定的取消，意味着东盟从"发展型地区主义"重新回到了"开放地区主义"的路子上㊀。

东盟投资合作包括两个层次：区内的投资合作和区外的投资合作。前者规模小，层次低，意义不大，自然也不是各国合作的重点；后者即东盟作为一个整体为吸引外资所采取的合作，是与东盟自由贸易区等其他地区合作内容密切关联的，主要手段是消除投资障碍、完善投资环境、扩大内部市场等。这种合作属于经济合作中较为高阶的内容，一定程度上也体现了东盟经济一体化进程的加深㊁。据联合国统计，东盟 10 国吸收的外国直接投资累计存量稳步上升，从 1985 年的 502 亿美元上升到 1990 年的 899 亿美元，2000 年增加到 2628 亿美元。东盟占世界外国直接投资流入量的份额从 1985 年的 3.9% 到 1997 年的 6.8%。在 1997 年以前，东盟吸收的外国直接投资保持了持续不断的迅猛增加，金融危机之后投资有所减少，2001 年开始扭转下滑势头。大量的外国投资流入东盟，并在东盟经济发展中起到不可替代的作用。尤其是 20 世纪 80 年代中后期先后出现的外资投资高潮，不仅增强了东盟出口导向型经济，也反过来加快了区域内的经济合作。东盟自由贸易区的投资效应不仅表现为促进区域内的资本流入东盟，而且还带动了区域内的资本在成员国间流动。在强劲的投资和需求的推动下，东盟国家经济保持了增长势头。据东盟公布的统计数据，印度尼西亚、马来西亚、菲律宾、新加坡、泰国、越南在 2007 年的经济增长率分别为 6.3%、6%、6.3%、7.5%、4.5% 和 8.4%。

3. 金融方面

东盟国家在金融领域的合作可以追溯到 20 世纪 70 年代，但实质性的合作却是在东南亚金融危机之后才提上东盟各国议事日程的。1997 年东南亚金融危机对东盟造成的沉重打击令各成员国认识到进一步加强金融部门合作，特别是在放松管制和加强监控方面进行合作的必要性。在 2007 年 4 月结束的第 11 届东盟财长会议上，各国财长讨论了东盟金融和货币一体化路线图的执行问题，并就金融合作如何更好地为 2015 年实现东盟经济共同体服务进行了探讨。会议决定加强资本市场方面的合作，建立东盟证券市场信息交流平台——东盟证券门户。由于越来越多的东盟国家已经开始使用电子证券交易平台，东盟证券市场间的联系将进一步深化。意识到基础设施建设对东盟经济发展、区内贸易和服务自由化的重要性后，此次会议还决定成立一个特别工作组，制定新的基础设施融资机制。在税

㊀ Nesadurai H E S. Attempting Developmental Regionalism through AFTA: the Domestic Sources of Regional Governance. The Third World Quarterly, 2003, 24 (2): 240-241, 250.

㊁ 卢光盛：《地区主义和东盟经济合作》，上海辞书出版社，2008 年版，第 93-94 页。

收合作方面，各国同意加快避免双重征税的双边协定的签署，并成立由各国税收官员参加的东盟税收合作论坛㊀。

（三）东盟自由贸易区的发展前景

20世纪90年代以来的东盟区域经济一体化实践表明，全球市场的变化带来的经济增长挑战，是东盟经济地区主义重新兴起并保持强大生命力的关键动因。区域经济一体化作为东盟国家应对经济增长挑战、维护和增强政治合法性而选择的一种战略，具有开放地区主义的性质，也即区域合作的经济增长导向性决定了地区经济合作的开放主义性质。从这个意义上来讲，东盟国家推进区域经济一体化不是为了形成一个封闭的或歧视性的贸易集团，而是旨在通过构造一个较大的地区市场，提升其融入全球经济的能力㊁。目前，东盟自由贸易化正处于十字路口。虽然东盟自由贸易区建设的成就激励着成员国继续寻求深化地区内部的经济合作，这突出体现为实现东盟经济共同体的目标，即把东盟尽快转变为一个单一的市场和生产基地，创造一个"无缝"的地区一体化市场。在这个市场上，所有商品、服务和资本毫无阻碍地流动，高水平的标准化或协调各种规章，允许地区劳工的流动，尽管仅限制专业和熟练劳工㊂。但是，众多的内部障碍使得这一旨在构建"无缝"地区市场的宏伟蓝图难以实现。

1. 东盟内部缺乏凝聚力

东盟成立后，一直采取互不干涉内政、灵活协商的"东盟方式"来处理各种问题。这一做法固然有助于求同存异，但它并没有增强东盟内部凝聚力。在具体的区域合作问题上，有时为了确保各成员国能够达成共识，东盟各级会议不得不专门使用较为模糊的语言，最终达成的东盟共识也只能是在最小共识基础上的调和。这样，1997年东南亚金融危机后，东南亚国家几乎没有任何协调与共识，每个国家均自行其是，分别寻求国际金融机构的帮助。㊃可以说，东盟内部缺乏凝聚力已经成了影响东盟组织运作的一个"硬伤"。相对成熟的欧盟及北美自由贸易区，往往有着明确的经济主导力量（如欧盟中的"法德轴心"，北美的美国），作为吸引、支撑本地区经济活动的基础和核心。与它们不同，东盟内没有这样的国家。从经济发展水平、技术能力和贸易额（东盟内部的贸易大约有80%是与新加坡有关的）等方面来看，新加坡具有成为主导力量的潜力，但其总的经济规模有限、国内市场狭小，从根本上制约了其成为主导力量的可能。主导力量的缺失，使得地区经济合作缺乏具有实质意义的倡导方、领导者和"问题解决者"。

2. 成员国间贫富悬殊

在东盟，国家之间人均收入水平的差距相当大。新加坡是年人均收入最高的国家，超过2.5万美元；文莱是一个收入相对较高的国家，为1.85万美元；马来西亚和泰国大约在3000~4000美元；菲律宾和印度尼西亚则为1000美元左右；柬埔寨、老挝、缅甸和越南则属于低收入水平国家，年人均收入大致处于300美元的水平㊄。贫穷仍是东盟一些成员国的

㊀ 刘晨阳、于晓燕：《亚太区域经济一体化问题研究》，南开大学出版社，2009年版，第85页。

㊁ 郭宏：《全球市场、国内政治与东盟区域经济一体化》，中国经济出版社，2009年版，第287页。

㊂ Declaration of ASEAN Concord Ⅱ, http//www.aseansec.org/15159htm.

㊃ 张振江：《东盟方式：现实与神话》，东南亚研究，2005年第3期。

㊄ Weiyen D H, Roadmap to an ASEAN Economic Community, 2005：327 pp. 95-96.

主要担忧所在。世界银行担心，该地区日益加剧的收入不公平将导致各国以及国内分歧加大，从而破坏地区一体化的事实，加剧社会的不稳定。罢工、产业争端和农村动荡在东盟国家，尤其东盟新成员国家一直呈现上升趋势，"如果不把增长维系在一个合理的水平，公平地分配收益，那么，将面临着社会以及国家间摩擦加剧的现实危险。"[1]

3. 地区内外多边主义和双边主义盛行

此外，东盟还面临着如何处理地区内外多边合作、双边合作之间复杂的关系问题。这是影响区域经济合作未来发展的一个关键因素，因为地区内外多边主义、双边主义相互之间并不必然兼容，尤其是那些在不确定的全球经济中，出于确保经济安全的目的，新近出现的东盟与地区外国家的多边经济合作尝试以及各个成员国对双边自由贸易协定的追求，极有可能作为一种"结构性"的力量，稀释东盟自身经济一体化的兴趣、努力和资源，最终导致地区经济的分裂[2]。

东盟由东南亚小国组成，自身的经济影响力非常有限，加上其区域经济合作的开放性，内部凝聚力不强，使得东盟在未来东亚经济合作中的主导地位难以稳固，面临诸多挑战。对于东盟来说，要掌握东亚经济合作的未来，必须把握现在，进一步加强自身经济一体化的建设，以集体的身份展现在东亚经济合作中[3]。

4. 建立东盟经济共同体充满挑战[4]

2015年建立东盟经济共同体的目标让外界充满期待，然而东盟经济共同体的建设依然面临很大挑战。一方面，东盟经济协定的国内法律程序批准或接受过程依然面临着比较大的压力，东盟成员国的国家利益和产业保护意识依然非常强大；同时，不断壮大的非政府组织和公民社会团体的批评与质疑，也将成为影响东盟经济决策社会化的重要因素。另一方面，协定和安排的制定与如何落地执行是两回事。在非关税障碍、服务业开放、技术工人自由流动、劳工保护、对中小企业的重视程度、公民社会的参与意愿等问题上，东盟依然面临着严峻的挑战。东盟也承认，2015年启动东盟经济共同体的目标将很难完全实现。鉴于此，东盟明确了当前的紧迫任务：①快速推进东盟经济共同体中重要且具有重大影响的项目；②加强东盟经济共同体在东盟中小企业、公民及其他利益群体中的传播力度。更重要的是，要尽快出台东盟经济共同体2015年后议程，为2015年东盟经济共同体未能实现的目标提供方案。这事实上再次表明，东盟的经济共同体建设本质上依然是过程导向的，东盟经济共同体建设很大程度上只是东盟高度经济一体化的起点。

三、亚太经济合作组织

20世纪80年代后期以来，亚太地区，即亚洲及环太平洋沿岸国家和地区，成为世界经济增长的中心。亚太经济圈的形成使得区域内成员在政治、经济和社会各个层面要求合作的呼声越来越高。在世界性地区主义大潮的影响下，亚太地区的区域合作组织——亚太经济合

---

[1] KassumJemaluddin, Beyond Miracles and Crises: A New East Asia, Euromoney Issuers and Investors Forum, 19 March 2003.
[2] 郭宏：《全球市场、国内政治与东盟区域经济一体化》，中国经济出版社，2009年版，第289页。
[3] 李皖南：《东盟经济一体化及其在东亚经济合作中的地位》，亚太经济，2009年第6期。
[4] 周玉渊：《从东盟自由贸易区到东盟经济共同体：东盟经济一体化再认识》，当代亚太，2015年第3期。

作组织（简称亚太经合组织）（Asia Pacific Economic Cooperation, APEC）便应运而生。

亚太经合组织与欧盟和北美自由贸易区不同，它只是一个区域性的以促进贸易、投资和技术合作为目的的开放型国际组织，自成立以来便针对整个亚太区合作可能存在的各方利益矛盾较多、差异性较大的特点采用了论坛性合作的非机制化模式，采取了自主自愿和协商一致的"APEC方式"作为其运行机制。在亚太经合组织区域内，存在包括北美自由贸易区、东盟、澳大利亚—新西兰更紧密经济关系协定等多个区域经济体，这些经济体都有各自的贸易自由化目标和进程，在亚太经合组织内部和世界贸易中均占有重要地位；各成员在经济发展水平上存在显著差异，既有美国、日本这样的世界经济强国，也有韩国等新兴工业化国家，还有中国、越南这样的发展中国家以及其他经济不发达的国家，这是该组织的一个重要特征；要素禀赋和经济发展水平上的不平衡使得它们之间在经济上有很强的互补性，也正是这种要素禀赋以及经济结构上的互补性构成了亚太经合组织各成员经济合作的坚实基础。

亚太经合组织成立的宗旨与目标是：相互依存，共同利益，坚持开放的多边贸易体制和减少区域贸易壁垒，通过区域内各经济体的合作来促进各经济体的经济发展。具体目标是：该组织中的发达成员不迟于2010年，发展中成员不迟于2020年实现自由、开放的贸易和投资。为了实现贸易与投资的自由化和便利化，亚太经合组织坚持的主要原则有：开放性、非强制性、灵活性、渐进性、相互合作等。在推进贸易自由化、便利化和经济技术合作中，还强调相互尊重、彼此平等、互惠互助、建设性的伙伴关系以及寻求协商一致等原则。自成立以来，APEC为推动亚太地区贸易投资自由化和经济技术合作，促进地区经济发展和共同繁荣，做出了突出贡献，已成为联结太平洋两岸的一条重要纽带。

(一) 亚太经济合作组织的发展演变

亚太经合组织的建立与发展经历了民间酝酿、半官方协商以及官方协商和协调三个阶段。早在1960年，日本的小岛清教授就在题为《太平洋共同市场和东南亚》的报告中提出过建立太平洋自由贸易区的方案。只是这一阶段有关亚太经济合作的种种设想，都是以美国、澳大利亚、加拿大、新西兰和日本这五个发达国家为对象，而把发展中国家排除在外。1980年9月，在澳大利亚的堪培拉成立了由美国、日本、加拿大、澳大利亚、新西兰、东盟五国、韩国和南太平洋岛国的工商界、学术界、政府三方面人士参与的"太平洋经济合作理事会（PECC）"。该机构的宗旨是：在自由和开放经济交流的基础上，本着伙伴关系、公平和相互尊重的精神，加强经济合作，以充分发挥太平洋盆地的潜力。该组织努力促进亚太地区的经济贸易合作，也为亚太地区经济合作的机制化创造了条件。它的成立标志着亚太区域经济合作已由民间转向半官方或准官方性质，由论坛讨论式转向信息的交流，并考虑采取切实的合作措施。1989年1月，澳大利亚总理霍克在访问韩国时提出了"汉城倡议"，建议召开亚太地区国家部长级会议，以讨论加强区域经济合作问题。该倡议很快得到许多国家和地区的响应。当年11月，首届亚太地区部长级会议在澳大利亚首都堪培拉举行，亚太地区12个成员的外交、经贸部长参加了会议，APEC从此诞生。此后，每年召开一次由各成员外交部长和负责贸易的部长参加的会议。

APEC初始由5个发达国家以及韩国和东盟等发展中国家和地区共12个成员组成，此后遵循太平洋经济合作会议方式，逐渐吸收中国和拉美国家加入，至1994年成为拥有18个成员的组织，进而在1998年又接纳了秘鲁、俄罗斯和越南三国，现在已经发展为拥有21个成员的组织。APEC接纳新成员需要全部成员的协商一致。1997年温哥华领导人会议宣布

APEC 进入 10 年巩固期，暂不接纳新成员。1997 年至今，各成员国积极参与，经过十几年的努力，使 APEC 逐步由成立之初的一个松散的国际经济论坛发展演变为亚太地区最高级别的政府间经济合作机制，成为联系太平洋两岸各国的重要纽带和各成员开展合作的重要舞台。

(二) 亚太经济合作组织取得的成效

亚太经合组织成立之初便提出了推动区域内贸易和投资自由化问题，并将其作为一项重要目标，1993 年西雅图会议是亚太经合组织进程中的一个重大转折，会议确定了三大目标：贸易投资自由化、便利化和经济技术合作。1994 年茂物会议在推动贸易和投资自由化目标的实施上取得了重要进展，《茂物宣言》以各领导人共同承诺的方式，提出了发达成员不晚于 2010 年，发展中成员不晚于 2020 年实现贸易和投资自由化的时间表，并在 1995 年的《大阪宣言》中得到了具体落实。1996 年马尼拉会议通过了《APEC 加强经济合作和发展框架》，使经济技术合作进入了操作阶段，并落实了大阪会议中关于自由化的内容。在 APEC 的区域经济合作进程中，经过发达成员和发展中成员的不懈努力，各成员经济体在贸易投资自由化、便利化、经济技术合作等方面都有了实质性的进展，极大地促进了亚太地区经济的发展，增进了其成员乃至世界各国的福利水平⊖。

1. 贸易投资自由化

贸易投资自由化始终是 APEC 进程的核心内容。贸易投资自由化的主要内容框架包括关税减让、非关税措施减少或消除、服务领域的市场准入和投资领域实行非歧视性原则四个方面。在过去十几年中，经过各个成员的共同努力，APEC 在上述四个领域取得了引人注目的成果。

(1) 关税领域。为了实现茂物会议的目标，APEC 成员通过实施关税多边减让、单边行动和放松管制等活动，使各自的简单平均关税税率都有了较大程度的降低。1989—2007 年，APEC 整体简单平均关税水平由 15.4% 下降至 7.23%。逐步削减关税、提高关税制度的透明度是 APEC 实行贸易自由化的重要途径。

(2) 非关税领域。减少或消除非关税措施是 APEC 贸易自由化的重要内容之一。具体目标是：逐步削减非关税措施，(确保 APEC 成员各种非关税措施的透明度。在单边自主行动 IAPs) 中，APEC 各成员减少或消除的非关税措施主要集中在进口许可证、出口补贴、进出口数量限制、配额、最低进口价格等 10 种非关税措施上。大部分 APEC 成员为 WTO 成员，按照 WTO 规定，这些成员 2005 年已经全部取消非关税措施。2001—2010 年，中国逐步削减非关税措施，取消所有不符合 WTO 有关协定的非关税措施。与其他 APEC 成员相比，中国在非关税壁垒领域的自由化程度是比较高的，已经采用了 WTO 规定的关税政策作为贸易政策的主要手段。

(3) 服务领域。《大阪行动计划》对服务领域的自由化目标做出以下规定：逐步减少服务贸易的市场准入限制，为服务贸易提供最惠国待遇和国民待遇。APEC 要求各成员在 WTO 服务贸易多边谈判中做出积极贡献；扩大在服务贸易总协定框架下的市场准入和国民待遇的承诺，在适当时候取消最惠国待遇，考虑进一步行动促进服务的提供。APEC 提出了能源业、电信业、交通业、旅游业四个服务部门的集体行动计划，成员可在自愿基础上在其他部门采取行动。APEC 成员都在服务贸易领域积极推进自由化，解除了一些管制措施。大

⊖ 刘晨阳、于晓燕：《亚太区域经济一体化问题研究》，南开大学出版社，2009 年版，第 291 页。

部分成员，特别是发展中成员，正在通过消除对市场准入的约束和限制，改善商业便利，提供国民待遇和最惠国待遇，实施减少管制、消除官僚化的结构性调整，努力建立一个自由的、市场导向的、透明和开放的服务贸易机制。所有这些努力都旨在组建一个生机勃勃的地区服务贸易市场。

（4）投资领域。投资自由化在 APEC 成立之初就与贸易自由化一起成为 APEC 活动领域中的重要内容。此后，APEC 不断努力寻求各种推动投资自由化进程的有效途径，并取得了一定的进展。依据 APEC 成员在 IAPs 中提出的关于投资自由化的承诺和态度，APEC 的各个成员都积极致力于吸引外资的政策框架建设。

2. 贸易投资便利化

1995 年是 APEC 贸易便利化合作进程正式启动的标志性年份。在这一年通过的《执行茂物宣言的大阪行动议程》中，将贸易投资便利化合作与贸易投资自由化合作、经济技术合作共同确定为推进 APEC 进程的三大支柱。迄今为止，APEC 尚未对贸易便利化内涵做出明确的定义○。大体来讲，一切以 APEC 成员共同参与合作方式进行的，旨在为本地区贸易、投资和其他经济交往活动创造方便条件，建设和消除边界、行政管理、技术和服务等方面妨碍和限制的合作，都可以称之为贸易便利化合作范畴。这一内涵还将随着贸易规模的扩大和贸易方式的创新而产生新的变化○。APEC 在贸易便利化的四个传统领域（海关程序和电子商务方面、质量评估方面、标准和一致化方面及商务人员流通方面）取得的成绩是显著的，尽管成员内部之间还存在较大的差距，但从世界范围来看，APEC 的便利化程度仅次于 OECD，走在了世界的前列。

3. 经济技术合作

经济技术合作是 APEC 的重要支柱，它的健康发展对亚太地区经济持续稳定增长具有重要意义。1996 年马尼拉会议通过的《APEC 加强经济合作与发展框架宣言》所确定的经济技术合作项目，主要集中在人力资源开发、发展资本市场、利用未来技术、加强经济基础设施、促进可持续发展和增强中小企业活动六个优先领域，后又在 2003 年新增了融入全球经济、促进知识经济发展、加强反恐能力建设和迎接社会领域全球化四个优先领域。2006 年 11 月的河内峰会中将十大领域并列正式确定为经济技术合作的十大优先合作领域，并将前六项确定为长期优先领域，后四项确定为中期优先领域，从而有助于将稀缺的资源用于最紧迫的合作项目，最大限度地促进 APEC 经济体的经济发展。

【专题】

一旦退出 TPP 美国亚太战略面临"烂尾"

特朗普当选美国总统，明确表态上任后第一天即退出《跨太平洋伙伴关系协定》（TPP），美国这个"群主"退群几乎板上钉钉，TPP 前途未卜，由此造成的溢出效应将导致奥巴马政府"亚太再平衡"战略面临调整。

○ Behzad Babakhani, Introduction to the APEC Trade Facilitation Agenda, 2005/SOM2/WCBG/WKSP/003a.
○ 宫占奎：《亚太经济发展报告（2007）》，南开大学出版社，2007 年版，第 33 页。

1. TPP 的影响

TPP 影响几何？只有从理论上对全球贸易规则的形成做更深入的分析，才能更好地理解全球贸易格局，使我国在更长的时期内更好地谋求国际贸易定位。

首先从理论逻辑上简要讨论为什么会有 TPP 的诞生。经济学研究有限资源的有效配置，而国际贸易学科从国家层面研究有限资源的有效配置。大航海时代后，要素流动以及国际贸易商品流动背后所体现的要素流动，使得跨国资源配置效率迅速提高，全球经济开始脱离"马尔萨斯"稳态进入快速增长阶段。这种跨国资源配置效率的提升最早体现在早期发达国家之间，一旦发达国家之间配置效率改善的潜力挖掘到一定程度，就开始向全球扩散。

经济繁荣伴随着国际贸易，规模越来越大，各自为政已经不足以保障全球正常的经济秩序，亟需一个组织能够协调各国之间的贸易冲突。这种背景下，关税与贸易总协定（GATT）于 1947 年成立，并逐步发展为一个全球性的有关关税与贸易规则多边国际协调的组织，且于 1994 年更名为世界贸易组织（WTO）。WTO 有 164 个成员，成员贸易总额占全球贸易的 97%，是一个名副其实的全球性贸易组织。

随着经济不断发展，降关税等纯粹的贸易措施已经不足以带来快速的贸易增长，而多边谈判的成本却越来越高。尤为重要的是，全球经济发展到现在，单纯从 WTO 的定位（基本只谈贸易问题）和议事规则（多边谈判一致同意）使得 WTO 面临越来越多的发展瓶颈。从 20 世纪 90 年代开始，地区性贸易组织迅速发展。地区性贸易组织规模较小，谈判成本较低，而且谈判内容逐渐多元化，最具典型的例子是欧盟的形成。

TPP 正是在这样一个背景下诞生的，单纯从贸易政策方面的谈判已经很难再挖掘经济增长的潜力，在新加坡等国家的发动下，希望能成立一个合作内容更加多元化的组织，以更好地促进资源在成员国之间的有效配置。

2. 退出 TPP，亚太战略告急

特朗普竞选美国总统时就提出实施贸易保护政策，退出 TPP。他的当选反映出美国主流民意非常大的转变，美国一直是全球化的积极践行者，一旦美国真的实行贸易保护，不再积极推动全球自由贸易，可以预见特朗普时代的全球贸易与资本流动局势将出现很大的变数。当今美国无疑是世界非常重要的一极，在促进全球化、促进全球技术进步与经济发展方面发挥了非常重要的作用。当美国真正实行贸易保护策略时，全球化进程将遭受重大损失，全球要素流动也将发生重大变化。资本、人才等出于风险规避等目的，很可能会回流美国，全球技术扩散速度将会放缓，这将对全球经济发展产生重要影响。

2011 年 11 月，奥巴马正式提出了由三大支柱构成的"亚太再平衡"战略：军事上，在亚太部署最新武器，搅动亚太局势；政治上，强化与亚太地区盟友间的关系；经济上，通过 TPP 拓展与亚太地区的贸易联系。但随着 TPP 奄奄一息，美国与亚太的贸易纽带显然已处于若即若离的状态，而其产生的溢出效应势必波及政治与军事两大战略支柱。而盟友对美国从此将心存芥蒂，这也给特朗普政府上台后能否挽回美国在亚太地区的影响力带来极大考验。

3. 中国应参与主导么？

在这一全球化面临较大风险的特朗普时代，面对特朗普宣布美国退出 TPP，中国应该如何应对？根据评估，TPP 的签署从贸易的角度基本上不会对中国造成太大的冲击，即不

会出现因为TPP使得中国出口额大幅度下降的现象。TPP和WTO框架有着本质的区别，WTO只是商品跨境流通的跨境贸易成本协商，而TPP将协商内容扩大到产品生产流通的各个环节，更为重视一国的内部改革，有利于从一国内部制度改革的角度改善资源配置效率。

由此来看，不加入TPP并不会对中国有多大的不利影响，但如果加入TPP，却能够从国家现代化治理能力提升、国际话语权提升等方面给中国带来诸多好处，也能够以开放促改革，加快我国经济市场化改革进程，从这一角度来看，中国应该积极谋求加入，乃至主导TPP。美国退出TPP，实际上表明特朗普放弃美国继续充当全球自由贸易的"领头羊"，表明美国孤立主义和保守主义抬头，这在短期内对全球贸易、要素流动、经济发展会有不利影响。但从另一方面来看，这也倒逼各国必须下定决心加速内部改革，提高内部资源配置效率，在更大程度上提高国际竞争力。

2016年11月20日，中国国家主席习近平在APEC利马峰会第一阶段会议上发表了题为《面向未来开拓进取促进亚太发展繁荣》的重要讲话。强调坚定不移引领经济全球化进程，还要支持多边贸易体制，把促进贸易和投资自由化便利化放在更加突出的位置，要有效应对区域贸易协定碎片化现象，倡导开放包容，防止封闭排他。

（资料来源：潘寅茹：《一旦退出TPP 美国亚太战略面临"烂尾"》，第一财经日报，2016年11月24日；杨汝岱：《美国退出TPP 中国应参与主导》，第一财经日报，2017年2月27日。）

（三）亚太经济合作组织的发展前景

1. 现状症结

亚太地区各成员在历史、文化、政治及经济等领域的多样化客观上限制了该地区的合作模式，很难要求全体亚太地区成员形成一个统一的、具有很强约束力的机制化组织。这样，亚太地区的整体合作水平仍然不高，以非机制化合作为主。随着APEC贸易自由化进程的发展，各成员的关税和非关税水平逐步降低，较为容易实现自由化的部门和领域都已经逐渐达到开放的要求，剩下的部门则多涉及敏感领域。而APEC作为一种非约束机制，这种情况导致该地区的整体合作在近年来难以在贸易投资自由化等领域取得实质性的有效进展，而更多是依靠多边贸易谈判来推进贸易自由化进程。多数成员所作的贸易自由化承诺并未超越它们在WTO中所做出的承诺水平，APEC对WTO多边贸易谈判的推动努力更多停留在部长会议及领导人会议的声明上以及能力建设等方面，而缺少实质性的贸易自由化行动。实际上，APEC已经注意到这一问题，并开始对各成员的IAPs进行第二轮同行评议，以督促各成员努力向茂物会议的目标迈进。但是由于这种评议是以自愿为原则的，加之APEC成员对茂物会议的目标本身的认识仍然存在分歧，因此，评议的结论缺乏约束力和推动力，评议的作用也不可高估。多样化和多层次的合作虽然可以从不同角度共同推动亚太地区的贸易投资自由化进程，但同时也给各成员带来一定的困难，过于复杂的自由贸易协定可能提高各成员的交易成本、协调成本以及谈判成本。为了更加有效地推进亚太区域经济一体化进程，各自由贸易协定必然要进行新的整合，同时力求建立统一的更加有效的合作模式。随着APEC缺陷的日益凸显，有人提出了将APEC建成亚太自由贸易区（FTAAP）的设想。

2. 改革方向

作为亚太地区最大的区域经济合作组织，APEC 近年来的发展遇到了一定的阻力和挑战，改革成为各成员最近比较关注的议题之一，自主自愿和协商一致的"APEC 方式"虽然最大限度地避免了成员间的直接利益冲突，鼓励了各成员向共同的自由化目标努力，但同时又因其"软约束"性质而降低了效率。关于 APEC 何去何从，各成员存在一定的分歧。目前关于 APEC 调整与改革的思路和模式，理论界和各成员主要有三种模式选择：

（1）在短期内仍然保持 APEC 弱机构论坛模式。

（2）在今后较长一段时期内，维持其基本性质和合作方式不变，但需要逐渐弱化其论坛性质，并对"APEC 方式"中的内容进行调整，改革并加强 APEC 的监督和评估机制，对成员的贸易投资自由化与便利化、经济技术合作施加一定的压力，加强其机制化的建设，逐步引导其向"强机制"方向发展[1]。

（3）逐步用"约束性的 APEC"取代"自愿性的 APEC"。是否应将 APEC 发展成类似于自由贸易区的机制化组织，是近几年该组织历次会议讨论的重点之一。美国、澳大利亚等根据自身区域经济合作战略的需要，主张建立大范围的自由贸易区。这样一方面可以转移亚太各成员的压力，弱化茂物会议的目标，降低在 2010 年实现贸易投资自由化的外部压力，另一方面可以在多边谈判进展不利的条件下敦促发展中成员进一步开放国内市场。而众发展中成员则主张应继续坚持茂物会议的目标，坚持"APEC 方式"。此外，中国因一些因素的影响，也对建设亚太自由贸易区问题持谨慎态度。目前，各方难以达成共识。如果该组织的发展目标和方向不明确，将会极大地影响亚太地区未来经济合作的前景。

3. 新时代挑战

近 30 多年来，亚太地区经济在总体上保持了持续较快增长，成为世界上最具经济活力的地区，以中国为代表的亚太发展中经济体的高速增长尤为令人瞩目。但是，与经济增长相伴的是亚太地区能源消耗的扩大和生态环境的恶化。事实上，世界上前五位的生态足迹大国、能源消耗大国和二氧化碳排放大国均集中在亚太地区，而且除印度外均是 APEC 成员。这一现实构成了 APEC 开展气候变化合作的内部压力，同时也说明 APEC 在该领域的合作对于亚太地区乃至全球经济的可持续发展都具有非常重要的意义。从前景来看，APEC 在推进气候变化和合作的进程中，既面临严峻的挑战，也拥有多方面的有利因素。就挑战而言，APEC 成员众多，经济发展水平各异，这意味着 APEC 气候变化合作必然是一个复杂的协调和博弈过程，任重而道远[2]。

四、北美自由贸易区

1994 年 1 月 1 日，美国、加拿大、墨西哥三国签署的《北美自由贸易协定》生效，标志着北美自由贸易区（NAFTA）正式启动。该协定以法律形式规范着成员国之间的经贸关系，对美国、加拿大、墨西哥三国有很强的约束力。它还明确规定了北美自由贸易区的宗旨：取消贸易壁垒；创造公平的条件，增加投资机会；保护知识产权；建立执行协定和解决贸易争端的有效机制，促进三边和多边合作。北美贸易区具有南北合作、大国主导、经济互

---

[1] 宫占奎：《亚太经济发展报告（2007）》，南开大学出版社，2007 年版，第 149 页。

[2] 刘晨阳、宫占奎：《APEC 气候变化合作的政治经济分析》，亚太经济，2009 年第 6 期。

补以及战略过渡性等鲜明的组织特征，它的基本模式就是美国和加拿大利用其发达的技术和知识密集型产业，通过商品和资本的流动来进一步加强它们在墨西哥的优势地位，扩大墨西哥的市场；而墨西哥则可利用本国廉价的劳动力来降低成本，大力发展劳动密集型产品，并将商品出口到美国，同时还可以从美国获得巨额投资和技术转让以促进本国产业结构的调整，加快本国产品的更新换代，在垂直分工中获取较多的经济利益。三国之间密不可分的经济关系成为它们合作的纽带㊀。NAFTA 是全球第一个由北美国家共同组成的贸易集团，同时也是世界上第一个由发达国家和发展中国家组成的典型的南北区域经济一体化组织，囊括了 4.2 亿人口、2130 多万 km² 的国土面积和 11.4 万亿美元的国民生产总值，是当今世界上最大的自由贸易区。

（一）北美自由贸易区的发展演变

1985 年 3 月，加拿大总理马尔罗尼在与美国总统里根会晤时，首次正式提出两国加强经济合作、实行自由贸易的主张。由于两国的经济发展水平及文化、生活习俗相近，交通运输便利，经济上的互相依赖程度很高，所以经过一年多的协商和谈判，于 1987 年 10 月达成了《美加自由贸易协定》。协定的核心是美国和加拿大两国相互加速降低关税、拆除贸易壁垒和放宽贸易限制。协定签订后，两国经济合作有了十分成功的开端：1990 年美国对加拿大的商品出口比 1989 年增长了 18%，达到 840 亿美元；对加拿大的直接投资净额在协定生效后的第一年，即 1989 年就达 12 亿加元，比 1988 年的 1.48 亿加元猛增了 7 倍，极大地推动了两国经济的发展。因而，可以说该协定的签署和实施为美国、加拿大两国朝着经济一体化方向迅速推进，为加速美国、加拿大、墨西哥三国的经济联合和最终建立北美自由贸易区起到了有利的促进作用㊁。美加自由贸易区是一种类似于共同市场的区域经济一体化组织，它是北美自由贸易区的萌芽。

由于区域一体化的蓬勃发展和《美加自由贸易协定》的签署，墨西哥开始把与美国开展自由贸易区的问题列上了议事日程；而对美国而言，墨西哥 9000 万人口的大市场极具吸引力，而且墨西哥一直以来就是美国最为重要的贸易伙伴和主要的投资场所之一。如果不将欧盟作为一个整体而论，早在 1989 年，墨西哥就已经成为美国第三大贸易伙伴，因此将其纳入自由贸易区对美国而言是有利可图的。美国一方积极响应，加拿大也做出了积极的回应，经过 14 个月的谈判，三方就市场准入、贸易规范、劳务、投资、知识产权和纠纷处理六项内容进行磋商，最终于 1992 年 8 月 12 日达成了书面协议，即《北美自由贸易区协定》。该协议于 1994 年 1 月 1 日起正式生效，生效之日即为 NAFTA 的正式启动日。

（二）北美自由贸易区取得的成效

北美自由贸易区成立 10 多年来，虽然对其发展的成果评价不一，存在较大争议，但无论支持者和反对者，对自由贸易区建立后成员国由于取消贸易壁垒和开放市场，实现了经济增长和生产力提高是基本肯定的。加拿大的原材料、墨西哥的劳动力与美国的技术和管理相结合，为一种新型自由贸易区模式的建立和发展创造了条件。相互取消关税以及与关税同等效力的其他非关税措施极大地推动了贸易区内成员之间的贸易往来，同时也对区外的贸易伙伴国带来了不可忽视的影响，改变了地区内甚至是世界贸易格局。

㊀ 石建勋、李海英：《国际经济关系与经济组织》，清华大学出版社，2009 年版，第 167 页。
㊁ 赵玉焕：《区域经贸集团》，对外经济贸易大学出版社，2007 年版，第 87 页。

1. 区内贸易迅速增长

经过 10 多年的发展,北美自由贸易区成员国之间的货物贸易迅速增长,区内贸易额翻了一番,从 1993 年的 3060 亿美元增长到 2002 年的 6210 亿美元①。其中,1993—2001 年,美国面向区内的出口额增长了 86.6%,明显高于向区外出口的 44% 的增幅;同期,加拿大的区内出口额增长了 95.7%,而向区外的出口额仅增长了 5%;墨西哥的区内出口额增幅更高达 225%,远远超出向区外出口的 93% 的增幅。统计显示,自由贸易区的成立促进了北美服务贸易的增长,但总体来看,影响还不算大。

2. 区内投资大幅增长,金融市场逐步开放

《北美自由贸易协定》有关投资的各项规定较好地保障了投资者的合法权益,不仅有效促进了区内投资的增长,而且使北美自由贸易区成为对外资最有吸引力的地区。据统计,1994—2000 年,流入北美自由贸易区的外国直接投资占到同期全球外国直接投资总额的 28%。其中,美国年均吸收外国直接投资额为 1102 亿美元,墨西哥为 114 亿美元,比《北美自由贸易协定》生效前多了 2 倍。墨西哥成为除中国以外吸收外资最多的发展中国家。除了直接投资外,成员国之间的金融市场也逐步开放。1994—1996 年,美国和加拿大在墨西哥金融部门的投资为 12.29 亿美元,占该类外资的 86%②。

3. 成员国之间国际分工不断深化,地区经济一体化进程加快

NAFTA 成立后,形成了以美国为轴心的集生产和加工一体化的特点,即美国和加拿大、美国和墨西哥两个双边一体化的加总。加拿大与美国之间交通便利,两国的经济发展水平差距较小,所以,两国的生产一体化主要表现为水平型的产业内分工,贸易区的建立使得两国的水平分工更加稳定,一体化程度更趋深入。而美国和墨西哥之间关税的下降进一步推动了彼此的合作。与前者不同的是,美国和墨西哥的生产一体化主要体现为垂直型产业分工,而且分工范围比较有限,最明显的一体化集中在汽车、纺织品和服装等行业。在"原产地规则"的约束下,这些行业在自由贸易区建立后已经高度一体化③。

自《北美自由贸易协定》生效以来,美国、加拿大、墨西哥三国相互协调各自在多边贸易体系以及其他国际经济结构中的立场,从而增强了北美地区的整体实力,巩固和加强了美国在全球经济中的主导地位。在美国的大力支持下,墨西哥于 1993 年加入亚太经合组织,成为该组织的第一个拉美国家,于 1994 年以 NAFTA 成员国的身份加入经济合作与发展组织,成为该组织的第一个发展中国家。由此易见,北美自由贸易区的建立使得美国、加拿大、墨西哥在全球经济中的战略地位正逐步增强。墨西哥的加入,使得 NAFTA 成为 10 年来南北区域经济合作的成功范例,基本清除了国际上一度存在的关于发达国家和发展中国家能否通过自由贸易实现经济的共同增长、迈向经济一体化的疑问。

(三) 北美自由贸易区的发展前景

北美自由贸易区是一个由发展水平相差极大的发展中国家(墨西哥)与发达国家组成的区域经济合作组织,是南北经济合作的典型。由于三国经济结构的不同以及社会发展水平

---

① 资料来源:IMF 统计。

② 墨西哥工商部报告:《北美自由贸易协定生效两周年的影响》,1996 年 3 月。

③ 华晓红:《国际区域经济合作—理论与实践》,对外经济贸易大学出版社,2007 年版,第 77 页。

的差距，区内经济利益的均衡和协调始终都远非易事。这些由北美自由贸易区南北合作的特性所造成的不协调，给北美自由贸易协定的顺畅运作及发展埋下隐患㊀。

1. 建立美洲自由贸易区的美好憧憬

北美自由贸易区的长远发展目标是组建美洲自由贸易区。拉美地区向来被美国视为自己的势力范围和重要的生产基地，因此，把北美自由贸易区作为对整个拉美地区延伸的基础，进而建立包含整个美洲大陆的自由贸易区，构建一个以美国为核心的、可以与其他区域经济一体化组织相抗衡的经济集团，便成为美国为维护其世界经济主导地位所做出的全球经济战略调整。"美洲自由贸易区"一旦建成，将是一个涵盖 8 亿多人口、国民生产总值达 11 万多亿美元的庞大的区域贸易集团。对美洲其他国家而言，"美洲自由贸易区"同样具有吸引力。1994 年 12 月，34 个美洲国家首脑会议在美国迈阿密举行，与会者一致同意在北美自由贸易区南扩的基础上建立美洲自由贸易区，并确定 2005 年为谈判达成建立美洲自由贸易区协定的最后期限。

2. 北美各国内的现实分歧

美洲自由贸易区虽然在 10 年间取得了相当大的进展，但直到 2005 年原定的最后时限仍然没能如期建成，由于美洲内部存在的矛盾，始终停留在议程和框架层面上，而无法深入。在拉美地区，大部分国家都是相对贫困的发展中国家，它们在同美国的经济交往中处于明显的不利地位，于是，它们将美洲自由贸易区看作是寻求建立区内公正的经济社会秩序并借助发达国家力量消除贫困的一个途径。它们要求在自由贸易的谈判过程中要考虑到小国、贫困国家的实际竞争能力，在谈判中争取自身参与自由贸易的有利条件，而美国则应当为拉美贫困国家提供数额更多、层次更高的经济援助。与此相对，美国则希望在自由贸易的框架之下，通过推动自由贸易区内服务、投资的自由流动和知识产权的保护，巩固其在科技创新和经济发展方面相对于拉美国家的巨大优势。在这一基本问题上的分歧，必然会导致自由贸易区的谈判过程步履艰难。当前区域内双边和多边自由贸易协定正呈现出取代美洲自由贸易区多边谈判的趋势，而这种双边和多边自由贸易协定谈判"热"，显然是美洲自由贸易区多边谈判举步维艰的一种反应，无疑将削弱美洲自由贸易区的谈判进程。

3. 主导国的三心二意

同加拿大和墨西哥这两个美国在北美自由贸易区的伙伴国相比，东亚地区无疑更具有活力；相对于东盟和美国的低速增长，亚太地区自 20 世纪 90 年代以来便成为世界上经济增长最快的地区。随着生产力水平的发展，亚太地区作为一个有巨大潜力的新兴市场的重要性也彰显出来：经济的发展和贸易的扩大，以及来自世界各地的投资，都使得亚太地区成为当今世界上最具吸引力的经济区域。正因如此，美国的经济重心从北美向这一地区转移也就不足为奇了。

尽管如此，在当今世界区域一体化趋势不断加强的背景下，建立"美洲自由贸易区"仍然是美洲各国努力的一个目标。

五、中国自由贸易区

（一）中国自由贸易区战略提出的背景

改革开放以来，在对于如何参与国际分工问题上，我国政府的重心一直放在 GATT/

㊀ 刘晨阳、于晓燕：《亚太区域经济一体化问题研究》，南开大学出版社，2009 年版，第 231 页。

WTO 上。其目的是希望通过加入 WTO 来加快国内经济体制由计划经济向市场经济过渡，提高国际竞争力，将本国经济融入到全球经济一体化的体系当中，而对于国家与国家之间签订的自由贸易区并没有给予过多的关注。

进入 20 世纪 90 年代以后，一方面，区域双边经贸合作突飞猛进，并且呈现出后来居上的态势，特别是以自由贸易区为中心的区域经济一体化显示出强劲的发展势头，一跃成为区域经济一体化的主导形式；另一方面，WTO 谈判受阻，2001 年启动的"多哈回合"谈判却迟迟未能取得突破性的进展，而同时，欧盟和美国等大国都把对外政策的重心由多边合作转为双边合作。

面对国际经济形势的变化，我国先后提出"市场多元化""以质取胜""大经贸"和"科技兴贸"等发展战略，创造了发展中国家贸易增长的奇迹。在 2001 年加入 WTO 以后，我国顺应国际经济形势的发展，一直积极地参与区域经济一体化进程。2006 年，商务部提出了"守住周边，扩展到全球"的总体布局、"全面规划、突出重点、先易后难、循序渐进"的指导原则以及自由贸易区的总体战略构想。党的十七大明确提出了要实施自由贸易区战略，要把自由贸易区建设上升为国家战略，并强调了自由贸易区建设对中国发展对外经贸合作的重要意义。党的十八大提出加快实施自由贸易区战略，党的十八届三中、五中全会进一步要求以周边为基础加快实施自由贸易区战略，形成面向全球的高标准自由贸易区网络。

（二）自由贸易区战略介绍

当前，全球范围内自由贸易区的数量不断增加，涵盖议题快速拓展，自由化水平显著提高。我国经济发展进入新常态，外贸发展机遇和挑战并存，"引进来""走出去"正面临新的发展形势。加快实施自由贸易区战略是我国适应经济全球化新趋势的客观要求，是全面深化改革、构建开放型经济新体制的必然选择。

1. 国家战略

中国共产党的十八大报告提出，要加快实施自由贸易区战略。加快从贸易大国走向贸易强国，巩固外贸传统优势，培育竞争新优势，拓展外贸发展空间，积极扩大进口。树立战略思维和全球视野，站在国内国际两个大局相互联系的高度，审视中国和世界的发展，把中国对外开放事业不断推向前进。

2. 战略目标

近期目标是，加快现有自由贸易区谈判进程，在条件具备的情况下逐步提升已有自由贸易区的自由化水平，积极推动与我国周边大部分国家和地区建立自由贸易区，使我国与自由贸易伙伴贸易额占我国对外贸易总额的比重达到或超过多数发达国家和新兴经济体的水平；中长期目标是，形成包括邻近国家和地区、涵盖"一带一路"沿线国家以及辐射五大洲重要国家的全球自由贸易区网络，使我国大部分对外贸易、双向投资实现自由化和便利化。

3. 战略思路

全面贯彻党的十八大和十八届三中、四中、五中全会精神，认真落实党中央、国务院决策部署，按照"四个全面"战略布局要求，坚持使市场在资源配置中起决定性作用和更好发挥政府作用，坚持统筹考虑和综合运用国际国内两个市场、两种资源，坚持与推进共建"一带一路"和国家对外战略紧密衔接，坚持把握开放主动和维护国家安全，逐步构筑起立足周边、辐射"一带一路"、面向全球的高标准自由贸易区网络。

4. 重要手段

习近平强调,加快实施自由贸易区战略,是适应经济全球化新趋势的客观要求,是全面深化改革、构建开放型经济新体制的必然选择,也是中国积极运筹对外关系、实现对外战略目标的重要手段。

5. 重要平台

加快实施自由贸易区战略,发挥自由贸易区对贸易投资的促进作用,更好帮助中国企业开拓国际市场,为中国经济发展注入新动力、增添新活力、拓展新空间。加快实施自由贸易区战略,是中国积极参与国际经贸规则制定、争取全球经济治理制度性权力的重要平台。⊖

6. 四个原则

一是扩大开放,深化改革。通过自由贸易区提高开放水平和质量,深度参与国际规则制定,拓展开放型经济新空间,促进全面深化改革,更好地服务国内发展。二是全面参与,重点突破。全方位参与自由贸易区等各种区域贸易安排合作,重点加快与周边、"一带一路"沿线以及产能合作重点国家、地区和区域经济集团商建自由贸易区。三是互利共赢、共同发展。以正确义利观指导自由贸易区战略的实施,寻求利益契合点和合作公约数,推动我国与世界各国和各地区共同发展。四是科学评估,防控风险。努力排除自由贸易区建设中的风险因素,同时,提高开放环境下的政府监管能力,建立健全并严格实施安全审查、反垄断和事中事后监管等方面的法律法规,确保国家安全。⊜

(三) 中国自由贸易区取得的成效

从 2002 年与东盟签订第一个自由贸易协定《中国—东盟全面经济合作框架协议》开始,我国的自由贸易区建设从无到有,从少到多,从被动响应到主动倡议,从广泛接触到重点选择,如今已形成了遍及五大洲的分布格局。

目前,我国已签署自由贸易协定 14 个(见表 10-4),涉及 20 个国家和地区,分别是中国与东盟、新加坡、巴基斯坦、新西兰、智利、秘鲁、哥斯达黎加、冰岛、瑞士和韩国的自由贸易协定,内地与香港、澳门的更紧密经贸关系安排(CEPA),除了与澳大利亚和韩国的自由贸易协定还未生效外,其余均已实施;正在谈判的自由贸易协定 9 个,涉及 22 个国家,分别是中国与海湾合作委员会(GCC)、斯里兰卡、马尔代夫、格鲁吉亚、以色列、挪威的自由贸易谈判和巴基斯坦自贸协定第二阶段谈判,以及中日韩自贸区和《区域全面经济合作伙伴关系》(RCEP)协定谈判;我国正在研究的自由贸易区 6 个,分别是中国与印度、哥伦比亚、摩尔多瓦、斐济、尼泊尔和毛里求斯自贸区;此外中国签署优惠贸易安排 1 个,为亚太贸易安排。

表 10-4 中国已签订的自由贸易协定

名 称	签署/生效时间和进程
内地与香港关于建立更紧密经贸关系的安排	2003 年:《内地与香港关于建立更紧密经贸关系的安排》及 6 个附件(2004 年 1 月生效) 2004—2010 年:7 个补充协议

⊖ 习近平:《加快实施自由贸易区战略 加快构建开放型经济新体制》,新华网,2014 年 12 月 6 日。

⊜ 资料来源: http://www.mofcom.gov.cn/article/i/jyjl/k/201601/20160101235344.shtml。

(续)

名　称	签署/生效时间和进程
内地与澳门关于建立更紧密经贸关系的安排	2003年：《内地与澳门关于建立更紧密经贸关系的安排》及6个附件（2004年1月生效） 2004—2010年：7个补充协议
中国—东盟自由贸易协定	2002年：《全面经济合作框架协议》（2003年7月生效） 2004年：《争端解决机制协议》《货物贸易协议》，分别于2005年1月和2005年7月实施 2007年：《服务贸易协议》，2007年7月生效 2009年：《投资协议》，2010年2月生效 2010年：《货物贸易协议》第二议定书，2011年1月生效 2011年：《关于实施中国—东盟自贸区〈服务贸易协议〉第二批承诺的议定书》，2012年1月生效
中国—东盟（"10+1"升级）自由贸易协定	2015年：签署升级《议定书》
中国—智利自由贸易协定	2005年：《自由贸易协定》，2006年10月生效 2008年：《服务贸易协议》，2010年8月生效
中国—巴基斯坦自由贸易协定	2005年：《中巴自由贸易协定早期收获协议》，2006年1月生效 2006年：《自由贸易协定》，2007年7月生效 2008年：《自由贸易协定补充议定书》 2009年：《服务贸易协议》，2009年1月生效
中国—新西兰自由贸易协定	2004年：《贸易与经济合作框架》 2008年：《自由贸易协定》，2008年10月生效
中国—新加坡自由贸易协定	2008年：《自由贸易协定》，2009年1月生效
中国—秘鲁自由贸易协定	2009年：《自由贸易协定》，2009年12月生效
中国—哥斯达黎加自由贸易协定	2010年：《自由贸易协定》，2011年8月生效
中国—冰岛自由贸易协定	2013年：《自由贸易协定》，2014年7月生效
中国—瑞士自由贸易协定	2013年：《自由贸易协定》，2014年7月生效
中国—澳大利亚自由贸易协定	2015年：《自由贸易协定》
中国—韩国自由贸易协定	2015年：《自由贸易协定》

（资料来源：根据商务部网站资料整理。）

（四）中国自由贸易区建设的特点

经过10多年的发展，我国的自由贸易区取得了很大的进展。但由于时间短、起步晚，无论是在深度上还是在广度上，与欧盟、北美自由贸易区等成熟的区域一体化组织相比，我国的自由贸易区还存在着一定差距，并表现出了诸多与众不同但却符合中国国情的特点。

（1）中国自由贸易区建设的层次比较低。自由贸易区的建设需要有一个漫长的谈判和推进过程，不可能在短期内一蹴而就⊖。时间短、起步晚的必然结果就是层次比较低。严格来说，我国目前的自由贸易区建设仅仅停留在"优惠贸易安排"这一区域经济合作的最初阶段，并没有形成一个完全意义上的自由贸易区。

（2）自由贸易区建设先易后难，逐步推进。从已签署的区域自由贸易协议上看，尽管

⊖ 张鸿：《关于中国实施自由贸易区战略的思考》，国际贸易，2009年第3期。

我国自由贸易区建设进程的步伐不断加快，但在协商签署自由贸易协定时，我国仍始终贯彻"先易后难，逐步推进"的渐进原则。在国家和地区的选择上，优先选择周边的发展中国家和地区，再逐渐扩大到新兴市场经济体，最后是发达国家。在自由化的顺序上，我国没有采取一蹴而就达成全面协议的方式，而是通过循序渐进的方式不断推进，先在比较容易自由化的货物贸易领域分阶段逐步降低关税。在推进速度上，经济规模大的区域一体化集团推进的速度比较慢，而经济规模小的区域一体化集团推进的速度比较快。最后，值得注意的是，我国签署的自由贸易协议在短期内不涉及难以协调和处理的敏感性行业或问题，如知识产权保护、环境和劳工标准、争端解决机制等。尽管这样做使得协议的质量相对较低，但这种避重就轻的策略可以减少谈判的难度，促使协议早日达成。

（3）自由贸易区实际的经济效果非常有限。与大多数国家建立自由贸易区主要出于经济利益上的考虑不同，中国自由贸易区建设从一开始就立足于兼顾经济效益和调整国与国之间的政治需要两个方面。这样做的好处是能够使自由贸易区的建设为我国外交战略服务，从而为我国的和平发展创造一个良好的国际环境，但是其负面的影响却是实际的经济效果非常有限。例如，《中国—东盟自由贸易协定》及《内地与香港关于建立更紧密经贸关系的安排》《内地与澳门关于建立更紧密经贸关系的安排》是我国目前实质性经济效果最大的自由贸易协定。但由于我国香港的制造业几乎全部转移到了内地，再加上香港是一个自由港，其绝大部分商品的关税已经为零，因此，内地与香港、澳门的更紧密的经贸关系对中国内地的经济发展促进作用非常有限，其更大的作用是我国中央政府希望借助 CEPA 来促进香港与澳门的经济发展。中国—东盟自由贸易区虽然对我国具有重要的战略意义，经济上也会有一定的正面作用，但是由于东盟的经济发展水平比较低，与我国的产业结构相似性比较高，我国从中获取的经济利益在短期内将十分有限。

（五）中国自由贸易区发展趋势

区域经济合作已经成为世界经济发展的一大潮流，它是实现国家利益一种有效的方式。为了实现我国经济增长持续增长的长期性目标，除了积极参与 WTO 主导下的经济全球化，从多边贸易自由化中获益以外，还应当适应世界区域经济一体化的发展，主动参与和发展双边及多边的自由贸易区。可以说，实施国家 FTA 战略将是我国经济长期发展的现实需要和必然要求。

【专题】

《中国—新西兰自由贸易协定》

2008 年 4 月 7 日，《中国—新西兰自由贸易协定》（以下简称《协定》）在两国总理的见证下正式签署。这是中国与发达国家签署的第一个自由贸易协定，也是中国与其他国家签署的第一个涵盖货物贸易、服务贸易、投资等多个领域的自由贸易协定。目前，中国和新西兰双方均已完成各自国内法律程序，《协定》已于 2008 年 10 月 1 日开始生效。

《协定》是中国和新西兰两国在 WTO 基础上，相互进一步开放市场、深化合作的重要法律文件。《协定》共 214 条，分为 18 章，包括：初始条款、总定义、货物贸易、原产地规则及操作程序、海关程序与合作、贸易救济、卫生与植物卫生措施、技术性贸易壁垒、服务贸易、自然人移动、投资、知识产权、透明度、合作、管理与机制条款、争端解决、例外、最后条款。

《协定》的实施，将有利于两国进一步发挥各自产业优势，深化产业分工，有助于双方全面推进农牧业、林业、家电、服装等货物贸易领域的合作，并促进教育、旅游、环境、咨询等服务贸易的发展。《协定》为双方经贸合作提供了制度性保障，营造了更加开放和稳定的商业运行环境。双方企业和产品可按照《协定》提供的优惠条件进入对方市场，有利于拓展合作空间，提高竞争力，实现互利共赢。同时，两国消费者也可以以更低廉的价格享受到优质的产品和服务。

（资料来源：根据中国商务部网站相关资料整理而得，http：//www.mofcom.gov.cnl。）

【专题】

解读《中国—瑞士自由贸易协定》

2013年7月6日，时任中国商务部部长高虎城和瑞士联邦委员兼经济部长施耐德—阿曼在北京签署了《中国—瑞士自由贸易协定》（以下简称《协定》）。《协定》是我国与欧洲大陆国家签署的第一个一揽子自贸协定，是一个质量高、内涵丰富、互利共赢的协定。

问：《协定》的主要内容有哪些？

答：《协定》的内容丰富。《协定》正文共16章，包括序言、总则、货物贸易、原产地规则与操作程序、海关程序与贸易便利化、贸易救济、技术性贸易壁垒、卫生与植物卫生措施、服务贸易、投资促进、竞争政策、知识产权保护、环境问题、经济技术合作、机制条款、争端解决和最后条款。此外，《协定》还包括货物贸易关税减让表、产品特定原产地规则、原产地证书、纺织品标签、服务贸易具体承诺表等11个附件。

问：相比中国与其他国家和地区签订的自由贸易协定，《协定》有何独特之处？

答：《协定》是近年来中国对外达成的水平最高、最为全面的自贸协定之一，具有以下特点：

（1）《协定》货物贸易的零关税比例高。瑞士将对我国99.7%的出口立即实施零关税，我国将对瑞士84.2%的出口最终实施零关税。如果加上部分降税的产品，瑞士参与降税的产品比例是99.99%，我国是96.5%。工业品方面，瑞士对我国降税较大的产品有纺织品、服装、鞋帽、汽车零部件和金属制品等。这些都是我国的主要出口利益产品，瑞士均承诺自协定生效之日起立即实施零关税。在农产品方面，除了一般农产品外，瑞士还对我国有出口利益的23项加工农产品在取消工业成分关税的同时，将农业成分的关税削减40%。上述23项加工农产品涵盖了几乎我国对瑞士有出口利益的所有加工农产品，包括口香糖、甜食、糕点、意粉等，平均降税幅度高达71%，使我国农产品在瑞士市场上获得优于其他国家的准入条件。

(2)《协定》为双方合作建立了良好的机制。例如,双方同意加强环境方面的合作,提升彼此环境保护水平;双方同意在中瑞经贸联委会框架下成立钟表合作工作组,通过开展钟表合作,我国将扩大引进瑞士先进的钟表检测、维修技术,与瑞士合作培养钟表专业人才,提升中国钟表业发展水平;双方承诺开展中医药合作对话,推动中医药"走出去"等。上述合作机制有利于促进双方开展务实合作,实现共同发展。

(3)《协定》涉及许多新规则。我国和瑞士在《协定》中,就政府采购、环境、劳工与就业合作、知识产权、竞争等中方以往自由贸易谈判中很少碰到的规则问题达成一致。应该说,国际上对这些规则没有统一的标准。但双方并不回避,而是按照求同存异的原则,达成了许多共识。比如,我国首次同意在自由贸易协定中对环境问题单独设章,并明确规定了知识产权保护的具体权利和义务,增强了权利人保护的透明度和便利性。

问:货物贸易内容通常是自由贸易协定最主要的内容之一,《协定》中货物贸易的自由化水平如何?

答:《协定》是近年来中国对外达成的水平最高的自贸协定之一。其水平高的一个重要方面,就体现在货物贸易自由化水平很高。

《协定》规定,瑞方从《协定》生效之日起,对6958项产品立即实施零关税,对619项产品实施部分降税,降幅为10%~50%不等,将254项产品作为例外不予降税。其中,工业品方面,瑞士承诺从《协定》生效之日起全部实施零关税。农产品方面,瑞士承诺从《协定》生效之日起对962项农产品立即实施零关税,对403项农产品实施部分降税,对216项加工农产品取消工业成分的关税(对其中23项加工农产品还将取消其农业成分40%的关税),将254项农产品作为例外不予降税。可以说,这是瑞士首次在自由贸易协定中较大幅度开放其农产品市场,也是瑞士首次在世界贸易组织谈判或自由贸易区谈判中,就削减加工农产品农业成分的关税做出承诺,这使我国农产品获得了更好地进入瑞士市场的机会。

我国从《协定》生效之日起对1803项产品立即实施零关税,对5495项产品经5年、10年或更长时间实施零关税,对168项产品经10年过渡期降税60%(对其中165项从《协定》生效之日起先降税18%,然后在此后9年内匀速降税),将457项产品作为例外不予降税。

总体来看,瑞士将对我国99.7%的出口自《协定》生效之日立即实施零关税,我国将对瑞士84.2%的出口最终实施零关税。如果加上部分降税的产品,瑞士参与降税的产品比例是99.99%,我国是96.5%。

(资料来源:中国商务部网站,2013-07-31。)

复习思考题

1. 区域经济一体化的成因是什么?
2. 如何理解区域经济一体化与经济全球化的关系?
3. 结合实际谈谈区域经济一体化对其成员的经济贸易影响。

参考文献

[1] 戴维·赫尔德，等.全球大变革——全球化时代的政治、经济与文化［M］.杨雪冬，等译.北京：社会科学文献出版社，2001.

[2] 华晓红.国际区域经济合作——理论与实践［M］.北京：对外经济贸易大学出版社，2007.

[3] 李皖南.东盟经济一体化及其在东亚经济合作中的地位［J］.亚太经济，2009（6）.

[4] 李向阳.全球化时代的区域经济合作［J］.世界经济，2002（5）.

[5] 李玉潭，庞德良.区域全球化与东北亚区域经济合作［M］.长春：吉林人民出版社，2009.

[6] 刘晨阳，于晓燕.亚太区域经济一体化问题研究［M］.天津：南开大学出版社，2009.

[7] 卢光盛.地区主义和东盟经济合作［M］.上海：上海辞书出版社，2008.

[8] 邱立成.欧盟区域经济一体化的投资效应研究［J］.南开学报，2009（1）.

[9] 石建勋，李海英.国际经济关系与经济组织［M］.北京：清华大学出版社，2009.

[10] 薛誉华.区域化：全球化的阻力［J］.世界经济，2003（2）.

[11] 赵京霞.东亚区域合作：经济全球化加速发展的结果［J］.国际贸易问题，2002（12）.

[12] 赵玉焕.区域经贸集团［M］.北京：对外经济贸易大学出版社，2007.

[13] 张健.欧洲一体化的问题、前景与欧盟国际地位［J］.现代国际关系，2008（7）.

[14] Chia S Y, Pacini M. ASEAN in the new Asia：issues & trends［M］. Singapore：Institute of Southeast Asian Studies，1997.

[15] Weiyen D H. Roadmap to an ASEAN Economic Community［J］. 2005（327）.

[16] Nesadurai H E S. Attempting Developmental Regionalism through AFTA：the Domestic Sources of Regional Governance［J］. The Third World Quarterly，2003，24（2）.

[17] 王敏，柴青山，王勇，刘瑞娜，周巧云，贾钰哲，张莉莉."一带一路"战略实施与国际金融支持战略构想［J］.国际贸易，2015（4）.

[18] 徐梁.基于中国与"一带一路"国家比较优势的动态分析［J］.管理世界，2016（2）.

[19] 李向阳."一带一路"面临的突出问题和出路［J］.国际贸易，2017（4）.

第十一章

国别经济

本章学习目标

1. 从总体上把握发达国家与发展中国家的经济发展特点。
2. 熟悉具有代表性的发达国家和发展中国家。
3. 了解世界主要国家的国内经济和对外贸易、投资状况。

◆【导入案例】

"小国"荷兰

又到了郁金香盛开的季节,荷兰的库肯霍夫国家公园又将开启赏花季,700多万株颜色、品种各异的郁金香渐次盛放,800多个品种让人大饱眼福。荷兰的花卉占据欧盟市场交易量的85%,同时它的鲜花还远销美国、俄罗斯,郁金香的销量更是占到全球这一品种的80%。在荷兰的经济中,花卉只是一部分,还有哪些产业在全球数一数二?

荷兰很重视研发和技术创新,工业品在国际上具有较强的竞争力,拥有便利的海上运输途径,产生了数10家世界500强跨国公司。荷兰皇家壳牌集团2016年在世界500强排第5名,它在2015年完成一宗能源行业超级并购,以700亿美元收购了英国天然气集团,成为世界最大的油气公司。其他公司还有飞利浦电子、联合利华等。

这些公司成立时间都有100年左右,发展至今,资本雄厚,技术先进,在海外的销售渠道稳定,同时它的金融服务业也很厉害,比如荷兰国际集团和荷兰银行,排名均在世界前100强。

根据瑞士联邦理工学院经济研究所中心(KOF)4月20日公布的全球化指数显示,2014年瑞士全球化程度名列第五,荷兰最高,其次是爱尔兰、比利时和奥地利。美国排第27位,中国第71位,日本39位,德国16位。全球化程度的指数包括经济、政治和社会等三个方面,涵盖了187个国家。

荷兰位于欧洲西北部,与德国相邻。它经济体量不大,人口不到1700万,大约是德国的1/5,2016年GDP是6163亿欧元,也是德国的1/5。虽说不大,但是经济比较发达。

(1)荷兰地理位置比较优越,在海岸边上,是欧洲海上运输枢纽站,它拥有世界第一大港——鹿特丹港,其港口吞吐量一直位居欧盟第一,并且占欧洲总量的40%,由此它的造船业也比较发达。不过因为地方小,人口密度高,自然资源相对匮乏。

(2) 荷兰三大产业。农业发达，荷兰是世界第二大农业出口国，仅次于美国，荷兰的牛肉、乳制品、郁金香等在全球都很著名；荷兰工业水平较强，尤其是电子、化工行业；服务业是荷兰的支柱产业，金融和保险业发达，2015 年服务业占 GDP 的比例为 78%。

十七世纪以来，荷兰经济开始迅速崛起，成为全球的贸易强国并且首批跨入发达国家的行列。从资源禀赋的角度分析，荷兰并不具有富足的资源以及优越的生产条件，促使荷兰对外贸易蓬勃快速发展的最主要原因是，荷兰针对本国的国情和特点，采取了开放的自由贸易政策以及促进贸易发展的各种有效措施。自欧盟成立以来，它一直是贸易顺差，在欧洲仅次于德国。特别在金融危机之前，出口一直保持着年均 10% 的增速。

（资料来源：http://finance.sina.com.cn/roll/2017-04-21/doc-ifyepsra4930358.shtml；商务部网站。）

近年来，世界经济形势继续分化。2015 年，世界经济增速放缓，全球复苏之路崎岖艰辛。2015 年世界经济增长低于普遍预期，发达经济体增速继续回升，但回升势头减缓，新兴市场与发展中经济体增速加速下滑。2016 年则主要表现为发达国家经济缓慢复苏和主要新兴市场国家经济增速有升有降。2016 年，发达国家内部继续分化，美国经济在宽松货币政策、住房销售和零售稳步增长等因素的推动下继续温和复苏；在欧洲央行加大宽松货币政策力度等因素推动下，欧元区经济继续缓慢复苏；在宽松货币政策和财政政策扩张等因素推动下，日本经济延续扩张态势。印度经济较快增长，但增速有所下滑；由于消费和固定资产投资降幅趋缓，俄罗斯经济萎缩幅度收窄；受投资、消费持续收缩的影响，巴西经济深陷衰退。

第一节　发达国家经济

一、发达国家概述

发达国家是指经济发展水平较高、技术较为先进、生活水平较高的国家。发达国家的概念最早是由经济合作组织（OECD）提出的。目前，对发达国家并没有统一的划分标准。联合国开发计划署（UNDP）编制了人类发展指数，以此来界定一个国家是否属于发达国家。具体标准是：人类发展指数不低于 0.9 即为发达国家。根据《2016 年人类发展报告》的最新数据，发达国家或地区的数量为 51 个。而国际货币基金组织（IMF）的最新分类显示，2013 年 WEO 数据库中包含了 39 个发达经济体（Advanced Economies）。尽管界定标准存在差异，美国、加拿大、日本、德国、法国、英国、意大利等主要发达国家始终处于发达国家行列。从地理分布上看，发达国家主要位于北美洲、欧洲、大洋洲和东亚地区。

第二次世界大战后，在第三次科技革命推动下，一些经济实力比较雄厚的资本主义国家率先采用最新的科学技术，使资本主义的劳动生产率提高，经济增长，成为经济发达国家。其发展主要经历了五个阶段：1945—1950 年前后，经济恢复时期；1950—1973 年，经济高速发展时期；1973—1982 年，经济"滞胀"时期；1982—1991 年，经济低速增长和全面调整时期；1991年至今，"冷战"后的新时期（新经济、知识经济）。

发达国家具有生产力高度发达、产业结构先进、科学技术领先、市场经济体系比较成熟和完善等共同特征。在产业结构方面，发达国家第一产业在国民经济中的比重逐渐下降。例如，美国1880年农业就业人口占全部就业人口的50%，2007年下降至1.43%。同时，第二次世界大战后，发达国家的农业实现了全面机械化。第二产业在第二次世界大战后的一段时间内比重迅速上升，而20世纪70年代中期以后趋于平稳或下降。第三产业在国民经济中的比重则迅速上升。在科学技术方面，诺贝尔科学奖的95%以上被发达国家摘得，基础科学研究的重大突破也绝大多数发生在发达国家，技术专利大部分为发达国家获得。

由于发达国家生产力水平高、经济实力强大，在整个世界经济体系中处于优势地位，在相当大的程度上支配着世界经济的运行和发展。这主要表现在：

（1）在世界经济总量中占绝大多数比重。目前占世界人口15%的发达国家，在世界国民生产总值中占了2/3，而占世界人口85%的发展中国家却只占世界国民生产总值的1/3。

（2）在国际贸易市场上处于中心地位。发达资本主义国家进出口贸易总额占世界贸易的大部分，仅欧盟、日本、美国就占世界贸易出口和进口的一半左右（见表11-1）。

表11-1　欧盟、日本、美国在世界贸易中的份额（%）

项目 经济体	出口			进口		
	2000年	2012年	2015年	2000年	2012年	2015年
欧盟	38.00	31.54	35.12	38.36	31.92	33.19
日本	7.42	4.34	3.79	5.64	4.76	3.87
美国	12.11	8.40	9.13	18.73	12.56	13.77
汇总	57.53	44.28	48.04	62.73	49.24	50.83

（资料来源：世界贸易组织。）

（3）在国际分工中处于优势地位。现代制造业部门大多集中在发达国家，而农业、矿业等初级产品部门大多集中在发展中国家。在制造业中，以高科技为特征的"朝阳工业"、资本密集型、技术密集型产业也大多集中在发达国家，而发展中国家则主要从事劳动密集型、资源密集型的产业。

（4）在国际资本流动中居于主导地位。从国际直接投资来看，不论是对外直接投资还是吸引外资，发达国家都居于主导地位，尤其是对外直接投资。根据联合国贸易和发展会议（UNCTAD）的数据，2008年以前，发达国家FDI流出量和流入量分别占世界总额的80%和65%以上，2008年之后有所降低。

（5）在国际经济事务中起支配作用。发达国家凭借强大的经济实力，控制和操纵着以国际货币基金组织、世界银行和世界贸易组织为代表的国际经济组织。发达国家还支配着世界经济主要因素的变动，如国际价格、利率、汇率等。

二、美国经济

（一）美国经济发展历程

独立战争前后，美国受到英国强大的商业限制，经济仅取得了一定程度的发展。19世纪20年代的詹姆斯·门罗（James Monroe）和睦时期，美国经济出现了繁荣的局面。美国政府致力于公路建设、开凿运河、便利公交等措施，同时提高关税，保护了国内工业发展。此后，随着西部土地的快速发展，北方先后有大量商业投资和大量外资进入，而南方仍然发展着种植园经济。19世纪40～50年代，铁路的发展促进了美国第一次产业革命的顺利完成，生产效率大幅度提高。1859年，美国跨进了世界最先进的工业国行列。

南北战争以后，美国政府逐步加强了宏观调控，采取了一系列政策、措施来实现对经济的干预。美国迎来了经济史上的"黄金时代"，短短30多年，经济获得了长足发展，大大超过了西方其他先进国家。

第一次世界大战有力地刺激了美国经济，使美国经济发展势头空前高涨。战争期间，钢铁、石油等与军火相关的工业生产迅速增长，农业也出现了前所未有的农产品需求大增长。由于欧洲各国忙于战争，世界市场的真空状态逐渐被美国商品填补。

第二次世界大战后，美国经济的发展大体可以划分为三个阶段：①20世纪五六十年代，美国经济增长出现了一个西方经济学家所称的"黄金时代"，以电子计算机、原子能利用、空间技术等为标志的第三次科技革命在美国爆发，然后迅速扩展到欧洲和日本；②20世纪七八十年代初期出现"滞胀"；③20世纪80年代，美国的政策调整进入新经济时代，第40任总统里根提出了"经济复兴计划"，从凯恩斯主义的干预性膨胀政策向自由放任性紧缩政策转变。

（二）美国经济现状

1. 美国国内经济概况

美国是世界上最大的经济体，美国GDP在1990年就占据了世界GDP总值的1/4，在2000年达到顶峰，占到30.73%（见图11-1）。2000年以后，随着新兴市场经济体的崛起，该比例有所下降，但仍保持在20%以上，占据世界经济霸主的地位。2015年，美国GDP为16.77万亿美元，位居世界第一，占世界总量的1/4。

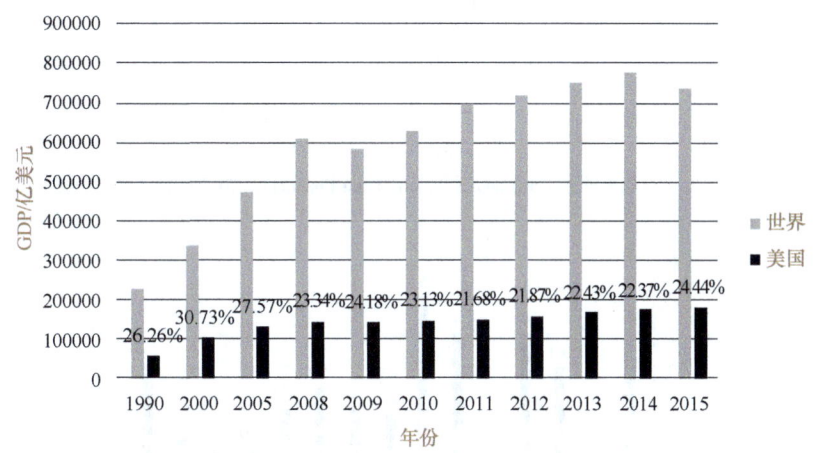

图11-1 美国GDP占世界的比例

（资料来源：中华人民共和国国家统计局。）

虽然从GDP总量上看，美国近几十年来一直位居世界第一占据了世界总量的近1/4，但是从GDP的增长率来看，美国与其他发达国家类似一直维持在低位，并且明显低于新兴市场经济体和发展中国家（见表11-2）。尤其是2008年金融危机之后，美国经济在努力恢复当中，2010 年美国 GDP 增长率达到 3.03%，相比 2008 年和 2009 年来说是一个很大的飞跃。但是，这股增长势头并没有维持下去，2011 年美国 GDP 增长率仅为 1.7%（见图 11-2）。2011 年年初，利比亚原油产出减少，国际油价高涨；2011 年 3 月，日本海啸造成世界经济增速放缓，加上欧债危机的持续发酵，这些都给 2011 年的美国经济蒙上了阴影。在经历了数年缓慢的恢复后，2015 年美国 GDP 增长率达到 2.6%（见图 11-3）。

表 11-2　1990—2015 年 GDP 增长率（%）

年份 国家和地区	1990	2000	2005	2008	2009	2010	2015
世界平均水平	3.22	4.81	4.57	2.79	-0.66	5.11	2.5
发达国家	3.14	4.16	2.66	0.09	-3.72	3.07	2.0
新兴市场经济体和发展中国家	3.39	5.9	7.28	6.03	2.8	7.33	4.0
美国	1.88	4.14	3.07	-0.34	-3.49	3.03	2.6

注：资料来源：中华人民共和国国家统计局。

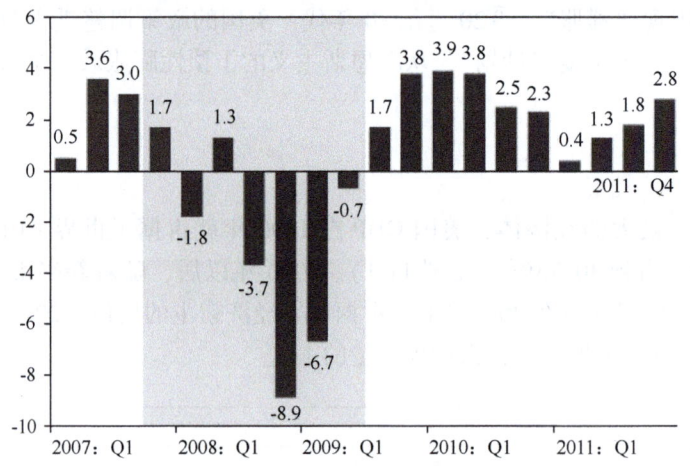

图 11-2　2007—2011 年美国 GDP 季度增长率（%）

注：阴影部分代表衰退的阶段。

（资料来源：Economic Report of the President（2012）。）

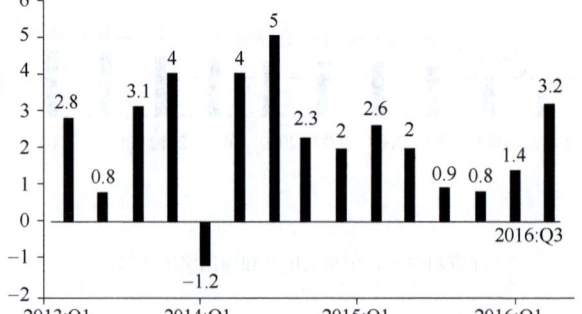

图 11-3　2013—2016 年美国 GDP 季度增长率（%）

（资料来源：Economic Report of the President（2016）。）

2015年，美国人均国民收入为56116美元，位居世界第6位。美国的人均国民收入也一直位居世界前列，1990—2015年，美国的人均国民收入一直高于高收入国家的平均水平，是世界平均水平的5倍（见表11-3）。与此同时，美国人均GDP增长率与美国GDP增长率呈相同的趋势，并接近高收入国家的水平，但远低于中等收入国家和中低收入国家（见表11-4）。

表11-3　人均国民收入　　　　　　　　　　（单位：美元）

年份 国家和地区	1990	2000	2008	2009	2010	2015
世界平均水平	4079	5297	8717	8737	9116	10112
高收入国家	18371	25265	38504	37719	38517	39945
中等收入国家	892	1259	3149	3390	3763	4800
中低收入国家	820	1132	2781	2991	3315	4367
低收入国家	268	420	524	550	549	618
美国	23260	34890	47660	46330	47240	56116

（资料来源：中华人民共和国国家统计局。）

表11-4　人均GDP增长率（%）

年份 国家和地区	1990	2000	2005	2008	2009	2010	2015
世界平均水平	1.24	2.92	2.35	0.33	-3.16	3.05	1.51
高收入国家	2.39	3.36	1.9	-0.56	-4.21	2.49	1.58
中等收入国家	0.04	4.06	6.06	4.72	1.59	6.49	2.64
中低收入国家	-0.03	3.88	5.89	4.57	1.5	6.3	3.92
低收入国家	0.24	1.23	3.89	3.5	2.52	3.67	1.64
美国	0.71	3.02	2.12	-0.94	-3.5	2.17	1.79

（资料来源：中华人民共和国国家统计局。）

2000—2014年这14年间，美国农业、工业、服务业增加值占GDP的比重没有发生太大变化。农业增加值占GDP的比重在1.2%到1.3%之间，几乎没有变化；工业增加值占GDP的比重有明显的下降，从2000年的21.4%下降到2014年的20.7%；服务业增加值稳步上升，2000年为75.4%，2014年增长到78%。服务业成为美国经济增长的强大动力。（见图11-4）。

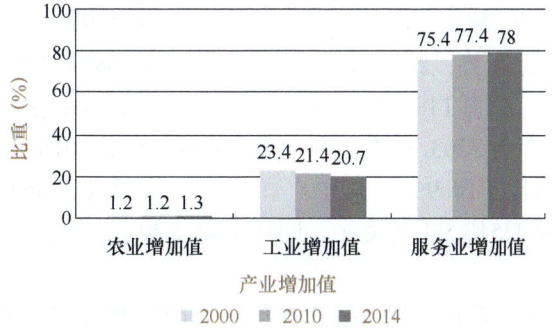

图11-4　美国农业、工业、服务业增加值占国内生产总值的比重

（资料来源：中华人民共和国国家统计局。）

如表 11-5 所示，从个人消费支出、国内私人投资、净出口和政府支出对 GDP 的拉动来看，个人消费支出和国内私人投资是拉动美国经济增长的最大动力。2009 年，由于个人消费支出（-1.08%）和国内私人投资（-3.52%）的大幅减少，虽然净出口拉动 GDP 增长了 1.19%，但美国 GDP 的增长率仍为 -3.49%；2010 年，个人消费支出、国内私人投资分别拉动 GDP 增长 1.32%、1.66%，净出口对 GDP 的拉动为 -0.46%，人均 GDP 增长率为 2.17%；2011 年，国内私人投资对 GDP 的贡献率回落至 0.73%，净出口对 GDP 的拉动回升至 -0.02%，政府支出对 GDP 的贡献下降为 -0.65%，GDP 增长率为 1.6%。2015 年，国内私人投资对 GDP 的贡献率达到高点 2.16%，净出口对 GDP 的贡献为 -0.71%，政府支出对 GDP 的贡献增长为 0.32%，GDP 增长率为 2.6%。2016 年，个人消费支出对 GDP 的贡献率回落至 1.86%，国内私人投资对 GDP 的拉动下降到 -0.26%，净出口对 GDP 的拉动回升至 -0.13%，政府支出对 GDP 的拉动下降为 0.14%，GDP 增长率为 1.6%。

表 11-5 个人消费支出、国内私人投资、净出口和政府支出对 GDP 的拉动（%）

项目 年份	个人消费支出	国内私人投资	净出口	政府支出
2009	-1.32	-3.61	1.11	0.34
2010	1.44	1.96	-0.51	0.14
2011	1.53	0.6	0.05	-0.44
2012	1.01	1.52	0.08	-0.38
2013	1.00	0.95	0.29	-0.56
2014	1.95	0.73	-0.15	-0.16
2015	2.16	0.82	-0.71	0.32
2016	1.86	-0.26	-0.13	0.14

（资料来源：美国商务部。）

2. 美国对外贸易状况

美国净出口对 GDP 的贡献率一直不大，但美国进出口贸易额在世界占有举足轻重的地位，美国是世界货物贸易第一进口国和第二出口国，是世界服务贸易第一大进口国和出口国。2015 年，美国货物贸易出口额以 15049 亿美元占世界货物贸易出口总额的 9.13%，货物贸易进口额以 23079 亿美元占世界货物贸易进口总额的 13.8%；服务贸易以 7306 亿美元占世界服务贸易出口总额的 15.4%，以 4671 亿美元占世界服务贸易进口总额的 9.8%。

美国的对外贸易在 2008 年以前一直保持稳定增长，2009 年由于金融危机的影响，美国进出口总额、进口额、出口额分别同比增长 -22.9%、-25.9%、-18.0%。2009 年以后，美国的对外贸易恢复增长态势，2011 年货物进出口额为 36874.8 亿美元，比上年（下同）增长 15.5%。其中，出口额为 14805.5 亿美元，增长了 15.8%；进口额为 22069.3 亿美元，增长了 15.4%。贸易逆差为 7263.8 亿美元，增长了 14.4%。2016 年，美国货物进出口总额为 37059.78 亿美元，同比下降 9%。其中：货物出口总额为 14564.24 亿美元，同比下降 3.2%；货物进口总额为 22513.54 亿美元，同比下降 2.8%；货物贸易逆差额 7967.30 亿美元，同比收窄 2.0%。

美国是逆差大国，其逆差额一直保持在高位。美国主要的逆差来源国是中国、墨西哥、日本、德国和加拿大。中国是美国最大的贸易逆差来源国，2009 年、2010 年、2011 年、2016 年美国对中国的贸易逆差额占其逆差总额的比例分别为 45.1%、43.0%、40.7%、

45.94%，而2016年美国对其第二贸易逆差来源国日本的逆差额所占比例仅为9.04%。美国的贸易顺差主要来自中国香港、荷兰和澳大利亚，2011年顺差额分别为322.15亿美元、193.56亿美元和172.76亿美元，比2010年分别增长44.6%、21.9%、30.7%（见表11-6）。

表11-6　美国主要贸易顺差国家（地区）及逆差国家（地区）　　（单位：亿美元）

项目	年份	2009	2010	2011	2016
主要顺差来源国家（地区）	中国	-2954.57	-2730.63	-2268.77	-3660
	墨西哥	-655.62	-664.35	-477.62	-659
	日本	-626.43	-600.6	-446.69	-720
主要逆差来源国家（地区）	中国香港	174.8	222.65	322.15	317
	荷兰	161.43	159.65	193.56	292
	澳大利亚	115.88	132.22	172.76	289

从商品类别来看，机电产品、运输设备和化工产品是美国出口的主要商品，2016年出口额分别为3577.0亿美元、2646.4亿美元和1540.3亿美元，分别占美国出口总额的24.6%、18.2%和10.6%。2016年美国植物产品出口增长较快，出口额为687.3亿美元，增长了6.8%。机电产品和运输设备是美国的前两大类进口商品，2011年分别进口了6399.2亿美元和3152.3亿美元，分别占美国进口总额的29.2%和14.4%。化工产品、矿产品、纺织品及原料、贱金属及制品等也是美国的重要进口产品，2016年合计进口5702.9亿美元，占美国进口总额的26.05%。

三、德国经济

（一）德国经济发展历程

直到1871年，统一的德意志帝国才建立。统一以前，德国邦国最多时有300多个。长久以来四分五裂的状态成为阻碍其经济发展和国家强大的主要因素。德国统一前的经济状况如表11-7所示。

表11-7　德国统一前的经济情况

项目\年份	煤产量/万 t	铁产量/万 t	蒸汽机动力/kw	铁路长度/km
1850	700	20	19万	5822
1860	1700	50	—	—
1870	3400	140	182万	21471

（资料来源：秦元春：《评俾斯麦与近代德国统一》，安徽师大学报，1998年第3期。）

19世纪中期，德国还是一个落后的农业国家。1871年俾斯麦统一德意志帝国后，德国开始以惊人的速度向前发展。1860—1913年德国工业年增长率情况如表11-8所示。到第一次世界大战前，德国已经建立了现代化的完整工业体系，并赶上英国，成为仅次于美国的世界第二工业化强国。

表 11-8　1860—1913 年德国工业年增长率情况

年　份	工业年增长率（%）	年　份	工业年增长率（%）
1860—1870	2.7	1890—1900	6.1
1870—1880	4.1	1900—1913	4.2
1880—1890	6.4		

（资料来源：夏尔·贝特兰：《纳粹德国经济史》，商务印书馆，1990 版，第 7 页。）

1914—1918 年的第一次世界大战给德国经济造成了严重灾难。这次战争使德国丧失了战前领土的 13%，人口减少了 10%，耕地减少了 15%，铁矿藏减少了 75%；此外，战争还使德国的生铁生产能力削减了 44%，钢生产能力削减了 38%，煤生产能力则削减了 22%⊖。

经过"一战"后 10 年左右的经济衰退之后，德国经济自 1924 年起开始恢复和发展起来。但好景不长，1929—1932 年经济"大萧条"使德国经济遭受到了沉重的打击。1933 年后德国经济出现出了短暂的恢复和发展。到第二次世界大战之前，德国工业产量已经占世界总产量的 11% 左右。

第二次世界大战又对德国经济造成了毁灭性的打击。由于"二战"后的制裁，联邦德国和民主德国分而治之，长期处于分裂状态，然而联邦德国的经济迅速恢复。1990 年联邦德国和民主德国重新统一。目前，德国已经成为世界主要发达国家之一。

（二）德国经济现状

1. 德国国内经济

进入 21 世纪以来，德国经济呈现出总体增长的趋势，但是增长速度低于欧洲同期的经济增长速度，2001—2005 年基本处于停滞状态，特别是在 2009 年的金融危机中，德国经济下降幅度达到 4.7%，创下多年新低。然而，2010 年德国的经济又奋起直追，实现了增幅 3.6% 的好成绩，出现自联邦德国和民主德国统一以来最强劲的增长，2014 年 GDP 增长率为 1.6%，2017 年为 1.7%，呈现稳定增长的态势，德国经济又恢复了欧洲经济"火车头"的作用。

工业是德国经济的重要支柱，占国内生产总值的 25%。其中，重工业是德国工业的核心，主要包括汽车、机械制造、化工和电器等部分，工业产品主要用于出口。

根据德国联邦统计局公布的最新数据，2016 年德国的经济增长率为 1.9%，创下 2011 年以来的最高水平。特别是国内需求的增长，成为德国经济增长的助力。创纪录的就业水平，工资上涨和廉价能源重振了德国国内消费者的购买力，2016 年德国私人消费比上年增加了 2%。而政府消费更是猛涨 4.2%。

2. 德国贸易情况

德国经济具有明显的外向型特征，多年来，对外贸易在德国经济中一直起着"发动机"的作用，其增长速度明显高于国民经济的总体增速。而在国际上，德国的对外贸易不仅在欧盟处于核心，在世界贸易中也占据着极为重要的地位。

德国属于自然资源较为贫乏的国家之一，除硬煤、褐煤和盐的储量丰富之外，在原料供应和能源方面很大程度上依赖进口，2/3 的初级能源需进口。而作为一个工业强国，其主要工业部门产品一半以上销往外国。因此，德国是一个对外经济依存度很高的国家。目前，德

⊖　卡尔·哈达赫：《二十世纪德国经济史》，商务印书馆，1984 年版，第 18 页。

国同世界上 200 多个国家和地区保持着贸易关系。

德国是欧盟中经济实力最强的国家,在欧盟中的地位和作用举足轻重。德国虽为欧盟的建设和发展提供了巨额款项,但德国经济也从欧洲一体化中获益很大。德国的主要贸易伙伴是西方工业国,其进口份额的 80%、出口份额的 85% 是同西方工业国进行的。法国是德国最大的贸易伙伴。近年来,德国与东欧国家的贸易增长速度最快。

自 20 世纪 90 年代以来,德国对外贸易发展较为迅速。1986—1990 年,德国的出口额曾为世界第一,从 1991 年起次于美国。2003 年德国进出口总额达到 13573 亿美元,自 2003 年起连续 6 年保持世界第一出口大国的地位,2009 年中国取代德国成为世界出口冠军。德国长期保持着外贸顺差,差额从 1994 年的 -63 亿美元增加到 2005 年的 1943 亿美元。2008 年因为世界性金融危机爆发,德国最大的贸易伙伴——欧盟成员国的进口受到极大限制,这一原因使德国的商品出口大幅下降。但在 2010 年,德国对外贸易迅速恢复了发展势头。2015 年,德国出口占 GDP 的比重为 71.3%,进口占 GDP 的比重为 31.4%,"开放程度"(进口加出口占 GDP 的比重)为 102.7%。这使得德国是所有 G7 国家中经济最"开放"的。

2003—2016 年德国货物贸易年度变化如表 11-9 所示。

表 11-9　2003—2016 年德国货物贸易年度变化　　(单位:百万美元)

项目 年份	总额	同比(%)	出口	同比(%)	进口	同比(%)	差额	同比(%)
2003	1357371	22.6	752276	22.1	605095	23.3	147181	17.2
2004	1625021	19.7	909293	20.9	715728	18.3	193565	31.5
2005	1745432	7.4	969880	6.7	775552	8.4	194329	0.4
2006	2016855	15.6	1109179	14.4	907676	17.0	201503	3.7
2007	2378518	17.9	1322460	19.2	1056057	16.3	266403	32.2
2008	2634503	10.8	1448969	9.6	1185534	12.3	263435	-1.1
2009	2046465	-22.3	1120634	-22.7	925831	-21.9	194803	-26.1
2010	2313966	13.1	1259145	12.4	1054820	13.93	204325	4.9
2011	2729797	18.0	1474439	17.1	1255358	19.0	219081	7.2
2012	2571112	-5.8	1406485	-4.6	1164628	-7.2	241857	10.4
2013	2643855	2.8	1452086	3.2	1191769	2.3	260317	7.6
2014	2701594	2.2	1494513	2.9	1207281	1.3	287032	10.3
2015	2380639	-11.9	1330190	-11.0	1050449	-13.0	279740	-2.5
2016	2393726	0.7	1339068	0.9	1054659	0.3	284409	3.4

(资料来源:根据商务部《国别贸易报告》相关数据整理。)

根据商务部的数据显示,2016 年,德国进出口贸易总额为 23937.26 亿美元,同比增长 0.7%。其中,出口为 13390.68 亿美元,增长 0.9%;进口为 10546.59 亿美元,增长 0.3%。与世界上其他主要国家类似,在 2011 年达到顶点之后目前处于较低水平。但其仍仅次于美国和中国,处于世界第三位。

3. 对外投资和吸引外资

在对外投资方面,德国是全球对外直接投资的大国,其直接资本流动呈现多方面特征,突出表现在:①FDI(对外直接投资)流出增速较快;②FDI 流动的地域结构深受欧盟统一大市场建设和欧元区货币联盟建设的影响;③FDI 流入流出中也包含了大量金融市场投资和中转性投资；④德国强势的制造业和货物贸易盈余是实现国内直接资本净输出的重要基础；⑤德国传统产业和新兴产业在对外投资和海外销售上都有较好表现。

在吸引外资方面，德国被认为是世界上最有吸引力的投资地之一，外国公司很看重德国市场的实力，它有"欧洲走廊"的美称。联邦德国和民主德国统一之后，这种地域优势更加突出：全球500强企业都在这里有业务，2万多家外国公司落户此地，员工达数百万人。这是在其他西方国家比较少见的。

在全球最具竞争力的国家2015—2016年排行榜中，德国排名第四；在2016—2017年排行榜中，德国位居第五。

四、日本经济

（一）日本经济发展历程

1. 从明治维新到第二次世界大战结束

1868年明治维新以后，日本建立了强有力的中央集权国家，开始向西方强国看齐。19世纪80年代后期，日本开始了"近代经济增长"的过程。与西方强国相比，日本现代经济增长起始阶段的特点是：开始晚、起点低、增长率高。随着工业化的进展，日本在第一次世界大战（1914—1918年）以后，从慢性的债务国转变为债权国，在经济结构上则从农业国转变为工业国。

1923年日本发生关东大地震，1929年又卷入世界性经济危机，日本的工农业及金融业遭到沉重打击。日本从1937年发动全面侵华战争，到1941年挑起太平洋战争，战争费用扶摇直上，达到了7558亿日元，国债余额从1930年的6亿日元增加到1945年年底的1439亿日元，整个经济陷入崩溃的边缘。

2. 战后经济复兴期

第二次世界大战使日本经济严重受挫，战乱使日本丧失了1/4的财富。"二战"后，日本从根本上实行了一系列的改革措施，加之国外的有利条件，日本经济快速复兴。1951年，日本经济水平已经恢复到"二战"前水平⊖。

3. 经济快速成长期

1955年，日本的国民生产总值（GNP）为美国的1/15、联邦德国的1/2；人均国民收入只有220美元，在西方各国中列35位。然而，1955—1973年将近20年间，日本GNP以平均每年9.7%的惊人增长率持续高速增长，甚至比复兴时期的平均增长率还要高一些。

4. 经济稳定成长期

经过第一次石油冲击和"二战"后第一次负增长，日本经济由高速增长转为了低速增长。但1978年后，日本摆脱了萧条的影子，经济处于上升阶段。这一时期日本的主要发展战略是从"贸易立国"向"技术立国"的转变。20世纪80年代，日本由资本主义第二经济强国变成了世界经济第二强国。

5. 长期经济停滞期

从1990年开始，日本经济全面走向衰退。其主要表现为：国民资产迅速减少，巨额不良债权与过量贷款，人员、设备、房地产"三过剩"等现象。1992—2001年，日本经济实际增长率只

⊖ 杨河清：《日本战后经济的发展与现状》，现代财经——天津财经学院学报，2001年11期。

为1.0%。这十年被日本国民称为"失去的十年",让日本沦为发达国家中的"劣等生"。

6. 21世纪的调整与恢复期

从2002年开始,日本迎来了景气复苏的局面。从2002年2月至2008年2月,这次景气的持续时间为73个月,是"二战"后持续时间最长的时期。日本经济总算摆脱了泡沫经济以来的长期停滞,进入了缓慢增长的阶段。

(二)日本经济现状

1. 日本国内经济

21世纪初,主要发达国家的经济增长率都不算高,其中美国和西欧各国都低于20世纪90年代后期的水平。相比之下,日本经济形势则略好于20世纪90年代后期的情况。2000—2006年,日本实际经济增长率平均为1.7%,低于加拿大的3.0%、美国的2.8%、英国的2.5%和法国的2.0%,高于德国的1.2%和意大利的1.1%。

1978—2009年的31年间,日本经济一直名列世界第二位,但是经济增长速度一直呈下降的趋势。虽然由于国际经济环境趋好,在政府实施强有力的扩张性财政政策和超宽松金融政策的刺激下,2009年的日本经济逐渐回暖,但复苏的势头还很脆弱。据日本内阁府公布的数据显示,2010年全年日本实际GDP增长3.9%,名义GDP增长1.8%。按可比价格计算,2010年日本名义GDP为5.4742万亿美元。该数值略低于中国2010年经济总量,自1968年以来,日本经济首次退居世界第三。2015年日本GDP总量为4.383万亿美元。

2. 日本对外贸易

自2002年以来,日本的进出口总额、进口额、出口额都一直保持着良性增长,除了2001年与2009年之外,增长率都为明显的正值,且发展较为迅速。可见21世纪以来,日本的一系列贸易政策已经取得了显著成效。虽然2007年受东南亚金融危机的影响,进出口额再度出现了一定规模的下滑,但随着2009年国际经济的回暖,日本经济也开始回头。2015年,日本货物进出口额为12736.4亿美元,较上年减少15.3%。其中,出口6250.4亿美元,减少9.5%;进口6486.0亿美元,减少20.2%。贸易逆差为235.6亿美元,减少80.7%。2001—2015年日本对外贸易年度变化如表11-10所示。

表11-10 2001—2015年日本对外贸易年度变化 (单位:10亿美元)

项目 年份	总 额	出 口	进 口	差 额
2001	752.49	403.25	349.24	54.01
2002	755.13	417.17	337.96	79.21
2003	855.27	471.91	383.36	88.55
2004	1021.85	566.19	455.66	110.53
2005	1111.47	595.27	516.20	79.07
2006	1225.22	646.44	578.78	67.66
2007	1336.20	714.13	622.07	92.06
2008	1544.12	782.24	761.88	20.36
2009	1131.10	580.59	550.51	30.08
2010	1462.96	770.11	692.85	77.26
2011	1678.97	823.65	855.31	31.66

(续)

项目 年份	总额	出口	进口	差额
2012	1684.04	798.39	885.65	87.25
2013	1547.88	714.99	832.89	117.89
2014	1503.78	690.91	812.76	121.85
2015	1273.64	625.04	648.6	23.56

(资料来源：根据商务部《国别贸易报告》相关数据整理。)

美国、中国香港和韩国是日本前三大贸易顺差来源地，2015年贸易顺差额分别为592.87亿美元、331.29亿美元和172.55亿美元（见表11-11，表11-12）。日本的贸易逆差主要来源地是一些产油国和中国、澳大利亚。

表11-11　2008—2010年日本贸易差额主要来源　　　（单位：亿美元）

国家和地区	2008年	2009年	2010年	2009—2010年同比（%）
总值	194.65	287.68	772.68	169.4
主要顺差来源				
美国	596.39	346.65	513.98	48.3
中国香港	387.19	307.60	407.95	32.6
韩国	299.18	252.39	336.57	33.4
中国台湾	242.09	180.73	294.00	62.7
新加坡	187.35	145.89	170.81	17.1
主要逆差来源				
沙特阿拉伯	-429.42	-238.01	-294.07	23.6
澳大利亚	-303.89	-225.49	-289.61	28.4
阿联酋	-358.72	-162.23	-219.47	35.3
卡塔尔	-243.91	-142.96	-205.56	43.8
印度尼西亚	-187.05	-124.82	-121.92	-2.3

表11-12　2013—2015年日本贸易差额主要来源　　　（单位：亿美元）

国家和地区	2013年	2014年	2015年	2014—2015年同比（%）
总值	-1178.93	-1218.54	-235.56	-80.7
主要顺差来源				
美国	626.37	574.18	592.87	3.3
中国香港	357.56	364.6	331.29	-9.1
韩国	206.94	182.01	172.55	-5.0
中国台湾	179.14	157.54	136.81	-13.1
新加坡	—	131.36	119.65	-8.8
主要逆差来源				
中国	-516.38	-545.14	-512.85	-6.0
沙特阿拉伯	-430.35	-399.95	-182.42	-54.4
澳大利亚	-340.28	-339.17	-220.24	-35.1
阿联酋	-340.29	-322.62	-148.15	-54.1
卡塔尔	-356.86	-320.33	-148.03	-53.8

(资料来源：根据商务部《国别贸易报告》相关数据整理。)

从出口方面来看，2015年，美国、中国和韩国是日本前三大出口贸易伙伴，出口额分别为1258.3亿美元、1092.9亿美元和440.7亿美元，分别减少了2.3%、13.6%和14.5%，占日本出口总额的20.1%、17.5%和7.1%。总体来说，2015年日本出口下降明显，对前15大出口贸易伙伴的出口基本都明显减少，其中对中国、韩国、泰国和德国的出口减少在10%以上。机电产品、运输设备和贱金属及其制品是日本的主要出口商品，2015年出口额分别为2132.9亿美元、1515.0亿美元和535.1亿美元，分别减少了9.8%、6.3%和16.5%，占其出口总额的34.1%、24.2%和8.6%。2015年日本所有大类出口商品均负增长，其中矿产品降幅最大，为26.2%。

从进口方面来看，2015年中国、美国和澳大利亚是日本前三大进口贸易伙伴，进口额分别为1605.7亿美元、665.4亿美元和348.7亿美元，分别降低了11.3%、6.8%和27.6%，占日本进口总额的24.8%、10.3%和5.4%。2015年日本从主要产油国的进口增幅有所回落，来自沙特阿拉伯、阿联酋的进口降幅均在40%左右。矿产品、机电产品和化工产品是日本的前三大类进口商品，2015年进口额分别为1735.9亿美元、1497.3亿美元和558.4亿美元，分别减少了41.0%、8.8%和增长0.7%，占其进口总额的26.8%、23.1%和8.6%。只有化工产品微增，其余全部减少。

3. 外国直接投资

2003年以前，日本引进的外国直接投资很少。近年来，日本也开始自上而下招商引资，并推出了鼓励外资投向日本的"促进对日投资计划"。2003年，日本政府在1月提出了招商引资倍增计划，将重点集中在5大领域87个项目上，使得2006年日本利用外资水平在2001年年末的基础上翻了一番，达到13.2万亿日元；之后受经济危机的影响，日本外商直接投资明显下降，甚至在2010年为-13亿美元，之后有所缓和，2012年为17亿美元，2014年为21亿美元。

总体来说，日本引进外国投资主要有以下几个特点：首先，其引进外资的数量明显低于对外投资的数量；其次，其吸收外资主要来源于欧美等发达国家；最后，其吸收外资的重点为非制造业，主要有批发、零售、餐饮、金融等行业。

第二节 发展中国家经济

一、发展中国家概述

发展中国家是指原来经济落后，正处在由传统经济向现代化经济过渡的发展过程中的国家。这些国家大多数是过去受帝国主义直接统治或控制的殖民地或附属国，在第二次世界大战后，先后获得政治上的独立，当前正在为实现经济的独立自主发展和现代化而努力。发展中国家本身是一个非常笼统的概念，广义上的发展中国家是指除经济发达国家之外的一切国家和地区。

一些国际机构往往按照自己的任务和需要，对发展中国家进行分组统计。世界银行以人均国民总收入（GNI）为标准，将经济体划分为低收入、中等收入和高收入三个组别，中等收入的经济体又分为下中等收入和上中等收入两个亚组。低收入和中等收入经济体通常称为发展中经济体。截至2016年7月1日，低收入经济体是指2015年人均GNI在1025美元以下的经济体，中低收入经济体的人均 GNI 为 1026～4035 美元；中高收入经济体的人均 GNI 为 4036～12475 美元，高收入经济体的人均 GNI 为 12475 美元以上。联合国贸易和发展会议将发展中国家分为石油输出国、农矿原料出口国、出口加工国（地区）和经济综合发展国。

发展中国家具有以下基本特点：①生产力不发达。发展中国家的农业在国民收入中占很大比重或主要地位，生产技术原始落后，生产率低；工业基础非常薄弱，现代工业不发达，在世界制造业中所占比重增长幅度不大，并且科技水平较低，科技人才流失严重，科研经费很少。②发展中国家经济成分多样，二元结构明显。发展中国家在经济发展过程中，容易形成现代化的工业和技术落后的传统农业同时并存的经济结构。③市场体系不完善，市场机制不健全。发展中国家的商品市场已有一定发展，但尚未形成现代市场经济所必需的市场体系，而劳动力市场和金融市场发育水平更低。不少发展中国家的金融市场几乎是空白的，对经济发展造成"金融抑制"。此外，不少发展中国家过分强调国家对经济生活的干预和国有经济的垄断地位，不仅影响了其市场规模的扩大和市场结构的完善，而且扭曲了市场运行机制。④经济发展对发达国家具有较强的依附性。由于发展中国家在国际分工中处于不利地位，许多发展中国家在资金、技术、管理和市场方面依附于发达国家。

此外，发展中国家独立有先后，各国的国内外条件和独立后实行的经济政策不同，发展速度和经济发展水平也不同。因此，发展中国家经济发展不平衡现象十分突出，在"二战"后的几十年里，已经发生了明显的两极分化。根据世界银行的数据，2015 年，发展中国家人均 GNI 差距十分惊人：排名前五的国家人均 GNI 均在 14000 美元以上；而排名最后的五个国家人均 GNI 不足 400 美元，平均只有 330 美元左右，不到排名前五的国家均值的 1/10。并且可以看到，排名最后的五个国家均为非洲国家（见表 11-13）。从经济增长速度来看，发展中国家内部也有很大差距：亚洲的发展速度最快，1980—2013 年的平均增速为 7.5；而其他地区均在 4% 以下，中欧和东欧最低，只有近 2.7%（见图 11-5）。

表 11-13　2015 年发展中国家人均 GNI 排名　　　　　　　　　　（单位：美元）

排名最前的五个国家		排名最后的五个国家	
特立尼达和多巴哥	16061	几内亚	391.5
阿曼	15471	尼日尔	380.2
巴巴多斯	15171	刚果（金）	355.6
智利	14355	利比里亚	308.0
赤道几内亚	14211	布隆迪	206.3

（资料来源：世界银行 WDI 数据库。）

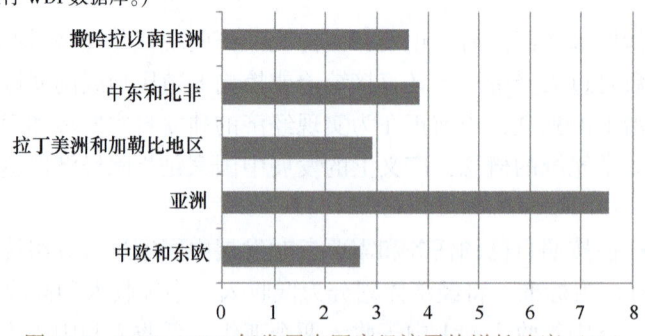

图 11-5　1980—2012 年发展中国家经济平均增长速度（%）

（资料来源：国际货币基金组织 WEO 数据库。）

发展中国家共有160多个国家和地区，占世界总人口的4/5，世界面积的2/3。尽管发展中国家的总体经济发展水平相对较低，但仍然对世界经济发展具有重要作用，在世界经济发展中的地位日益凸显[①]。

（1）发展中国家是建立国际经济新秩序的基本力量。第二次世界大战后，发达国家在国际贸易、货币金融、技术转让、关税制度等许多方面都处于垄断地位，这种国际经济环境影响了发展中国家民族经济的发展。从20世纪50年代开始，发展中国家进行了一系列建立经济新秩序的斗争。

（2）发展中国家物产丰富、有大量能源储备。发展中国家拥有极其丰富的人力、物力资源和广阔的市场。发展中国家的石油储量占世界已探明储量的80%左右，产量占世界总产量的50%，出口量占世界总出口量的83.5%。发展中国家在煤矿、天然气和水利资源方面在世界储量中同样占据着重要部分。目前已知的51种稀有金属中，约有30种全部或大部分出产在发展中国家。发展中国家还是世界许多重要经济作物和农业原料的主要产地。例如，天然橡胶、咖啡、可可、椰子、黄麻、棕榈等热带和亚热带作物，都是亚非拉国家的特产，其出口额均占世界同类产品出口额的90%~100%。

（3）经济发展的高速度。20世纪50~70年代，发展中国家的经济发展速度实现了高速增长。1950—1980年的30年中，发展中国家在世界经济中的比重由28%上升到33%。1991—2000年的10年中，发展中国家的经济以平均5%的速度向前发展，而同期发达国家发展最快的年份速度为3.9%。这些都表明发展中国家整体实力的提升。尽管目前发展中国家在人均生产和消费水平上仍然与发达国家差距较大，但是发展中国家已经成为世界经济的重要力量和支柱已是不争的事实。尤其是21世纪以来的高出发达国家2~3倍的增长速度，使得发展中国家在经济规模上与发达国家不断拉近距离，南北差距逐渐缩小。

（4）发展中国家成为国际投资新热点地区。当前全球对外直接投资（FDI）高速扩张（自2002年低谷以来平均每年增长37%），世界各大经济体投资与引资量全面增长，在欧美国家继续大幅领先的同时，更多的发展中国家和地区成为投资新热点。根据联合国贸易和发展会议（UNCTAD）的数据，2012年，发展中国家和地区吸引外资7028.26亿美元，首次超过发达国家。

二、中国经济

（一）近代中国经济发展历程

1. 鸦片战争前后我国的经济状况

在鸦片战争前期，中国以自给自足的自然经济为主，实行闭关锁国的政策。1840年，鸦片战争打开了中国的大门，帝国主义国家利用其与清朝政府签订的不平等条约赋予的特权，进一步扩大对中国的商品倾销和资本输出，把中国变成了它们倾销商品的市场和取得廉价原料的基地。自此，中国卷入了资本主义的世界市场。

2. 民国时期我国的经济状况

民国时期，中国处于半殖民地半封建社会。在华外国资本主义经济、封建地主经济和国家垄断资本主义经济，是阻碍中国近代经济发展的主要障碍。

[①] 李娟：《发展中国家在当今世界中的经济地位与作用》，长春理工大学学报，2011年2月。

3. 新民主主义革命到社会主义过渡时期我国的经济状况

新民主主义经济既有资本主义经济成分，又有社会主义经济成分，还有各种形式的个体经济社会向社会主义社会转变过程中的过渡形式。三大改造前，资本主义工商业在我国经济中占有很重要的地位，大部分资产都是私有的。三大改造就是对农业、手工业、资本主义工商业进行社会主义改造，把私营企业变为国有企业。三大改造的完成，使我国的社会经济结构发生了根本的变化，社会主义公有制已成为我国社会的经济基础。

4. 改革开放前后我国的经济状况

从三大改造完成到改革开放的20多年间，我国经济发展缓慢。改革开放30多年来，我国在经济方面取得了重大的成就，国民经济不断发展，综合经济实力明显增强，重要工农业产品的产量跃居世界前列，城乡居民收入快速增长，居民消费结构明显改善。

（二）中国经济现状

1. 中国国内经济

2010年，我国GDP超过日本，成为第二大经济体。2015年，我国GDP总量为6.89052万亿美元，以2010年为基准100，2015年实际GDP收入为172，增加了0.72倍。我国GDP自改革开放后迅猛增长，有12年GDP增长率超过10%。其中增长最快的是1984年，达到15.2%；最低为1990年，仅3.8%。虽然GDP增长率常有起伏，但平均保持在8%以上。我国加入WTO以后，GDP一直保持稳定发展，只有2008年由于金融危机爆发，GDP增速放缓，经济增长从2007年的14.2%下降到2009年一季度的6.5%。为恢复经济，中国政府实施了4万亿元经济刺激计划，扩内需、保增长，使中国经济在全球经济普遍低迷的情况下率先复苏。2003—2015年中国GDP变化情况如表11-14所示。

表11-14 2003—2015年中国GDP变化情况

年 份 \ 项 目	GDP总值/10亿元	GDP增长率（%）	人均GDP/元
2003	13582.3	10.0	10542
2004	15987.8	10.1	12336
2005	18493.7	11.3	14185
2006	21631.4	12.7	16500
2007	26581	14.2	20169
2008	31404.5	9.6	23708
2009	34050.7	9.1	25608
2010	40151.3	10.4	30015
2011	47156.4	9.2	35181
2012	54036.7	7.9	40007
2013	59524.4	7.8	43852
2014	64397.4	7.3	47203
2015	68905.2	6.9	49992

（资料来源：《中国统计年鉴》。）

○ 本书编写组：《毛泽东思想和中国特色社会主义理论体系概论（2009年修订版）》，高等教育出版社，2009年版。

数据显示，2016年全年全国居民人均可支配收入为21966元，比上年增长8.9%，扣除价格因素，实际增长7.4%；全国居民人均可支配收入中位19281元，增长9.7%。按常住地分，城镇居民人均可支配收入为31195元，比上年增长8.2%，扣除价格因素，实际增长6.6%；城镇居民人均可支配收入中位数为29129元，增长9.4%。农村居民人均可支配收入为11422元，比上年增长8.9%，扣除价格因素，实际增长7.5%；农村居民人均可支配收入中位数为10291元，增长8.4%。全年农村居民人均纯收入为10772元。全国农民工人均月收入3072元，比上年增长7.2%。全国居民人均消费支出15712元，比上年增长8.4%，扣除价格因素，实际增长6.9%。按常住地分，城镇居民人均消费支出21392元，增长7.1%，扣除价格因素，实际增长5.5%；农村居民人均消费支出9223元，增长10.0%，扣除价格因素，实际增长8.6%。

2016年年末全国就业人员77451万人，其中城镇就业人员40410万人。全年城镇新增就业1312万人。年末城镇登记失业率为4.05%。全国农民工总量为27747万人，比上年增长1.3%。其中，外出农民工16884万人，增长0.4%；本地农民工10863万人，增长2.7%。

2016年全年居民消费价格比上年上涨1.4%，其中食品价格上涨2.3%。固定资产投资价格下降1.8%，工业生产者出厂价格下降5.2%，工业生产者购进价格下降6.1%，农产品生产者价格上涨1.7%。

2. 中国对外贸易

改革开放以来，特别是加入世界贸易组织之后，我国大力发展对外贸易，进口总体态势良好，为促进经济发展起到了重要作用。目前，我国进口规模已居世界第二位。2003—2015年，我国进口规模由4127.6亿美元扩大到16820.7亿美元，增长了5.7倍；进口额占全球进口的比重由4.4%提高到12.6%。

2014年以来，国际金融危机深层次影响继续显现，欧洲主权债务危机深化、蔓延，世界经济复苏明显减速，国际市场需求下滑，中国经济下行压力加大，对外贸易发展面临复杂严峻的内外部环境，进出口增速下滑至个位数。据海关统计，2015年我国外贸进出口总值39586.4亿美元，比2014年同期减少8%。其中，出口22765.7亿美元，减少2.8%；进口16820.7亿美元，减少14.1%。

针对形势变化，我国政府及时出台了一系列促进外贸稳定增长、优化外贸结构的政策措施。2016年，我国对外贸易运行呈现以下特点：①进出口增长低位企稳；②出口贸易结构不断优化；③能源产品与高技术产品进口较快；④服务贸易加速发展。

2003—2015年中国对外贸易情况如表11-15所示。

表11-15　2003—2015年中国对外贸易情况　　　　　（单位：亿美元）

项目 年份	进出口总额	出口总额	进口总额
2003	8509.9	4382.3	4127.6
2004	11545.6	5933.3	5612.3
2005	14221.2	7620	6601.2
2006	17606.8	9690.7	7916.1
2007	21738.4	12180.2	9558.2
2008	25616.4	14285.5	11330.9

(续)

年份 \ 项目	进出口总额	出口总额	进口总额
2009	22072.2	12016.6	10055.6
2010	29727.6	15779.3	13948.3
2011	36418.6	18983.8	17434.8
2012	38667.6	20489.3	18178.3
2013	41603.3	22100.4	19502.9
2014	43030.4	23427.5	19602.9
2015	39586.4	22765.7	16820.7

（资料来源：中国商务部网站。）

近年来，欧盟一直是中国最大的贸易伙伴，2011年中欧双边贸易总值达到5939.7亿美元，创新高。2012年开始滑落，2015年中欧双边贸易额为5648.5亿美元，同比减少8.2%。2011年中国与东盟双边贸易额为3623.3亿美元，东盟首超日本，成为中国第三大贸易伙伴。2007—2015年中国主要贸易伙伴及进出口额如表11-16所示。

表11-16 2007—2015年中国主要贸易伙伴及进出口额 （单位：亿美元）

年份 \ 项目	2007	2008	2009	2010	2011	2012	2013	2014	2015
出口总额	12180.2	14285.5	12016.6	15779.3	18983.8	20489.3	22100.4	23427.5	22765.7
欧盟	2451.9	2931.5	2362.8	3112.4	4058.5	3339.9	3390.1	3708.8	3559.7
美国	2327	2523.7	2208.2	2833	3244.5	3518	4404.3	3960.8	4096.5
东盟	941.8	1143	1063	1382.1	1698.6	2042.7	2440.7	2720.7	2777
日本	1020.7	1161.4	979.1	1210.6	1482.7	1516.4	1502.8	1494.4	1356.8
中国香港	1822.3	1906.3	1662.3	2183.2	2679.8	3235.3	3847.9	3631.9	3315.7
进口总额	9558.2	11330.9	10055.6	13948.3	17434.8	18178.3	19502.9	19602.9	16820.7
欧盟	1109.6	1325.7	1278	1684.8	1881.5	2021.5	2200.6	2442.6	2088.8
美国	693.8	813.4	774.4	1020.4	1221.3	1328.9	1220.2	1590.4	1487.4
东盟	1083.7	1170.1	1067.1	1545.7	1924.7	1958.2	1995.1	2083.1	1944.6
日本	1339.5	1506.8	1309.4	1767.1	1945.6	1778.1	1622.8	1630	1429.9
中国香港	128.2	129.2	87.1	122.6	154.9	179.6	162.2	129	127.6
进出口总额	21738.4	25616.4	22072.2	29727.6	36418.6	38667.6	41603.3	43030.4	39586.4
欧盟	3561.5	4257.2	3640.8	4797.2	5939.7	5361.4	5590.7	6151.4	5648.5
美国	3020.8	3337.1	2982.6	3853.4	4465.8	4846.9	5624.5	5551.2	5583.9
东盟	2025.5	2313.1	2130.1	2927.8	3623.3	4000.9	4436.1	4803.8	4721.6
日本	2360.2	2668.2	2288.5	2977.7	3428.3	3294.5	3125.6	3124.4	2786.7
中国香港	1950.5	2035.5	1749.6	2305.8	2834.7	3414.9	4010.1	3760.9	3443.3

（资料来源：中国商务部、国家统计局、国别数据网。）

2009年受金融危机影响，我国主要产品的进出口都出现了负增长，而到2010年，由于我国政策扶持，产品进出口增长率都出现显著提高。从2010年我国进出口货物金额对比中，可以看出进出口货物比例分布。我国无论进口还是出口，机电产品都排名第一，并且进出口差额也较大，为2731.2亿美元。其中，出口较进口差别较大的有纺织品和杂项产品

(家具、发光设备、活动房屋之类);进口较出口差别较大的有矿产品,这在 1978 年是出口较多的产品。从进出口货物结构中,可以看出我国经济的发展水平。机电产品超越纺织品成为出口最多的产品,可见产业的科技水平有所提高;而矿产品从出口变为进口,还成为进出口差别最大的产品,可见我国第二产业在国民经济中占有重要地位。

2016 年,世界经济艰难复苏,国内经济稳中向好。据海关统计,2016 年,我国货物进出口总值为 24.33 万亿元,比 2015 年下降 0.9%。其中,出口 13.84 万亿元,下降 2%;进口 10.49 万亿元,增长 0.6%;贸易顺差 3.35 万亿元,收窄 9.1%。

(1) 进出口逐季回稳,第四季度进、出口均实现正增长。2016 年,我国进出口呈现前低后高、逐季回稳向好态势。其中,第一季度,我国进出口、出口和进口值分别下降 8.2%、7.9% 和 8.6%;第二季度,进出口、出口、进口值分别下降 1.1%、0.8% 和 1.5%;第三季度,进出口和进口值分别增长 0.8% 和 2.3%,出口值下降 0.3%;第四季度,进出口、出口、进口值分别增长 3.8%、0.3% 和 8.7%。

(2) 一般贸易进出口增长,比重提升。2016 年,我国一般贸易进出口 13.39 万亿元,增长 0.9%,占我国进出口总值的 55%,比 2015 年提升 1 个百分点,贸易方式结构有所优化。

(3) 对部分一带一路沿线国家出口增长。2016 年,我国对巴基斯坦、俄罗斯、波兰、孟加拉国和印度等国出口分别增长 11%、14.1%、11.8%、9% 和 6.5%。同期,我国对欧盟出口增长 1.2%、对美国出口微增 0.1%、对东盟出口下降 2%,三者合计占我国出口总值的 46.7%。

(4) 机电产品、传统劳动密集型产品仍为出口主力。2016 年,我国机电产品出口 7.98 万亿元,下降 1.9%,占我国出口总值的 57.7%。其中,医疗仪器及器械出口增长 6.1%,蓄电池出口增长 4%。同期,传统劳动密集型产品合计出口 2.88 万亿元,下降 1.7%,占出口总值的 20.8%。其中,纺织品、玩具和塑料制品出口增长。

(5) 铁矿石、原油、铜等大宗商品进口量保持增长,主要进口商品价格仍处于低位但跌幅收窄。2016 年,我国进口铁矿石 10.24 亿 t,增长 7.5%;进口原油 3.81 亿 t,增长 13.6%;进口煤 2.56 亿 t,增长 25.2%;进口钢材 1321 万 t,增长 3.4%;进口铜 495 万 t,增长 2.9%;进口成品油 2784 万 t,下降 6.5%。同期,我国进口价格总体下跌 2.1%。其中,铁矿石进口均价同比下跌 0.5%,原油下跌 18.6%,成品油下跌 10.8%,煤下跌 0.1%,铜下跌 6%,钢材下跌 5.5%,跌幅较上半年、前三季度收窄。

3. 外国直接投资

我国是世界上 FDI 流入量第二大的国家。世界 500 强公司都对我国进行投资,其中绝大多数还在我国开设分公司,除了可以利用廉价劳动力,其最主要的目的是瞄准我国广阔的市场。外商对我国投资时,外资企业(外商独资)是最主要的投资方式,占 77%。

随着中国经济增长降至 13 年来最慢速度,2012 年中国的外商直接投资(FDI)出现自 2009 年以来的首次下降。2012 年,全国新批设立外商投资企业 24925 家,同比下降 10.06%;实际使用外资金额 1117.16 亿美元,同比下降 3.7%。中国不断上升的劳动力成本也使其他投资目的地更具吸引力。2016 年,全国新设立外商投资企业 27900 家,同比增长 5%;实际使用外资金额 8132.2 亿元人民币(折合 1260 亿美元),同比增长 4.1%。

2012 年,对华投资前十位的国家/地区(以实际投入外资金额计)依次为:中国香港

(712.89亿美元)、日本(73.8亿美元)、新加坡(65.39亿美元)、中国台湾(61.83亿美元)、美国(31.3亿美元)、韩国(30.66亿美元)、德国(14.71亿美元)、荷兰(11.44亿美元)、英国(10.31亿美元)和瑞士(8.78亿美元)。前十位国家/地区实际投入外资金额占全国实际使用外资金额的91.4%。2016年主要国家/地区对华投资总体保持稳定,前十位国家/地区(以实际投入外资金额计)实际投入外资总额1184.6亿美元,占全国实际使用外资金额的94%,同比增长0.4%。对华投资前十位国家/地区依次为:中国香港(871.8亿美元)、新加坡(61.8亿美元)、韩国(47.5亿美元)、美国(38.3亿美元)、中国台湾(36.2亿美元)、中国澳门(34.8亿美元)、日本(31.1亿美元)、德国(27.1亿美元)、英国(22.1亿美元)和卢森堡(13.9亿美元)。⊖

在大力吸引外资的同时,我国也开始了对外投资的步伐。2009年,我国FDI规模超过2000亿美元,主要集中于亚洲、拉丁美洲。截至2009年年底,我国1.2万家境内投资者在全球177个国家和地区设立境外直接投资企业3万家,投资覆盖率为72.8%,FDI累计净额24575亿美元,境外企业资产总额超过1万亿美元。也是在这一年,我国FDI流出量为世界第六,排名为历史最高。2011年下降到世界第九位。2016年,我国境内投资者共对全球164个国家和地区的7961家境外企业进行了非金融类直接投资,累计实现投资11299.2亿元人民币(折合1701.1亿美元,同比增长44.1%)。

对外投资合作健康有序发展,与"一带一路"沿线国家合作成为亮点。2016年全年,我国企业对"一带一路"沿线国家直接投资145.3亿美元;对外承包工程新签合同额1260.3亿美元,占同期我国对外承包工程新签合同额的51.6%;完成营业额759.7亿美元,占同期总额的47.7%。截至2016年底,我国企业在"一带一路"沿线国家建立初具规模的合作区56个,累计投资185.5亿美元。

对外投资行业结构进一步优化,实体经济和新兴产业受到重点关注。2016年全年,我国企业对制造业,信息传输、软件和信息技术服务业以及科学研究和技术服务业的投资分别为310.6亿美元、203.6亿美元和49.5亿美元。其中对制造业投资占对外投资总额的比重从2015年的12.1%上升为18.3%;对信息传输、软件和信息技术服务业投资占对外投资总额的比重从2015年的4.9%上升为12.0%。

三、印度经济

(一)印度经济发展历程

1526年莫卧儿帝国建立,印度成为当时的世界强国之一。1600年,英国建立东印度公司。从这以后直到18世纪,英国在印度享有贸易特权,并对印度经济进行直接掠夺。1947年,英国将印度分为印度和巴基斯坦两个州,同年8月15日,印巴分治,印度独立。1950年1月26日,印度共和国成立,正式成为英联邦成员国。

自印度独立后,其经济取得了巨大的发展,从经济体制的变迁角度可以分为三个时期:

(1) 1947年到20世纪50年代中期,印度经济从封闭性的管制体系向混合经济体制过渡。

(2) 20世纪50年代中期到80年代末,印度实行公私营部门并存的混合经济体制。19

⊖ 国商务部网站,http://www.mofcom.gov.cn/article/tongjiziliao/v/201301/20130100009582.shtml。

世纪80年代，印度进行了一场经济自由化体制改革运动。同时，放宽对进出口贸易的直接控制，实行进口替代和促进出口相结合的对外贸易政策。

（3）20世纪90年代初至今，印度实行市场经济为导向的自由贸易体制。在这一阶段改革的初期，印度的经济取得了很大发展。但是，1994年以后，国大党政府在大选中落败下台，以后的几届政府都是由十几个政党组成的联合政府，国大党在议会中处于弱势。这几届政府虽然表示要继续实行经济改革，但由于各种原因，改革的步子一直不大。直到1999年第十三届大选后，瓦杰帕伊政府再次执政，经济改革才出现转机。

（二）印度经济现状

1. 印度国内经济

印度拥有世界第四大军队、第八大制造业和仅次于美国的高科技人才资源，正在创造"印度崛起"的神话。

印度经济自独立以来到20世纪80年代，国内生产总值年均增长率仅为3.5%，80年代提升为5.6%，90年代中期为7%，2003年第四季度的增长率更是超过了中国，达到了创纪录的10.4%。2009—2010财年，印度GDP增幅为7.4%。2010—2011财年，印度国内生产总值（GDP）为48.77万亿卢比（约合1.08万亿美元），同比增长8.5%，略低于8.6%的预测。其中，第一产业增长率为6.6%；社区、社会和个人服务业增幅为7%；建筑业，贸易、酒店交通和通信行业，金融、保险、房地产和商业服务业增幅分别为8.1%、10.3%和9.9%。农业、工业和服务业占GDP的比重分别为14.35%、27.9%和57.73%。印度作为"金砖国家"之一，最近几年经济一直保持较高速度的增长。在2008年国际金融危机爆发之前，印度的国民生产总值进入了快速上升的通道。金融危机爆发后，印度经济的步入下降通道，这种局面一直持续到2009年年末。2009—2010财年，印度逐步摆脱国际金融和经济危机的影响；2010—2011财年，印度实现了经济稳固增长并快速发展。莫迪政府的改革促使印度经济走出泥淖，驶入快速增长的轨道，成为世界上增长最快的经济体。据印度中央统计局统计，按不变价格计算，2014—2015年度增长7.2%，2015—2016年度增长7.6%。

印度中央统计局2017年初步统计，2016年印度经济较上年增长7.4%，增幅与上年持平，其中第四季度同比增长7.0%，增幅较上季度下滑0.4个百分点。按当前市场价格计算，印度名义GDP为147.69万亿卢比，同比增长10.7%；按2011—2012财年不变价格计算，实际GDP为119.41万亿卢比，同比增长7.4%；GDP平减指数为123.68（2011—2012财年=100），同比上涨3.1%。据印度主流媒体《经济时报》报道，国际货币基金组织宣布下调印度2016财年经济增长率，从之前的7.6%降至6.6%，同时将2017财年增速从之前的7.6%降至7.2%，主要原因是币改对消费和支付造成的暂时性负面影响，预计2018年将提高至7.7%，印度仍将是全球增速最快的新兴经济体。

印度经济要保持快速增长，需要克服两大不利因素：

（1）日益加大的通胀上行压力。在食品价格快速上涨的拉动下，印度的批发价格指数2010年年初同比增幅接近11%。与此同时，国际大宗商品价格上涨带来的输入型通胀压力，对高度依赖石油进口的印度来说更是压力巨大。而印度对石油进口的依存度会随着经济发展继续提高，预计到2030年，印度石油进口依存度将突破90%。这意味着国际石油、焦炭和铁矿石等大宗商品价格的波动会迅速传导至印度国内，加剧通胀压力。

（2）印度落后的基础设施是制约经济快速发展的另一个重要因素。如果不能快速有效地改变这种现状，印度将很难实现经济持续快速发展，期望的人口红利也会变成巨大的负担和不稳定因素。

但是，印度制造业同时也面临着较大的发展机遇。在人口年龄结构优势和政府扶持措施的带动下，印度制造业的规模和效率有望得到较大幅度的增长和提高。

2. 印度对外贸易

20 世纪 80 年代以来，印度对外贸易额呈现了加速扩大的势头，特别是实行经济改革以后，外贸发展速度的增幅更是远远大于以前。1980—1981 年度，印度的对外贸易总额为 243.55 亿美元，1990—1991 年度为 422.18 亿美元，1995—1996 年度为 684.74 亿美元，2003—2004 年度为 1419.9 亿美元，2009—2010 年度为 5519.07 亿美元。在 1995—2005 年这段时期内，印度的进出口平均增长率高达 13%，远远高于世界同期水平[⊖]。

据印度商业信息统计署与印度商务部统计，2015 年，印度货物进出口额为 6583.6 亿美元，比上年同期（下同）下降 15.6%。其中，出口 2667.1 亿美元，下降 17.1%；进口 3916.5 亿美元，下降 15.1%。贸易逆差 1249.4 亿美元，下降 11.1%。从国别/地区看，2015 年印度对其主要贸易伙伴商品出口均出现程度不同下降，其中对美国、阿联酋、中国香港、中国、英国和新加坡的下降幅度分别为 -5.1%、-7.9%、-11.0%、-27.2%、-8.0% 和 -24.1%。上述六个贸易伙伴合占印度出口贸易总额的 41.0%，其中以美国所占的份额最大，为 15.1%、阿联酋为 11.5%、中国香港为 4.6%、中国为 3.6%、英国为 3.3%、新加坡为 2.6%。同期，印度自中国、瑞士、沙特阿拉伯、美国、阿联酋和印度尼西亚的进口额分别占印进口总额的 15.6%、5.4%、5.3%、5.2% 和 3.6%，合计为 40.5%；进口额增减幅依次为 4.9%、-0.2%、-33.4%、-3.3%、-24.9% 和 7.0%。从贸易结构看，印度主要出口商品有珠宝及贵金属制品、矿物燃料、运输设备、机械设备和药品等。2015 年上述五大类商品的出口额为 1113.3 亿美元，合占印度出口贸易总额的 41.7%；上述商品出口比重依次为 14.6%、12.2%、5.3%、5.0% 和 4.7%。其他出口商品还有有机化学品、机电产品、粮食、原棉、针织产品等。矿物燃料、宝石及贵金属制品、机电产品、机械设备和有机化学品是印度进口的五大类商品，2015 年，上述五类商品的进口总额分别为 1049.1 亿美元、597.1 亿美元、345.2 亿美元、320.9 亿美元和 159.6 亿美元，合占印度进口总额的 63.3%。其中，除机电产品、机械设备进口仍保持增长，增幅分别为 10.9% 和 2.9% 外，矿物燃料、宝石及贵金属制品和有机化学品进口的降幅分别为 -40.7%、-0.8% 和 -12.7%。其他主要进口商品还有钢材、动植物油、塑料制品、船舶、光学仪器设备和矿产品等。2004—2015 年印度对外贸易情况如表 11-17 所示。

表 11-17 2004—2015 年印度对外贸易情况 （单位：亿美元）

项目 年份	出口额	进口额	总额	差额
2004	756.31	973.13	1729.44	-216.82
2005	996.51	1383.7	2380.21	-387.19
2006	1212.59	1728.76	2941.35	-516.17

⊖ 资料来源：印度经济调查。

(续)

项目 年份	出口额	进口额	总额	差额
2007	1475.64	2175.43	3651.07	-699.79
2008	1780.34	2928.48	4708.82	-1148.14
2009	1631.67	2499.67	4131.34	-868
2010	2231.76	3287.31	5519.07	-1055.55
2011	3070.86	4650.76	7721.62	-1579.90
2012	2911.87	4892.82	7804.69	-1980.95
2013	3124.70	4675.58	7800.28	-1550.88
2014	3195.46	4601.14	7796.60	-1405.68
2015	2667.11	3916.54	6583.65	1249.43

总体来说，印度的进出口都是稳步增长的，但是从20世纪50年代到2010年，印度的对外贸易基本上都处于逆差的不利状态。在很多年中，出口额甚至只有进口额的一半。

出现这种情况的原因：一方面由于印度是一个发展中国家，需要大量进口资本货物、技术，以及印度的石油资源有限且开采不足；另一方面还在于政府的外贸政策。

3. 外国直接投资

从2010年12月到2011年3月，印度利用外资净额没有按照常规向上攀升，而是继续减少，直到2011年第二季度末，印度利用外资净额才上升到2010年的同期水平。据印度商工部工业政策和促进总局公布的数据[1]，2011年1~9月，印度共利用外资225.27亿美元，同比增长41%；2011年9月，印度利用外资17.66亿美元（协议外资额），同比下降16.5%。

这表明，印度2011年7~8月利用外资净额大幅增加，而9月利用外资净额却大幅减少，同比出现了负增长。值得一提的是，其间印度卢比相对于美元的贬值趋势明显。这表明，印度经济对外资的吸引力减小，外资撤离迹象显现。

四、巴西经济

巴西经济是自由市场经济与出口导向型的经济，实力居拉丁美洲国家首位。2011年巴西成为美洲第二大经济体，并超过英国成为世界第六大经济体。

（一）巴西经济发展历程

1. 独立后至第二次世界大战前的单一经济时期

巴西在1822年宣布独立，随后经济取得了一定的发展和进步。19世纪中期，巴西经济纳入到世界市场。这个时期的工场手工业和机器大工业开始成长，但是巴西的农业发展在1870年以后逐渐向单一种植方向发展，使巴西的经济发展更加依赖发达国家。在两次世界大战之间的巴西民族工业有所发展，采矿工业及轻工业都有了不同程度的发展，但是这个时期的巴西工业技术较比较落后，外国资本在本国的工业生产中占有绝对的控制地位[2]。

---

[1] 资料来源：中国驻印度通商处。
[2] 张琳力：《巴西经济发展的历史回顾及经济改革发展的经验》，才智，2011年第16期。

2. 第二次世界大战后的高速发展时期

第二次世界大战后,巴西经济获得迅速发展。1950年,巴西国内生产总值(GDP)为166.7亿美元,1988年已达到3571.7亿美元,29年间增长了20.4倍,成为世界上第九位的经济大国。1948—1979年的32年间,巴西GDP平均增长7.2%,既高于本国"二战"前的增长率,也高于大多数发达国家"二战"后的增长率,曾被誉为继原联邦德国和日本"经济奇迹"之后的巴西"经济奇迹"。在这一阶段,巴西形成了一个比较完整的工业体系㊀。

3. 20世纪80年代以来的债务危机时期

(1)第一次债务危机:外债危机。从20世纪60年代中期到80年代前期,巴西国内资金积累不足,为了实行进口替代工业化战略,开始在国际金融市场大量举债。20世纪80年代末,第二次石油危机引发了国际债务危机,急速攀升的利率大大加重了巴西还本付息的压力。

(2)第二次债务危机:对联邦金融机构债务的偿还危机。1993年,巴西各州政府纷纷出现无力偿还联邦金融机构债务的违约行为,引发了第二次债务危机。

(3)第三次债务危机:债券偿还危机。1988年修宪后,巴西将地方政府公务员的工资和福利提高到一个较高水平。1994年,巴西政府引入"黑奥计划"(稳定经济计划),年通货膨胀率从1994年的929%急剧下降到1996年的9%。在货币升值和各类债券实际利率攀高的双重压力下,州政府开始拒绝履行偿还其债券的义务,金融市场由此出现剧烈震荡,第三次债务危机爆发㊁。

(二)巴西经济现状

1. 巴西国内经济

1994年7月1日,巴西废除原货币名称克鲁赛罗雷亚尔,同时命名新货币为雷亚尔。2012年10月31日汇率为1雷亚尔兑0.4926美元。2011年,巴西GDP为24766.52亿美元,人均GDP达到12594美元。2015年,巴西GDP为17747亿美元,人均GDP8539美元。

巴西是一个拥有丰富自然资源的大国,其中许多资源的储藏量和产量都居世界前列。巴西的矿产蕴藏量十分巨大,其中已探明的铁矿储藏量有650亿t。其不仅矿产品品种多,而且品位高,其中铁矿砂已探明的储量为319亿t,品位大多在60%以上,产量和出口量均占世界第二位;铀矿、铝矾土、锰矿、铝、锡、铬、镍、锌、钨、宝石、黄金等矿产品的储量也居世界前列。并且,巴西在能源替代、石油深海勘探技术方面都居世界领先地位。依靠这些技术,巴西在将近30年的时间内就从一个石油对外依赖的国家转变成石油基本自给的国家,甚至还有出口。巴西石油公司成为世界第14大石油企业集团,并拥有世界领先的石油勘探和生产技术。

巴西同时也是一个农业大国,是世界第三大大豆出口国和主要的浓缩橙汁出口国、世界最大的咖啡和蔗糖生产国、世界最大的烟草出口国和第二大生产国。巴西是世界上最大的咖啡生产国和出口国,巴西咖啡以质优、味浓而驰名全球。19世纪,巴西的咖啡种植几乎遍及全国,随后又形成持续近一个世纪之久的"咖啡繁荣期"。20世纪初,巴西的咖啡产量占世界总产量的75%以上,从而赢得了"咖啡王国"的美称。咖啡是巴西国民经济的重要支

㊀ 柳长生:《战后巴西经济发展的经验及教训》,国际经贸研究,1993年第1期。

㊁ 张志华、周娅,等:《巴西整治地方政府债务危机的经验教训及启示》,经济研究参考,2008年22期。

柱之一。巴西全国有大大小小的咖啡种植园 50 万个，种植面积约 220 万 hm^2，从业人口达 600 多万，年产咖啡 200 万 t 左右，年出口创汇近 20 亿美元。近年来，由于出口结构的变化和国际咖啡市场不景气，巴西咖啡生产和出口量有所下降。

巴西还是一个工业大国，尤其是在一些新兴工业部门中，其自主创新能力较强，在有些工业技术方面位居世界领先水平。巴西是世界第九大产钢国；汽车产量居世界第十位；巴西北方铝业公司是世界最大的铝业公司。在能源生产和技术方面，巴西取得了非常快速的进步。

由于广阔的领土和丰富的资源，巴西一直是全球学者、研究机构关注的焦点。2003 年 10 月美国高盛公司预测，到 2050 年，巴西将跃升为世界第五大经济体，世界排名仅次于中国、美国、印度、日本。尤其在卢拉政府上台后，巴西积极推行大国外交战略，在联合国改革、世界贸易组织谈判、美洲区域一体化及南美地区事务中发挥着越来越积极的作用，突显其作为地区大国及发展中大国的地位。

巴西地理统计局（IBGE）公布的最新数据显示，2016 年巴西国内生产总值（GDP）下跌 3.6%，这是继 2015 年 GDP 下滑 3.8% 之后，巴西经济连续第二年出现衰退。官方的这个数据与巴西金融市场最新预期的经济衰退 3.5% 差不多，但略好于巴西央行 2 月中旬宣布的衰退 4.34%。数据显示，巴西上一次出现经济连续两年负增长，还要追溯到 1930 年和 1931 年，当时经济分别下降 2.1% 和 3.3%。而这次 2015 年和 2016 年巴西连续两年累计经济衰退已超过 7.2%，这是前所未有的。因而有分析人士称，这是历史上巴西最严重的经济危机。

2. 巴西对外贸易

巴西自 1948 年起就成为关税及贸易总协定成员方，现在为世界贸易组织成员方，2005 年世界贸易排名第 23 位。

近年来，巴西政府对外贸政策做了重大调整，摒弃以高额关税限制进口的保护主义，对出口进行奖励和补贴，鼓励提高产品质量和加强出口竞争机制，宣布开放市场，减免 5000 种商品进口关税。2001 年，巴西外贸形势出现好转，全年出口 582.23 亿美元，进口 555.81 亿美元，贸易盈余 26.4 亿美元。由于国际市场矿产品和农产品价格的不断上涨，国内工业，如飞机制造、软件开发等的国际竞争力不断提高，巴西在世界贸易中日趋活跃，贸易顺差逐年上升，外贸总额也由 1999 年的不足 1000 亿美元增长到 2006 年的超过 2000 亿美元，八年时间内年平均增长率高达 29.43%，为巴西国际收支顺差和经济稳定发展奠定了基础。

据巴西外贸秘书处统计，2016 年巴西货物进出口额为 3227.87 亿美元，比上年（下同）下降 11.0%。其中，出口额 1852.35 亿美元，下降 3.1%；进口额 1375.52 亿美元，下降 19.8%。

2001—2016 年巴西对外贸易情况如表 11-18 所示。

表 11-18　2001—2016 年巴西对外贸易情况　　　　　　（单位：亿美元）

项　目 年　份	总　　额	出口额	进口额	差　额
2001	1138.02	582.23	555.79	26.44
2002	1075.94	603.62	472.32	131.30
2003	1213.44	730.84	482.60	248.24
2004	1592.57	964.75	627.82	336.93

(续)

项目 年份	总额	出口额	进口额	差额
2005	1918.59	1183.08	735.51	447.57
2006	2288.66	1374.70	913.96	460.74
2007	2812.70	1606.49	1206.21	400.28
2008	3711.39	1979.42	1731.97	247.45
2009	2806.42	1529.95	1276.47	253.48
2010	3835.64	2019.15	1816.49	202.66
2011	4822.83	2560.40	2262.43	297.97
2012	4657.29	2425.80	2231.49	194.31
2013	4818.00	2421.79	2396.21	25.58
2014	4542.55	2251.01	2291.54	-40.54
2015	3625.83	1911.34	1714.49	196.85
2016	3227.87	1852.35	1375.52	476.83

（资料来源：商务部：《国别贸易报告》。）

近些年来，巴西出口目标市场越来越多元化，除保持美国、欧盟和阿根廷等原有传统市场外，还不断向中东、拉丁美洲、亚洲和非洲扩展。目前，巴西已基本形成美国、欧盟、拉丁美洲和亚洲"四足鼎立"的贸易格局，但由于美欧市场面临竞争和技术壁垒，近年来巴西特别注重提升与本地区其他国家的经贸关系。

据巴西外贸秘书处统计，2016年巴西对中国、美国、阿根廷和荷兰的出口额分别占巴西出口总额的19.0%、12.5%、7.2%和5.6%，出口额分别为351.34亿美元、231.56亿美元、134.18亿美元和103.23亿美元，其中对阿根廷和荷兰的出口分别增长了4.8%和2.8%，对中国和美国的出口分别下降了1.3%和12.5%；自美国、中国、德国和阿根廷的进口额分别占巴西进口总额的17.3%、17.0%、6.6%和6.6%，进口额分别为238.03亿美元、233.64亿美元、91.31亿美元和90.84亿美元，其中来自美国、中国、德国和阿根廷的进口分别下降10.1%、23.9%、12.0%、11.7%。巴西前五大贸易顺差来源地依次是中国、荷兰、阿根廷、新加坡和伊朗，分别为117.7亿美元、85.36亿美元、433.33亿美元、24.01亿美元和21.54亿美元；贸易逆差主要来自德国、韩国和法国，分别为42.7亿美元、25.68亿美元和13.71亿美元。

2016年巴西与主要贸易伙伴的进出口情况如表11-19所示。

表11-19 2016年巴西与主要贸易伙伴的进出口情况

主要出口国家			主要进口国家		
国家和地区	金额/亿美元	占比（%）	国家和地区	金额/亿美元	占比（%）
总值	1852.35	100.0	总值	1375.52	100.0
中国	351.34	19.0	美国	238.03	17.3
美国	231.56	12.5	中国	233.64	17.0
阿根廷	134.18	7.2	德国	91.31	6.6
荷兰	103.23	5.6	阿根廷	90.84	6.6
德国	48.61	2.6	韩国	54.49	4.0

(续)

主要出口国家			主要进口国家		
国家和地区	金额/亿美元	占比（%）	国家和地区	金额/亿美元	占比（%）
日本	46.04	2.5	意大利	37.03	2.7
智利	40.81	2.2	法国	36.79	2.7
墨西哥	38.13	2.1	日本	35.66	2.6
意大利	33.22	1.8	墨西哥	35.28	2.6
比利时	32.33	1.8	智利	28.82	2.1
印度	31.61	1.7	西班牙	25.65	1.9
韩国	28.81	1.6	印度	24.83	1.8
英国	28.41	1.5	英国	22.98	1.7
新加坡	28.28	1.5	俄罗斯	20.21	1.5
乌拉圭	27.44	1.5	瑞士	18.93	1.4

（资料来源：商务部：《国别贸易报告》。）

巴西传统出口产品有大豆、铁矿砂、汽车、原油、飞机、纸浆制品、肉类、皮鞋、钢铁、纺织品、蔗糖、咖啡等。其中，资源性产品及其衍生品如铁矿砂、原油、钢铁、燃料油，经济作物产品如大豆、咖啡豆、烟草、蔗糖，肉类如鸡肉、猪肉、牛肉，机械设备如飞机、汽车、泵类，在巴西出口产品中所占比例特别大，超过一半以上。2006年，随着巴西石油供给自给，石油出口大幅度增长，巴西出口产品排序有了新变化，石油成为巴西第一大出口产品，大豆、铁矿砂等拳头出口产品退居其后。

目前，植物产品和矿产品以及食品、饮料、烟草都是巴西的主要出口商品，2016年出口额分别为299.92亿美元、280.62亿美元和244.34亿美元，占巴西出口总额的16.2%、15.2%和13.2%。全球经济的低迷使得巴西大类商品的出口出现下降，只有食品、饮料、烟草和运输设备以及贵金融及制品和木及制品出口呈现低增长，增幅分别为9.4%、22.5%、22.5%和4.0%。机电产品、化工产品和矿产品是巴西进口的前三大类商品，2016年合计进口836.48亿美元，占巴西进口总额的60.8%。其中，矿产品进口额为166.38亿美元，下降38.3%，占进口总额的12.1%。2012年和2016年巴西主要进出口商品情况如表11-20所示。

表11-20 2012年和2016年巴西主要进出口商品情况　　（单位：亿美元）

出　口　额			进　口　额		
商品类别	2012年	占比（%）	商品类别	2012年	占比（%）
总值	2425.80	100.0	总值	2231.49	100.0
矿产品	604.83	24.9	机电产品	601.63	27.0
食品、饮料、烟草	314.20	13.0	矿产品	422.19	18.9
植物产品	313.57	12.9	化工产品	356.28	16.0
运输设备	194.37	8.0	运输设备	252.08	11.3
机电产品	188.06	7.8	贱金属及其制品	137.88	6.2
贱金属及其制品	172.40	7.1	塑料、橡胶	125.07	5.6
活动物；动物产品	153.65	6.3	光学、钟表、医疗设备	69.13	3.1
化工产品	115.70	4.8	纺织品及原料	66.13	3.0

(续)

出口额			进口额		
商品类别	2012年	占比（%）	商品类别	2012年	占比（%）
纤维素浆；纸张	67.16	2.8	植物产品	52.17	2.3
塑料、橡胶	61.13	2.5	食品、饮料、烟草	29.25	1.3
纺织品及原料	33.86	1.4	活动物；动物产品	23.53	1.0
贵金属及其制品	32.39	1.3	家具、玩具、杂项制品	22.53	1.0
动植物油脂	25.39	1.1	纤维素浆；纸张	22.03	1.0
皮革制品；箱包	21.80	0.9	陶瓷；玻璃	19.51	0.9
木及其制品	18.91	0.8	动植物油脂	9.58	0.4
其他	108.40	4.5	其他	22.73	1.0

出口额			进口额		
商品类别	2016年	占比（%）	商品类别	2016年	占比（%）
总值	1852.35	100	总值	1375.52	100
植物产品	299.92	16.2	机电产品	380.67	27.7
矿产品	280.62	15.2	化工产品	289.43	21.0
食品、饮料、烟草	244.34	13.2	矿产品	166.38	12.1
运输设备	199.04	10.8	运输设备	129.79	9.4
机电产品	148.87	8.0	塑料、橡胶	83.92	6.1
活动物；动物产品	138.95	7.5	贱金属及制品	73.40	5.3
贱金属及制品	134.06	7.2	植物产品	50.63	3.7
化工产品	92.08	5.0	光学、钟表、医疗设备	49.59	3.6
纤维素浆；纸张	74.96	4.1	纺织品及原料	42.13	3.1
塑料、橡胶	51.22	2.8	食品、饮料、烟草	27.90	2.0
贵金属及制品	33.76	1.8	活动物；动物产品	22.27	1.6
木及制品	23.63	1.3	家具、玩具、杂项制品	15.16	1.1
纺织品及原料	22.13	1.2	纤维素浆；纸张	11.68	0.9
皮革制品；箱包	21.48	1.2	陶瓷；玻璃	9.65	0.7
陶瓷；玻璃	18.47	1.0	动植物油脂	9.01	0.7
其他	688.83	3.7	其他	13.92	1.0

（资料来源：商务部：《国别贸易报告》。）

3. 外商直接投资

巴西是拉美地区外国直接投资的主要吸收国之一。20世纪90年代后，随着经济的不断开放以及经济全球化进程的发展，巴西政府加大鼓励外资进入的力度，并对外资企业实行国民待遇。

2004年，巴西吸引外国直接投资182亿美元，约占整个拉美地区引资总额的1/3。2005年，进入巴西的外国直接投资下降至150亿美元。2006年，外国直接投资再次回升至187.8亿美元，同比增长24.7%。2007年和2008年，进入巴西的外国直接投资继续保持高速增长势头，分别达到了345.9亿美元（占GDP的2.6%）和450.6亿美元（为1947年以来的最高值，占GDP的2.9%），其增幅分别为85%和32%。巴西成为全球第八大外国直接投资接收国，仅次于美国、英国、法国、英国、中国、俄罗斯、中国香港和西班牙等国家和地区。2009年，受金融危机影响，进入巴西的外国直接投资大幅下降至259亿美元。

据《福布斯》杂志报道，腐败、停滞的经济，以及政治剧变，已经让巴西的排名暴跌至第 16 位。此前，在科尔尼管理咨询公司发布的外商直接投资信心指数中，巴西排在第 4 位。这个排行榜中，共有 25 个国家上榜。身为规模如此大，且如此多样化的经济体，巴西现在排在瑞典（瑞典的经济规模至少比巴西小 3 倍）、荷兰和意大利之后。

巴西是拉美地区在海外投资最多的国家。2006 年，巴西海外投资总额 282 亿美元，其中，海外最大的投资是淡水河谷公司投资 160 亿美元收购加拿大国际镍业公司的控股权。2008 年，巴西海外投资额达 205 亿美元，2009 年则降至 100 亿美元[①]。2016 年，巴西外商直接投资减少 150 亿美元，降至 500 亿美元。巴西央行预测，2017 年流入巴西的外国直接投资将达到 700 亿美元，呈现健康状态。如果科尔尼管理咨询公司的外商直接投资信心指数是正确的，巴西便无法获得 700 亿美元的外国资本。

五、南非经济

（一）南非经济发展历程

南非地处南半球，位于非洲大陆的最南端，人口约 4900 万，陆地面积约为 122 km^2，东、南、西三面被印度洋和大西洋环抱，北面与纳米比亚、博茨瓦纳、津巴布韦、莫桑比克和斯威士兰接壤，地理位置十分优越，也十分重要。南非基础设施良好、资源丰富，是世界五大矿产国之一。南非属于中等收入的发展中国家，也是非洲经济最发达的国家。

经过一个半世纪的矿业开发和工业化进程，南非已经建成世界领先的矿业、门类比较齐全的制造业、现代化的农业以及先进的能源工业和军火工业，拥有相当完备的金融体系和基础设施。南非是撒哈拉以南非洲主要的制造业基地，具有技术和管理的优势。南非被世界银行列为中上等收入的国家。2006 年，南非的国内生产总值为 2549.92 亿美元，世界排名第 27 位，占撒哈拉以南非洲国内生产总值（7095 亿美元）的 35.94%。近年来，随着非洲国家经济的发展，特别是产油国收入的提升，南非在非洲经济中所占的比重有所下降。2009 年南非人均国民收入 5760 美元，国内生产总值为 2854 亿美元，占撒哈拉以南非洲的 30%；2015 年南非人均国民收入 5692 美元，国内生产总值为 3146 亿美元。南非重视与非洲共同发展，推行面向非洲的经济战略，利用在非洲的区位、知识、人才优势，正在成为非洲国家最重要的贸易伙伴、投资来源和市场整合力量。南非加入"金砖国家"，扩大了这个新兴市场国家合作机制在非洲大陆的影响。

（二）南非经济现状

1. 南非国内经济

南非政府在 2006 年年初提出《加速和共享增长倡议》，计划在 2005—2010 年实现 4.5% 的经济增长率。为此，政府提出了投资 3700 亿兰特（约合 600 亿美元）的发展计划，其中包括大型基础设施项目，如电力、交通、水利工程等。南非为承办 2010 年世界杯足球赛事，从 2006 年开始投入 150 多亿兰特用于改善体育场馆和相关基础设施。2005—2007 年，其国内生产总值年增长率均超过 5%，增长主要由国内需求驱动，其中建筑业和制造业的拉动作用突出。2008 年由于国际金融危机的影响，南非经济增长降至 3.7%。2010 年之后南非的经济增长率一直在上升，2011 年为 2.5%，2012 年为 5.1%，2013 年为 8.1%，2014 年为 9.9%，2015 年为 11.3%。

[①] 中国出口信用保险公司：《国家风险分析报告》，中国财政经济出版社，2011 年版。

南非经济的四大支柱产业是矿业、制造业（2008年占GDP的17%）、农业和服务业（其中旅游业较发达，产值约占国内生产总值的8%）。2011年，南非第一、二、三产业占GDP的比重分别为10.2%、23.6%、66.2%，GDP总量为29640亿兰特。具体的南非国民经济核算如表11-21、表11-22所示。

表11-21　2005—2011年南非国民经济核算

年份 指标	2005	2006	2007	2008	2009	2010	2011
GDP（现价）/亿兰特	15710	17670	20160	22630	23980	26610	29640
GDP物量指数（2005年=100）	100	105.6	111.5	115.5	113.7	117	120.7
GDP缩减指数（2005年=100）	100	106.5	115.1	124.7	134.2	144.8	156.4
人均GDP增长率(%)	3.9	4.2	4.3	2.4	-2.7	1.5	1.5
生产法GDP及其构成项/亿兰特	15710	17670	20160	22630	23980	26610	29640
第一产业/亿兰特	1430	1780	2110	2570	2600	2860	3240
第二产业/亿兰特	3110	3580	4030	4590	4790	5070	5570
第三产业/亿兰特	9270	10370	11780	13170	14360	16200	17890
支出法GDP及其构成项/亿兰特	15710	17670	20160	22630	23980	26610	29640
最终消费支出/亿兰特	12970	14640	16450	18270	19620		
固定资本形成总额/亿兰特	2640	3240	4060	5250	5320		
库存变动/亿兰特	180	240	220	-120	-620		
货物和服务净出口/亿兰特	-70	-430	-550	-690	-210		
最终消费率(%)	82.5	82.8	81.6	80.3	81.9		
资本形成率(%)	18	19.7	21.2	22.5	19.6		

（资料来源：金砖国家联合统计手册，2012年。）

表11-22　2009—2015年南非国民经济核算

年份 指标	2009	2010	2011	2012	2013	2014	2015
GDP（现价）/亿兰特	25077	27480	30250	32625	35343	37971	39910
GDP物量指数（2010年=100）	97.0	100.0	103.2	105.5	107.8	109.5	110.9
GDP缩减指数（2010年=100）	94.0	100.0	106.7	112.5	119.3	126.2	130.9
人均GDP增长率（%）	-2.9	1.5	1.7	0.7	0.6	-0.1	0.1
生产法GDP及其构成项/亿兰特	25077	27480	30250	32625	35343	37965	39910
第一产业/亿兰特	2689	2960	3310	3417	3583	3713	3700
第二产业/亿兰特	4909	5221	5534	6025	6638	7166	7361
第三产业/亿兰特	15174	16768	18407	19955	21509	23172	24545
支出法GDP及其构成项/亿兰特	25198	27481	30060	32390	34901	37732	39779
最终消费支出/亿兰特	19904	21777	24007	26255	28593	30711	32397
固定资本形成总额/亿兰特	5394	5294	5667	6145	7084	7692	8001
库存变动/亿兰特	-202	68	124	411	28	36	-215
货物和服务净出口/亿兰特	102	341	262	-420	-803	-707	-404
最终消费率（%）	79.4	79.2	79.4	80.5	80.9	80.9	81.2
资本形成率（%）	20.7	19.5	19.1	20.1	20.1	20.4	19.5

（资料来源：金砖国家联合统计手册，2016年。）

南非作为世界矿产资源大国之一，矿产资源占非洲的50%，居于全球第五位（位列美国、俄罗斯、中国和澳大利亚之后）。全国有 70 余种矿产资源，其中铂族金属（钌、铑、钯、锇、铱、铂在非洲大陆只有南非和津巴布韦拥有，两国的储量占全世界总储藏量的 90%）、锰、铬、黄金、红柱石、钛族矿石、铝硅酸盐的储量位居世界第一；铚石、萤石、钛、锆族石储量居世界第二；金刚石（钻石）、磷酸盐、锑储量居世界第四；镍、铀储量居世界第五；铅、煤、铁矿资源的储量分居世界第七、八、九位；而石棉、铜、钒、锑、云母等矿石的蕴藏量也十分丰富，其产量也位于世界前列。现已探明南非的黄金总储量为 1.8 万 t（形成于 30 亿~35 亿年前），占世界总储量的 35%。南非出口矿产多达 47 种，位于前四位的是黄金、铂族金属、煤和钻石。矿产品出口约占其出口总收入的 50%，全国约 12% 的劳动力从事矿业。

南非的制造业技术先进，其中冶金和机械是制造业的支柱，主要产品有钢铁、金属制品、化工、运输设备、机器制造、食品加工、纺织、服装。全国拥有六大钢铁联合公司和 130 多家钢铁企业，是世界三大合金钢生产国之一和世界第六大不锈钢生产国。由于南非对外开放程度较大，它的汽车制造业也很发达，世界许多汽车知名品牌厂家都在南非建立了生产线。由于南非石油短缺，它的"煤变油"和"气变油"技术的商业化水平已居世界领先地位。

作为非洲农业大国，南非的农业基础设施、生产技术、机械化程度和生产水平都远远高于其他非洲国家。它不仅拥有独特的动、植物优良品种，农业生物技术也相当发达。南非农业主要包括种植、园艺和畜牧业。其主要农作物有玉米、大麦等；主要经济作物有甘蔗、柑橘、向日葵、烟草、棉花等，是世界第十大蔗糖和葵花籽生产国。蔬菜主要有西红柿、土豆、胡萝卜、洋葱、洋白菜等；水果主要有香蕉、葡萄、柑橘、菠萝、芒果、柿子、柠檬、苹果、仙人掌果和油梨等。它的畜牧业十分发达，是世界第四大绵羊毛出口国，鸵鸟产品占世界的 80%。水产养殖业产量占全非洲的 5%（2000 年数据），全国有 2.8 万人从事海洋捕捞业。同时，南非还是世界第七大葡萄酒生产国。

2. 南非对外贸易

1994 年以来，南非结束了被孤立和制裁的地位，真正获得了一个开放的世界市场。南非也很快加入了几乎所有国际经济组织，并成为其中活跃的成员。

南非经济对外贸的依存度比较高。根据世界贸易组织（WTO）的统计，2015 年南非对外贸易占国内生产总值的比例为 53.5%，占世界货物总出口的 0.6%，占世界货物总进口的 0.6%。南非国际贸易条件的改善，受益于全球需求的渐强、大宗产品价格的提高，很大程度上是中国和印度经济增长的拉动。

据南非国税局统计，2015 年南非货物进出口额为 1673.6 亿美元，比上年（下同）下降 12.3%。其中，出口额 816.4 亿美元，下降 16.3%；进口额 857.2 亿美元，下降 14.2%。贸易逆差 40.8 亿美元，下降 53.9%。

从商品看，矿产品、贵金属及制品和运输设备是南非的主要出口商品，2015 年出口额分别为 172.1 亿美元、145.3 亿美元和 103.5 亿美元，其中矿产品出口下降 21.2%，贵金属及制品和运输设备出口增长 0.3% 和 6.8%，三类产品占南非出口总额的 21.1%、17.8% 和 12.7%。贱金属及制品出口 99 亿美元，下降 16.4%，占南非出口总额的 12.1%。进口方面，机电产品、矿产品和运输设备是南非进口的前三大类商品，2015 年分别进口 214.2 亿美元、138.6 亿美元和 89.9 亿美元，下降 6.9%、41.6% 和 5.6%，占南非进口总额的

25%、16.2%和10.5%。另外，化工产品进口下降6%，进口额为88.7亿美元，占南非进口总额的10.3%。

2001—2015年南非对外贸易情况如表11-23所示。

表11-23　2001—2015年南非对外贸易情况　　　　（单位：亿美元）

项目 年份	总　额	出　口　额	进　口　额	差　额
2001	519.54	268.27	251.27	17.00
2002	532.36	270.31	262.05	8.26
2003	693.85	349.85	344.00	5.85
2004	936.26	459.73	476.53	－16.80
2005	1068.99	518.70	550.29	－31.59
2006	1260.54	578.97	681.57	－102.60
2007	1497.92	698.68	799.24	－100.56
2008	1712.67	802.08	910.59	－108.51
2009	1272.47	623.80	648.67	－24.87
2010	1615.23	813.11	802.12	10.99
2011	1967.10	967.02	1000.08	－33.06
2012	1888.22	872.64	1015.58	－142.94
2013	2352.12	1134.32	1218.09	－83.77
2014	2254.22	1094.57	1159.18	－64.61
2015	1966.32	967.21	999，93	－32.72

（资料来源：金砖国家联合统计手册，2016年。）

从国别（地区）看，2015年南非对中国、美国、德国的出口额分别为74.5亿美元、61.9亿美元和53.7亿美元，其中对中国和美国出口下降13.8%和3.7%，对德国出口增长17.4%，三国分别占南非出口总额的9.1%、7.6%和6.6%；进口方面，自中国、德国、美国和印度的进口额分别为156.6亿美元、97亿美元、60.3亿美元和42.5亿美元，其中自中国进口微增1.5%，自德国、美国和印度进口下降3.2%、8.4%和6.4%，四国合计占南非进口总额的41.6%。南非前五大贸易逆差来源地依次是中国、德国、尼日利亚、沙特阿拉伯和泰国，2015年逆差额分别为82.1亿美元、43.3亿美元、23.7亿美元、22.3亿美元和16.4亿美元。贸易顺差第一来源地不详，顺差额51亿美元，其后为博茨瓦纳、纳米比亚和赞比亚，顺差额分别为37.2亿美元、36.5亿美元和21.2亿美元。

2015年南非主要进出口商品情况如表11-24所示。

表11-24　2015年南非主要进出口商品情况

出口			进口		
商品类别	2015年出口额 /万兰特	占比（%）	商品类别	2015年进口额 /万兰特	占比（%）
总值	14692042	100.00	总值	27705842	100.00
活动物	16918	0.12	活动物	304252	1.10
蔬菜	287246	1.96	蔬菜	695843	2.51
动物或植物脂肪	5088	0.03	动物或植物脂肪	14019	0.05

(续)

出　　口			进　　口		
商品类别	2015年出口额/万兰特	占比（%）	商品类别	2015年进口额/万兰特	占比（%）
制备食品	152433	1.04	制备食品	391749	1.41
矿产品	8670861	59.02	矿产品	1898881	6.85
化学品	485555	3.30	化学品	2368535	8.55
塑料和橡胶	91816	0.62	塑料和橡胶	1089549	3.93
生产和皮革	82303	0.56	生产和皮革	296560	1.07
木制品	50222	0.34	木制品	122782	0.44
木材制浆和纸	575004	3.91	木材制浆和纸	293238	1.06
纺织品	285594	1.94	纺织品	2155106	7.78
鞋类	2176	0.01	鞋类	900323	3.25
玻璃石材	34976	0.24	玻璃石材	484020	1.75
贵金属	378221	2.57	贵金属	143829	0.52
钢铁	2904055	19.77	钢铁	2439185	8.80
机械	290733	1.98	机械	9702914	35.02
车辆、飞机和船只	326453	2.22	车辆、飞机和船只	2131021	7.69
摄影及医疗设备	33155	0.23	摄影及医疗设备	448402	1.62
玩具及运动服装	2305	0.02	玩具及运动服装	1051710	3.80
艺术作品	2083	0.01	艺术作品	2470	0.01
其他未分类商品	14844	0.10	其他未分类商品	6351	0.02
设备部件	—	—	设备部件	765103	2.76

（资料来源：金砖国家联合统计手册，2016年。）

3. 南非面临的挑战

虽然前景看好，但南非的未来依然面临一系列的挑战。

（1）通胀风险可能长期存在。作为典型的"追赶型"经济体，在经济改革和经济发展的过程中，"金砖国家"大都经历过高通货膨胀的袭扰之苦。例如，20世纪70~90年代的巴西和20世纪90年代的俄罗斯都曾经历过严重的恶性通胀，而20世纪80~90年代的中国和印度也遭遇过超过10%的高通胀。近年来，随着南非宏观政策和经济制度逐步走向成熟，其物价水平也逐步趋于稳定，但总体上仍高于世界平均水平，按2001—2010年的CPI平均值计算，在6%左右的水平。尤其是在全球流动性向新兴市场国家集中的后危机时代，南非面临国际资本加速流入和国内经济高速增长的双重背景，这使得潜在的通胀风险随时可能出现。

（2）经济对外依存度偏高。上一轮全球经济增长周期启动以来，全球需求高涨，资源和商品价格不断上涨，成为拉动新兴市场国家经济快速增长的巨大动力。南非在充分利用外部资源与市场加快自身发展的过程中，也逐渐形成了对发达市场的依赖，贸易依存度明显高于世界平均水平。由于发达国家的货币、资本、贸易和股市震荡与"金砖国家"的经济联动性不断提高，使得南非容易被动受制于发达国家的经济发展和政策调整。2008年金融危机前后，南非不仅受到发达经济体经济衰退的影响，还受到这些国家货币金融政策调整的影响。出口的急剧减少，外汇储备的缩水，被动进行宏观经济政策的调整，都凸显了南非对外部经济的依赖性。

（3）经济弹性不足。经济弹性是指一个经济体应对外部环境变化或冲击的能力。它决定了一个经济体能否对外部的新变化及时做出正确的、积极的反应。经济弹性是多元复合因素的综合体现，除经济环境、发展阶段等条件外，经济制度的完善程度和政府的管理能力也是决定一国经济弹性的重要因素。作为新兴市场经济体，南非存在一定程度的体制缺陷和制度扭曲，从而导致市场机制运转不畅、内生增长动力不足、政策传导效率低下、经济抗外部性冲击能力较弱等后果。此外，低效率和社会贫富差距加大所引发的非均衡增长，也在一定程度上削弱了南非经济的弹性。

（4）金融风险不容忽视。南非的金融发展大都滞后于经济发展，存在制度基础不完善、风险管控能力较低的弱点。南非在金融改革和开放发展的过程中，忽视自身市场成熟度低、金融结构失衡和监管水平有限等事实，存在盲目照搬发达国家的金融模式和金融创新的倾向，同时又疏于内部风险控制，导致金融风险不断积聚。在现代金融管理理念和制度建设尚不成熟的情况下，盲目推进金融开放可能导致风险的突然爆发。

【专题】

引人注目的新兴市场经济体

20世纪90年代以来，一些新兴市场经济体加速崛起，对世界经济增长的贡献率一直超过50%。特别是2008年金融危机爆发以来，新兴市场经济体更是力挽狂澜，不但对全球经济增长贡献率超过70%，而且在世界经济的地位和影响力也不断上升。这些新兴市场经济体，无论是经济增长方式抑或经济增长速度，均取得傲人的成绩，吸引无数学者的研究。

1. 金砖国家

美国高盛证券高级分析师吉姆·奥尼尔在2001年11月首次提出"金砖国家"这个概念。"金砖四国"（BRIC）包括巴西（Brazil）、俄罗斯（Russia）、印度（India）、中国（China）。BRIC恰好是这四个国家首字母的缩写，因其发音类似于英文单词中的"brick"（砖块），故名"金砖四国"。2003年10月，高盛公司又在一份题为《与BRICs一起梦想》的全球经济报告中指出，到2050年世界经济格局将会经历剧烈洗牌，全球将会形成新的六大经济体，即美国、日本、中国、俄罗斯、巴西、印度。而届时，英、德、法、意将被淘汰出局。高盛公司的这份报告使得"金砖四国"作为新兴的经济体与发展中国家的领头羊受到了世界更多的关注。

经过几年的发展，"金砖四国"已不仅意味着投资机会，也成了国际舞台上的一支重要力量。"金砖四国"一直保持着经济快速增长，经济实力不断壮大，因此成为新兴市场经济体里的佼佼者。据国际货币基金组织统计，2006—2008年，"金砖四国"经济平均增长率为10.7%。

2008年，"金砖四国"的经济总量已占全球的15%，贸易额约占全球的13%，按购买力平价计算对世界经济增长的贡献率已超过50%。据高盛公司预计，未来20年内"金砖四国"的经济总量甚至会超过七国集团。

2. 新钻十一国

高盛公司证券高级分析师吉姆·奥尼尔在 2005 年又提出了"新钻十一国"的概念。他确定了如"金砖四国"一样对世界经济有潜在影响力的十一个新兴市场国家。这些国家是孟加拉国、埃及、印度尼西亚、伊朗、韩国、墨西哥、尼日利亚、巴基斯坦、菲律宾、土耳其和越南。它们比金砖国家更小、更加多样,但都充满活力。虽然"新钻十一国"是一组非常不同的国家,但有三个主要的主题将其联系在一起:它们均从中国的发展中受益,它们的经济均通过基础设施投资得以转型并具有强大且持续增长的国内市场,它们均减少对发达市场国家的依赖。

高盛认为,到 2050 年,"新钻十一国"的 GDP 总和将增长 11 倍,达到相当于一个美国或四个日本的规模。

3. 展望五国

在"金砖四国""新钻十一国"方兴未艾之时,日本学者门仓贵史又提出了"VISTA"五国的概念。"VISTA"五国是由日本"金砖四国"经济研究所学者门仓贵史于 2007 年 8 月撰文提出的。VISTA 五国包括越南(Vietnam)、印度尼西亚(Indonesia)、南非(South Africa)、土耳其(Turkey)和阿根廷(Argentina)五个新兴经济体,国家英文首字母所构成的。VISTA 在英文中有"展望""远眺"之意,故 VISTA 五国又被称为"展望五国"或"远眺五国"。门仓贵史认为"展望五国"将继"金砖四国"之后成为下一批有潜力的新兴市场国家。他推算,从 2005 年至 2050 年,西方七大工业国(G7)的 GDP 总值与现在相比最多扩大 2.5 倍,VISTA 五国则有望增长 28 倍。可见,这五国的经济会有飞速发展,市场前景和投资机会也相当诱人。

(资料来源:由网络资料整理而得。)

复习思考题

1. 发达国家和发展中国家的经济发展各有什么特点?
2. 发展中国家目前面临哪些发展中的困难和问题?
3. 试选择一个你感兴趣的国家,分析其发展战略和模式对其他国家有什么启示。

参 考 文 献

[1] 张汉英. 日本对外直接投资的发展历程及 90 年代的新特点 [J]. 现代日本经济, 2000 (5).

[2] 李娟. 发展中国家在当今世界中的经济地位与作用 [J]. 长春理工大学学报, 2011 (2).

[3] 张志华, 周娅, 等. 巴西整治地方政府债务危机的经验教训及启示 [J]. 经济研究参考, 2008 (22).

[4] 詹姆斯·W 布罗克. 美国产业结构 [M]. 罗宇, 等译. 12 版. 北京:中国人民大学出版社, 2011.

[5] 池田信夫. 失去的二十年:日本经济长期停滞的真正原因 [M]. 胡文静, 译. 北京:机械工业出版社, 2012.

[6] 刘自强. 国际环境变化与岛国奇迹的消失:1985—2000 年日本经济盛极而衰原因新探 [M]. 北京:中国社会科学出版社,2011.

[7] 伊曼纽尔·沃勒斯坦. 现代世界体系（第1卷）：16世纪的资本主义农业与欧洲世界经济体的起源 [M]. 郭方，刘新成，张文刚，译. 北京：社会科学文献出版社，2013.

[8] 伊曼纽尔·沃勒斯坦. 现代世界体系（第2卷）：重商主义与欧洲世界经济体的巩固 1600—1750 [M]. 郭方，吴必康，钟伟云，译. 北京：社会科学文献出版社，2013.

[9] 伊科诺米迪，等. 石油的优势：俄罗斯的石油政治之路 [M]. 徐洪峰，等译. 北京：华夏出版社，2009.

[10] 徐滇庆，等. 终结贫穷之路：中国和印度发展战略比较 [M]. 北京：机械工业出版社，2009.

[11] 牛林杰，刘宝全. 韩国发展报告 2012 [M]. 北京：社会科学文献出版社，2012.

[12] 陆南泉. 俄罗斯经济二十年：1992—2011 [M]. 北京：社会科学文献出版社，2013.

[13] 林毅夫. 解读中国经济 [M]. 北京：北京大学出版社，2012.

[14] 吴白乙. 拉美研究丛书·转型中的机遇：中拉合作前景的多视角分析 [M]. 北京：经济管理出版社，2013.

[15] 葛明，林玲，赵素萍. 中国附加值进出口额及其驱动因素分析——基于 MRIO 模型的实证研究 [J]. 国际贸易问题，2015（12）.

[16] 季剑军. 主要大国货币政策走势和未来调整方向 [J]. 国际贸易，2015（11）.

第十二章

世界人口发展问题

本章学习目标

1. 了解世界人口发展的基本情况。
2. 从总体上把握世界人口变化对世界经济的影响。
3. 熟悉世界人口规模剧增、地区增长不平衡、老龄化等问题。

【导入案例】

世界银行：全球贫困人口大幅下降

2016年10月2日，世界银行发布《2016年贫困和共同繁荣》报告，报告显示，尽管2008年金融危机以来全球经济复苏缓慢，但全球贫困人口仍大幅下降，到2013年，全球有接近8亿人口生活在极端贫困之中，比2012年的极端贫困人口减少了近1亿；极端贫困人口占世界总人口比重从1990年的35%降至2013年的11%。

全球贫困人口下降主要归功于亚太地区贫困人口的大幅下降，尤其是中国、印度尼西亚和印度等国贫困人口的下降。

世界银行发展研究部门高级顾问弗朗西斯科·费雷拉表示，各国不应该自满于目前的减贫成就。目前有一半的极端贫困人口生活在环境脆弱、冲突频发的撒哈拉以南非洲，这些地区面临着艰巨的挑战。

世界银行负责全球贫困和公平事务的高级官员安娜·雷文加认为，中国减贫工作的卓越成就推动了全球贫困人口的下降，中国在减少极端贫困人口方面是世界上其他国家的榜样。如果能有一个国家成为消除极端贫困的表率，那么这有可能是中国。

(资料来源：根据新浪网相关内容整理而得，http://finance.sina.com.cn/roll/2016-10-03/doc-ifxwkvys2574811.shtml。)

可持续发展是指既满足当代人的需求，又不对后代人满足其需求的能力构成危害的发展。也就是说，既要达到发展经济的目的，又要保护好人类赖以生存的大气、淡水、海洋、土地和森林等自然资源和环境，使子孙后代能够永续发展和安居乐业。可持续发展的重点是发展，但要求在严格控制人口、提高人口素质和保护环境、资源永续利用的前提下进行经济和社会的发展。

当今人类社会面临的最大挑战是维持人类社会的可持续发展。人口、资源和环境是制约可持续发展的三大因素,它们三者彼此联系、相互影响。人口的数量及增长速度决定着人类对资源的需求,也决定着人类对环境的影响。因此,人口是至关重要的因素,人口问题是首要问题㊀。

早在20世纪中叶,美国学者保罗·埃利希(Paul Ehrlich)便说过:"我们将会被我们自己的繁殖逐渐淹没。"他警告全世界:"人口爆炸将成为威胁人类可持续发展的定时炸弹。"事实上,人口问题已越来越引起国际社会的重视。从1954年起,联合国几次召开世界性人口会议。1994年9月5日至13日在开罗召开的第三次国际人口与发展会议,来自182个国家和地区的15000多名代表参加了会议。这次会议第一次将人口问题与可持续发展联系起来。会议最后通过了《行动纲领》,呼吁各国加强在人口与发展领域的合作,解决人类面临的共同问题。1999年6月30日至7月2日联合国召开人口和发展特别会议,再次从人口与经济、社会、资源、环境和可持续发展的战略高度认识解决人口问题的重要性。

毋庸置疑,世界人口规模、结构的变化会对世界经济的发展及可持续发展产生重大影响。

第一节　世界人口发展的基本情况

一、世界人口总体规模增加

联合国人口基金会公布的统计数字展示了全球人口增长的历程:1804年世界人口只有10亿,1927年增长到20亿,1960年达到30亿,1975年达到40亿,1987年上升到50亿,1999年世界人口达到60亿,2011年世界人口达到70亿。到2015年,全球人口达到73.49亿,比2005年增加了7.97亿,平均每年新增人口7970万。

从表12-1可以看出,在世界人口的构成中,发展中国家占主要部分,占世界人口的82.98%。发达国家与发展中国家相比,人口少,人口密度小,人均资源丰富,城市化水平高。各大洲人口数从高到低依次是亚洲、非洲、欧洲、拉丁美洲、北美洲和大洋洲。亚洲的人口总数最多,占世界总人口的59.78%;密度也最大,为141.6人/km²,是世界平均人口密度的2.51倍;亚洲城市化水平为47.5%,低于世界平均水平。非洲的人口总数、人口密度均位列世界第二,城市化水平为40.0%,是世界最低的。欧洲、拉丁美洲、北美洲的人口总数、人口密度和城市化水平比较接近,人口密度较低,城市化水平远高于亚洲和非洲。其中北美洲城市化水平最高。大洋洲的人口总数最少,人口密度最小。

表12-1　2015年世界人口及其分布

项目 地区	人口/亿人	占世界的比例(%)	密度/(人/km²)	城市化水平(%)
世界总计	73.49	100	56.5	53.6
发达国家和地区	12.51	17.02	25.5	78.3
发展中国家和地区	60.98	82.98	75.3	49.0

㊀　徐建红:《持续发展的首要问题——世界人口问题》,世界科技研究与发展,1995年第6期。

(续)

项目 地区	人口/亿人	占世界的比例（%）	密度/（人/km²）	城市化水平（%）
非洲	11.86	16.14	40	40.0
亚洲	43.93	59.78	141.6	47.5
欧洲	7.38	10.04	33.4	73.4
拉丁美洲	6.34	8.63	31.5	79.5
北美洲	3.58	4.87	19.2	81.5
大洋洲	0.39	0.53	4.6	70.8

（资料来源：United Nations, Department of Economic and Social Affairs, Population Division (2015). World Population Prospects: The 2015 Revision, Custom data acquired via website. 其中，城市化水平来源于：United Nations, Department of Economic and Social Affairs, Population Division (2015). World Urbanization Prospects: The 2014 Revision, Custom data acquired via website.)

2015 年，世界上人口超过 1 亿的国家有 12 个，分别是中国、印度、美国、印度尼西亚、巴西、巴基斯坦、尼日利亚、孟加拉国、俄罗斯、墨西哥、日本和菲律宾（见表12-2）。这12国人口总数共有45.05亿多，约占世界总人口的61.30%。据联合国2012年预测，印度人口将在2024年赶上并超过中国，成为人口第一大国（见图12-1）。

表 12-2 2015 年世界人口大国排名　　　　　　　　　（单位：亿人）

排名	国家	人口数量	排名	国家	人口数量
1	中国	13.76	14	越南	0.93
2	印度	13.11	15	埃及	0.92
3	美国	3.22	16	德国	0.81
4	印度尼西亚	2.58	17	伊朗	0.79
5	巴西	2.08	18	土耳其	0.79
6	巴基斯坦	1.89	19	刚果	0.77
7	尼日利亚	1.82	20	泰国	0.68
8	孟加拉国	1.61	21	英国	0.65
9	俄罗斯	1.43	22	法国	0.64
10	墨西哥	1.27	23	意大利	0.60
11	日本	1.27	24	南非	0.54
12	菲律宾	1.01	25	缅甸	0.54
13	埃塞俄比亚	0.99			

（资料来源：United Nations, Department of Economic and Social Affairs, Population Division (2015). World Population Prospects: The 2015 Revision, Custom data acquired via website.)

图 12-1 1950—2100 年中国与印度的人口变化

（资料来源：United Nations, Department of Economic and Social Affairs, Population Division (2013). World Population Prospects: The 2012 Revision, DVD Edition.)

另外,据世界银行统计,从劳动人口的数量来看,1990—2010年,中国、印度、美国、印度尼西亚、巴西五国的劳动力总量都逐渐增多。其中,中国、印度、印度尼西亚在21年统计期内每年都是递增的。美国2009年、2010年劳动力总量尽管持续两年下降,但是否会成为一种趋势还有待观察。巴西仅在1996年出现过劳动力总量减少,可能只是反常现象。五国2010年的劳动力总量分别是:中国8.00亿、印度4.73亿、美国1.57亿、印度尼西亚1.18亿、巴西1.02亿。

联合国发布的报告《世界人口展望(2012)》指出:世界人口总量的变化将取决于发展中国家。根据测算,发展中国家的总体生育率会从目前的2.69个降低到21世纪末的1.97个,而最不发达国家则会从目前的4.53个下降到21世纪末的2.10个。但这个目标并不必然达到,这需要为最不发达国家的家庭提供节育计划。如果这些国家仍然保持现在的生育率水平,发展中国家的人口在2100年将会达到274.9亿,而不是控制生育率后的96亿(见表12-3)。也就是说,如果发展中国家不采取措施,世界人口会在21世纪末增长到当下总人口的6倍。这将是一个可怕的数字。即使未来全球生育率会降低,全球人口预计在2050年仍将达到96亿,并在2100年达到109亿。

表12-3 1950—2100年世界人口分布   (单位:亿人)

年份 地区	1950	1960	1970	1980	1990	2000	2010	2050	2100
世界总计	25.3	30.3	36.9	44.5	53.2	61.3	69.3	97.3	112.1
发达国家和地区	8.1	9.2	10.1	10.8	11.5	11.9	12.3	12.9	12.8
发展中国家和地区	17.1	21.1	26.8	33.7	41.7	49.3	57.0	84.4	99.4
非洲	2.3	2.9	3.7	4.8	6.3	8.1	10.4	24.8	43.9
亚洲	14.0	16.9	21.3	26.3	32.1	37.2	41.7	52.7	48.9
欧洲	5.5	6.1	6.6	6.9	7.2	7.3	7.4	7.1	6.5
拉丁美洲	1.7	2.2	2.9	3.6	4.5	5.3	6.0	7.8	7.2
北美洲	1.7	2.0	2.3	2.5	2.8	3.2	3.4	4.3	5.0
大洋洲	0.1	0.2	0.2	0.2	0.3	0.3	0.4	0.6	0.7

(资料来源:United Nations, Department of Economic and Social Affairs, Population Division (2015). World Population Prospects: The 2015 Revision, Custom data acquired via website.)

【专题】

人口爆炸

20世纪70年代曾是全球对人口爆炸充满恐惧的年代。尽管英国政治经济学家马尔萨斯(Malthus)在距此近200年前(1798年)已经断言食物增长将不及人口增长的速度,警言如果人口增长得不到控制,人类将无法避免更多的战争、瘟疫与饥荒。但是,他的预言一直到20世纪后期才受到世人的真正重视。1968年,美国斯坦福大学生物学教授保罗·埃利希(Paul Ehrlich)的《人口炸弹》一书把世界人口的急剧增长生动地引入了全球议程。

国际社会几十年前对人口爆炸的担心完全是有其根据的。在漫长的人类历史中，世界人口增长一直十分缓慢。从公元前1万年到公元元年，全球人口规模用了1万年才从约600万增加到约2.5亿。在这一阶段，世界人口的期望寿命在20岁左右，人口年增长率约为万分之零点八。按照这种速度，人口规模每8000多年才翻一番。马尔萨斯出版其《人口原理》小册子时，世界人口规模已扩大至8亿左右。当时世界人口的年增长率约在万分之七，比公元前的增长速度加快了10倍。不过，按此速度，人口规模也每1000年才翻一番。而当保罗·埃利希的《人口炸弹》问世时，世界人口已经增长至37亿，期望寿命增至40岁以上，世界人口增长速度已达到2%左右，为马尔萨斯出版《人口原理》时人口增长速度的近30倍。按此速度，人口规模每翻一番仅需40年左右。全世界人口最近的一次翻番，从1950年的25亿到1985年的50亿，仅用了35年时间。不难想象，如果全世界人口照此速度无限增长下去，地球很快就会变得连生存空间都没有了。

（资料来源：根据新浪网相关内容整理而得，http://www.sina.com.cn/）

二、生育率下降[1]

在过去的100年中，人类社会经历了两次最具历史性的变化：一个是20世纪中叶开始的世界人口急剧增长；另一个是正在蔓延全球的生育率下降。工业革命以后，随着人类生活水平的提高，科学技术的发展，尤其是医疗技术的进步与推广，人口死亡率大幅度下降。在20世纪的100年中，世界人口的期望寿命差不多翻了一番，由30多岁增至近60岁。在现代死亡率大幅度下降之前，由于无法应对相当高的死亡水平，人类社会在其漫长的历史中也形成了一整套社会文化机制来保证足够高的生育水平，以保证人类不至于绝种。而当近百年来在世界人口总数居多的国家死亡率大幅度下降时，这些国家历史上与高死亡率水平相应的高生育率水平却没有以同一速度迅速下降，导致了人类历史上史无前例的人口爆炸。

爆炸性的人口增长很快成为历史，随之而来的是人口老化与人口减少的新挑战。20世纪后半叶，继西欧国家之后，世界上几乎所有的发展中国家也都经历了史无前例的大幅度生育水平下降。1960—2006年，世界人均GDP水平上升了2.4倍，同期，以总和生育率衡量的平均生育水平由1962年的5.4个下降到2006年的2.5个，减少了54%。根据中等水平的预测，全球总和生育率水平将下降到平均每个妇女生育2.02个孩子。在整个发达国家，当前平均每个妇女生育1.60个孩子，预计到2045—2050年，平均每个妇女将生育1.79个孩子。在最不发达国家，平均每个妇女生育4.63个孩子，并且预计在2045—2050年将下降到一半，即平均每个妇女生育2.50个孩子。在其他发展中国家，生育率处于相对低的水平，即平均每个妇女生育2.45个孩子，并且在21世纪中叶下降到平均每个妇女生育1.91个孩子，即达到当前发达国家生育率的传统水平[2]。从地区来看，亚洲从2.4个下降到1.9个，非洲从4.6个下降到2.46个，欧洲从1.5个回升到1.76个，拉丁美洲从2.3个下降到1.86

---

[1] 王丰：《全球化环境中的世界人口与中国的选择》，国际经济评论，2010年第6期。
[2] 冯方回、尹华：《世界人口最新发展趋势》，人口与计划生育，2008年第6期。

个，北美洲从 2.0 个下降到 1.85 个，大洋洲从 2.4 个下降到 1.93 个[1]。另外，联合国的统计数据和预测表明：世界人口的年增长率从 1950 年的 1.8% 降至 2000 年的 1.2%，预计到 2050 年将下降到仅有 0.3%；15 岁以下人口在世界人口中所占比例从 1950 年的 34% 降至 2000 年的 30%，预计到 2050 年将降至 20%；平均预期寿命从 1950 年的 47 岁猛升至 2000 年的 65 岁，预计 2050 年将达 74 岁；65 岁以上人口的比例从 1950 年的 5% 上升至 2000 年的 7%，预计 2050 年将达 16%。国际上对于低生育率的解释，既有人口学方面的，也有社会经济学方面的。人口学的研究集中在对产生低生育率的时间因素的分析，即生育水平浮动或下降在多大程度上是由于人们推迟结婚、生育造成的，在多大程度上是由于人们放弃生育带来的。研究结果表明，在很多人口中，推迟生育可解释生育水平下降的一部分。但这里有待回答的是，这种推迟会不会成为永久性的，即转换成不可弥补的生育数减少。

关于低生育率的社会经济学解释可大体分为两类：结构性或压力性的；意识形态性或主观能动性。持第一种观点的人认为，低生育率主要是经济压力和各种限制条件使得年轻人无法生育。对此，英国《人口研究》（Population Studies）杂志在 2003 年有专题辩论。持这种解释的人也指出，尽管在许多国家社会中调查得到的人们理想的子女数多为 2 个左右，但实际生育水平却远低于此，说明现在的问题是人们想生而没有条件。而后一种观点的解释以"第二次人口转变理论"为旗帜，认为生育率下降主要是由于现代人生活观念发生的根本变化，即人们对婚姻家庭观念的淡化甚至摒弃，取而代之的是对物质的无止境地追求和占有、注重个人发展与满足的个人主义。在过去几十年里为了控制人口增长，各国政府和国际组织促成了一种"反生育"的观念，多生育子女被看成是无知落后的表现。持这种观点的学者也使用不同社会的大量调查数据表明人们一系列与生育有关观念的变化，诸如对家庭的看法，对婚前性行为的看法与经历，以及对子女在生活中地位的看法。

1950—2100 年世界人口出生率、死亡率和生育率如表 12-4 ~ 表 12-6 所示，世界出生率与死亡率的折线图如图 12-2 所示，世界生育率的变化如图 12-3 所示。

表 12-4　1950—2100 年世界人口出生率（‰）

时间 地区	1950—1960	1960—1970	1970—1980	1980—1990	1990—2000	2000—2010	2040—2050	2090—2100
世界平均水平	36	34	30	28	23	20	15	12
发达国家和地区	22	18	15	14	12	11	10	10
发展中国家和地区	43	41	35	32	26	22	16	12
非洲	48	47	46	44	40	37	25	15
亚洲	41	39	32	29	23	19	12	10
欧洲	21	18	15	14	11	10	10	10
拉丁美洲	42	39	34	29	24	20	12	9
北美洲	25	20	15	16	15	14	11	11
大洋洲	27	25	23	20	19	18	14	11

（资料来源：United Nations, Department of Economic and Social Affairs, Population Division (2015). World Population Prospects: The 2015 Revision, Custom data acquired via website.[2]）

---

[1] 郭志仪、李琴：《世界人口最新状况与未来发展》，西北人口，2009 年第 6 期。
[2] 由于联合国的原始数据以 5 年为一个单位，而此处数据以 10 年为一个单位，可以假设出生率是连续变化的，根据 10 年的第一个和第二个 5 年的出生率的几何平均数计算得出。

第十二章 世界人口发展问题

表 12-5　1950—2100 年世界人口死亡率（‰）

时间 地区	1950—1960	1960—1970	1970—1980	1980—1990	1990—2000	2000—2010	2040—2050	2090—2100
世界平均水平	18	14	11	9	9	8	9	11
发达国家和地区	10	9	10	10	10	10	12	11
发展中国家和地区	22	16	11	9	8	8	9	10
非洲	25	21	18	15	14	12	7	8
亚洲	21	16	10	9	8	7	10	12
欧洲	10	10	10	11	11	11	13	12
拉丁美洲	15	11	9	7	6	6	8	13
北美洲	9	9	9	9	8	8	10	10
大洋洲	11	10	9	8	7	7	8	9

（资料来源：United Nations，Department of Economic and Social Affairs，Population Division（2015）．World Population Prospects：The 2015 Revision，Custom data acquired via website．⊖）

表 12-6　1950—2100 年世界人口生育率　　　　　　　　　　（单位：个）

时间 地区	1950—1960	1960—1970	1970—1980	1980—1990	1990—2000	2000—2010	2040—2050	2090—2100
世界平均水平	4.94	4.93	4.14	3.52	2.88	2.56	2.27	2.00
发达国家和地区	2.82	2.54	2.04	1.83	1.62	1.62	1.82	1.88
发展中国家和地区	6.02	6.02	4.97	4.05	3.19	2.74	2.32	2.01
非洲	6.62	6.68	6.63	6.31	5.53	4.98	3.19	2.19
亚洲	5.71	5.68	4.54	3.62	2.75	2.30	1.93	1.83
欧洲	2.67	2.47	2.08	1.85	1.50	1.48	1.78	1.86
拉丁美洲	5.89	5.74	4.74	3.67	2.89	2.41	1.79	1.80
北美洲	3.52	3.00	1.89	1.84	1.98	2.01	1.90	1.92
大洋洲	3.94	3.75	2.97	2.54	2.47	2.44	2.08	1.88

（资料来源：United Nations，Department of Economic and Social Affairs，Population Division（2015）．World Population Prospects：The 2015 Revision，Custom data acquired via website．⊜）

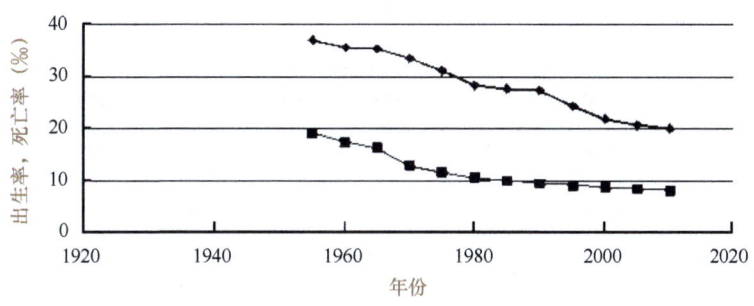

图 12-2　世界出生率与死亡率

（资料来源：United Nations，Department of Economic and Social Affairs，Population Division（2013）．World Population Prospects：The 2012 Revision，DVD Edition．）

⊖　此处的死亡率根据原始数据的几何平均数计算得出。
⊜　此处的生育率根据原始数据的几何平均数计算得出。

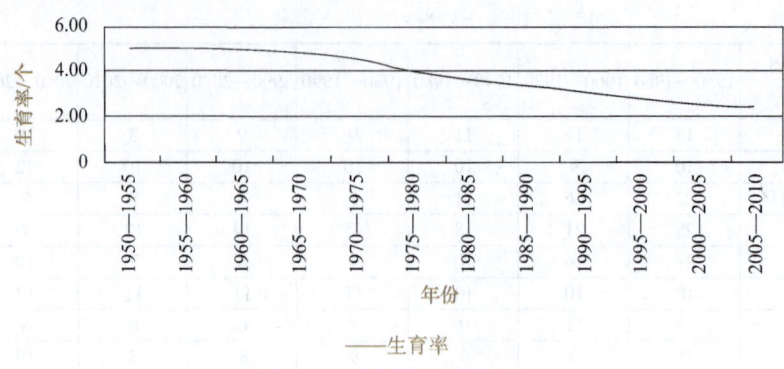

图 12-3　世界生育率的变化

（资料来源：United Nations, Department of Economic and Social Affairs, Population Division (2013). World Population Prospects：The 2012 Revision, DVD Edition.）

三、老龄化问题

生育率下降，导致的另外一个重要问题就是人口老龄化问题。当生育率下降时，在一段时期内，适龄劳动力人口的比率会上升，同时抚养比率会下降，但随后，适龄劳动力人口的比率会下降，抚养比率会上升，从而出现人口老龄化问题。联合国发布的报告《世界人口展望：2012》明确指出，全球整体生育率低是当前全球人口呈现老龄化趋势的重要原因。

21世纪之初，世界人口有接近6亿老年人，为50年前记录的数目的3倍。当前，全球老年人口有8.41亿，在2100年时将增长3倍，高达30亿。目前发达国家23%的人口为60岁以上的老年人，预计2050年这一占比将达到26.5%。老龄化也不再是发达国家独有的"富贵病"，发展中国家也开始出现老龄化趋势，预计2050年发展中国家的老年人口将比现在多一半。1950—2100年世界60岁以上人口比率变化如表12-7所示。1950—2100年世界60岁以上人口比例变化折线图如图12-4所示。具体来看，世界人口老龄化的趋势和特点主要表现为：

表 12-7　1950—2100 年世界 60 岁以上人口比例变化（%）

年份 地区	1950	1960	1970	1980	1990	2000	2010	2050	2100
世界平均水平	8	7.9	8.3	8.6	9.2	10	11.1	13.4	9.5
发达国家和地区	11.5	12.6	14.6	15.5	17.7	19.5	21.8	26.5	30.8
发展中国家和地区	6.3	5.9	5.9	6.4	6.9	7.7	8.7	11.7	8.6
非洲	5.2	5.1	5.1	5	5.1	5.2	5.3	4.4	4.3
亚洲	6.7	6.1	6.3	6.9	7.6	8.6	10.1	15.5	15.5
欧洲	11.8	13.1	15.5	16	18.2	20.3	21.9	28.3	33.9
拉丁美洲	5.6	5.9	6.3	6.7	7.3	8.2	9.8	17.0	20.0
北美洲	12.4	13	13.8	15.5	16.6	16.3	18.6	21.4	26.4
大洋洲	11.2	10.8	10.5	11.6	12.8	13.4	15.2	16.4	16.7

（资料来源：United Nations, Department of Economic and Social Affairs, Population Division (2013). World Population Prospects：The 2012 Revision, DVD Edition.）

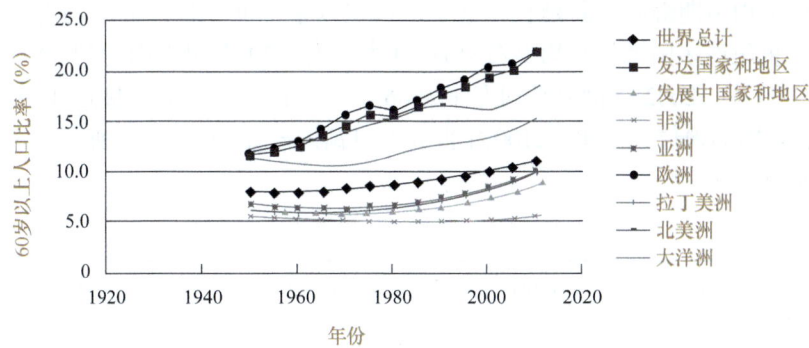

图 12-4　1950—2010 年世界 60 岁以上人口比率变化

(资料来源：United Nations, Department of Economic and Social Affairs, Population Division (2013). World Population Prospects：The 2012 Revision, DVD Edition.)

(1) 人口老龄化的速度加快。就全球而言，老年人口每年以 2% 的速度增长，比整个人口增长快很多。预计至少在今后 25 年内，老年人口将继续比其他年龄组更快速地增长。60 岁以上的人口年增长率在 2025—2030 年间将达到 2.8%。1950 年全世界大约有 2.0 亿老年人，1990 年则为 4.8 亿，2002 年已达 6.29 亿，占全世界人口总数的 10%。预计到 2050 年，老年人数量将猛增到 19.64 亿，占世界总人口的 13.4%，平均每年增长 9000 万。

(2) 老年人口重心从发达国家向发展中国家转移。1950—2050 年的 100 年间，发达国家和地区的老年人口将增加 3.8 倍，发展中国家的老年人口将增加 14.7 倍，因而世界老年人口日趋集中在发展中国家和地区。1950—1975 年，老年人口比较均匀地分布在发展中国家和地区与发达国家和地区，而到了 2000 年，发展中国家和地区的老年人口数约占全球老年人总数的 60%。预计 2050 年，世界老年人口约有 82% 的老年人，即 16.1 亿老年人将生活在发展中国家和地区，3.6 亿老年人将生活在发达国家和地区。目前，66% 的老年人定居在世界贫困地区，而到 2050 年，这个数字将达到 79%，2100 年更将达到惊人的 85%。发达国家与发展中国家 60 岁以上人口变化折线图如图 12-5 所示。

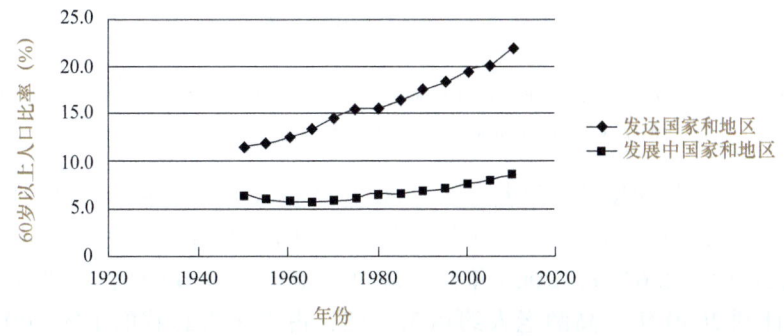

图 12-5　发达国家与发展中国家 60 岁以上人口变化

(资料来源：United Nations, Department of Economic and Social Affairs, Population Division (2013). World Population Prospects：The 2012 Revision, DVD Edition.)

(3) 人口平均预期寿命不断延长。近半个世纪以来，世界各国的平均寿命都有不同程度的增加。19 世纪许多国家的平均寿命只有 40 岁左右，20 世纪末则达到 60~70 岁，一些国家已经超过 80 岁。2002 年世界平均寿命为 66.7 岁，日本平均寿命接近 82 岁，至今保持着世界第一长寿国的地位。1950—2100 年世界人口预期寿命如表 12-8 所示；世界人口预期寿命折线图如图 12-6 所示。

表 12-8　1950—2100 年世界人口预期寿命　　　　　　　　　　（单位：岁）

时间 地区	1950—1960	1960—1970	1970—1980	1980—1990	1990—2000	2000—2010	2040—2050	2090—2100
世界平均水平	48.17	53.79	59.76	63.20	65.19	67.91	75.5	81.5
发达国家和地区	66.17	69.87	71.52	73.37	74.42	76.23	82.5	88.7
发展中国家和地区	42.89	49.41	56.88	60.83	63.21	66.15	74.3	80.6
非洲	38.64	43.32	47.56	51.18	51.94	54.23	68.2	76.8
亚洲	43.45	50.37	58.89	63.06	66.03	69.52	76.6	82.7
欧洲	65.33	69.60	70.82	72.23	72.82	74.52	81.0	87.6
拉丁美洲	52.86	57.91	62.12	66.18	69.81	72.79	81.4	87.6
北美洲	69.13	70.32	72.33	74.75	76.23	77.87	83.5	88.8
大洋洲	61.45	64.45	67.27	70.54	73.12	76.06	81.4	86.4

（资料来源：United Nations，Department of Economic and Social Affairs，Population Division（2013）．World Population Prospects：The 2012 Revision，DVD Edition.⊖）

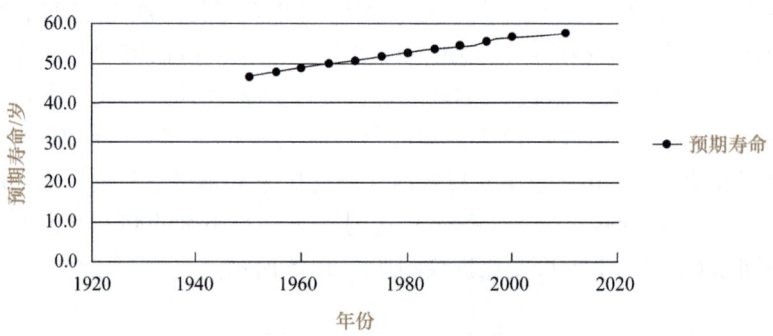

图 12-6　世界人口预期寿命

（资料来源：United Nations，Department of Economic and Social Affairs，Population Division（2013）．World Population Prospects：The 2012 Revision，DVD Edition. ）

(4) 高龄老人增长速度快。高龄老人（80 岁以上老人）是老年人口中增长最快的群体。1950—2050 年，80 岁以上人口以平均每年 3.8% 的速度增长，大大超过 60 岁以上人口的平均增长速度（2.6%）。2000 年，全球高龄老人达 0.69 亿，占老年人总数的 1/10 以上。预计到 2050 年，高龄老人约达 3.8 亿，占老年人总数的 1/5。60 岁以上老年人口到 2100 年将增长 3 倍，而 80 岁以上老年人口将增长 7 倍，即从 2013 年的 1.2 亿

⊖　此处的预期寿命根据原始数据的几何平均数计算得出。

增加到 2100 年的 8.3 亿。

（5）老年妇女占老年人口中的多数。多数国家的老年人口中女性人口数量超过男性。一般而言，老年男性死亡率高于女性。性别间的死亡差异使老年女性成为老年人中的绝大多数。例如，美国女性老人的平均预期寿命比男性老人高 6.9 岁，日本为 5.9 岁，法国为 8.4 岁，中国为 3.8 岁。在 2000 年，世界 60 岁以上的人之中，女性比男性多 6300 万人，女性为男性的 2~5 倍。

人口老龄化使得老年抚养比上升。联合国对 1950—2050 年世界各地区的总抚养比和老年抚养比的统计和预测数据显示（见表 12-9）：1950 年，每 12 名劳动者供养 1 位老人；2000 年，每 9 名劳动者供养 1 位老人；到 2050 年，每 4 名劳动者就要供养 1 位老人。老年抚养比在世界各地区与日俱增，而且老年抚养比占总抚养比的比重也不断上升，尤其是世界老年抚养比占总抚养比的比重将从 2000 年的 19% 增长到 2050 年的 43%，增长幅度十分惊人。

表 12-9　1950—2050 年世界各地区的总抚养比、老年抚养比（%）

地区	总抚养比			老年抚养比			老年抚养比占总抚养比比重		
	1950 年	2000 年	2050 年	1950 年	2000 年	2050 年	1950 年	2000 年	2050 年
世界平均水平	65.2	58.4	57.7	8.6	10.9	24.7	13	19	43
非洲	82.4	84.7	53.5	5.9	6.0	10.6	7	7	20
亚洲	68.3	56.5	56.8	6.9	9.2	26.1	10	16	46
欧洲	52.4	47.4	75.9	12.5	21.7	51.4	24	46	68
拉丁美洲	77.6	58.6	58.6	6.6	8.6	26.9	9	15	46
北美洲	54.9	51.0	65.9	12.7	18.6	35.5	23	36	54
大洋洲	58.9	54.5	59.7	11.7	15.2	28.8	20	28	48

（资料来源：United Nations, Department of Economic and Social Affairs, Population Division (2013). World Population Prospects: The 2012 Revision, DVD Edition. ⊖）

【专题】

世界人口、发展与环境（2015 年）

表 12-10 详细地说明了世界人口的一些特征。2015 年，世界总人口达到 73.49 亿，亚洲人口占 59.78%，非洲占 16.14%，欧洲占 10.04%，拉丁美洲占 8.63%，北美洲占 4.87%，大洋洲占 0.53%。中国和印度是世界上人口最多的国家，分别有 13.76 亿和 13.11 亿；世界上有 34 个国家和地区人口不到 10 万。

⊖ 注：总抚养比 =（15 岁以下人口数 + 65 岁及以上人口数）÷（15~64 岁人口数）× 100%；老年抚养比 = 65 岁及以上人口数 ÷（15~64 岁人口数）× 100%。

表 12-10 世界人口特征（2015 年）

项目 国家、地区	总人口/亿人	65 岁以上人口比例（%）	5 岁以下儿童死亡率（‰）	预期寿命/岁	男性预期寿命/岁	女性预期寿命/岁	城市化（%）（2014 年）
世界平均水平	73.49	8.3	50	70.48	68.28	72.74	53.6
发达国家和地区	12.51	17.6	6	78.30	75.09	81.47	78.3
发展中国家和地区	60.98	6.4	54	68.75	66.94	70.66	49.0
非洲	11.86	3.5	90	59.54	58.17	60.92	40.0
亚洲	43.93	7.5	39	71.57	69.71	73.55	47.5
欧洲	7.38	17.6	6	77.01	73.43	80.56	73.4
拉丁美洲	6.34	7.6	26	74.55	71.23	77.92	79.5
北美洲	3.58	14.9	7	79.16	76.79	81.50	81.5
大洋洲	0.39	11.9	26	77.46	75.27	79.71	70.8

世界人口正在迅速老化，2015 年 65 岁以上人口比例为 8.3%。发达国家为 17.6%，老龄化程度远高于发展中国家。欧洲和北美洲的老龄化程度最高，分别为 17.6% 和 14.9%；其次是大洋洲，为 11.9%；亚洲和拉丁美洲较低，分别为 7.5% 和 7.6%；非洲最低，仅为 3.5%。

2015 年世界 5 岁以下儿童死亡率高达 50‰，每 1000 名儿童里有 50 名不能存活下来。发展中国家和地区的 5 岁以下儿童死亡率是发达国家和地区的 9 倍，发达国家 5 岁以下儿童死亡率控制在 6‰，而发展中国家和地区则为 54‰。

2015 年世界预期寿命为 70.48 岁，但是最不发达国家和地区仅有 58 岁。发达国家和地区的预期寿命（78.30 岁）比发展中国家和地区（68.75 岁）高大约 10 岁。女性预期寿命平均比男性高 4.46 岁。性别差异在低死亡率的地区更加明显：在发达国家和地区，女性预期寿命平均比男性高 6.38 岁；在发展中国家和地区，女性预期寿命平均比男性高 3.72 岁。

世界人口在 21 世纪迅速城市化，2014 年 53.6% 的人住在城市，发达国家和地区（78.3%）的城市化水平高于发展中国家和地区（49.0%）。在发展中国家和地区中有一个例外：拉丁美洲的城市化达到了 79.5%，甚至高于欧洲（73.4%），接近北美洲（81.5%）。亚洲和非洲的城市化水平较低，但是城市化进度比其他地区都快，各个国家和地区的城市化水平差异很大，最低的是布隆迪（10%），最高的是中国香港、中国澳门、新加坡，其城市化水平都达到了 100%。

表 12-11 描述了世界经济发展的现状和环境情况。以购买力平价调整后的人均 GNI 反映了一国的人均生活水平，发展中国家和地区的人均 GNI（4612 美元）显著低于发达国家和地区（38158 美元）。撒哈拉以南非洲的人均 GNI 最低，仅有 1968 美元；在发展中国家和地区，人均 GNI 最高的是拉丁美洲（9281 美元）。

表 12-11　世界经济发展的现状与环境

国家、地区	消耗					环境			
	人均GNI水平/(1000美元,现价计)	人均GNI增长率(%)	人均石油使用当量/(t/人)	石油使用当量总计/(1000t/人)	年度石油总使用当量平均变化率(%)	人均碳排放量/(t/人)	碳排放量总计/10^6t	年度二氧化碳总排放量平均变化率(%)	可吸入颗粒物浓度/($\mu g/m^3$)
	2010年	2010年	2011年	2011年	2005—2011年	2010年	2010年	2005—2010年	2011年
世界平均水平	10.58	2.3	1.89	12.54	2.13	4.88	31.37	2.43	46
发达国家和地区	38.16	—	4.60	5.68	-0.71	10.98	13.52	-1.00	18
发展中国家和地区	4.612	—	3.39	—	—	3.19	17.85	5.48	49
非洲	1.97	—	—	—	—	1.15	1.17	2.63	45
亚洲	5.92	—	1.43	5.90	4.88	3.93	16.15	5.45	56
欧洲	28.37	—	3.58	2.64	-0.33	8.17	6.01	—	18
拉丁美洲	9.28	—	—	—	—	2.86	—	—	27
北美洲	53.52	—	7.06	2.44	-0.98	17.28	5.93	-1.48	18
大洋洲	—	—	—	—	—	—	0.41	0.37	14

（资料来源：United Nations, Department of Economic and Social Affairs, Population Division (2015). Population, Consumption and the Environment: The 2015 Revision, Acquired via website.）

第二节　世界人口变化对世界经济的影响

一、世界人口规模增加的影响

1. 资源能源问题

世界人口绝对数量的剧增，必然导致资源消耗量增加，从而引起资源储蓄量减少甚至枯竭，出现诸如过度开垦土地、沙漠化日益严重、不合理地砍伐森林、绿色空间缩小、能源紧张等问题。以森林覆盖率为例，虽然不同类型国家之间森林覆盖率的变化有所不同，但从整体上看，世界的森林覆盖率呈现下降趋势（见表 12-12）。森林覆盖率的下降，是人口增长最直接的体现。人口数量绝对值的增长，导致人们所需要消耗的木材量剧增；再加上人口密度不断上升，可居住和可耕种的土地相对减少，人们就不得不砍伐森林以满足对土地资源的需要，致使生态平衡遭到破坏。另外，在 1995 年的世界不可再生能源消耗比例中，石油所占比例为 39.7%，煤炭为 30%。目前，全球石油储量为 4550 亿桶，煤炭储量为 50000 亿 t，天然气储量为 138.47 亿 m³。如果全球的能源消耗结构不变，又不开发可再生能源，那么，全球储备的石油可维持 20 年，煤炭可维持 111 年，天然气可维持 22 年[⊖]。也就是说，一切依赖于这些不可再生能源的产业，如果不能找到新能源，最终将走向灭亡。这对世界各国，尤其是以第二产业为主导产业的国家而言，将造成社会和经济的巨大损失。根据世界自然保护基金会

⊖ 吴恩国：《世界人口问题与人口政策》，中学政史地，2006 年第 1 期。

（WWF）发表的有关地球资源状况的报告（2002），如果按照目前自然资源的消耗速度和全球人口的增长速度测算，未来人类对自然资源的"透支"程度将以每年20%的速度不断增加。这意味着，到2050年，人类所要消耗的资源量是地球生物潜力的1.8～2.2倍 ⊖。

表12-12 世界森林资源

地 区	森林覆盖总量/千 hm^2			
	1990年	2000年	2010年	2014年
世界平均水平	4128269	4055602	4015673	4002442
非洲	705740	670372	638282	626939
北美洲	650728	651342	656026	656940
南美洲	930814	890817	852133	844035
亚洲	552344	565912	589405	592570
欧洲	1010048	1002302	1013572	1015100
大洋洲	176825	177641	172002	173219

（资料来源：联合国粮食与农业组织，http：//www.fao.org/faostat/en/#data/RL。）

2. 环境问题

世界人口剧增还会带来空气污染、水体污染、核污染、噪声（特别是大城市）污染，引起全球气候变化异常、温室效应、酸雨、臭氧层变薄和出现空洞、生物多样性减少、土地荒漠化等环境问题，造成全球性生态失衡。联合国环境规划署发布的《2000年全球环境展望》在谈到气候变暖问题时指出，引起全球变暖的温室效应气体的排放自20世纪50年代以来已增加了3倍，各国承诺的减少排放的目标"可能无法实现"。现在问题不仅仅在于气候变暖，而且引发了许多地区气候反常，自然灾害（飓风、森林大火、旱涝等）发生的频繁程度和严重性都有所增加，例如，美国近年来出现的破坏力很强的飓风，就是由于气候变化异常而成为经常现象的。在过去30年中，全球有300万人由于气候的极端变化而失去生命。世界自然保护基金会发布了迄今为止最详尽的有关地球资源状况的报告。该报告指出，由于人类的过度消耗，在过去的30年间，人类的经济活动使得地球上的生物种类减少了35%，其中淡水生物减少了54%，海洋生物种类减少了35%，森林物种减少了15%。在一些发展中国家，由于人口数量快速增长，为了生存，不得不毁林造田，而这又引起了严重的水土流失，干旱地区沙漠面积不断扩大。21世纪初，全世界2/3的国家和地区、1/4的陆地面积，不同程度地受到荒漠化的危害，约10亿人口生活在荒漠化影响的地区。全球受沙化威胁和接受沙化影响的土地达3800多万 km^2 ⊖。可见，庞大的世界人口基数和剧增的人口数量带来了很多资源和环境问题。这些问题违背了世界可持续发展的要求，也不利于世界经济的可持续发展。

同时，环境变化会使人类的生存条件恶化，从而引发严重的健康问题。根据世界卫生组织发布的报告，最主要的疾病负担是营养不良和腹泻，其中亚洲和非洲最严重 ⊜。气候变化会间接引起营养不良和腹泻，从而导致更高的死亡率。根据国际食物政策研究所（IFPRI）

⊖ 资料来源：世界自然保护基金会（WWF）发表的有关地球资源状况的报告，2002年。
⊖ 林晓红：《21世纪世界人口面临的主要问题与挑战》，人口学刊，2000年第2期。
⊜ 彭希哲：《全球化时代的人口与城市发展》，复旦大学出版社，2012年版。

发布的报告，如果没有气候变化，到 2050 年时约有 1.13 亿 5 岁以下的儿童营养不良。在未来 40 年内，由于气候变化，将增加多达 2500 万名营养不良儿童，其中撒哈拉以南非洲和南亚地区影响最为严重。全球变暖对世界粮食生产造成破坏性影响，粮食产量将下降，粮价上涨，粮食销量将下跌。这将大大减少穷人卡路里的摄取，导致营养不良。而腹泻疾病的发生、发展、蔓延与天气气候和环境气象条件有着密切的关系。在高温、多雨的天气下，感染性腹泻容易流行。

根据政府间气候变化专门委员会（Intergovernmental Panel of Climate Change，IPCC）第四次评估报告，地球在今后的几十年会持续变暖，发展中国家没有享受到碳排放的好处，却遭受了气候变化带来的健康问题。而发达国家享受了大量碳排放带来的现代生活，却很少遭受疾病。死亡率与环境温度的关系是"V"形的，存在一个死亡率最低的最优温度 OT，当温度高于或低于 OT 时，死亡率都会上升。所以，全球变暖会导致死亡率的上升，不利于全球人口的健康。

二、世界人口地区增长不均衡的影响

1. 世界人口地区增长不均衡的现实

虽然世界人口总体是增加的，但是，这种增加是结构性的，即主要是由发展中国家的人口增长导致的。发达国家的人口增长较少，甚至是负增长。

第二次世界大战后，发达国家的人口在 1950—1960 年出现了历史上罕见的高增长期，年均增长 1.3%，到 20 世纪 60 年代末 70 年代初增速开始下降。而发展中国家自 20 世纪 50 年代初就一直高速增长，导致发达国家与发展中国家所占世界人口比例不断变化，由 1950 年的 33∶67 变为 1990 年的 23∶77，在 2000 年又进一步发展为 20∶80①，2015 年这一比例变为 12∶61。

2010 年，世界人口超过 69 亿，而这 69 亿人口在空间分布上主要集中在亚洲，占世界人口的 60.2%，其次为非洲、美洲和欧洲，分别为 14.9%、13.6% 和 10.7%。同时，世界人口的 82.1% 分布在发展中国家和地区，而发达国家和地区的人口只占世界人口的 17.9%。

从长期来看，发展中国家和发达国家的人口增长速度差异是不会在短时间内消失的。联合国早在 2006 年的报告中就已经指出：预计世界人口数量在未来的 43 年内会增加 25 亿，即从当前的 67 亿人增长到 2050 年的 92 亿人。这一增量相当于 1950 年全世界的总人口数。除增长数量大以外，增加人口中的绝大多数来自发展中国家和地区。发展中国家和地区的人口将从 2007 年的 54 亿人增长到 2050 年 80 亿人。相比之下，发达国家和地区的人口将继续保持 12 亿人②。所以，人口增长的不平衡是一个必然的趋势，它会一直持续到 21 世纪中叶。

联合国发布的报告《世界人口展望：2012》指出，整体来看，全球最不发达的 49 个国家仍是世界人口增长最快的地区。即使年均人口增长率在未来 10 年内会显著下降，这些国家的人口之和到 21 世纪中期仍将翻番——从 2013 年的近 9 亿增加到 2050 年的 18 亿。有 35 个国家的人口到 21 世纪末会增长 3 倍，其中布隆迪、马拉维、马里、尼日尔、尼日利亚、

---

① 池元吉：《世界经济概论》，高等教育出版社，2003 年，第 52-53 页。
② 冯方回、尹华：《世界人口最新发展趋势》，人口计划生育，2008 年第 6 期。

索马里、乌干达、坦桑尼亚、赞比亚等国的人口会增长5倍。在2013—2100年，全球人口增长将集中于极少数国家。15个最高生育率的国家都来自撒哈拉以南的非洲地区。全球8个国家将占据总人口增量的一半，包括尼日利亚、印度、坦桑尼亚、刚果、尼日尔、乌干达、埃塞俄比亚和美国。从现在开始到2100年出生的人口中，大部分来自发展中国家，这个数字高达37亿。

2. 对世界经济的影响

发展中国家人口的增加，对发展中国家来说，既是一种机遇，也是一种挑战。也就是说，如何创造足够的就业岗位、如何满足人们的粮食需求、如何提高国民的技能水平等都将是政府面临的难题；与此同时，充足的劳动力是这些国家经济发展的优势。

（1）面临的挑战。这样的发展态势对全世界的经济增长和可持续发展有着不利的影响。因为从这些数据中可以发现：在经济越发达的国家和地区，人口增长越慢；相反，在经济越落后的国家和地区，人口增长越快①。发达国家和地区的经济增长快于人口增长，相对落后的国家和地区的人口增长快于经济增长。这种经济增长与人口增长的强烈反差和不协调，必将导致南北差距进一步扩大，出现"穷者更穷，富者更富"的局面。具体地讲，人口增长的不平衡对世界的可持续发展，尤其是发展中国家的可持续发展，有以下几方面的负面影响：

1）粮食问题。世界人口增长的不平衡性，给增长速度过快的发展中国家的粮食生产造成巨大压力，这不可避免地带来了饥饿、灾荒等问题，既不利于世界和平与稳定，也阻碍着世界经济可持续发展的进程。

隶属联合国的世界粮农组织调查显示，目前全球约有9.63亿人处于饥饿线。海地80%的国民只能靠吃一种特殊的泥巴维持生命；埃及民众也为了购买政府救济的面包或者大饼而排队②。粮食问题在发展中国家尤为凸显，特别是在非洲。现在，许多发展中国家的人口增长率甚至超过了其粮食产量的增长率。有关研究表明：世界粮食增长率比人口增长率高1.5倍，其中，发达国家高出3倍，发展中国家却只高出20%；发达国家年人均粮食784kg，而发展中国家人均224kg，值得注意的是，非洲人均只有142kg。发展中国家由于人口增长过快，抵消了粮食增长，导致人均粮食量与发达国家的人均粮食量相距甚远。据联合国粮食及农业组织统计，20世纪60年代末世界饥饿人口只有2亿，到20世纪90年代初接近6亿；非洲每年有500万儿童饿死，另有500多万人因饥饿而致残；拉丁美洲每年有400万人死于饥饿，其中1/2是儿童③。在这种恶劣的情况下，当代人连自己的基本生活需要都保障不了，就不用提后代人了，更不用说可持续发展了。

印度饥饿人口数量高居世界之首。联合国世界粮食计划署与印度非政府组织的联合调查报告《印度乡村地区粮食不足状况》表明：①印度有21%的人口，即超过2.3亿人处于营养不足状态，占全球饥饿人口的27%，高居世界之首；印度将近50%的儿童死亡是营养不足导致的。②印度5岁以下儿童有43%体重过轻，这项数值也高居世界之首，超过全球25%的平均数值，也超过撒哈拉以南非洲的28%。③印度年龄在15～49岁的成年人中有1/3的人身高体重指数小于18.5，也就是体重过轻。作为衡量人体健康的身高体重指数，一

---

① 池元吉：《世界经济概论》，高等教育出版社，2003年版，第53页。
② 陈思：《对于全球粮食问题的冷静思考》，经营管理者，2009年第5期。
③ 吴恩国：《世界人口问题与人口政策》，中学政史地，2006年第1期。

般正常健康指数是 18.5~24。④未能获得足够有营养和安全的食物，无法供应正常的身体发展和足够的体力。导致粮食不足的原因，包括当地缺乏粮食供应、缺乏购买粮食的能力以及粮食分配不均等。

2）人口素质问题。世界人口增长的不平衡性，使得发展中国家人口的科学文化素质与发达国家相比有一定差距，导致"南北"经济增长方式大相径庭。

一般来说，国家财政性教育经费占国内生产总值4%的投入指标是世界衡量教育水平的基础线。据统计，目前在国家财政性教育投入上，世界平均水平为7%左右。其中，发达国家达到9%左右，发展中国家的投入比例仅为4%左右。从世界范围来看，人均教育经费表现为增加的态势。但是，由于发达国家和发展中国家人口增长不平衡，发展中国家的人均教育经费远远低于发达国家，从而影响了发展中国家高等教育的发展以及国民科学文化素质的提高。

从表12-13中可以看出，2008—2014年，世界不同国家高等教育的入学率表现为逐年增加的趋势。与此同时，美国的高等教育入学率从2008年的85.01%增加到2014年的86.66%，日本的高等教育入学率从2008年的57.64%增加到2014年的63.36%，韩国的高等教育入学率从2008年的95.26%增加到2013年的95.35%。而我国的高等教育入学率虽从2008年的20.94%涨为2014年的39.39%，但仍明显低于美国、日本和韩国。高等教育入学率最低的是印度，从2008年的15.12%变为2014年的25.54%，可以发现，我国和印度与美国、日本、韩国的高等教育入学率的差距较大。

表12-13　世界不同国家高等教育入学率（%）

年份 国家	2008	2009	2010	2011	2012	2013	2014
美国	85.01	88.58	94.23	96.32	94.84	88.81	86.66
日本	57.64	57.68	58.08	59.92	61.46	62.41	63.36
韩国	95.26	97.97	99.66	99.52	97.12	95.35	—
中国	20.94	22.52	23.95	24.87	27.18	30.16	39.39
印度	15.12	16.10	17.91	22.86	24.37	23.89	25.54

（资料来源：联合国教科文组织，http：//uis.unesco.org/en/country/in。）

随着科学技术的迅猛发展，人口的科学文化素质对生产力发展水平、产业结构以及经济增长方式的影响越来越大。在人口科学文化素质较高的国家，资本密集型、技术密集型和知识密集型产业所占比重较大，而劳动密集型和资源密集型产业所占比重较小。这些国家主要依靠提高生产要素的质量和利用效率来实现经济增长，在生产规模不变的基础上，采用新技术和新工艺、改进机器设备以及加大科技含量的方式来增加产量。这种集约型的经济增长方式恰恰符合可持续发展的要求。由此可见，人口的科学文化素质成为世界经济可持续发展中的一个重要因素。

在缺乏高素质人才的情况下，发展中国家无法采取集约型的经济增长方式。为了实现经济的增长，许多发展中国家只能依靠增加劳动力数量的投入来扩大生产规模以实现经济增长，从而形成了粗放型的经济增长方式。这种方式虽然能实现经济增长，但具有消耗较高、成本较高、产品质量较低、经济效益较低等缺陷，与经济可持续发展是相悖的。如果发展中国家不能从根本上由粗放型的经济增长方式转变为集约型的经济增长方式，其经济增长和可持续发展会受到严重阻碍。与此同时，发展中国家与发达国家之间的经济差距越来越大，在国际分工中的地位日益被固定在微笑曲线的底端。

（2）面临的机遇[1]。工业化乃成功之源。现代经济的发展伴随着从农业经济向产业经济的结构性转型，且经济发展可通过持续的产业和技术升级实现。18世纪以来，欧洲、北美和东亚地区成功实现工业化的所有国家往往具有两大共同点：①它们利用了自身的比较优势；②它们利用了仿效发达国家产业升级模式的后来者优势（或后发优势）。除了少数几个石油输出国，几乎所有国家都是借助工业化进入高收入国家行列的。总体而言，人均GDP的变化与制造业增加值的增长有着很强的正相关关系。如果某些国家自然资源或土地资源丰富但制造业规模不大，即便它们能成功地进入中等收入国家行列，也基本不能长期保持增长态势。

发展中国家人口增加较快，使发展中国家拥有了大量的廉价劳动力，这成为发展中国家发展本国工业经济的一个新机遇。目前，发达国家的劳动力成本一直居高不下，部分新兴市场国家的劳动力成本日益上升。在这样的背景下，国际产业转移的路径发生了一些变化：发达国家的跨国公司开始寻找劳动力成本更加低廉的国家和地区进行投资，一些新兴市场国家也开始寻求在海外的投资机会，转移国内的产业投资，规避高劳动力成本。从而，拥有劳动力优势、经济发展水平较低的一些发展中国家开始进入各类跨国公司的视线。

20世纪60年代，日本的人均收入上升，给新加坡、韩国、中国香港、中国台湾"亚洲四小龙"实现工业化带来机遇；20世纪80年代"亚洲四小龙"的崛起与工资收入提升，又使中国大陆进入劳动密集型制造业。目前，产业结构转型与升级提高了中国的工资水平，推动中国从劳动密集型产业向资本和技术更密集的产业转型升级。随着劳动密集型产业成熟，工资开始上涨，企业转入技术更先进且符合其基本禀赋结构的产业。中国制造业工资快速上涨，从2005年的150美元/月上涨到2010年的350美元/月左右（年工资收入约为4200美元）。中国"十二五"规划提出，实际工资收入增速同GDP增速保持同步。这意味着今后10年内，月工资将翻番，从350美元左右增至700美元。如考虑人民币持续升值因素，中国的实际工资水平有可能在今后10年内接近1000美元或接近一些中上等收入国家（土耳其和巴西）的水平，并于2030年年底之前接近2000美元或接近韩国和中国台湾目前的水平。劳动密集型产业工资不断上涨已然引发了低工资就业转至国外。越南、老挝、柬埔寨等许多工资水平较低的中国邻国正逐步成为服装业、鞋袜业等劳动密集型产业的新增长点。

目前，中国制造业雇员达到8500万人，而将此就业机会转移到其他国家，将给许多发展中国家开始工业化带来黄金机遇，特别是将给撒哈拉以南非洲地区的低收入国家带来空前机遇。相比转移到越南、柬埔寨和缅甸等国家，非洲更具优势。因为非洲有10亿人口，现在平均收入水平是中国的1/4，很多国家的收入水平甚至不及中国的1/10，劳动力成本非常低；而越南、柬埔寨和缅甸等国虽距中国较近，但由于这些地区的劳动力市场小，其工资也会很快上涨。如果巴西和印度也出现产业升级，则流入的就业岗位总数将足够非洲国家和其他工资水平较低国家使用。

对于拥有劳动力优势的发展中国家来说，外国直接投资是一剂灵丹妙药。当地创业技能和投资资本缺乏一直是低收入国家实现工业化的首要制约因素。在利用外资方面，如能获得

---

[1] 林毅夫、王研：《期待制造业的龙头效应》，http://www.guancha.cn/lin-yi-fu/2012_09_10_96627.shtml。

外国直接投资，就会为该地区国家克服上述制约因素、参与全球劳动密集型产品的生产创造条件。联合国贸易和发展会议发布的《2012年世界投资报告》显示：2011年，撒哈拉以南非洲地区外国直接投资激增25%，直接投资由2010年的295亿美元增至2011年的369亿美元；南非吸引的外国直接投资由2010年的12.3亿美元增长至58.1亿美元，在非洲大陆处于第二位；排名第一的尼日利亚在2011年吸引了89.2亿美元的外国直接投资。在这份世界投资报告中，吸引外国直接投资前五位的非洲国家是：尼日利亚（89.2亿美元）、南非（58.1亿美元）、加纳（32.2亿美元）、刚果（29.3亿美元）、阿尔及利亚（25.7亿美元）。

三、世界人口老龄化的影响[1]

亚洲开发银行估计，最近30年人口增加给全球人均GDP带来了1%的增长率，这是因为消费市场的扩大和与其相应的投资支撑了经济增长。但是，人口增速放缓和老龄化趋势加剧却在给全球经济发展带来负面影响。到2030年，中国和泰国的人均GDP每年将为此付出0.8%的损失，韩国的损失更大，将达到1.4%。

自从1851年法国率先进入人口老龄化国家行列，这种人口年龄结构变动趋势就从未停止。到目前为止，不仅美国、日本等几乎所有经济发达国家都已成为人口老龄化国家，而且像韩国、中国等新兴市场国家也已相继步入人口老龄化国家行列。人口老龄化对经济增长的影响已不容忽视，因为人口老龄化不仅意味着劳动力资源的收缩，况且在全球化背景下，资本、商品和服务及劳动力的国际流动必将在各国产生不同的经济增长路径，人口老龄化也将对劳动力结构、资本市场和全要素生产率等经济增长诸多方面产生重大影响。

具体来说，人口老龄化对经济的影响主要有以下方面：

1. 人口老龄化对储蓄的影响

储蓄是资本形成的重要来源，人口老龄化进程可能对储蓄产生不利影响。根据生命周期理论，人们在工作期间的储蓄倾向为正，当人们预期到寿命会延长时，也会增加储蓄的份额，而退休后储蓄倾向往往由正变负。从社会整体来看，如果一定时期人口的总负担系数较低，即工作人口在全部人口中占有较大比例，那么全社会的储蓄规模将极为可观；反之，当人口的总负担系数较高，特别是退休人口在全部人口中所占比例出现增长时，储蓄规模就会不断收缩。

近20多年来，对于大部分处在人口老龄化不断上升过程中的国家来说，其家庭储蓄率（家庭储蓄占可支配收入的比例）出现了持续下降的现象。这意味着人口老龄化对家庭储蓄率的变动产生了重要影响，但各个国家的情况不尽相同。例如，最为明显的是澳大利亚和加拿大，从1989年开始，其人口老龄化在不断深化，家庭储蓄率出现了明显的下降趋势，甚至自2003年以来的一些年份里，澳大利亚的家庭储蓄率由正数转为负数。而法国和德国虽然人口老龄化程度比较高，但其家庭储蓄率一直比较稳定。意大利和日本的老龄化程度最高，但家庭储蓄率却不是最低的。美国和澳大利亚的人口赡养率最低，但家庭储蓄率却是最低的。另外，在澳大利亚、加拿大、荷兰和美国，家庭储蓄率的下降速度要远远超过人口老龄化的速度。

---

[1] 齐传钧：《人口老龄化对经济增长的影响分析》，中国人口科学，2010年增刊。

2. 人口老龄化对资本形成的影响

在封闭经济中，储蓄转化成投资是资本形成的唯一方式，或者说，国民储蓄必然等于国内投资。根据储蓄的生命周期理论，人口老龄化则意味着劳动力供给收缩的同时储蓄也在减少，投资总量也相应下降，如果其他因素保持不变，则意味着总产出的减少。进一步，如果劳动力供给收缩的速度慢于储蓄的下降速度，则将导致投资—劳动比率的降低，则意味资本形成的不足，将导致人均产出水平的下降；与之相反，如果劳动力供给收缩速度快于储蓄的下降速度，则会造成储蓄—劳动比率的提高，而此时如果没有技术进步和经济结构优化，那么未必会带来资本—劳动比率的提升，就不存在人均产出的增长。

如果把整个世界看成一个封闭运行的经济体——实际上随着经济全球化的不断加深和各种技术进步的广泛应用，世界上各个经济体之间的联系越来越紧密，那么人口老龄化的不断发展就会出现劳动力数量的不断下降，而资本却没有以同比例收缩。其实因为市场经济普遍存在着不合理的收入分配（最终导致有效需求不足），资产反而可能得到继续扩张，那么，在资本边际产品递减规律的支配下，资产的价格也应该下降。但是，资产价格往往具有滞后性，在不考虑其他因素（如不恰当或不得已的宽松货币政策）的情况下，资产价格泡沫的出现也就在所难免。一旦这种不断高估的资产价格泡沫难以为继或遇到某种外在的冲击，就会出现金融危机，甚至经济危机。当然，客观地说，不能把以后所有的金融危机或经济危机都归为人口老龄化的结果，但有理由相信，人口老龄化至少增加了这种危机爆发的风险。

与封闭经济不同，一个开放经济体的国民储蓄未必等于国内投资。就世界整体而言，风险调整后的回报、技术调整后的工资和交易成本调整后的商品价格都应该是一致的。如果市场是完美的，这种调节就不存在黏性，可以瞬间完成，否则这种调整就存在黏性。理论上讲，资本和劳动力都可以实现跨界流动，但从成本的角度上讲，劳动力的流动成本要高于资本。更为关键的是，很多国家对资本流动没有太多限制，而对劳动力流动限制比较多。除了澳大利亚、新西兰、美国和加拿大是传统的移民国家，且只接受技术移民，而把生产力低下的移民排斥在外，欧洲向来不是移民国家。从这个角度来看，各个地区人口老龄化的差异将导致资本的不断流动。如果不考虑其他因素，人力资本的质量和数量将决定国际资本的流向，资本天生的逐利性必然寻求与较丰腴的人力资本进行结合，从而获得更多的收益。换句话说，人口老龄化严重的地区将成为资本的流出地，而人口老龄化程度相对较轻的地区将成为资本的流入地。

3. 人口老龄化对全要素生产率的影响

新古典经济增长模型较为关注劳动力总量和资本总量等一些规模性变量的变化，而对劳动力年龄结构的变动和地区差异考虑得不多。但进入20世纪90年代，人们开始认识到经济增长理论的经验研究不能回避人口年龄结构变动和地区差异。James等（1994）利用大量发达和发展中国家的数据分析了人口年龄结构对经济绩效的影响，特别是对人均产出量及其增长的影响。其后，Lindh等（1999）在证明发达国家的人均产出量增长率是受到人口年龄结构影响的想法时发现：50~64岁年龄段人口对生产力增长率具有显著的正向影响；65岁及以上人口对生产力增长率的影响却是负向的；而年轻人对生产力增长率具有的影响几乎可以忽略。但这一分析过程用的是全部人口，而不是劳动力年龄人口，所以得出的结论可信度较差。

后来，Feyrer（2007）构建了人力资本扩展增长模型，通过对87个国家1960—1990年人口和经济数据的计量分析发现，不同年龄的劳动力对全要素劳动力的贡献率是一种倒"U"形结构。为了证实这种判断，Werding（2008）重新构建全要素生产率计量模型，引入劳动力年龄结构变量，通过对 OECD 国家经济和人口数据的分析，再一次证明了各年龄段劳动力与其对全要素生产率贡献之间存在倒"U"形的关系，且 40~49 岁年龄段劳动力对全要素生产率贡献最大。基于此，如果劳动年龄人口老化，即越来越多的劳动力年龄超过 50 岁，那么全要素生产率就会具有明显的下降趋势。

当年轻人刚进入劳动力市场时，虽然体力和精力充沛，但知识和能力的欠缺导致他们生产能力有限。只有经过相当长时间的实践与学习，他们的优势才能展现出来，使自身的劳动生产力不断提高。进入中年后，特别是 40~49 岁时，劳动力的综合素质达到了一个最优状态，劳动生产率最高。等到临近退休时，劳动者的体力和创新能力开始迅速下降，继而对全要素生产率的贡献也开始下降。另外，中年劳动者对全要素生产率的贡献还在于知识和技术的正外部性。因为这些中年劳动力的知识和技术可以通过各种途径在全社会进行传播，从而间接带来其他各个年龄段劳动生产力的提高。

毫无疑问，人口老龄化不仅意味着老年人口比重的上升，还意味着劳动力年龄结构的老化，即劳动力整体的平均年龄不断提高，特别是 50 岁以上劳动力占整个劳动力比重的增加，最终将对全要素生产率产生不利影响。

【专题】

劳动力短缺对中国经济发展的影响不可小视

1. 中国已经进入劳动力短缺时代

中国会不会出现劳动力短缺？如果出现的话，有多严重？这些可以通过计算每年的新增劳动力数据来说明。

笔者是这样计算的：用每年新进入劳动力市场的年轻人的数字，减去每年退休的人数，即为每年的新增劳动力数据。每年新进入劳动力市场的年轻人的数字为当年年龄在 20 岁的人数，退休的人数为每年达到 60 岁的人数（不论男女）。具体计算公式为

每年新增劳动力人数 = 每年 20 岁人口数 − 每年 60 岁人口数

这一计算方法虽然粗糙，但误差不会太大，至少不会出现方向性错误。

按照上述计算方法，到 2014 年，中国的新增劳动力为 −167 万，也就是说，2014 年中国的劳动力总数将减少 167 万。随后几年，这个数据就在 0 附近波动，有时为正，有时为负。2020 年和 2021 年人数较大，分别为 397 万和 764 万。这是因为这两年退休的人是 1960 年和 1961 年出生的，而这两年正是大饥荒时期，出生人口数很少。2022 年是一个大转折，这一年，中国的劳动力将减少 850 万。从此，一边是 20 世纪 60 年代的婴儿潮变成退休潮，另一边是 2000 年之后的超低生育率。其结果是劳动力每年减少 1000 万以上，最高的 2023 年将减少 1400 万。2022—2029 年，中国劳动力累计将减少近 9000 万。这种退休潮将一直持续到 2040 年左右，也就是说，中国将有一个长达 20 年的劳动力急剧减少的时期。

根据国家统计局发布的报告，2012年我国劳动年龄人口减少345万。这是一个十分明显的信号。这表明，中国劳动力短缺的时代已经到来，而且劳动力短缺的问题将越来越严重。

2. 劳动力短缺将对中国的经济增长产生巨大影响

这种影响可以从供给和需求两个方面来理解：

从供给来看，劳动力短缺将导致中国的潜在产出增长率下滑。如果中国2022年以后劳动力每年减少1000万，而总劳动力是8亿，那就意味着中国劳动力的增长率是－1.25%。首先，假定中国产出的劳动力弹性是0.5，这就将使得中国潜在产出的增长率下降0.6个百分点。其次，劳动力减少对潜在产出的增长率还有间接影响。中国的劳动力减少具有一个重要特点，就是由于长期执行计划生育政策导致的人口和劳动力年龄结构的变化。因此，中国的劳动力减少跟老龄化是同时出现的。这就导致了劳动力减少对潜在产出的增长率的两种间接影响：一是影响技术进步率。劳动力中的年轻人越来越少，将使得技术进步率下滑。二是影响资本增长率。退休的老年人要么没有收入，要么收入较低，而且即使有收入，也是通过社会保障转移来的收入，且退休的老年人并不参与生产过程，因此，退休的老年人消费大于储蓄，退休前正储蓄、退休后负储蓄的情况很正常。但老年人比例的增加会导致整个经济的储蓄率下降，这将导致储蓄和资本形成的减少，资本增长率就将下降。

从需求来看，老年人和年轻人的人均消费是有很大差别的。年轻人的预期收入是增加的，所以人均消费多一些；老年人的预期收入较低甚至没有，而且面临很大的不确定性，为了保障余生的生活水平，就不敢多花钱。所以，随着老龄化的出现和老龄化程度的提高，总消费需求也会减少。日本就是一个明显的例子。日本人口增长率是负的，所以消费增长一直很乏力。

3. 劳动力短缺还会对中国经济产生其他不利影响

（1）工资将以更快的速度上涨。中国目前已进入劳动力零增长区间，2012年，中国的劳动年龄人口甚至减少了345万。如果中国经济继续高速增长，即使劳动力不增长，工资也会快速上涨。最近10年的情况就说明了这一点。而2022年后，中国将出现劳动力大幅下降的情况，会导致工资以更快速度上涨。

（2）工资上涨会导致成本推动的通货膨胀，物价将大幅度上升。

（3）中国企业的利润空间减小，大量企业或者破产，或者转移到其他国家和地区，或者彻底转型。

（4）退休年龄将被迫提高。

（5）房价泡沫将破灭。经济增长率的下滑，意味着老百姓收入增长率的下滑，从而意味着住房需求将以更大的幅度下滑。另外，随着年轻人绝对数量的减少，住房刚性需求下降。这些都将导致房价上涨率下滑，后者又将引起房价预期的变化，最终导致房价泡沫破灭。

4. 现行人口政策面临挑战

劳动力短缺将影响中国潜在产出的增长率。这可以通过加大科技投入和教育投入，以及科技体制改革和教育体制改革来应对。科技投入的增长和科技体制改革会提高科技进步率，教育投入的增长和教育体制改革会提高人力资本水平和人力资本的增长率，从而缓和潜在产出增长率下滑的程度。但这两个政策都有较大缺陷，即效果的不确定性很大：科技投入的增长和科技体制改革会导致技术进步率多大程度的提高？教育投入的增长和教育体制改革会导致人力资本增长率多大程度的提高？

应对劳动力短缺需要采取直接的措施，笔者认为，应考虑调整现行的人口政策。2000年人口普查就表明，我国的总和生育率已是1.22个，处于很低的水平；2010年人口普查再次表明，我国的总和生育率只有1.18个，远低于世界上被认为处于人口危机中的国家。日本和德国，2012年的总和生育率是1.4个左右。

实际上，人口危机不仅存在于中国大陆，2012年，在全世界224个国家和地区中，总和生育率最低的是新加坡（0.78个），倒数第二是中国澳门（0.92个），倒数第三是中国香港（1.09个），倒数第四是中国台湾（1.10个）。这说明：第一，国家统计局公布的目前1.18个的总和生育率是可信的，如果有误差，更可能是高估而非低估；第二，"4-2-1"的人口格局已在整个中华民族全面形成。

那么，中国的最优生育率是多少呢？世界上大多数国家认为合理的生育率是2，也就是保持人口数量基本不变的水平。笔者认为，中国的总和生育率至少应该维持在1.8以上。

5. 什么是"老龄化"

联合国关于老龄化社会的标准是60岁及以上人口占比超过10%，或65岁及以上人口占比超过7%。2000年，中国65岁及以上人口占比达到7%，正式步入老龄化社会。截至2012年，中国60岁及以上人口占比达到14.3%，65岁及以上人口占比达到9.4%。

6. 人口老龄化的速度

据联合国预测，中国65岁及以上人口占比将在2032年突破20%，在2049年突破30%；中国60岁以上和65岁以上人口占比翻倍（60岁以上人口占比达10%~20%，65岁以上人口占比达7%~14%）所需时间分别仅为26年和25年，而美国则分别为78年和70年，俄罗斯分别为51年和49年，就连人口老龄化最为严重的日本也略慢于中国，分别为29年和25年。

7. 老龄化导致劳动力减少

在人口老龄化的推动下，中国劳动力资源开始减少。与2011年相比，2012年劳动年龄人口（15~59岁）的绝对数减少了345万人，占总人口的比重也下降了0.6个百分点。

8. 什么是"生育率"

生育率是指一个群体中平均每个女性在其一生当中所生育的子女数量，更替水平生育率为2.1个。如果一个群体中平均每个女性生育孩子的数量超过了2.1个，总人口就会增长；反之，人口数量就会缩减。一旦一个国家的生育率持续低于更替生育水平，其年龄状况就会开始转变，老年人的数量会超过年轻人。

9. 什么是"疾病负担"

疾病负担（Burden of Disease）衡量了残疾、死亡或其他丧失生活和工作能力等带来的损失。疾病负担以DALY（Disability-Adjusted Life Year，伤残调整生命年）为单位进行测量。DALY是有疾病死亡和疾病伤残而损失的健康生命年的综合测量，是生命数量和生命质量以时间为单位的综合度量。

10. 什么是"生命周期"

由年龄结构的变化引起的人口转移，若人均收入大于消费，就会引起生命周期盈余，反之则引起生命周期赤字。生命周期分为年幼的人口、中年的人口、老年的人口三种人口转移类型。年幼的人口：人口转移的早期，引起生命周期赤字，经济流动的方向是从工作年龄人口到儿童；中年的人口：人口转移的中期，人口集中在中年会引起生命周期盈余，从工作年龄人口到儿童或老人的经济流动会比较少；老年的人口：人口转移的晚期，引起生命周期赤字，经济流动的方向是从工作年龄人口到老人。

（资料来源：htpp//www.npopss-cn.gov.cn/n/2013/0322/c219470-20876336.html，有改动。）

复习思考题

1. 谈谈你对可持续发展的理解。
2. 简述世界人口发展的基本情况。
3. 试分析人口素质问题与经济发展的关系。
4. 如何理解世界人口地区增长不平衡对世界经济的影响？

参 考 文 献

[1] 巩勋洲．人口老龄化背景下的日本经济：一个调查［J］．国际经济评论，2009（3-4）．
[2] 李仲生．人口经济学［M］．北京：清华大学出版社．
[3] 田雪原，王国强．全面建设小康社会中的人口与发展问题［M］．北京：中国人口出版社，2004．
[4] 张车伟，吴要武．城镇劳动供求形势与趋势分析［J］．中国人口科学，2005（5）．
[5] 熊必俊．人口老龄化与可持续发展［M］．北京：中国大百科全书出版社，2002．
[6] 王洪春，王俊祥．当代中国老年人口与社会变革［M］．保定：河北大学出版社，1999．
[7] 都阳．人口转变的经济效应及其对中国经济增长持续性的影响［J］．中国人口科学，2004（4）．
[8] 黄瑞．人口老龄化及其经济影响［J］．经济研究导刊，2010（4）．
[9] 孙一．浅析人口老龄化［J］．山西财经大学学报，2010（4）．
[10] 阮征宇．论跨国人口迁移对当代国际安全的挑战［J］．国际论坛，2003（4）．
[11] 周聿峨，白庆哲．国际移民与当代安全：冲突、互动与挑战［J］．东南亚纵横，2006（1）．
[12] 李其荣．国际移民对输出国与输入国的双重影响［J］．社会科学，2007（9）．
[13] 郭志仪，李琴．世界人口最新状况与未来发展［J］．西北人口，2009（6）．
[14] 林晓红：21世纪世界人口面临的主要问题与挑战［J］．人口学刊，2000（2）．
[15] 王丰，顾宝昌．全球化形势下低生育率及对中国的挑战［M］//彭希哲．全球化时代的人口与城市发展．上海：复旦大学出版社，2012．
[16] 彭斯达，熊梦婷．人口年龄结构对中美贸易收支失衡的影响研究［J］．国际贸易问题，2015（6）．
[17] 葛顺奇，刘晨，罗伟．外商直接投资的减贫效应：基于流动人口的微观分析［J］．国际贸易问题，2016（1）．

第十三章

国际自然资源贸易

本章学习目标

1. 了解自然资源贸易的内涵及现状。
2. 把握自然资源的特性。
3. 理解国际自然资源贸易在治理上的困难。

【导入案例】

中国限制稀土出口

稀土储量位居世界前三的美国,多年来却鲜少打开采本国稀土矿的主意,主要依赖进口。在中国开始限制稀土出口后,美国一边拉着欧盟将中国告上世贸组织,一边终于将目光转向本国。美国唯一的稀土矿业公司莫利矿业公司表示,将重启位于加利福尼亚州的山口稀土矿。

目前,中国生产的稀土氧化物占世界用量的97%。2014年,中国减少稀土原料的出口配额,导致价格上升,让美国政府非常担忧,甚至和欧盟共同向世贸组织提起诉讼,希望迫使中国放开稀土出口。但事实上,美国自身并不缺稀土。原中国五矿商会副秘书长、清华大学中美关系研究中心高级研究员周世俭表示,在稀土开采方面,世界舆论有一个认识的误区,认为世界其他地区稀土储量很少。其实,除了中国,前独联体国家、美国、澳大利亚、印度、加拿大、南非和越南等稀土储量也很集中。其中中国的储量为9000万t,仅占世界总储量的24%,只不过中国的稀土开采量占了世界的85%。

20世纪80年代,美国曾是世界上最大的稀土供应国,但90年代后,中国廉价的稀土统治了世界市场。自从中国以低廉的价格大量出售稀土后,世界上大部分国家就停止了开采,因为没有哪个国家能够承受如此低的价格。开采稀土矿有两个主要问题:一是开采代价高昂而且非常难提取;二是加工处理过程更为复杂,美国甚至没有将稀土矿变成可用原料的设备。即使一家公司开始在美国本土开采稀土矿,也要7~15年才能达到全速生产状态。因此,要把美国带回到稀土产业并不容易。美国政府问责办公室最近一份报告预测,要重建切实可行的美国稀土供应链,预计需要15年。

美国恢复对稀土矿产的开采对中国与世界都是一件好事,中国削减对稀土矿产的出口对中国与世界也是一件好事。以目前的需求水平,中国的稀土资源可供30年使用。可以说,中国拥有如此丰富的稀土资源等于握有印钞机,但这个印钞机不会永远运转。

尽管中国目前仍在出口稀土原料，但一些业内人士认为，中国未来将只出口具有更高价值的提炼加工过的稀有金属。

（资料来源：http://www.sohu.com/a/34902765_211128。）

如今，世界各国对自然资源贸易的态度越来越剑拔弩张。自然资源贸易的范围在不断扩大，国际竞争已经从以石油、天然气、煤炭、铜、铁、铝、铅、锌、锡等贱金属为代表的传统自然资源争夺拓展到对稀有金属和稀土等新型战略资源的争夺上。全球对元素周期表上17种元素的需求正在迅猛增长，铌、铂、钨、钯、钒、铽、钐、钛、铈、镧、镨、铼、钌等一些鲜为人知的稀有金属开始进入国际贸易视野。从手机电池上的锂、音乐播放器上的钴，到新型混合动力汽车上的钕、航天飞机和激光武器上的稀土，稀有金属和稀土正在涉及并改变着现代生活的方方面面。世界各大汽车厂商生产一辆新型汽车的零部件包含多达39种不同矿物；在世界高科技制造业和清洁型环保产业中，约25%的新技术依赖于稀有金属和稀土元素。尽管这些新型战略资源的国际贸易量目前很小，却是各国资源竞争的重中之重。

面对自然资源竞争，无论是进口国政府还是出口国政府，都面临着贸易政策制定上的难题。WTO将自然资源贸易定为《2010年世界贸易报告》的主题。针对自然资源贸易进行有效的全球贸易治理，制定合理的多边贸易规则，减少国际自然资源贸易摩擦，对于后危机时代参与全球贸易的各国来说，显得越发重要。

第一节　国际自然资源贸易的基本情况

一、自然资源贸易的内涵

自然资源贸易可以分为可再生资源贸易和不可再生资源贸易。可再生资源贸易主要包括：鱼类资源、森林资源以及风能、水能、潮汐能、生物质能等各种可再生能源贸易；不可再生资源贸易主要包括：各种矿产品贸易（包括煤炭和铀），以及石油、天然气等不可再生能源贸易。

可再生资源贸易和不可再生资源贸易的特点有很大不同。本书主要探讨不可再生资源贸易问题，不涉及可再生资源贸易，故本书所提及的自然资源贸易，均指不可再生资源贸易。根据联合国《国际贸易标准分类》（2006年第4版，以下简称SITC），矿产品贸易主要包括SITC第27章和28章的货物贸易；金属贸易主要包括SITC第67章（钢铁）和68章（有色金属）；能源贸易主要包括SITC第32～35章的货物贸易。WTO的货物贸易统计主要依据SITC分类进行。另外，根据国际海关合作理事会《商品分类及编码协调制度》（2007年修订版，以下简称H.S.），自然资源贸易主要包括HS第五类（矿产品）的第25～27章（包括矿产品和石油、天然气）；第六类的28章（贵金属和稀土等）；第十五类（贱金属）第72～83章。

二、国际自然资源贸易的规模

20世纪60年代，初级产品在世界货物贸易中的比重高达50%，其中，自然资源贸易比重的平均水平为22.1%。20世纪70～80年代，石油危机的爆发使得以石油为代表的资源商品在国际贸易中的比重迅速上升,自然资源贸易占世界货物平均比重达到26%。20世纪90年代,伴随着国际资源商品市场的低迷,自然资源贸易在世界货物贸易中的比重有所下降,1990年占比16.23%,1995年下降为10.56%。进入21世纪,由于包括运输成本在内的贸易成本不断下降,自然资源世界市场价格不断上升。世界各经济体,尤其是新兴市场国家经济增长引发的对自然资源商品的巨大需求,都使得自然资源贸易规模不断扩大。自然资源贸易在世界货物贸易中的比重不断上升,在世界经济中起到举足轻重的作用。

根据WTO统计,1990年自然资源贸易规模为5598.8亿美元,2000年上升到8587.8亿美元,2004年突破万亿美元大关,为12990.4亿美元;2006年突破2万亿美元大关,为23052.3亿美元;2008年突破3万亿美元大关,贸易额达到35302.2亿美元。以2000年为基期,2005年自然资源贸易规模增加了1.6倍,2008年自然资源贸易规模增加了2.5倍。2008年,自然资源贸易占世界货物贸易的比重上升到21.97%。从出口贸易年均增长率考察,自然资源贸易的增长率快于同期世界货物贸易的增长率。2000—2008年,除个别年份外,自然资源贸易的增长率均高出世界货物贸易年均增长率的2~3倍。

受2008年金融危机影响,2009年世界自然资源贸易规模下降到22909.9亿美元,世界货物贸易出口增长率为-22.6%,直到2012年才开始逐年递增,自然资源贸易占世界货物贸易的比重上升到23.03%。2013—2015年,世界自然资源贸易规模逐年递减,至2015年自然资源贸易规模为24304.5亿美元。2015年,自然资源贸易占世界货物贸易的比重下降到15.2%。

世界燃料矿产品出口贸易情况如表13-1所示。

表13-1　世界燃料矿产品出口贸易情况

项目 年份	世界燃料矿产品出口贸易额/亿美元	燃料矿产品占世界出口比重(%)	世界燃料出口额/亿美元	世界矿产品出口额/亿美元	世界货物贸易出口增长率(%)	世界燃料矿产品出口贸易年均增长率(%)	世界燃料矿产品出口贸易指数(2000年=100)
1990	5598.8	16.23	3625.9	1972.9	12.9	16.2	54
1995	5452.6	10.56	3759.1	1693.5	19.4	15.2	80
2000	8587.8	13.30	6665.9	1921.9	12.9	46.4	100
2001	7744.2	12.51	5980.6	1763.6	-4.1	-9.8	96
2002	7834.7	12.07	6081.6	1753.1	4.8	1.2	101
2003	9662.9	12.74	7616.2	2046.8	16.9	23.3	117
2004	12990.4	14.09	10095.0	2895.4	21.7	34.4	143
2005	18010.2	17.17	14500.0	3510.2	13.9	38.6	163
2006	23052.3	19.03	17895.5	5156.8	15.6	28.0	188
2007	26533.2	18.97	20296.6	6236.7	15.6	15.1	218
2008	35302.2	21.97	28618.9	6683.2	15.1	33.0	250
2009	22909.9	18.72	18316.9	4592.9	-22.6	-35.4	214
2010	30521.1	20.46	23743.1	6778.0	21.8	33.2	248
2011	41037.8	22.93	32508.8	8529.0	20.0	34.5	283
2012	41511.3	23.03	33890.6	7620.7	0.7	1.2	285
2013	40737.5	22.10	32982.6	7754.9	2.3	-1.9	283
2014	37952.7	20.53	30511.5	7441.1	0.3	-6.8	276
2015	24304.5	15.20	18450.2	5854.3	-13.5	-36.0	240

(资料来源:WTO数据库。)

三、国际自然资源世界市场价格的走势

进入 21 世纪，自然资源世界市场价格上升行情始于 2002 年，在世界供求因素、金融市场投机和美元贬值等因素的共同推动下，自然资源世界市场价格呈快速上涨趋势。2001 年年末自然资源世界价格水平跌至谷底后，2002 年国际商品市场价格明显反弹，出现了引人瞩目的重要变化：2002 年原油价格出现大幅攀升，同比上涨 52.1%；有色金属类商品价格同比上涨 6%。2003 年自然资源世界价格总体上呈一路走高趋势，且涨幅不断扩大，原油价格同比上涨了 4.7%，有色金属价格同比上涨 31.7%，镍、铅、锡等价格上涨幅度较大，同比上涨 40%~90%。2004 年自然资源世界价格水平继续走高，原油和有色金属价格同比分别上涨 43.9% 和 13.6%。2005 年自然资源世界价格水平延续上升走势，原油价格同比上涨 29.4%，有色金属类商品价格同比上涨 16.5%，铜、锌、铝、锑等价格升幅超过 30%。2006 年自然资源世界价格延续了前几年的上升势头，黄金价格在 2006 年 5 月 12 日创 730 美元/盎司的 26 年高点。

2007 年世界经济持续快速增长，国际商品市场需求保持旺盛，加上美元持续贬值，大量投机资金涌入国际商品市场，原油、有色金属等原材料价格持续攀升，使全球通胀压力明显增大。国际油价一路上扬，从 2007 年 1 月的均价 54.51 美元/桶劲升至 2007 年 12 月的 91.69 美元/桶，同比涨幅达 48%，2007 年国际原油期货价格创出了 147 美元的历史新高。2007 年有色金属价格总体呈现连续上涨态势，同比上涨 10%，铁矿石、焦炭价格也分别上涨了 13% 和 21%，铜、铅价格在 2007 年 10 月分别达到月均 8008 美元/t 和 3719 美元/t 的年内高点。2007 年以黄金为代表的贵金属价格也连创历史新高，最后一周黄金交易价格达到 811 美元/盎司，同比上涨 28%。

总的来看，2002—2007 年，国际商品市场价格进入新一轮高涨期，价格上涨比以往持续时间更长、范围更广、幅度更大。

2008 年国际商品市场价格波动剧烈，主要自然资源商品价格在 2008 年 7 月中旬创出历史新高后，持续大幅回调。2008 年上半年，在世界经济保持较快增长、商品市场需求旺盛、大量投机资本进入商品市场等因素的作用下，国际初级产品价格延续前几年的涨势，与年初相比，一些商品的价格出现相当大的涨幅。2008 年下半年，随着美国次贷危机进一步蔓延，特别是 9 月份演化为全球性的金融危机，世界经济明显放缓，商品供需发生重大变化，石油等主要自然资源商品需求减弱，市场流动性趋紧，投资者信心不足，大量投机资本纷纷撤离商品市场。2008 年 7 月中旬开始，国际原油价格首先受到重挫，其他自然资源商品价格随之全面大幅下跌，到 12 月，资源商品价格几乎均跌至本年度低点，有些甚至跌至 2002 年商品价格上涨周期以来的低点。原油、铜、铝等主要自然资源商品期货平均价格分别下跌 68.5%、63.5%、51.5%。

经历了 2008 年下半年持续下跌后，2009 年第一季度国际市场初级产品价格逐渐回稳，总体与 2008 年 12 月基本持平；2009 年 3 月以来，能源、有色金属期货价格有所反弹。2009 年 3 月，综合商品价格指数已恢复至 2005 年水平，比 2008 年 12 月略升 1.9%，其中有色金属、能源类商品价格分别上涨 0.7% 和 2.4%。2009 年第二季度，世界经济逐渐止跌企稳，国际商品市场需求回暖，以油价为风向标的国际初级商品价格开始迅速反弹。2009 年 9 月底的国际市场初级商品价格综合指数比上年年末上涨 28.0%，金属上涨 30.4%，能源上涨

35.6%，但仍大幅低于金融危机爆发前的高位。少数产品的价格接近甚至恢复到金融危机爆发前的水平，其中黄金价格已突破 1000 美元/盎司，创历史新高。2009 年全年，自然资源商品价格创近 40 年来最大涨幅。

2014—2016 年主要自然资源商品世界市场价格如表 13-2 所示。

表 13-2　2014—2016 年主要自然资源商品世界市场价格

商　品	单　位	2014 年	2015 年	2016 年
铜	美元/t	6863.4	5510.5	4867.9
铝	美元/t	1867.4	1664.7	1604.2
铁	美分/(千公吨·度)	97.4	56.1	58.6
锡	美元/t	21898.9	16066.6	17933.8
镍	美元/t	16893.4	11862.6	9595.2
锌	美元/t	2161.0	1931.7	2090.0
铅	美元/t	2095.5	1787.8	1866.7
铀	美元/lb	33.5	36.8	26.3
国际市场主要原油现货平均价格（APSP)	美元/桶	96.2	50.8	42.8
英国布伦特原油	美元/桶	98.9	52.4	44.0
迪拜原油	美元/桶	96.7	51.2	41.2
西得克萨斯中质原油	美元/桶	93.1	48.7	43.2
俄罗斯输送到德国天然气	美元/1000m³	297.15	206.59	124.52
印度尼西亚输送到日本液化天然气	美元/1000m³	481.10	311.3	209.42
美国本土市场天然气	美元/1000m³	124.52	73.58	70.75
澳大利亚出口煤	美元/t	75.1	61.6	70.6
南非出口煤	美元/t			

注：1. 国际市场主要原油现货平均价格（APSP）是英国布伦特原油、迪拜原油和西得克萨斯中质原油的简单平均价格。
　　2. 数据来源：IMF。

四、自然资源的地理分布

从世界范围看，自然资源在各经济体之间的地理分布极不均衡。将历年联合国的统计数据加总计算的结果表明，在 2000—2008 年，大部分自然资源生产集中在少数经济体，世界各类资源产品前三大生产国的生产份额均占到世界总产量的 50% 以上，有的甚至高达 90%。具体来看：世界铝生产前三大经济体分别为澳大利亚（34.3% 世界份额）、中国（21.1%）和巴西（11.3%）；世界铝矾土前三大经济体分别为澳大利亚（31.4% 世界份额）、巴西（12.0%）和中国（10.2%）；世界铁锰合金生产前三大经济体分别为中国（44.7% 世界份额）、南非（14.8%）和日本（11.0%）；世界铅生产前三大经济体分别为中国（35.9% 世界份额）、澳大利亚（19.4%）和美国（12.1%）；世界锰生产前三大经济体分别为中国（35.9% 世界份额）、南非（16.2%）和澳大利亚（14.0%）；世界镍生产前三大经济体分别为俄罗斯（19.0% 世界份额）、加拿大（14.7%）和澳大利亚（11.9%）；世界锡生产前三大经济体分别为中国（42.5% 世界份额）、印度尼西亚（26.4%）和秘鲁（13.4%）；世界锌生产前三大经济体分别为中国（29.2% 世界份额）、澳大利亚（14.1%）和秘鲁（13.2%）。

对于以稀有金属为代表的战略性自然资源，世界生产更不均衡。巴西一国占到铌世界产量份额的 93%；中国一国占到世界钨产量份额的 85%；南非和俄罗斯两国占到世界铂产量的91%和钯产量的83%;南非、俄罗斯和中国三国占到世界钒生产的95%。这些战略性自然资源都是现代高新技术产品和军事产品必不可少的原材料。在欧盟、美国和日本,上述战略资源的产量很少,甚至几乎为零。

根据WTO贸易数据的计算发现(见表13-3),在发达经济体中,美国、德国、日本都是自然资源的净进口国。2015年,美国自然资源净进口值为1046.27亿美元,占自然资源进口的世界份额的10.14%;德国的自然资源净进口值为753.38亿美元,占自然资源进口的世界份额的5.8%;日本的自然资源净进口值为1639.13亿美元,占自然资源进口的世界份额的7.84%。加拿大和澳大利亚是自然资源的净出口国。2015年,加拿大自然资源净出口值为630.26亿美元,占自然资源出口的世界份额的4.30%;澳大利亚自然资源净出口值为830.09亿美元,占自然资源出口的世界份额的4.44%。

表13-3 2015年世界主要经济体自然资源进出口贸易状况

国家	自然资源	出口额/亿美元	进口额/亿美元	净出口额/亿美元	占世界出口份额(%)	占世界进口份额(%)
美国	自然资源	1417.61	2463.87	-1046.27	5.83	10.14
	燃料	1035.78	2009.38	-973.60	5.61	10.89
	矿产品	381.83	454.49	-72.67	6.52	7.76
德国	自然资源	655.09	1408.47	-753.38	2.70	5.80
	燃料	325.59	983.72	-658.13	1.76	5.33
	矿产品	329.50	424.75	-95.25	5.63	7.26
日本	自然资源	266.79	1905.92	-1639.13	1.23	7.84
	燃料	112.15	1509.17	-1397.02	0.61	8.18
	矿产品	154.64	396.75	-242.11	2.64	6.78
加拿大	自然资源	1044.90	414.64	630.26	4.30	1.71
	燃料	774.49	293.99	480.50	4.20	1.59
	矿产品	270.41	120.65	149.76	4.62	2.06
澳大利亚	自然资源	1079.27	249.18	830.09	4.44	1.03
	燃料	474.94	217.47	257.47	2.57	1.18
	矿产品	604.32	31.70	572.62	10.32	0.54
中国	自然资源	544.85	3579.22	-3034.37	2.24	14.73
	燃料	278.89	1986.68	-1707.79	1.51	10.77
	矿产品	265.95	1592.53	-1326.58	4.54	27.20
印度	自然资源	418.09	1299.22	-881.13	1.72	5.35
	燃料	326.79	1046.31	-719.52	1.77	5.67
	矿产品	91.30	252.91	-161.60	1.56	4.32
巴西	自然资源	364.67	306.41	58.26	1.50	1.26
	燃料	137.48	249.20	-111.72	0.75	1.35
	矿产品	227.19	57.21	169.98	3.88	0.98
俄罗斯	自然资源	2295.08	75.15	2219.93	9.44	0.31
	燃料	2059.16	29.90	2029.26	11.16	0.16
	矿产品	235.92	45.25	190.67	4.03	0.77

(资料来源:根据WTO数据库整理计算。)

在发展中经济体中，2015 年，中国自然资源净进口值为 3034.37 亿美元，占自然资源进口的世界份额的 14.73%，是世界最大自然资源净进口国；印度自然资源净进口值为 881.13 亿美元，占自然资源进口的世界份额的 5.35%；巴西自然资源净出口值为 58.26 亿美元，矿产品净出口值为 169.98 亿美元，占矿产品出口的世界份额的 3.88%，但是燃料处于净进口地位，净进口值为 111.72 亿美元；俄罗斯的自然资源净出口值高达 2219.93 亿美元，占自然资源出口的世界份额的 9.44%。

世界不可再生资源产量的绝大部分都用于国际贸易。国际贸易中交易的原油占世界石油开采量的 50% 以上，如果包括其他用石油提炼出的副产品，其贸易比重占到 66% 以上。很多资源所在国几乎把开发的全部资源商品用于出口创汇。全世界自然资源出口占该经济体出口总额比重超过 90% 的经济体有 10 个，自然资源出口占该经济体出口总额比重超过 50% 的经济体有 25 个；自然资源出口占该经济体出口总额比重超过 40% 的经济体有 28 个。这些经济体全部都是发展中国家或者最不发达国家。

第二节　全球治理难题

不可再生自然资源具有一些基本特性：不可再生性、生产不可移动性（产地固定）、开发企业需要向政府支付高额资源开发租金等。这些基本特性决定了要采用有别于其他商品的贸易规则，即制定适用于自然资源贸易的、特殊的国际贸易规则。保护贸易政策对自然资源贸易的扭曲、自然资源的国际供给安全、各国竞争政策对自然资源垄断生产商（国际卡特尔）的规制乏力、自然资源生产国有化卷土重来的趋势、个别国家居高不下的自然资源出口依存度带来的经济风险等问题，都构成全球治理中的政策难题。在贸易规则的制定上，WTO 和各国政府面临着一系列的挑战。

一、传统贸易政策对自然资源全球配置的效果有限

传统贸易政策的福利分析认为，征收关税会产生市场效率低下并引发其他福利损失。但是，因为一些特定的自然资源只会在相对较少的一些地方集中出现，自然资源的固定性导致传统贸易政策分析失效。在其他行业，贸易政策可以改变国家间的生产资源在全球范围内的重新配置，而传统贸易政策对自然资源重新配置的作用却是微乎其微。从资源生产方面考察，自然资源进口国通常都是自然资源稀缺国家，在国内没有资源生产企业和就业工人，也就无法使用保护关税来刺激国内生产。对于这些国家而言，征收使用税（User Taxes）的作用等同于关税。对于自然资源出口国而言，向资源生产征收资源出口税等于对国内资源消费采取补贴。因此，自然资源贸易税的实质在于不同国家的贸易税是不对等的。只要一国不生产某种自然资源，同时又需要进口该资源，这种税收不平等就会存在。当国内出现该资源的替代品，这种税收不平等会有所改观。从资源消费方面考察，各国税收政策会影响国际自然资源贸易。通常进口商需要支付高额的进口税，出口商或者享有出口补贴，或者需要交纳用于抑制国内价格的出口关税用以补贴国内消费，其结果可能导致资源开发不足。

考察自然资源的生产过程，由于从矿石原石中开采精矿也涉及大量资本品（机器设备）、劳动力、能源和技术的应用，因此采矿业与制造产业使用的生产要素其实非常类似。采矿业与制造业最大的区别就是最终产品的区别：制造业完成生产过程后，原材料发生了物

理或化学的变化，成为有形的物质产品和可移动的产品；而采矿业仅对矿物进行采掘和采集，并不对矿物进行加工，如对矿物进行加工、冶炼则属于制造业。由于资源生产通常涉及高额租金，其产出价值远大于生产成本，这与其他制造行业形成了鲜明对比。资源使用租金属于资源生产国，然而投资企业和资源消费国也可以使用各种各样的政策手段增加其租金份额，因此很多政策实施的目的主要是获取租金收益而非重新配置生产。操纵资源供求可以影响资源价格，这也是进口国征收进口税的主要动机，其结果也会导致资源使用行业开工不足。

二、传统贸易政策对自然资源长期世界市场价格的影响有限

对于自然资源世界市场价格不断上涨的原因有很多解释：世界经济的增长，美元的持续疲软，流动性过剩导致的国际投机资本对资源商品价格升高的推波助澜等。但是，从实体贸易来看，最根本的原因还是自然资源商品的国际供需矛盾。各国的经济发展决定了对自然资源的国际需求旺盛，而不可再生资源供不应求，世界市场价格显著上升。自然资源价格是国际商品市场的风向标，不断升高的能源和原材料价格向制造业、农业和服务业等各个环节传导，不断推高下游产品和服务的价格。自然资源需求不断增长而供应紧张，支撑自然资源世界市场价格上涨的供求格局不会发生根本性变化。不可再生资源的消耗还涉及跨代问题，如果这一代用尽了某种资源，将来下一代就无法使用这种资源。如果资源的储量和供应量是固定的，则一个时期内资源开采的比例变化会对其他时期的资源开采产生影响。资源生产商会垄断资源的出口价格，而进口商同样会通过征收消费税来改变贸易条件。但是，因为不可再生资源总量是有限的，这就决定了任何价格操纵手段对自然资源长期世界市场价格的影响都是有限的。

三、自然资源国际经贸合作关系中的违约风险极高

从资源出口国角度看，政策制定者最担心自然资源价格下降和贸易利益分配问题；而作为进口国政府，政策制定者们最担心自然资源价格上升和自然资源供给安全问题。二者利益既有一致，又存在冲突。进口国和出口国的合作模式主要有：①盎格鲁—萨克森模式。进口国的跨国公司通过在东道国进行资源导向型对外直接投资，参与资源开发和贸易，从而获取稳定的供给。②德国—日本模式。进口国政府与出口国政府签订长期资源贸易合约，通过长期供货合同的执行，获得稳定的资源供给，进口国同时为出口国提供贸易融资、技术协助等。③美国模式。从各国大举收购资源商品，建立规模庞大的战略储备。④新加坡模式。通过建立双边自由贸易区（FTA）保持良好的成员间经贸关系，在经济上、政治上和外交上进行利益捆绑，以获得稳定的资源来源。例如，2008年新加坡和海湾合作理事会（GCC）签订自由贸易协定，成为新加坡获取中东石油资源的有力保障。

无论哪种模式，长期的、稳定的自然资源国际经贸合作关系都是建立在进、出口双方信守承诺的基础上的。但是，国家主权降低了资源出口国做出承诺的可行度；另外，一旦自然资源商品价格不断上涨，一些国家会对已达成的资源交易毁约。资源企业国有化就是一个典型的例子。

根据国际惯例，资源所有国拥有对自然资源的所有权。在自然资源世界市场价格不断走高的情况下，各国都会加强对资源的控制，以免造成外国公司不断受益，本国却没有得到任

何好处的结果。目前，世界资源产业的企业国有化比例又开始回升。世界上很多发展中国家都是自然资源的重要出口国。在 20 世纪 50 ~ 60 年代，随着很多发展中国家政治上的独立，自然资源产业的国有化浪潮一浪高过一浪，很多私有资源企业被无偿地充公或以极低的价格有偿收购为国有。到了 20 世纪 70 ~ 80 年代，以英国和美国为首的发达国家发起了私有化运动，但是具体到资源性行业，国有比例仍然很高；当时的私有化浪潮对于大多数发展中国家影响不大。进入 21 世纪，出于国家安全的考虑，越来越多的经济体，无论是发达国家还是发展中国家，都将自然资源的控制权收归国有。法国、德国、意大利、挪威、西班牙政府对铝的控制，芬兰政府对铜的控制，法国、瑞典政府对铁的控制，德国、英国政府对煤的控制，法国、美国政府对铀的控制，挪威、英国政府对石油的控制，都是例证。发展中国家的国有企业现象就更为普遍。一些发展中国家，如巴西、马来西亚、墨西哥、OPEC 所有成员国，几乎没有对自然资源产业进行过私有化。

与此同时，在已经进行了私有化的发展中国家中，国有化则卷土重来。2003 年 10 月 30 日，俄罗斯政府下令将俄首富霍多尔科夫斯基（Khodorkovsky）的尤科斯石油公司（俄罗斯当时最大的石油公司）控股充公。2006 年，拉丁美洲一些国家对国家资源实行国有化政策。2006 年 5 月 1 日，玻利维亚总统莫拉莱斯签署最高法令，宣布对本国石油天然气资源实行国有化，并派军队控制了全国油气田。委内瑞拉查韦斯政府推行石油资源国有化的举措，则表现为大幅上调税率和石油特许权使用费率，并宣布对国内 32 个小型油田拥有所有权，将石油企业的税收由原先的 56.6% 提高到 83%。厄瓜多尔议会则在 2006 年 4 月通过了一项石油改革法案，规定外国公司必须将获得的 50% 利润交给厄瓜多尔政府。拉丁美洲国家的国有化举动，被发达国家认为是石油民族主义和西方石油公司的冲突。

虽然国际贸易合约履行越来越国际化，如借助外国法庭、国际仲裁等手段解决争端，但是，很多资源出口国对这些机制缺乏信任。WTO 通过争端解决机制来处理违约争端，在资源贸易中，WTO 的争端解决机制或许可以在国家间履行合约方面发挥更大的作用，使各国政府严格遵守资源合同中规定的义务。但是，因为 WTO 出于对一国声誉的考虑，尽量不通过处罚来强迫该国履行其义务，因此，WTO 在强制履行义务方面的作用也是有限的。

四、国际规则约束与各国国内政策存在冲突

资源市场的国际价格分布离散度较高，各国通过各种方法努力增加自然资源租金份额。在涉及资源开发和生产权分配问题上，资源分配过程中会出现效率低下、风险上升等情况，也会出现次优的开发提案。这样做会导致资源市场机制失效，同时，也会影响到资源开发和开采的长期市场。如何设定国际规则才能有效监管自然资源贸易，成为一个难题。GATT 和 WTO 对自然资源贸易以前关注甚少，随着这一领域的国际贸易和投资的不断深化，新的国际贸易规则的出台势在必行。贸易规则决定了自然资源生产国的经济政治环境，同时，也影响了各经济体对于寻找和开发新能源储备的决定。渐渐地，自然资源开发进入国际领域（如深海和极地）。当这些新的开发方案实施后，也需要建立相应的国际法律框架对各国的开发行为进行协调。但是，自然资源贸易的独特性决定了盲目地追求使用统一的国际规则将很有可能阻碍资源出口国履行其责任。由于资源的不可再生性，资源开发引发的跨期公平问题也很重要。国际贸易规则有可能损害或加强国家合理处理租金的能力，也会影响到政府如何公平地对待现有公民和未来公民的利益。WTO 的核心原则——最惠国待遇条款合理地兼

顾了公平和效率，但是仍然无法解决国际规则约束和各国国内政策的冲突问题。在现实中，很多资源进口国和出口国之间进行的都是秘密双边交易，绕过了 WTO 规则的约束。随着资源价格的不断上涨，很多进口国开始在发展中资源出口国寻求建立长期租赁资源的可能性。这种趋势会引发恶性循环，一旦通过秘密双边交易优先购买占世界资源的比重上升，现有的国际市场就会变得越加动荡、不稳定，而且有被双边市场取代的可能。

五、贸易政策与国内产业政策、竞争政策等存在冲突

在国际贸易中，贸易政策和产业政策、贸易政策和竞争政策往往都存在一定的冲突，限制生产商垄断的反垄断国际规则并不适用于资源行业。开采自然资源的租金具有独特性。资源开发商共同决定现在的开采量并不会对将来的租金产生影响，但是，现在或将来租金产生的收益会在消费者和生产商中间重新分配。资源生产国政府是租金的法定受益人，因此政府有责任分阶段合理开采资源。国际规则，如 WTO《服务贸易总协定》和《政府采购协定》提倡公开、透明。但是，如果把这些规则运用在资源行业，将会导致资源租金收入分配给本国生产商的比例降低。很多低收入国家的主要经济来源就在于其自然资源，如果政府无权影响与之相关的其他产业，也就无法缓解由于自然资源居统治地位所带来的负面影响。

总之，与资源勘探和开发紧密相关的自然资源国际贸易是国际经济活动重要的组成部分。由于自然资源的特性，新的国际贸易规则不仅仅是原来规则的延伸，还需要适应自然资源贸易的特性而重新调整和制定。

第三节　中国的应对策略

进入 21 世纪，中国正在迅速成为世界重要的资源进口国和资源出口国。作为世界重要的贸易大国，中国的资源商品进出口贸易呈现出一系列重要特点。无论是亚洲区域，还是全世界范围，资源竞争都正在不断升温。自然资源贸易的全球治理难题呼唤新的国际贸易规则。对此，中国应持有的基本战略是：一方面，积极参与新的多边贸易规则的制定，争取话语权，同时认真遵守和维护多边贸易规则；另一方面，中国贸易政策和其他国内政策的制定，都要围绕中国的国家利益进行。对战略资源的保护，关系到中国的现实和未来、中国的国家安全与国家利益，是中国自然资源贸易政策制定的底线。无论是作为资源出口大国，还是资源进口大国，中国都必须高度重视自然资源贸易的全球治理难题，并提出应对策略。

一、中国自然资源进出口贸易的基本特点

1. 中国自然资源进口贸易规模不断增大

根据 WTO 统计，2008 年中国自然资源进口值占世界份额已经上升到 8.48%，仅次于美国和日本，居世界第三位 2015 年该份额上升到 14.73%，居世界第一位。中国自然资源进口值占中国 2015 年进口总额的 21.3%。其中，能源进口值占世界份额的 10.77%，进口贸易值仅次于美国，居世界第二位；矿产品进口值占世界份额高达 27.2%，进口贸易值居世界首位。在传统资源商品中，中国进口的大类商品主要包括铁矿砂、煤炭、石油和液化气。根据中国海关统计，2009 年中国首次成为煤炭净进口国（净进口量 1.03 亿 t，净进口值 81.9 亿美元）；2009 年中国石油对外依存度突破 50%，达到 51.3%（2006 年中国石油进口

依存度为45%，2007年为47%，2008年为49%），原油年度进口规模首次突破2亿t；2009年中国铁矿砂进口量再创历史新高（进口量6.3亿t，同比增长41.6%；进口值501.4亿美元），铁矿砂对外依存度上升到70%，铁矿砂进口占全世界铁矿石进口贸易总量的50%以上；2009年中国液化气进口量也呈现大幅增长（进口量968.8万t，同比增长63%；进口值33.7亿美元，同比增长16.1%）。

2. 中国自然资源进口来源地和出口市场均高度集中⊖

从资源进口来源地来看，2009年中国自澳大利亚和巴西进口铁矿砂合计占同期中国铁矿砂进口总量的64.4%，自印度进口铁矿砂占同期中国铁矿砂进口总量的17.1%，从三国进口铁矿砂合计占中国铁矿砂进口总量的81.5%；2009年中国自东盟、澳大利亚、俄罗斯三方进口煤炭占中国煤炭进口总量的87.7%；2009年中国自沙特阿拉伯、安哥拉和伊朗三国进口原油合计占中国原油进口总量的47.7%；2009年中国自澳大利亚、东盟、伊朗和卡塔尔四方进口液化气占当年中国液化气进口总量的77.1%。

从资源出口市场看，2009年中国大陆对韩国、日本和中国台湾三个主要市场的煤炭出口量合计占同期中国煤炭出口总量的94.7%，非常集中；2009年中国对日本、印度、哈萨克斯坦和韩国的焦炭出口量占同期中国焦炭出口总量的71.1%。

3. 中国自然资源进出口贸易企业以国企为主力

2009年中国国有企业进口铁矿砂占同期中国铁矿砂进口总量的64.4%，私营企业和外商投资企业进口分别占同期中国铁矿砂进口总量的13.9%和11.2%；2009年中国煤炭进口量，国企和民营企业平分秋色，国企煤炭进口占47%，民营企业煤炭进口占46%，合计占中国煤炭进口总量的93%；2009年中国国有企业进口原油占同期中国原油进口总量的93%；2009年中国国有企业出口焦炭占同期中国焦炭出口总量的58.6%，民营企业出口占37.3%。

4. 中国经济持续增长及国内供需缺口是资源进口激增的主要原因

2009年，受国家四万亿元经济刺激计划和钢铁产业振兴规划正式实施等政策拉动，以及汽车等下游钢材用户需求增长的影响，钢铁生产迅速恢复，中国对铁矿砂需求大幅增长；中国国内铁矿砂供给能力有限，缺口部分严重依赖进口弥补。中国国内煤炭供应相对紧张和国内煤价上涨是刺激2009年中国煤炭进口激增的主要原因；国内煤、电双方出现的严重价格分歧，也使得电企大量转向国际市场进口煤炭。工业化进程拉动工业用油增长，当前工业石油消费量占中国总消费量的41%，城镇化进程的加快也促进了石油及其相关下游产品的需求；汽车产业加速发展不断带动车用油快速增长。国内液化气消费增长迅速，供需缺口加大，是进口增长的主要原因。

值得一提的是，在中国自然资源进口贸易激增的背后，有一个不容忽视的现象：资源加工业的盲目扩张也是造成资源产品大量进口的诱因。目前，中国国内矿产品加工能力远远大于国内矿产资源原料供给能力，从而造成严重依赖进口。自2001年以来，中国已成为铜、铝、铅的净进口国，同时成为电解铜、电解铝和电解铅的净出口国。生产电解铜、电解铝和电解铅等的国内矿产品加工企业属于高能耗、高污染企业，并且大多是从事加工贸易的，进口国外资源原料，在国内进行加工，把污染度高、能耗高的加工环节留在中国国内，加工原料后再出口成品到国外，属于附加值低的落后产能。产能盲目扩张，其速度超过了外部条件

⊖ 以下数据来自中国海关统计。

的支撑能力，加剧了国内电力供应和煤炭供应的紧张状况，加剧了环境污染，急需进行必要的产业结构调整。

5. 中国自然资源进口贸易的国际议价能力有待提高

作为自然资源的进口大国，在进口价格谈判中，中国的国际议价能力有待提高。中国石油进口始终面临"亚洲溢价"问题。所谓"亚洲溢价"，即中东一些石油输出国在出口原油时，针对不同的地区采取不同的价格计算公式，从而造成亚洲国家从这一地区购入原油时，每桶要比欧美国家多付出几美元的差价。"亚洲溢价"现象不仅存在于石油贸易中，也存在于其他能源产品贸易中，这严重损害了中国等亚洲经济体的经济利益，削弱了亚洲经济体的经济竞争力。亚洲石油定价机制的缺失是导致"亚洲溢价"的直接原因，而亚洲对中东地区原油的依赖和亚洲能源消费国之间的竞争是导致"亚洲溢价"不断加大的深层次原因。

自2002年以来，国际铁矿石贸易迅速升温，价格也不断上涨。随着中国进口铁矿石规模的不断扩大，中国也遭遇了进口铁矿石价格的不断攀升。2009年中国进口铁矿石价格上涨到100美元/t，铁矿石大幅涨价已成为中国钢铁企业难以承受之痛。中国钢铁企业参与国际进口铁矿石谈判的主动性不够、经验不足，中国钢铁产业企业集中度偏低，从事进口铁矿石的贸易商与钢铁企业之间存在利益冲突等，是造成中国钢铁企业一直缺乏进口铁矿石价格谈判话语权的原因。但是，更主要的原因是国际铁矿石贸易被大型跨国公司垄断。澳大利亚"两拓"——必和必拓（BHP）和力拓（Rio Tinto）公司与巴西淡水河谷三大铁矿石供应商垄断了全球70%以上的铁矿石出口，铁矿石国际卡特尔已经完全形成了典型的寡头垄断局面，买卖双方谈判能力悬殊。由于中国铁矿石的需求持续迅猛增长，也导致现货价格稳步走高，进一步导致中国铁矿石谈判筹码减少。

6. 中国自然资源出口价格低、出口秩序混乱

20世纪80年代中期以前，资源型初级产品在中国出口产品中占主导地位，其中，石油、黑色金属、有色金属、电力、煤炭等资源一直是中国最主要的外汇收入来源。但是，当出口创汇压力下降，中国资源出口规模仍然不断扩张。部分原因是在中国经济快速发展过程中，一些地方政府为了追求地方经济增长和提高政绩，默许甚至鼓励多开矿，矿产资源被一些企业滥采乱挖、疯狂出口，大量中国资源低价贱卖到国际市场，并由此产生了导致中国资源储量消耗过快的恶劣后果。根据中国有色工业金属协会的数据统计，按现在的开采速度预计，中国的钼仅供开采16年，锌仅供开采10年，锑仅供开采4年。钨矿曾是中国的优势出口矿产，20世纪80年代以来，由于国内企业竞相低价出口，不仅使国际市场钨矿价格一直处于谷底，也使中国钨矿资源迅速枯竭，目前剩下不到200万t，还可开采20年左右。中国的稀土资源出口也曾面临同样的情况。中国稀土的储量占全球的57%，产量占全球的75%，中国稀土出口贸易却占到全世界出口稀土总量的95%。经过多年的无序竞争和价格战之后，稀土出口平均价格却一落再落。按照目前的消耗速度，世界上最大的稀土矿之一包头白云鄂博矿藏将在30年内消失，有"世界钨都"之称的江西赣州稀土资源矿将在20年内开采殆尽。稀有金属资源开采总量失控、开采秩序混乱、开采过剩使储量逐年大幅减少，也导致低价出口盛行。

7. 中国自然资源进出口遭遇多起贸易摩擦

随着中国在世界贸易中的地位不断上升，贸易摩擦随之增多，资源进出口也遭遇多起贸易摩擦。1999年欧盟对从中国进口的焦炭实施反倾销措施，对自中国进口焦炭征收32.6欧元/t 的反倾销税。2004 年 3 月该案临时中止但并未撤销。作为全球焦炭的最大生产国和出口国，中国政府为了保证国内冶金行业的需要，加大了对中国资源性商品的出口总量控制。对此，欧盟认为中国焦炭出口限制的政策，影响了欧盟钢铁企业的正常原材料供应，2004 年 5 月，欧盟要求中国取消对焦炭出口的控制，并要求将中国国内销售价格作为出口价格的标尺。当市场不景气时，欧盟对自中国进口的焦炭采取反倾销措施；当欧盟内相关产品供不应求时，欧盟又要求中国取消焦炭出口控制措施。欧盟针对同一产品适用双重标准的做法有失公允。2007 年 9 月 19 日，欧盟对原产于中国的直径超过 80mm 的块状焦炭做出反倾销初裁，征税期为自 2007 年 9 月 19 日起的 6 个月。印度财政部 2004 年 1 月 21 日开始对中国焦炭征收反倾销税。2009 年 1 月 20 日该案期满，终止征收反倾销税。2005 年 3 月 23 日，美国国际贸易委员会对中国金属镁反倾销案做出终裁，判定中国出口的金属镁给美国内产业造成损害，反倾销税税率达 141.49%。2009 年 12 月 16 日，巴西外贸委员通过第 79 号决议，决定对中国产金属镁继续征收反倾销税，有效期为 5 年。

2006 年 1 月 3 日，美国商务部对原产于中国的金属硅进行反倾销日落复审立案调查。2006 年 5 月 4 日，美国商务部做出终裁，中国的普遍税率为 139.49%。2006 年 11 月 15 日，美国国际贸易委员会对本案的产业损害做出肯定性终裁，认为取消对原产于中国的金属硅的反倾销措施将导致在合理的、可预见的时期内损害继续或再度发生。根据美国国际贸易委员会的肯定性损害裁决和美国商务部的终裁结果，美国将继续对原产于中国的金属硅征收 139.49% 的反倾销税，自 2006 年 12 月 21 日起实施，征税期为 5 年。2010 年 1 月 6 日，美商务部做出对华金属硅反倾销行政复审案的终裁。

从贸易摩擦的类型看，过去大多数摩擦集中在对中国出口产品的反倾销税征收上，而 2009 年的"美欧墨诉中国原材料出口限制案"，贸易摩擦的类型开始发生根本的转变。2009 年 6 月 23 日，美国和欧盟两方同时向 WTO 争端解决机构提出正式请求，与中国就限制原材料出口问题进行磋商。美国诉中国限制原材料出口案成为奥巴马就任美国总统后美国向 WTO 起诉中国的首起贸易争端案件。2009 年 8 月 21 日，墨西哥以相同理由提请 WTO 与中国就原材料出口限制正式磋商。2009 年 11 月 19 日，美、欧、墨三方第一次向 WTO 提出成立专家组请求，中国提出反对；2009 年 12 月 21 日，应美、欧、墨的第二次请求，WTO 决定成立专家组，调查美国、欧盟和墨西哥三方指控中国限制原材料出口一案。美、欧、墨三方指责中国的理由是中国对用于钢铁、铝和化工产品生产的铝矾土、焦炭、氟石、镁、锰、碳化硅、金属硅、黄磷和锌 9 种原材料进行出口限制，推高了国际市场原材料价格，损害了国外下游厂商（如铝制品生产商和钢铁厂商）的利益，并使得以较低成本获得上述原材料的中国相关企业在国际竞争中获得了"不公平优势"。除了美国、欧盟、墨西哥三方外，阿根廷等 13 个经济体也宣布保留作为第三方参与此争端解决案的权利。2009 年美、欧、墨诉中国原材料出口限制案，只不过是国际自然资源贸易摩擦的冰山一角。

二、中国资源出口政策取向

资源短缺正在成为影响中国经济可持续发展的重大障碍。中国的人均自然资源占有量十分匮乏，45 种主要资源的人均占有量不足世界平均水平的一半。中国国土资源部报告称，在中国现代化所需要的矿产资源里，到 2020 年，45 种主要矿产能保证需求的只有 6 种。考虑到中国的当前形势，不仅要进行产业转型升级和产业结构调整，进一步提高全国出口资源产品的附加值和竞争力，还要从根源上保护自然资源。因此，国家对资源进行有效的出口管理非常必要。

根据国家限制高污染、高能耗、资源性产品出口的指导方针，中国政府已经出台了一系列的政策措施，保护国内自然资源，适度限制资源出口。这些具体措施包括调低或取消部分资源产品出口退税率，对部分资源产品开征或加征出口关税，对部分资源产品采取出口配额和出口许可证加以管理，禁止外资企业进入战略性资源领域等，并且已经初见成效。2009年中国焦炭出口量锐减，出口焦炭54.4万t，同比下降95.5%，出口值2亿美元，同比下降96.6%。焦炭是重要的工业原料，属于全球性稀缺资源，各国均对其施行较为严格的出口管理。为抑制焦炭出口过快增长，保证焦炭资源的国内需求，同时落实国家节能减排计划，近年来中国政府已多次出台政策对焦炭出口进行控制。例如，2004年年底中国取消了焦炭出口退税政策，2006年年底开始对焦炭开征5%的出口关税，此后经过多次的出口关税上调，至2008年8月20日，焦炭出口暂定税率由25%进一步提高至40%。同时，我国还实行出口配额制度，从而进一步限制了焦炭出口。2008年8月20日，我国开始对烟煤等能源产品征收10%的出口暂定关税，同时进行了煤炭出口配额管理，2009年中国煤炭出口增长势头得到有效遏制。2009年中国出口煤炭2240万t，同比下降50.7%；出口值23.8亿美元，同比下降54.7%；出口平均价格为106.1美元/t，同比下降8.1%。

加强对高能耗、高污染产品的出口约束，实现由出口原料到出口高技术含量、高附加值产品的转变，严控战略资源出口，应成为中国制定资源出口贸易政策的基调。根据WTO规定的国民待遇原则，对国内企业和外国企业做到一视同仁，可以对战略性不可再生资源适当实行国家专营和指定收购，必要时可有步骤地封存部分矿藏。

三、中国资源进口政策取向

中国资源进口来源地集中度高、资源对外依存度大等特征带来巨大关联经济风险，因此，中国应本着资源供需双方利益共享、风险共担、共同发展等基本原则，积极扩大资源外交，使资源进口多元化，进一步扩大利用境外资源规模，增加战略性资源进口，适当发挥巨额外汇储备的作用，并且适当降低贸易顺差。

1. 通过降低进口贸易壁垒保障资源国际供给稳定

目前，中国资源性产品最惠国税率的简单平均关税率为7.4%，进口免税比例为58.0%，还有政策调整空间。中国可以通过进一步下调资源商品的进口关税，加大免征进口税的资源商品比例，对资源商品进口免征进口环节增值税等措施降低进口贸易壁垒，保障国际资源稳定进口。

2. 通过资源导向对外直接投资保障资源国际供给稳定

中国应加快收购海外资源资产及资源开发步伐，通过鼓励企业对外直接投资资源性产业，通过持股、并购等方式参与资源出口国的资源勘探开发及基础设施建设。政府对中国企业海外勘查、开发自然资源进行统一协调，简化和明晰中国企业对外直接投资的程序和标准，对到海外进行资源投资的中国企业做好相关的规划和服务工作，防止出现"政出多门"的低效行为，并且尽量避免在海外资源开发过程中的内部竞争。

3. 通过签订双边政府协议保障资源国际供给稳定

中国可以通过与资源出口国政府签订双边政府协议，通过对资源出口国提供优惠贷款等融资支持，换取资源出口国的资源供应。2009 年，中国分别与俄罗斯、巴西、委内瑞拉、哈萨克斯坦、土库曼斯坦等国签订总计 600 多亿美元的贷款换石油协议，每年可获得约 7500 万 t 进口原油保障。作为拓展能源供应协议的一部分，中国开发银行将向这些国家的石油公司提供优惠贷款，这些国家则同意增加对中国的原油出口量，稳定中国的资源供给。

4. 通过进口合作来源地多元化保障资源国际供给稳定

目前，中国的资源进口来源地高度集中在亚太地区，应加快开拓新的资源进口渠道，包括从俄罗斯、哈萨克斯坦、土库曼斯坦以及非洲和拉丁美洲进口资源产品。中国资源企业可以通过在这些国家和地区以竞标、并购、参股等方式获得资源开发权，并积极参与工程技术服务，以获得稳定的进口资源。

5. 不断加强自然资源进口议价能力

中国企业要主动出击，在充分研究国际市场的前提下，联合其他进口国共同参与价格谈判，以增加谈判砝码。例如，联合其他亚洲国家，建立亚洲的石油、矿产品定价机制，争夺国际资源定价话语权。在对外谈判中，中国企业要进行必要的利益协调，一致对外。

四、协调中国的贸易政策、产业政策和竞争政策

中国的资源进出口贸易政策要与自然资源产业政策和相关国内竞争政策进行有效协调。政府应重视矿业和加工制造业的行业区别，结合矿业投资高风险、回报周期长的行业特点，完善适合自然资源特点的产业政策，出台稳定的、操作性强的措施，建立完善公益性质的资源信息披露制度。制定并实施统一的国家自然资源政策，协调各部委、各部门在自然资源勘查开发和生产领域的管理行为，强化国家对自然资源的统一集中管理。政府应通过竞争政策抑制地方保护主义，通过税收政策调整、平衡地方局部利益、短期利益与国家整体利益、长期利益。对无证开采、待证乱采、采富（矿）弃贫（矿）等现象加以治理。政府要对探矿权和采矿权根据国际惯例加以引导和规范，解决探矿权和采矿权的两权分割问题，确保探矿权到采矿权的顺利过渡。在产业政策和竞争政策配套的基础上，还要注意进口政策和出口政策的协调，制定相对稳定的统一的自然资源进出口政策，既充分发挥国内资源效益，又很好地利用国际资源，并切实保护好我国的战略资源。

五、合理利用多边贸易规则，妥善处理自然资源贸易摩擦

回到 2009 年的"美欧墨诉中国原材料出口限制案"，中方为维护经济发展和环境保护的目的所采取的出口限制政策和措施，基本是符合 WTO 贸易规则的。关于出口限制，GATT1994 第 11 条规定，原则上 WTO 成员应取消对出口产品的数量限制。但是，GATT1994 第 20 条也专门列出了关于出口限制的例外条款：出于国家安全的要求、出于保护环境的需要、出于保护不可再生资源的需要，WTO 成员可以采取出口配额或采取出口许可证进行出口限制。

在国际贸易实践中，很多 WTO 成员都采取了限制资源出口的措施。美国是出口管制政策最完善的国家。1979 年，美国正式通过《出口管理法案》（The Export Administration Act of 1979），赋予美国商务部进行出口管制的权力。美国商务部为此制定了专门的《美国出口管制条例》（Export Administration Regulations，EAR），并下设产业安全局（The Bureau of Industry and Security，BIS）对战略资源实施严格的出口管制。在美国商务部出口管制清单上的五大类产品中，第三类原材料赫然在目。20 世纪 70 年代，为保证国内核原料供给，加拿

大政府拒绝向欧共体出口铀。加拿大早在1947年就颁布了《出口与进口许可法案》(Export and Import Permits Act，EIPA)，通过出口管制保护战略资源的供给安全。印度尼西亚2009年3月实施的2009年第1号贸易部长条例规定，基于天然资源的出口产品以及矿物出口必须使用信用证出口，以保护印度尼西亚的天然资源。俄罗斯从2009年5月1日起将石油出口税调高到138美元/t，上调幅度高达约25%。2009年，澳大利亚外国投资监管机构为限制中国对外直接投资，拒绝了中国有色矿业以4.7亿澳元（合3.935亿美元）投资澳大利亚稀土矿项目的申请。

资源出口限制并非中国独有的做法，无论是国际规则还是各国实践，均有先例可循。中国在遵守多边贸易规则的同时，更要学会利用WTO多边争端解决机制捍卫自身的合法权益。对于自然资源贸易摩擦，中国应理性、客观地看待和处理。资源贸易摩擦的实质是经济利益冲突，而有理有节地维护中国国家利益永远是第一位的。

复习思考题

1. 自然资源贸易的内涵是什么？
2. 试分析自然资源的地理分布。
3. 国际自然资源贸易与普通商品贸易相比有什么特点？
4. 你对中国如何应对自然资源治理难题有什么看法？

参 考 文 献

[1] 樊瑛，樊慧. 自然资源贸易：全球治理难题 [J]. 国际贸易，2010 (3).
[2] 樊瑛，樊慧. 自然资源贸易：中国应对之道 [J]. 国际贸易，2010 (5).
[3] 刘珉，刘晖. 自然资源贸易与贸易摩擦 [J]. 物流科技，2013 (3).
[4] 马风涛，段治平. 国际资源贸易理论与政策的研究述评 [J]. 山东科技大学学报：社会科学版，2013 (4).
[5] 冯军. WTO自然资源贸易与中国自然资源贸易规则构建——中美欧墨资源出口限制争端的启示 [J]. 世界经济研究，2011 (11).
[6] 杨江明. WTO关注中国自然资源贸易 [N]. 中国贸易报，2010-07-29.
[7] 邵学峰，邵华璐，何彬. 不同所有制下自然资源开发利用收益比较分析 [J]. 管理世界，2016 (6).
[8] 万建香，汪寿阳. 社会资本与技术创新能否打破"资源诅咒"——基于面板门槛效应的研究 [J]. 经济研究，2016，51 (12).

第十四章

低碳经济问题

本章学习目标

1. 了解低碳经济的内涵、发展历程及其在世界各国的发展情况。
2. 理解低碳经济对世界经济的影响。

◆【导入案例】

特朗普宣布美国将退出《巴黎协定》

2017年6月1日，美国总统特朗普在白宫宣布，美国将退出应对全球气候变化的《巴黎协定》。

特朗普称，《巴黎协定》让美国处于不利位置，而让其他国家受益。美国将重新开启谈判，寻求达成一份对美国公平的协议。

美国前总统奥巴马当天在一份声明中批评说，美国"加入了少数拒绝未来的国家行列"。

特朗普曾称气候变化是骗局，并在选举期间威胁要退出《巴黎协定》。他就任以来要求评估修改奥巴马政府制定的旨在减少发电厂碳排放的《清洁电力计划》。特朗普政府提出的2018财年联邦政府预算也提议停止向一些联合国应对气候变化项目拨款，并大幅削减美国环保局的预算。

特朗普政府在气候问题上的立场遭到国际社会广泛批评。

联合国秘书长古特雷斯1日通过发言人发表声明说："美国宣布退出《巴黎协定》对全世界减少温室气体排放、促进全球安全的努力来说是一件令人极其失望的事。"

联合国秘书长发言人迪雅里克当天在纽约联合国总部宣读了声明。声明说，2015年，世界各国达成《巴黎协定》，因为大家认识到气候变化已经带来极大危害，对气候变化采取行动将带来巨大机会。《巴黎协定》为所有国家提供了一个有意义且灵活的行动框架，《巴黎协定》中描绘的转型已经开始了。

声明说，古特雷斯相信美国的城市、各州和企业界将与其他国家一道，继续展现远见和领导力，努力实现低碳、适应性强的经济增长，为21世纪的繁荣创造高质量的就业和市场。美国继续在环境事务上发挥领导作用非常重要。古特雷斯期待与美国政府以及美国和全球各方共同努力，构建子孙后代可依赖的可持续的未来。

（资料来源：http://news.ifeng.com/a/20170601/51190965_0.shtml。）

伴随着生物质能、风能、太阳能、水能、地热能、化石能、核能等的开发和利用，人类社会逐步从原始社会的农业文明走向现代化的工业文明。然而，随着全球人口数量的上升和经济规模的不断增长，化石能源等常规能源的使用造成的环境问题及后果不断为人们所认识。废气污染、光化学烟雾、水污染和酸雨等的危害，以及大气中二氧化碳浓度升高带来的全球气候变化，已被确认为是人类破坏自然环境、不健康的生产生活方式和常规能源的利用所带来的严重后果。因此，如何在保障化石能源供应的前提下，提高能源的利用效率，降低能源消耗过程中碳的排放，并且开发利用新型能源，已成为世界各国政府所面临的一个重要课题。

第一节 低碳经济的界定及发展历程

一、低碳经济

（一）低碳经济的概念及其内涵[一]

"低碳经济"这一概念最初只是为服务于能源发展的需求而塑造的。在2000年以前，能源问题处于关键地位，低碳经济仅仅作为一种解决能源问题的方案，在一个比较狭小的能源研究的学术圈子内进行探讨。目前能够找到的关于低碳经济的较早的文献主要是一些战略报告和会议论文集。能源战略专家Gareth Thomas和Boyle（2001）在其《能源十字路口：低碳经济政策》一书中就已经指出为了应对气候变化的环境挑战，需要走低碳的、逐步脱离化石能源的道路，要求政治家采取更加积极的能源政策。当时所有的能源经济学家、能源战略专家和能源技术专家只是认为采取一些能源技术措施就足以应对气候变化问题，根本没有想到低碳经济的发展会引起全球经济体系的重构与变革。但是发展到今天，低碳经济已经被普遍认为是人类社会能够同时应对气候变化危机并保持经济可持续发展的几乎唯一的路径。

"低碳经济"最早见诸政府文件是在2003年2月24日，英国首相布莱尔颁发能源白皮书《我们能源的未来：创建低碳经济》，率先倡导低碳经济，并且首先以官方文件的形式论证了发展低碳经济的必要性和重要价值。但是，以英国为首的世界各国尽管提出了低碳经济概念，却没有给出明确的界定。对于低碳经济是一种经济形态还是一种发展模式，或是二者兼而有之，尚未达成共识，也没有形成比较成熟的理论体系。

目前，在国际气候制度和气候变化的学术研究中，对"低碳排放"的理解有不同的角度：①基于国际公平原则，从国家总量上承担减排义务，因此，低碳排放应当是一国排放总量的绝对减少；②基于人际公平原则，认为碳排放是国家或个人实现人文发展的基本权利之一，主张降低发达国家的奢侈浪费碳排放，保障发展中国家满足基本需求的碳排放；③基于资源投入与产出的成本效益原则，将碳作为一种隐含在能源和物质产品中的要素投入，衡量一个经济体消耗单位碳资源所带来的相应产出，即如果温室气体排放量的增加小于经济产出的增量，则可称为低碳排放。

碳生产力是每单位碳当量的排放所产出的GDP总量。碳生产力是单位GDP产出碳排放的倒数，一般可以用来衡量一个经济体的效率水平。由于碳生产力取决于人均碳排放与人均GDP两个指标，所以，收入水平的高低和碳生产力的大小并没有直接联系。根据世界资源

[一] 潘家华，等：《低碳经济的概念辨识及核心要素分析》，国际经济评论，2010年第4期。

研究所的数据，2005年发达国家中碳生产力水平最高的是挪威，为5656美元/t（二氧化碳），美国为2104美元/t；发展中国家中印度为1998美元/t，中国为956美元/t。值得注意的是，一些非常贫穷的小国，如乍得的碳生产力达到107527美元/t，为全球最高；阿富汗和马里分别排在世界第二和第三位。可见，作为衡量低碳经济发展状态的指标之一，碳生产力指标比较适合经济发展水平（或人文发展水平）比较接近的国家之间进行比较。此外，碳生产力指标无法考量一个国家（经济体）的人文发展水平以及奢侈排放情况。

由于所处的发展阶段不同，各国的碳排放具有阶段性特征。这种阶段性特征可以用脱钩指标（碳排放增长速度和GDP增长率的比值）来表示。由于低碳经济的目标是低碳高增长，因此，脱钩指标主要考察的是在经济增长为正值的前提下，碳排放增长速度相对于经济增长速度的下降程度。对于发达国家来说，向低碳经济转型的目标是绝对的脱钩，在经济增长的前提下，碳排放的绝对量下降。对于发展中国家来说，向低碳经济转型的一条理想轨迹是在经济增长速度为正值的前提下，碳排放弹性不断降低。

可见，低碳经济是指碳生产力和人文发展均达到一定水平的一种经济形态，旨在实现控制温室气体排放的全球共同愿景（Global Shared Vision）。碳生产力的提高意味着用更少的物质和能源消耗产生出更多的社会财富。人文发展（Human Development）意味着在经济能力、健康、教育、生态保护、社会公平等人文尺度（Human Dimensions）上实现经济发展和社会进步。这一概念的特点在于：一方面对人文发展施加了碳排放的约束；另一方面强调碳排放约束不能损害人文发展目标。其解决途径便是通过技术进步和节能等手段提高碳生产力。

因此，低碳并不是目的，而是手段，重要的是保障人文发展目标的实现。在农业社会，社会生产力并不高，几乎没有化石能源的消费和碳排放，单位碳排放的经济产出却可能非常高。但由于社会发展水平整体低下，显然不是人类社会发展进程中所寻求的低碳经济。工业化进程消耗了大量化石能源，排放了大量温室气体，虽然积累了大量的物质财富，但对人类的长远未来可能带来灾难性的后果，也不是人们所追求的目标。低碳经济是以减少温室气体排放为目标，构筑以低能耗、低污染为基础的经济发展体系，是人类社会继农业文明、工业文明之后的又一次重大进步。其实质是能源高效利用、清洁能源开发、追求绿色GDP；核心是能源技术和减排技术创新、产业结构和制度创新以及人类生存发展观念的根本性转变。低碳经济涉及广泛的产业领域和管理领域，是一场涉及生产模式、生产方式、价值观念和国家权益的全球性革命。

在低碳经济问题上，需要澄清一些认识上的误区：①低碳不等于贫困，贫困不是低碳经济，低碳经济的目标是低碳高增长；②发展低碳经济不会限制高能耗产业的引进和发展，只要这些产业的技术水平领先，就符合低碳经济发展需求；③低碳经济不一定成本很高，减少温室气体排放甚至会帮助节省成本，并且不需要很高的技术，但需要克服一些政策上的障碍；④低碳经济并不是未来才需要做的事情，而应该从现在做起；⑤发展低碳经济是关乎每个人的事情，应对全球变暖，关乎地球上每个国家和地区，关乎每一个人。

（二）低碳经济的核心要素⊖

向低碳经济转型的低碳化进程，具有两个方面的含义：一是能源消费的碳排放比重不断下降，即能源结构的清洁化。这取决于资源禀赋，也取决于资金和技术能力。二是单位产出

⊖ 潘家华，等：《低碳经济的概念辨识及核心要素分析》，国际经济评论，2010年第4期。

所需要的能源消耗不断下降，即能源利用效率不断提高。从社会经济发展的长期趋势来看，由于技术进步、能源结构优化和采取节能措施，碳生产力也在不断提高。因此，低碳化进程也就是碳生产力不断提高的过程。但是，碳生产力高并不表明必然是一种低碳经济。这是因为，奢侈和浪费性的消费完全可以抵消碳生产力的改进，使得社会总排放居高不下。一个明显的例子是，发达国家的碳生产力远高于发展中国家，但其排放水平也数倍于发展中国家的人均水平。

因此，低碳经济应该包涵四个核心要素：资源禀赋、技术进步、消费模式和经济发展阶段。

1. 资源禀赋

资源禀赋是实现低碳经济的物质基础。资源禀赋涉及广泛的内容，包括矿产资源、可再生能源、土地资源、劳动力资源以及资金和技术资源等，这些都是发展低碳经济的重要投入要素。除了人们熟知的能源资源和碳汇之外，还应当包括能够调节大气和水文循环、影响人居环境的气候资源和生态资源。自然地理条件是否宜居，会影响到居民衣食住行及社会经济对能源的依赖程度。可见，低碳资源丰富，对低碳发展具有非常积极的促进作用。

2. 技术进步

技术进步因素对低碳经济的影响至关重要。技术进步能够从不同角度推动低碳化的进程，包括能源效率、低碳技术发展水平（如碳捕获技术等）、管理效率、能源结构等。一般所说的低碳技术主要针对电力、交通、建筑、冶金、化工、石化、汽车等重点能耗部门，既包括对现有技术的应用、近期可商业化的技术，也包括远期可能应用的技术。例如，从现阶段来看，能源部门的低碳技术涉及节能、煤的清洁高效利用、油气资源和煤层气的勘探开发、可再生能源及新能源利用技术、二氧化碳捕获与埋存等领域的减排新技术。技术进步是应对气候变化和低碳转型的核心内容。

3. 消费模式

一切社会经济活动最终都要体现为现实或未来的消费活动，因而一切能源消耗及其排放根本上都受到全社会各种消费活动的驱动。随着经济发展，人们的消费欲望与需求不断增加，厂家也千方百计满足人们的各种消费需求，提供各种便利。20世纪70年代，一个典型英国家庭只有15种家用电器，而到了2006年，拥有的家用电器多达51种。

研究表明，由于发展水平、自然条件、生活方式等多方面的差异，不同国家居民消费产生的能源消耗和碳排放具有较大差异。实际上，消费排放除了受到自然气候条件、人均收入水平、文化习俗、资源禀赋的影响之外，消费模式和行为习惯对消费排放的影响不可小觑。例如，美国和欧盟国家人均GDP均超过了3万美元，在消费排放上却存在较大差距。以家庭部门的交通排放为例，由于对私人汽车的依赖，美国家庭人均出行碳排放约4t，是其他国家的2倍。美国每千人机动车保有量居全球第一，高于人均GDP水平相当的欧盟国家和日本。此外，全球化导致的生产与消费活动的分离，使得一国真实的消费排放被国际贸易中的转移排放问题所掩盖。假定各国碳排放强度相同，则一国消费的对外依赖度越高，消费导致的碳排放也越多。因此，从消费角度而非生产角度探讨一国国民实际消费导致的碳排放，有助于采取更加公平的视角，从源头上推动低碳发展。

4. 经济发展阶段

经济发展到一定程度，社会财富的累积效应能够在两个方面促进低碳经济的发展：一是知识和技术的积累带来的低碳技术进步；二是对经济资本存量累积的需要大大减小，可以将较多的能源消耗用于服务业，提升国民的消费水平。尽管各国碳排放的驱动因素有所差异，但是就发展阶段而言，不外乎是由消费和生产两种因素决定的。简言之，发达国家主要是后工业化时代的消费型社会所带动的碳排放，而发展中国家主要是生产投资和基础设施投入带动的资本存量累积的碳排放。例如，英国、美国、德国等发达国家的经济存量比较大，数百年经济增长所带来的物质存量（表现为店堂馆所、堤坝、公路、房屋等一些公共设施）仍然被现在的民众所享用。因此，这些国家能够以 2% 左右的经济年均增长率，维持国民较高的生活消费水平。其原因就在于，其国民财富的增长中用于存量投资的部分很少，大部分的能源投入都用于服务业和居民消费领域。但是如中国这样的发展中国家，正处于经济发展的存量积累阶段，经济持续高增长是为了弥补基础设施等资本存量的不足，只有在实物资本存量累积到一定程度后，人文发展水平才能随之提升。而在此之前，维持经济快速增长的资源和能源消耗都难以在短时间内得以降低。

因此，经济发展阶段是一个国家向低碳经济转型的起点和背景。发达国家已经实现了高人文发展的目标，而发展中国家必须实现低碳转型和人文发展的双重目标，这必将增加发展中国家实现低碳转型的难度。目前，欧盟国家由于人口增长缓慢，加之采取了积极的措施进行减排，碳排放略呈下降趋势；美国、澳大利亚、加拿大等国的人口和经济仍处在增长，经济对外扩张趋势较为明显，碳排放还在持续增加；发展中国家人口增长较快，基本需求仍未满足，未来碳排放必然要继续增长。研究发现，人均温室气体排放与人均 GDP 之间存在近似倒 "U" 形的曲线关系，包括中国在内的广大发展中国家正处于这一曲线的爬坡阶段。由于处于不同的历史阶段，各国在走向低碳经济时所面临的问题也有所不同，相应的政策措施、路径选择和减排成本也会有所不同。

二、低碳经济的发展历程

全球气候变化深刻影响着人类的生存和发展，是各国共同面临的重大挑战。自 20 世纪 70 年代以来，从斯德哥尔摩到里约热内卢，从京都到巴厘岛，全球气候谈判的漫漫征程从未一帆风顺。但是，随着世界各国不断加深认知、不断凝聚共识、不断应对挑战，世界各国为保护全球环境、应对气候变化所做出的共同努力还是取得了卓越的成就。

20 世纪 70 年代，各大工业化国家过度的污染给社会和民众造成巨大损害，环境保护开始引起关注。

1972 年，联合国气候大会通过里程碑式的文件——《斯德哥尔摩宣言》，标志着环境问题正式提上了国际社会的议事日程。当时环境问题的讨论还主要是发达国家参与，发展中国家的工业化道路大都还没有开始。

1992 年，在巴西里约热内卢召开的联合国环境与发展大会上，通过了历史性文件《联合国气候变化框架公约》，确认了发达国家和发展中国家在应对气候变化中 "共同但有区别的责任原则"。在这次谈判中，中国加入《联合国气候变化框架公约》，标志着中国正式踏上了国际气候谈判的征程。

1997 年 12 月，149 个国家和地区的代表在日本京都通过了旨在限制发达国家温室气体排放量以抑制全球变暖的《京都议定书》。这是人类历史上首次以法规的形式限制温室气体排放。《京都议定书》于 2005 年开始生效。

2002 年,《联合国气候变化框架公约》第八次缔约方大会部长级会议通过了《德里宣言》,敦促发达国家履行《联合国气候变化框架公约》所规定的义务,在技术转让和提高应对气候变化能力方面为发展中国家提供有效的帮助。同时,宣言的一个基本观点是在可持续发展的框架下解决气候变化问题。这可以说是发展中国家气候外交的一大胜利,它承认发展经济和消除贫困是发展中国家的首要任务,为发展中国家逐步参与减排进程争取了时间。

2003 年,"低碳经济"最早见诸政府文件——英国能源白皮书《我们能源的未来:创建低碳经济》。作为第一次工业革命的先驱和资源并不丰富的岛国,英国充分意识到了能源安全的重要性和气候变化的威胁。它提出,新的能源政策将确保能以正确和可持续发展的方式实现能源、环境和经济增长的一体化,并从能源出口国逐步转为能源净进口国。同时,它为自己制定约在 2050 年之前将英国的二氧化碳排放量减少 60% 左右的目标,并在 2020 年之前取得切实的进展。

2006 年,前世界银行首席经济学家尼古拉斯·斯特恩(Nicholas Stern)牵头做出《斯特恩报告》,指出气候变化的原因及后果都是全球性的,只有采取国际集体行动,才能在所需规模上做出有实效的、有效率的和公平的回应;全球以每年 1% 的 GDP 投入,可以避免将来每年 5%~20% 的 GDP 损失,呼吁全球向低碳经济转型。

2007 年,联合国气候变化大会制定了世人关注的应对气候变化的"巴厘岛路线图"。该"路线图"强调国际合作,把美国纳入了履行减排责任的发达国家的范围中,还强调了另外三个在以往国际谈判中受到不同程度忽视的问题:适应气候变化问题、技术开发和转让问题以及资金问题。"巴厘岛路线图"为 2009 年前应对气候变化谈判的关键议题确立了明确议程,要求发达国家在 2020 年前将温室气体减排 25%~40%。同时,美国在该次会议上戏剧性地让步,加入解决气候变化的队伍。虽然该次会议由于各国争议很大而导致持续时间较长,但是"巴厘岛路线图"的制定为全球进一步迈向低碳经济起到积极的作用,具有里程碑的意义。

2008 年 7 月,G8 峰会上八国表示将寻求与《联合国气候变化框架公约》的其他签约方共同达成到 2050 年把全球温室气体排放减少 50% 的长期目标。峰会上所达成的长期减排目标堪称一个不小的成果。此目标的确立是基于联合国政府间气候专门委员会专业评估报告中的技术要求推算出的结果,世界各国对长期目标的共识虽然是第一步,但也是最重要的一步。

2009 年 12 月 7 日起,192 个国家的环境部长和其他官员在丹麦哥本哈根召开联合国气候会议,该会议被称为"拯救人类的最后一次会议"。经过马拉松式的艰难谈判,大会分别以《联合国气候变化框架公约》及《京都议定书》缔约方大会决定的形式发表了不具法律约束力的《哥本哈根协议》。《哥本哈根协议》维护了《联合国气候变化框架公约》及《京都议定书》确立的"共同但有区别的责任"原则,就发达国家实行强制减排和发展中国家采取自主减缓行动做出了安排,并就全球长期目标、资金和技术支持、透明度等焦点问题达成了广泛共识。发达国家和发展中国家在减排责任、资金支持和监督机制等议题上分歧严重。大会授权《联合国气候变化框架公约》及《京都议定书》两个工作组继续进行谈判,并在 2010 年年底完成工作。对于这次意义非凡的会议,各国给予的评价却大相径庭。来自美国等协议直接参与者对该协议以及会议本身给出了积极的评价,欧盟则表示相当失望,另有部分发展中国家更是对《哥本哈根协议》很不满意。不能否认,以一个无力的协议结束长达两年的谈判,会议本身是失败的。

2012年11月,联合国气候会议在卡塔尔的多哈举行。从决议内容看,多哈大会收获的成果有限。加拿大、日本、新西兰及俄罗斯已明确不参加《京都议定书》第二承诺期,而且,在处理第一承诺期的碳排放余额的问题上,仅有澳大利亚、列支敦士登、摩纳哥、挪威、瑞士和日本六国表示,不会使用或购买一期排放余额来扩充二期碳排放额度。在资金问题上,决议重申发达国家须为发展中国家应对气候变化提供资金支持,并在2020年前实现"绿色气候基金"每年入款1000亿美元的目标。

2015年11月,《联合国气候变化框架公约》(以下简称《公约》)第21次缔约方会议在法国巴黎举行。此次大会的首要目标是,在《公约》框架下达成一项全球减排新协议——《巴黎协定》。《巴黎协定》在一定程度上确定,2020年《京都议定书》第二承诺期结束后国际社会如何分担应对气候变化的责任。《京都议定书》只对发达国家的减排制定了有法律约束力的绝对量化减排指标,发展中国家的国内减排行动是自主承诺,不具有法律约束力。根据《巴黎协定》,所有成员承诺的减排行动,无论是相对量化减排还是绝对量化减排,都将纳入一个统一的有法律约束力的框架。这在全球气候治理中尚属首次。

【背景知识】

《京都议定书》

为了使人类免受气候变暖的威胁,1997年12月,《联合国气候变化框架公约》(以下简称《公约》)第三次缔约方大会在日本京都举行。149个国家和地区的代表通过了旨在限制发达国家温室气体排放量以抑制全球变暖的《京都议定书》(以下简称《议定书》)。《议定书》是对《公约》的补充,它与《公约》的最主要区别是,《公约》鼓励发达国家减排,而《议定书》强制要求发达国家减排,具有法律约束力。

《议定书》规定,它在"不少于55个参与国签署该条约并且温室气体排放量达到1990年总排放量的55%后的第90天"开始生效。对于这两个条件,"55个国家"在2002年5月23日当冰岛通过该条约后首先达到;2004年12月18日俄罗斯通过该条约后,达到了"55%"的条件。于是,条约在90天后,即于2005年2月16日开始强制生效。这是人类历史上首次以法规的形式限制温室气体排放。

中国于1998年5月签署并于2002年8月核准了该《议定书》。

欧盟及其成员国于2002年5月31日正式批准了《议定书》。

《议定书》一共规定了六种温室气体,分别是二氧化碳、甲烷、氧化亚氮、六氟化硫、氢氟碳化物和全氟化碳。

《议定书》建立了旨在减排温室气体的三个灵活合作机制——国际排放贸易机制、联合履行机制和清洁发展机制。

联合履行机制是指发达国家之间通过项目级的合作,其所实现的减排单位,可以转让给另一发达国家缔约方,但是同时必须在转让方的"分配数量"配额上扣减相应的额度。

清洁发展机制是指发达国家通过提供资金和技术的方式,与发展中国家开展项目级的合作,通过项目所实现的"经核证的减排量"。清洁发展机制被认为是一项"双赢"机制:一方面,发展中国家通过合作可以获得资金和技术,有助于实现自己的可持续发展;另一方面,通过这种合作,发达国家可以大幅度降低其在国内实现减排所需的高昂费用。清洁发展机制的提出很富有戏剧性,其源于巴西提交的关于发达国家承担温室气体排放义务案文中的"清洁发展基金"(Clean Development Fund, CDF)。根据巴西的提案,发达国家如果没有完成应该完成的承诺,应该受到罚款,并用其提交的罚金建立"清洁发展基金",按照发展中国家温室气体排放的比例,资助发展中国家开展清洁生产领域的项目。在就该基金进行谈判时,发达国家将"基金"改为"机制",将"罚款"变成"出资"。

国际排放贸易机制是指一个发达国家将其超额完成减排义务的指标,以贸易的方式转让给另外一个未能完成减排义务的发达国家,并同时从转让方的允许排放限额上扣减相应的转让额度。《议定书》允许采取以下四种减排方式:

(1) 两个发达国家之间可以进行排放额度买卖的"排放权交易",即难以完成削减任务的国家,可以花钱从超额完成任务的国家买进超出的额度。

(2) 以"净排放量"计算温室气体排放量,即从本国实际排放量中扣除森林所吸收的二氧化碳的数量。

(3) 可以采用绿色开发机制,促使发达国家和发展中国家共同减排温室气体。

(4) 可以采用"集团方式",即欧盟内部的许多国家可视为一个整体,采取有的国家削减、有的国家增加的方法,在总体上完成减排任务。

(资料来源:根据网络资料整理。)

【背景知识】

《巴黎协定》

作为取代《京都议定书》的气候协议,《巴黎协定》于 2015 年 12 月 12 日在巴黎气候大会上通过。2016 年 10 月 5 日,欧盟批准《巴黎协定》后,该文件达成"55 个缔约国加入协定,且涵盖全球 55% 以上的温室气体排放量"的生效条件。当天,时任联合国秘书长潘基文通过其新闻发言人办公室发表声明称,《巴黎协定》于 11 月 4 日正式生效。

《巴黎协定》是继 1992 年《联合国气候变化框架公约》、1997 年《京都议定书》之后,人类历史上应对气候变化的第三个里程碑式的国际法律文本,形成 2020 年后的全球气候治理格局。

《巴黎协定》制定了"只进不退"的棘齿锁定(Rachet)机制。各国提出的行动目标建立在不断进步的基础上,建立从 2023 年开始每五年对各国行动的效果进行定期评估的约束机制。

《巴黎协定》共 29 条,当中包括目标、减缓、适应、损失损害、资金、技术、能力建设、透明度、全球盘点等内容。

从环境保护与治理上来看,《巴黎协定》的最大贡献在于明确了全球共同追求的"硬指标"。协定指出,各方将加强对气候变化威胁的全球应对,把全球平均气温较工业化前水平升高控制在2℃之内,并为把升温控制在1.5℃之内努力。只有全球尽快实现温室气体排放达到峰值,本世纪下半叶实现温室气体净零排放,才能降低气候变化给地球带来的生态风险以及给人类带来的生存危机。

从人类发展的角度看,《巴黎协定》将世界所有国家都纳入了呵护地球生态确保人类发展的命运共同体当中。协定涉及的各项内容摈弃了"零和博弈"的狭隘思维,体现出与会各方多一点共享、多一点担当,实现互惠共赢的强烈愿望。《巴黎协定》在联合国气候变化框架下,在《京都议定书》、"巴厘路线图"等一系列成果基础上,按照共同但有区别的责任原则、公平原则和各自能力原则,进一步加强联合国气候变化框架公约的全面、有效和持续实施。

从经济视角审视,《巴黎协定》同样具有实际意义:首先,它推动各方以"自主贡献"的方式参与全球应对气候变化行动,积极向绿色可持续的增长方式转型,避免过去几十年严重依赖石化产品的增长模式继续对自然生态系统构成威胁;其次,它促进发达国家继续带头减排并加强对发展中国家提供财力支持,在技术周期的不同阶段强化技术发展和技术转让的合作行为,帮助后者减缓和适应气候变化;再次,它通过市场和非市场双重手段,进行国际间合作,通过适宜的减缓、顺应、融资、技术转让和能力建设等方式,推动所有缔约方共同履行减排贡献。最后,根据《巴黎协定》的内在逻辑,在资本市场上,全球投资偏好未来将进一步向绿色能源、低碳经济、环境治理等领域倾斜。

(资料来源:根据网络资料整理。)

第二节 低碳经济对世界经济的影响

发展低碳经济正在成为许多国家抢占未来经济制高点的重要战略选择。低碳市场的快速发展将对全球实体产业和金融业产生深远影响,进一步影响世界经济的发展格局[⊖]。

一、低碳经济将推动世界实体经济结构转型

发达国家正在致力于节能减排、可再生能源和新能源技术的研发,并加强推广应用,掀起一场以高能效、低排放为核心的"新工业革命"。低碳经济的发展必然带来经济结构的相应转型。

各个国家将加大对低碳技术、绿色技术的投入,积极地调整产业结构,以尽可能小的资源消耗和环境成本,获得尽可能大的经济效益和社会效益,各个国家的经济结构将从"高能耗、高污染、高排放"的粗放型向"低能耗、低污染、低排放"的集约型过渡,传统的"大量生产、大量消费、大量废弃、大量消耗"的增长模式将发生根本性的变革。

从产业结构来看,低碳农业将降低对化石能源的依赖,走有机、生态和高效的新路。低碳工业将减少对能源的依赖,低碳产业(如电气、电子等)将出现较快发展,高碳产业

⊖ 宁高平:《低碳经济将对世界经济产生重大影响》,http://www.chinacme.com/dsj/zhuangti/201103/127.html。

（如有色金属的生产和加工、建材工业、纸浆、造纸和纸板）的发展将相应地受到抑制。重化工业将实现轻型化，包括投入要素轻型化、生产过程轻型化、产出轻型化，并通过生产要素的重组以及信息的流动代替物资形态的流动，实现传统重工业的改造与升级。低碳物流将提高利用物流比率，发展减排物流路线，提高物流效率。低碳服务市场，包括低碳旅游服务、低碳餐饮服务等，也将得到更大发展。

从社会生活来看，低碳城市建设将更受重视，燃气普及率、城市绿化率和废弃物处理率将得以提高。在家居与建筑方面，节能家电、保温住宅和住宅区能源管理系统的研发将受到重视，并向公众提供碳排放信息；在交通运输方面，将更加注重发展公共交通、轻轨交通，提高公交出行比率，严格规定私人汽车碳排放标准；企业减排的社会责任也将受到更多关注。

二、碳交易将推动国际金融业的发展和创新

碳交易是为促进全球温室气体排放、减少全球二氧化碳排放所采用的市场机制。其基本原理是：合同的一方通过支付另一方获得温室气体减排额，买方可以将购得的减排额用于减缓温室效应，从而实现其减排的目标。随着碳交易的发展，全球碳交易市场逐渐形成。碳交易市场是一个由人为规定而形成的市场。在国际层面上，由于发达国家的企业要在本国减排花费的成本很高，而发展中国家平均减排成本低，因此，发达国家提供资金、技术及设备帮助发展中国家或经济转型国家的企业减排，产生的减排额度必须卖给帮助者，这些额度还可以在市场上进一步交易。

碳交易对国际金融业的影响表现为：

（1）碳交易正逐渐催生一个新兴的、规模快速扩张的碳金融交易市场，包括直接投融资、碳指标交易和银行贷款。在这种形势下，金融机构迫切需要开发关于碳排放权的商品并提高金融服务水平。目前全球已有四个交易所专门从事碳金融交易，包括欧盟、澳大利亚和英国的排放交易机构以及美国的芝加哥气候交易所。许多知名金融机构活跃在这些市场上，包括荷兰银行、巴克莱银行、高盛、摩根士丹利以及瑞士银行等。碳排放信用之类的环保衍生品逐渐成为西方机构投资者热衷的新兴交易品种。

（2）围绕碳交易提供的金融服务和不断开发的金融衍生产品成为金融创新的新趋势。为碳交易提供中介服务，是商业银行环境金融创新的一个常见途径。此外，商业银行还直接参与开发与碳排放权相关的金融产品和服务，并通过贷款、投资、慈善投入和创造新产品及新服务等手段，刺激公司客户开发可持续环保产品和技术的积极性，进一步促进现有环保技术的应用和能源效益的提高，推动绿色环保产业的发展。

（3）借助于碳交易和碳金融交易，风险投资基金开始开展节能减排的投融资业务。目前，国外投资机构和从事碳交易的风险投资基金已对具有碳交易潜力的节能减排项目进行投融资。瑞典碳资产管理公司、英国益可环境集团、高盛、花旗银行和汇丰银行等都已开展节能减排投融资业务。

三、低碳经济将催生世界经济新模式和新规则

欧盟及美、日等国家大力发展低碳经济，除寻找新的经济增长动力外，还试图占领未来世界低碳产业的制高点。它们认为，未来几十年是企业低碳研发和创新的关键时期。目前，

这些国家正试图利用各种资源，通过政府采购、公共政策、管制环境、低碳能源基础设施建设以及提高研发人员素质等途径，力争将本国或本地区打造成国际著名的低碳产业及研发基地，来抢占未来经济发展的制高点。

低碳经济的发展，必将引起以低碳为代表的新技术、新标准及相关专利的出现。最先开发并掌握相关技术的国家将成为该领域新的领先者、主导者乃至垄断者，其他国家将面临新的技术贸易壁垒。因此，在全球化的经济格局中，发达国家和发展中国家或将因为低碳模式再次拉开差距。

从目前全球低碳产业发展及一些学者专家的研究来看，如果说《联合宪章》是以土地为主要资源的农业文明的游戏规则，关税及贸易总协定以及世界贸易组织则是利用市场规则的工业文明的游戏规则，那么，《联合国气候变化框架公约》可能会成为未来以低碳经济为主的生态文明的游戏规则，引领世界经济的未来发展方向。

四、低碳经济将影响国际经济格局

人类每一次能源利用转型，都会引起世界经济格局的重大变动。低碳经济将为世界经济发展和能源利用带来新的机遇，人类将面临又一次重大的能源利用转型，世界经济和政治格局将再次出现重大变动。

发达国家已经完成工业化布局，碳排放量呈下降趋势，在节能减排技术上拥有绝对领先优势，在根据全球气候谈判确定的世界新体系中必将进一步强化其主导地位。从长远来看，碳交易市场及碳金融市场的不断扩大，增加了一个发达国家主导世界格局的新平台。

发展中国家巨大的经济发展要求、大规模的基础设施建设以及对发达国家高碳产业的承接，使得其碳排放量不断上升。一些发展中国家（如中国、印度和巴西等）经济的快速发展，成为世界化石能源和资源消费新的增量。随着碳排放量的快速上升，它们或将在新的世界分工格局和碳交易市场体系中处于不利地位。

五、低碳经济将影响国际贸易的发展

低碳经济将影响国际贸易格局，主要表现为商品贸易格局和地区贸易格局方面的调整。

（1）对商品贸易格局的影响。传统能源，即化石能源和资源性商品在国际贸易中的比重将趋于下降，而新能源和新材料的比重将趋于上升；在生产和消费过程中，高能耗、高排放、高污染的高碳商品在国际贸易中的比重将趋于下降，而低碳商品比重将趋于上升。

（2）对地区贸易格局的影响。对已经完成或正在从高碳经济向低碳经济转变的发达国家来说，由于它们掌握了低碳技术和拥有低碳商品，在国际贸易竞争中将处于有利地位；而尚处于高碳经济发展中的新兴工业化国家和广大发展中国家，则在国际贸易竞争中将处于不利地位。它们有可能接受被动强制减排义务，使高碳商品遇到限制。虽然新兴工业化国家在低碳经济中也可能寻求到一些发展的机遇，但在相当长的时期里挑战将大于机遇。

随着低碳经济的发展，在国际贸易中已经或将会出现越来越多与气候变化相关的贸易措施，包括各种技术规范、标准、标签要求和合格评定程序。这些贸易措施往往都是发达国家率先制定的，对发展中国家不利。特别是有些单边贸易措施，与多边贸易规则存在潜在冲突，有可能成为新贸易壁垒。例如，碳标签和碳关税。具体来看：①碳标签。英国率先推出了碳标签，将产品从原料、制造、储运、废弃到回收全过程的温室气体排放量在产品标签上

用量化的指数标示出来,以标签的形式告知消费者产品的碳信息。目前,欧盟、日本、法国、美国、瑞典、加拿大、韩国等国家和中国台湾地区已开始推广碳标签。沃尔玛、乐购、卡西诺等国际大型连锁超市也已要求供应商逐步在产品上加注碳标签。碳标签主要针对出口产品,在今后的国际贸易中,越来越多的进口国要求出口国提供其产品活动对气候变化影响的碳指标。②碳关税。它是与气候变化相关的边境调节税。碳关税是指对进口的排放密集型产品,如铝、钢铁、水泥和一些化工产品,征收特别的二氧化碳排放关税。但是,发达国家往往以环境保护为名,行贸易保护之实,严重损害发展中国家利益。可以说,碳关税是以往发达国家对发展中国家出口产品实施"绿色壁垒"的新变种,是限制发展中国家贸易能力的新设想。

六、低碳经济将迫使企业转变发展战略

从微观角度来看,全球范围内的低碳经济转型已经开始,企业需围绕"低碳"重新制定发展战略。无论是能源行业、运输业等碳排放密集型企业,还是金融业等受气候变化影响较小的行业,都必须将低碳经济纳入战略规划。虽然向低碳经济转型应当如何开展仍具有很大的不确定性,但是,未来的企业要想得到生存,必须转变战略来应对气候变化带来的经济模式转变,从中寻找与自身相适应的机遇。

企业如果期望在此次转型契机中获得先机,就必须从现在开始重新审视自己的定位和发展战略。比较直观地说,企业必须努力优化现有产品的碳效率,包括基础设施、供应链和成品;设计能够满足大幅度减排要求的新型低碳解决方案,这可能需要打破现有的产业布局并创立新的产业价值链。

企业对低碳的态度和作为对企业未来的发展影响非常大。一是企业必须努力适应不断上涨的能源、交通、废物处理和原材料价格对其生产成本的影响。二是企业必须理解并遵守日益严格的环境法规和减排政策。企业作为社会的一员,是主要排放者,必须承担相应的社会责任,必须面对来自投资人、雇员和消费者关注气候变化的环境影响和经济影响给企业带来的压力。当然,低碳也带来了机会和新的市场,而提高效率所需要的技术进步将使企业可以在减排的同时提高效率、增加盈利。

七、低碳经济将改变国际投资格局[①]

随着《京都议定书》的生效及世界经济向低碳经济转变,跨国低碳投资已成为对外投资的新潮流。2009年,仅流入可再生能源、循环再利用领域及与环保技术有关的产品制造领域这三个主要低碳行业的FDI就达到900亿美元,如果再加上建筑、交通运输等领域的低碳投资,这一数字将会更大。显而易见,跨国公司已经开始在全球范围内积极进行低碳投资。在可再生能源领域的绿地投资上,跨国公司主要集中在发达国家,其中超过25%的跨国公司在发展中国家进行投资;对循环领域的绿地投资项目主要是制造业,并且目前已有部分跨国公司开始对东道国的本土企业提供低碳服务;太阳能吸热板等环保产品制造业是一个比较新的产业,跨国公司的主要投资地区是发展中国家。

从深层次的原因上来看,在低碳领域,外国直接投资的快速增长与目前世界经济形势向

---

① 谭飞燕:《低碳经济背景下中国对外直接投资模式转型研究》,博士学位论文,2011年10月。

"低碳化"转型的趋势是密不可分的。在经历了工业化与信息化之后，世界经济目前的趋势是走向"低碳化"。以信息化和信息产业为核心的经济增长周期已渐消退。在发生国际金融危机后，为了带动经济快速复苏，低碳经济普遍成为新的经济增长点和发动机。跨国公司对海外领域的直接投资既符合本身的战略需要，又符合东道国产业转型升级的指引方向，因此可以实现双方共赢。就跨国公司本身的利益角度来说，因为它们掌握全球最核心、最主要的低碳技术，低碳领域的海外投资有利于技术输出，并且能综合发挥技术优势，从而实现其经济利益。从东道国的角度来看，引进低碳领域的外资能够帮助东道国引进先进节能技术、改进生产工序、提高出口竞争力、改善国内环境、缓解能源供需矛盾和加快向低碳经济转型等。低碳领域的直接投资在未来将快速增长，成为新一轮的投资热点。

【专题】

碳 关 税

1. 碳关税的定义

碳关税是指对进口的排放密集型产品，如铝、钢铁、水泥和一些化工产品，征收特别的二氧化碳排放税。它以环境保护为目的，希望通过削减二氧化碳排放来减缓全球变暖的速度。碳关税通过对燃煤和石油下游的汽油、航空燃油、天然气等化石燃料产品，按其碳含量的比例征税，来实现减少化石燃料消耗和二氧化碳排放。与总量控制和排放贸易等市场竞争为基础的温室气体减排机制不同，征收碳关税只需要增加较少的管理成本就可以实现。也正是基于成本的考虑，选择了低碳税而非能源税。开征碳关税，实际上是国家运用税收、价格手段调整能源结构，发展清洁能源的最有效手段。

2. 碳关税的进展

近年来，尤其是《柏林授权书》通过以后，一些发达国家的缔约方纷纷推出各自的有关温室气体排放、保护全球气候的政策和措施建议，征收二氧化碳排放税是其中的核心内容之一。挪威、瑞典、荷兰、丹麦和德国等欧盟国家征收碳关税；部分欧盟国家，特别是北欧国家还征收环境税；欧盟、美国、加拿大、新西兰和南非也在讨论研究相关税收。

早在1991年，丹麦议会就通过了征收二氧化碳排放税的议案。可以说，丹麦是最早实行碳关税的国家。而欧盟则考虑在其成员国内引入一个统一的碳税制度，以期转变消费者和生产者的行为方式。2010年6月26日，美国众议院以微弱优势通过了《美国清洁能源与安全法案》。该法案有一项重要内容就是制定了边境调节税，也称"碳关税"制度。法国也提出，从2010年开始，对在环保立法方面不及欧盟严格国家的进口产品征收碳关税。

在中国方面，碳关税可能是解决我国面临的能源环境问题比较理想的经济手段。从短期来看，由于碳关税制度的实际应用时间不长，其对温室气体减排的效果以及对经济和能源系统的影响还有待进一步深入探讨和定量化；同时，碳关税通常会给征税对象产生额外负担，从而遭到相关工业部门和经济部门的反对，并且如果没有一定的减缓或补偿措施，碳关税的征收将对那些能源密集型部门产生不利影响，使其在国际贸易中降低甚至失去竞争力。但从长期发展来看，我国作为《联合国气候变化框架公约》的缔约方之一，随着市场化改革的逐步深化，能源价格逐步放开，我国开征碳关税将是二氧化碳减排政策上的一个不得不为的选择。同时，通过对国内企业的退税或补贴，加大其进行减排的力度。

3. 碳关税与能源税的比较

能源税是一种国内货物税，按照一个确定的单位能耗稽征，如美元/TJ、美元/英制热单位或美元/（kW·h）。能源税的征收对象是化石燃料和无碳能源，依据的是它们的能源（或热）含量，可再生能源免征。相反，碳关税是根据化石燃料的含碳量征收的国内货物税，因而仅限于含碳燃料㊀。由于同煤炭相比，排放一定量的二氧化碳时，石油和天然气释放的热量更高，因此，对石油与天然气来说，能源税比碳关税的负担更重。此外，能源税对核能来讲也是很大的负担。因为核能可以大规模发电，而并不相应地直接排放二氧化碳㊁。

如果目的在于减少二氧化碳排放量，那么，碳关税比能源税具有更高的成本收益。对此，可用两个因素来解释：有价格诱发的能源保护和能源转换。碳关税可通过价格机制影响能源消费和燃料选择，从而降低二氧化碳的排放量；相反，能源税的征收对象是化石燃料和核能，推动能源转化的激励作用较小，二氧化碳排放减排主要靠价格诱发的能源保护来实现。与碳关税相比，为实现同样的减排目标，将要征收更高的能源税。

（资料来源：根据人民网相关资料整理。）

【背景知识】

气候变化合作前景黯淡

发达国家的工业化发展以及新兴经济体随之而来的崛起，让气候变暖的时间表大大提前。现在，应对气候变化全球合作的难点在于，自2008年全球金融危机爆发后，各国经济受到不同程度的消极影响，对应对气候变化将采取怎样的态度并不明确。

1. 金融危机与气候变化

本次全球金融危机爆发之初，专家曾经指出，伴随金融危机而来的大衰退，将在三个方面严重影响气候变化全球行动的前景：

首先，它暂时放缓了碳排放量的增长。

其次，它降低了引入低排放技术和产品进行投资的机会成本。

最后，相关国家本来就阻力重重的产业结构调整政策，可能会失去有利的政治语境。

事实证明，这种判断是经得起推敲的。

一个又一个经济体在遭受了2008年全球金融危机之后，碳排放量出现明显降低。据统计，金融危机爆发后才1年的时间，美国的矿物燃料和水泥下降了3.3%，欧盟下降了

㊀ 可把碳关税转化为二氧化碳税，1t碳相当于3.67t二氧化碳。

㊁ 张中祥、安德列亚·巴兰兹尼：《何谓碳税？研究碳税对于竞争力与收入分配的影响》，能源政策，2004年。

1.5%。全球碳排放的总量增速相对于前几年，甚至一度降低到只有一半的水平。

从经济的角度来看，衰退后的复苏是进行结构调整的好时机。

这时，对新生产能力的投资会变得相对便宜，低排放的产品、服务和工序都获得了发展的机会。欧盟、中国和美国都不同程度地把新能源技术、低碳产业作为拉动内需、刺激经济增长的重要途径。这些国家和地区具有新能源、低碳主题的工业项目，获得了大量的财政补贴和商业资金。

不过，相对气候变化领域的增加，为了恢复经济活力，有些国家也加大了能耗更高、对气候变化影响更大的基础设施建设的投资。类似的努力使得产业结构调整的步伐放缓。而且，鉴于各国对新能源经济和低碳产业投资产生的经济拉动作用的普遍质疑，制造业正在重新备受青睐，最近一两年美国有关"制造业回归"的努力便是鲜明的例子。

这种情况下，人们对气候变化的重视程度，以及气候变化在全球政治议题中的重要地位，逐渐呈现出一种下降的趋势。

那些为应对全球气候变化而受到影响的既得利益集团，正在试图影响本国政策，强调自身对于本国经济社会稳定的重要性。这可能导致强有力的气候变化政策难以根据原有的安排推出，全球气候变化合作也会停滞不前。

当前，全球气候变化合作面临的现实就是如此。《京都议定书》第二承诺期后就完成了使命，但各国并没有就应对全球气候变化达成共识。个别国家推行有效减缓碳排放的政策，国际社会达成一致的可能性更低、难度更大。这取决于缓和性碳减排机制，也就是把经济增长和应对全球气候变化有效统一在一起的全球行动机制能否形成。

2. 合作前景阻力重重

全球碳排放量尽管稳定下来，甚至出现过暂时的轻微下降，但仍保持在很高的水平，大气中的碳浓度继续升高。

全球经济增长或者一些国家经济增长的停滞、放缓，最多只不过会让预计中的不可承受碳排放水平推迟几年到来。所以，应对气候变化，减少温室气体排放，不应该淡出任何一个国家的政策体系。否则，大的发展中国家的经济强劲增长将使得碳排放量的增速恢复到金融危机前的水平。衰退带来的短暂排放增速停滞，有可能被证明为仅仅是将预计2030年达到高位水平的全球气候危机推迟几年到来。可供采取有效行动、避免危险气候变化的时间仍然紧张。相应地，如何保证全球经济能够在不发生导致人类处于危险境地的气候变化的情况下继续前进，让全球，特别是发展中国家面临两难选择。

在中国、印度和印度尼西亚等国家，煤炭资源都较为丰富，也是当地廉价的能源来源。众所周知，煤炭在各主要能源来源类型中排放强度最高。这些国家所处的发展阶段决定着，不出意外，经济活动只能更加频繁，而经济活动的任何增加都意味着以煤炭为主的能源使用增多。所以，可以预见，温室气体排放量的上升和增长，会如21世纪早期体现的那样，继续集中在大型发展中国家。

对于发达国家来说，如何帮助发展中国家能够在一个可控的、正确的轨道上前进，其实也是在帮助自己。

气候变化政策是一种全球公共物品，一个国家即便不参与全球减缓碳排放的行动，也能从中获益。但是，其"搭便车"行为会削弱其他国家减缓碳排放的努力。解决"搭便车"问题的唯一方案是达成协议,即各国就减少合理数量的碳排放形成一致意见,并且保证在其他国家采取相应行动的情况下履行自己的承诺。

不过,什么是一个国家对减少危险的气候变化的全球行动的适当贡献,不同的主权政府显然有不同的认识。找到一个方法来确定所有国家,尤其是大国都能接受的碳减排分配方案,无疑是一个巨大的挑战,甚至可能是一个不可能完成的任务。从这个意义上讲,人类文明的未来就有可能危如累卵。

(资料来源:郜若素(澳大利亚前驻华大使,澳大利亚国立大学教授):《气候变化合作前景黯淡》,能源评论,2013年第8期。)

第三节 低碳经济在世界各国的发展

目前,发达国家在低碳经济发展和低碳技术研发方面处于先行地位。英国是低碳经济的先驱和最积极的倡导者,意大利的低碳经济发展制度设计很有特色;日本在低碳经济发展道路上走得很坚定,倡导创建低碳社会;美国尽管在低碳经济发展方面也一直暗自发力,但政府长期以各种理由对减排承诺和行动保持较为消极的态度,并且因没有批准《京都议定书》而受到国际社会的普遍批评。另外,一些发展中国家,如巴西的低碳经济发展也独具特色。

一、低碳经济在发达国家的发展[⊖]

(一) 英国

作为低碳经济的先驱,英国于2003年提出低碳经济的概念,并且已经出台了相关的低碳政策和措施。2005年,英国建立了3500万英镑的小型示范基金。2008年,英国颁布了《气候变化法案》。在这一法案中,英国承诺,到2020年将削减26%~32%的温室气体排放;到2050年,将实现温室气体降低60%的长期目标。2009年4月,布朗政府宣布将"碳预算"纳入政府预算框架,使之应用于经济社会的各个方面,并在与低碳经济相关的产业追加了104亿英镑的投资。英国也因此成为世界上第一个公布"碳预算"的国家。2009年7月15日,英国政府公布了发展低碳经济的国家战略,低碳发展战略作为英国国家战略的一部分,得到了贯彻和实施。

英国政府在政策法规建设方面的许多做法均具有开创性,创造了多个世界第一:英国不仅是世界上第一个征收气候税的国家,还是第一个为实现温室气体减排目标立法的国家,同时也是世界上第一个立法约束"碳预算"的国家。通过激励机制促进低碳经济发展是英国气候政策的一大特色,具体包括:实施气候变化税制度、设立碳基金、推出气候变化协议、启动温室气体排放贸易机制等。这些政策是一个相互联系的有机整体。

1. 实施气候变化税制度

英国政府于2001年4月1日开始实施气候变化税(CCL)。这是英国在其"气候变化计划"中提出的一项实质性的政策手段,本质上是一种"能源使用税"。该税的征收目的不是

⊖ 肖文燕:《国外低碳经济的发展历程、策略选择及对中国的启示》,江西财经大学学报,2011年第6期。

扩大税源和筹措财政资金，而是要提高能源效率和促进节能投资。这也是英国气候变化总体战略的核心部分。针对不同的能源品种设置不同的税率，政府将气候变化税的收入主要通过三种途径返还给企业：①将所有被征收气候变化税的企业为雇员交纳的国民保险金调低0.3%；②通过"强化投资补贴"项目鼓励企业投资节能和环保的技术或设备；③成立碳基金，为产业与公共部门的能源效率咨询提供免费服务、现场勘查与设计建议等，并为中小企业在促进能源效率方面提供贷款。

2. 设立碳基金

碳基金是一个由英国政府投资、按企业模式运作的独立公司，成立于2011年。碳基金的主要来源是气候变化税、垃圾填埋税和来自英国贸易与工业部的少量资金。碳基金主要在三个重点领域开展活动：一是能马上产生减排效果的活动；二是低碳技术开发；三是帮助企业和公共部门提高应对气候变化的能力。碳基金作为一家独立公司，介于企业与政府之间，实行独特的管理运营模式。一方面，公司每年从政府获得资金，代替政府进行公共资金的管理和运作；另一方面，碳基金力图通过严格的商业管理制度保障公共资金得到最有效的使用。碳基金的这种独特地位，有利于协调政府、企业、科研机构和媒体等各方面的力量，共同关注和培育低碳经济。在英国，气候变化税一年大约筹措11亿～12亿英镑，其中8.76亿英镑以减免社会保险税的方式返还给企业，1亿英镑成为节能投资的补贴，0.66亿英镑拨给了碳基金。

3. 推出气候变化协议

由于气候变化税的征收会给能源密集型产业造成重大负担，于是英国政府又推出了气候变化协议（CCA）制度，以减少气候变化税给特定企业带来的超额负担。气候变化协议基于企业是否实现了协议所规定的目标，具体操作过程分为两个方面：能源密集型产业如果和政府签订气候变化协议，并达到规定的能源效率（温室气体减排）目标，政府可以减少征收其应支付气候变化税的80%；如果企业不能实现约定的目标，政府也允许这些企业参与英国的温室气体排放贸易机制，以买卖各企业允许排放配额的方式，来实现气候变化协议的要求。

4. 启动温室气体排放贸易机制

温室气体排放贸易机制（ET）实际上是指在市场上买卖排放许可证的方法，由政府发行规定的排放量，各个企业可以在市场上买卖排放量的许可证。通过市场中排放量的交易，社会整体可以用最为便宜的费用进行减排。英国是最早实施温室气体排放贸易机制的国家。为了保证减排的真实性，所有承诺减排目标的参与者必须按相关条例严格检测和报告企业每年的排放状况，并经过有职业资格的第三方（独立认证机构）的核实。

（二）意大利

意大利并没有广泛使用"低碳经济"这个词，在其官方文件中几乎找不到该词，但是其政府、科研单位和企业以及社会各界都具有大力发展低碳经济，甚至是零碳经济的积极性。意大利政府主要是通过节能减排的政策和措施以及技术开发来影响意大利的经济政策和经济发展的，包括1992年实施的CIP6机制、1999年制定的"绿色证书"制度、2005年推行的"白色证书"制度等。

1. 实施CIP6机制

意大利政府从1992年开始实施CIP6机制，以保证购买价格的方式支持可再生能源发电厂的建设，并且依据使用可再生能源所产生的各种费用以及可再生能源设备种类等标准制定详细价格，为从政策导向上推动可再生能源的发展提供了必要的手段。

2. 制定"绿色证书"制度

1999年后，意大利通过立法的形式开始实行"绿色证书"制度。"绿色证书"是指通过利用可再生能源向国家电网输送电力，并由国家电网管理局认可后颁发的证书。它既是一种认证，又有具体的数量标准，每张证书代表5万kW·h的可再生能源生产量，有效期为8年。"绿色证书"制度是一种基于市场的激励机制。市场的需求方是那些有可再生能源生产或进口义务指标的生产商或进口商，供给方是1999年4月1日以后投产并由国家电网管理局认可的可再生能源生产企业，或是以前享受CIP6政策且在1999年4月1日以后仍在运行的企业。"绿色证书"的买卖可通过两种不同的方式进行：一是供需双方签订双边协议进行交易；二是通过电力市场管理局的交易平台进行。协议方式是只在拥有"绿色证书"的企业和具有可再生能源生产或进口义务的生产商和进口商之间进行。但其交易是通过国家电网管理局进行的，即双方将供需信息通过网站提交给国家电网管理局。

3. 推行"白色证书"制度

"白色证书"也称能源效率证（TEE），实际上是对能源企业提高能源效率的一种认证。企业申请"白色证书"有最低的节能目标，根据注册项目的不同而变化。意大利政府2004年7月20日颁布法令，并从2005年1月1日起正式确立这种制度。"白色证书"主要针对节约电能、天然气和其他燃料三种类型进行发放。节能措施既包括生产过程，也包括最终使用部门。大部分的"白色证书"的期限为5年，对建筑物保温、生态建筑以及类似的项目，期限可为8年。"白色证书"可以买卖，管理部门可根据市场行情调整价格。"白色证书"的合同既可由供需双方直接签订，也可在电力市场管理处的专门市场内进行。电能和天然气管理局负责签发"白色证书"、评估"白色证书"价格并对节能效果进行检查。用户数量达到10万以上的企业，必须实施"白色证书"制度；用户数量在10万以下的企业，可以自愿实施"白色证书"制度。对达到节能目标的企业，电能和天然气管理局或其他政府部门将给予经济奖励。节能效果超过规定目标者，可出售其富余的"白色证书"；达不到最低节能目标者，可从市场上购买"白色证书"，否则将受到经济处罚。同时，还要求各个企业的节能总额中，至少有一半是通过采取节能措施而非购买"白色证书"实现的。

（三）日本

日本作为低碳经济的倡导者，在低碳经济发展道路上走得很坚定。早在2004年，日本环境省就发起了"面向2050年的日本低碳社会情景"研究计划。其目标是为2050年实现低碳社会而提出对策。2007年6月，日本内阁会议制定《21世纪环境立国战略》，确定了综合推进低碳社会、循环型社会和与自然和谐共生的社会的建设目标。2008年5月，日本环境省全球环境研究基金项目组发布了《面向低碳社会的12大行动》，其中对住宅、工业、交通、能源转换等都提出了预期减排目标，并提出了相应的技术和制度支持。同年6月，日本首相福田康夫提出了防止全球变暖的政策，即著名的"福田蓝图"。这是日本低碳战略形成的正式标志。2009年4月，日本环境省公布了名为《绿色经济与社会变革》的政策草案。其目的是通过实行减少温室气体排放等措施，强化日本的低碳经济。

1. 注重技术与立法并重

日本政府高度重视低碳技术的创新，建立了以政府为主导，以科技同经济相结合的创新观念为前提，以节能环保为基础，以市场为导向，以企业为主体，"产、官、学"一体化相结合，实现技术开发、技术使用和技术普及三位一体的创新机制。其不仅大力推广使用现有的先进技术，还将研究的重点放在可以领导世界的技术领域，以确保日本在环境和能源领域的技术领先地位。

日本政府重视科研经费投入，全力支持低碳技术的研发。为了发展低碳经济、建设低碳社会，日本立法先行，不仅根据国际、国内的形势对现有的能源环境立法进行修改完善，还积极颁布新的法律法规，为低碳经济发展提供了一个明确的导向系统，一个可靠的支撑系统。目前，日本已经形成以基本法、综合法和专项法为架构，基本法统领综合法和专项法的法律体系。基本法包括《节能法》《能源政策基本法》和《低碳社会形成推进基本法案》等；综合法有《资源有效利用促进法》；专项法包括煤炭立法、石油立法、天然气立法、电力立法、新能源立法、核能立法等。这些法律门类齐全，并且规定得都非常详细、明确，可操作性强，有效地保障了低碳经济的稳步推进。

2. 推行富有特色的政策手段

为了促进低碳经济的发展，使节能减排取得实效，日本政府利用富有特色的经济政策加以引导。这些政策包括以下六个方面：

（1）碳排放权交易制度。这是一项温室气体排放配额自由买卖的制度。2008年10月21日，该制度正式实施。企业自主设定减排目标，由政府审核通过后，企业为达成该目标进行减排。企业间可以相互购买剩余的排放量。该制度主要是为了降低产业界整体的二氧化碳排放量。

（2）"碳足迹"标示制度。为了控制温室气体的排放，从2009年起，日本开始试行"碳足迹"标示制度。这是使二氧化碳排放量"可视化"的有效手段。由于企业都希望能够抢占正在不断增长的绿色产品市场，因此，虽然该制度是非强制性的，但是一经推出，便得到了产业界的支持。

（3）特别折旧制度。它又称加速折旧制度，是指对于不同的环保设备，在其原有折旧的基础上可再增加一定比例的特别折旧率，以调动企业对环保设备投资的积极性。

（4）补助金制度。对引进节能环保设备、实施节能技术改造的企业，给予其总投资额 1/3~1/2 的补助。

（5）"领跑者"制度。这是日本独创的一种"鞭打慢牛"的促进企业节能的措施。以同类产品中耗能最低的产品作为领跑者，然后以此产品为规范树立参考标准，对于在指定时间内未能达到规定标准的，将公布企业和产品名单，并处以罚款。目前，日本已在汽车、空调、冰箱、热水器等21种产品中实行了节能产品"领跑者"制度。该制度已经成为世界上最为成功的节能标准标识制度之一。

（6）节能标签制度。这种制度按能耗级别在产品上加贴标识，标识必须包含产品名称、型号、能源使用效率比率、功率、能源消耗量等信息，以引导和鼓励消费者购买节能家电。

除上述几个国家外，加拿大、瑞典、法国等国家也都各自制定了详细而又具有鲜明针对性的低碳经济发展策略。例如，加拿大在建筑材料的节能环保方面制定了严格的管理制度，建筑商在开发建设过程中是否符合各项环保和节能要求，都必须通过具有独立认证资格的第三方的监督、检验和认证。瑞典则是一个在生活细节中注重环保的榜样，尤其是率先在世界上将环保概念引入驾驶执照考试中，成为全球首个实行"考驾照——先学环保驾车"的国家，并为鼓励国民使用环保型汽车出台了一系列政策措施。法国是一个人均温室气体排放量比欧洲平均水平低21%的国家。即便如此，法国还在朝着更高的绿色发展目标迈进。法国计划在2020年把有机农业所占土地面积比例从现在的1%提高到20%，并在控制交通运输业的碳排放方面不断出台新政策。

二、低碳经济在发展中国家的发展

发展中国家对于发展低碳经济是比较支持的，但是由于经济相对落后，有很多其他问题亟待解决，如贫困、能源短缺等。因此，发展中国家的基本态度是：发达国家必须率先大幅度减排，为发展中国家的发展腾出必要的排放空间，同时，提倡国际合作，由发达国家向发展中国家传播和转移清洁技术，坚持"共同但有区别的责任"原则，实现全球范围低碳经济的公平发展。在应对气候变化问题上，发展中国家形成了"基础四国"，即中国、印度、巴西和南非。

（一）中国

中国在对待低碳发展问题上的态度，是发展中国家中最积极的。在发展节能技术、提高能源效率以及清洁发展方面，中国政府的态度比美国的态度还要积极。中国是最早制定并实施《应对气候变化国家方案》的发展中国家，也是近年来节能减排力度最大的国家之一。

根据中国的国情，对于消除贫困有更迫切的需要，因此，不应通过减少人均GDP来进行二氧化碳减排。中国产业发展的一大特点是过分依赖能源的消耗，特别是对煤炭和钢铁的依赖。煤炭生产满足了中国经济发展中70%的能源需要，而中国对钢铁的需求超过了美国和日本需求的总和。因此，中国政府发展低碳经济依赖于能源消耗强度的降低，目前的举措主要体现在能源结构的调整和能源效率的提升，着重提出能源多元化发展，并将可再生能源发展正式列为国家能源战略。

目前，中国仍处于工业化初期，节能具有较大空间，而且会为企业带来效益。这一问题已被中国大多数企业意识到。中国经济发展支柱产业，如建筑、电力、煤炭、石化和钢铁等高能耗产业已开始通过投入研发节电设备、提高能源效率来寻找新的经济增长点。2008年，中国节能环保产业总产值达1.4万亿元，占当年GDP的4.7%。

哥本哈根会议后，中国政府表示将继续采取积极措施，努力实现提出的国内自主行动目标：到2020年单位国内生产总值二氧化碳排放比2005年下降40%~45%，非化石能源占一次能源消费的比重达到15%左右，森林面积比2005年增加4000万hm^2，森林蓄积量比2005年增加13亿m^3。

（二）印度

印度的态度很明朗，在哥本哈根会议上表现得尤为明显。其立场是建立有效合作、平等的全球机制，遵循的原则是"共同但有区别的责任"，不仅要在生产中做到可持续，而且要在生活中做到可持续。印度认为，发达国家应当承担对累积温室气体排放的责任，并且根据联合国框架公约承担自己的责任，遵循《巴厘行动纲领》，向发展中国家转移资源和技术来协助发展中国家进行应对气候变化。目前，印度已经做出承诺，人均GDP排放量不会超过发达国家的平均水平。可见，印度已经清楚地认识到减少碳排放的必要性，尽管没有法律方面的目标。

《京都议定书》里面规定了清洁发展机制，印度在2010年被评为清洁发展机制做得最好的国家，是全世界登记注册项目最多的国家。印度一直在进行研究，有220家科研机构，研究内容包括：喜马拉雅山的冰川融化以及对气候的影响；检测气体等五项独立的研究；探索印度未来20年气体排放的情况，到2030年人均排放仍然要低于4t。除此之外，2009年印度政府宣布了多项强制性减排措施，包括利用太阳能、建设可持续人类住区、提高水资源的利用、可持续的喜马拉雅山的生态系统、绿色印度项目、可持续农业和支持气候变化的研究。

（三）巴西

近年来，巴西在环保意识普及、清洁能源使用以及政府对低碳产业的支持等方面收效明显，巴西民众正逐步迈向绿色生活。

巴西政府的态度与其他发展国家基本一致，支持低碳经济的发展。为此，巴西政府推出了一系列金融支持政策。例如，巴西国家经济社会开发银行推出了各种信贷优惠政策，为生物柴油企业提供融资；巴西中央银行设立了专项信贷资金，鼓励小农庄种植甘蔗、大豆、向日葵、油棕榈等，以满足生物柴油的原料需求；巴西还实行家电节能减税措施。

巴西政府特别提倡清洁能源的使用，在上海世博会上巴西馆里的"贫民窟之椅"正是这一理念的诠释，即不仅是建筑材料可以回收再利用，还要在原本看似普通的事物中开发出新价值。例如，巴西广泛使用的生物燃料。

巴西的生物燃料技术目前居于世界领先地位。从20世纪70年代开始，巴西政府就十分重视对绿色能源的研究。巴西政府还通过补贴、设置配额、统购燃料乙醇以及运用价格和行政干预等手段鼓励民众使用燃料乙醇。

（四）南非

南非政府对低碳经济的态度是，不会以牺牲经济来削减碳排放，而是通过发展低碳经济来创造更多的就业机会，推动经济增长和社会稳定。创造就业机会对南非而言是发展绿色经济的重要目标和任务之一，具有优先发展的重要地位，而就业机会的创造又与教育、医疗、农村经济发展以及打击犯罪腐败联系在一起。通过就业机会的创造可以拉动教育及医疗产业，进一步发展农村经济，减低碳排放量，保护环境；而失业率下降，将对社会犯罪和腐败起到有效制约作用。

2008年金融危机后，南非更是大力发展绿色经济，有效管理自然资源，通过发展绿色经济创造大量就业机会，解决南非严峻的失业问题。其主要通过创造就业机会来带动教育、医疗、农村经济的同步发展。2010年5月18日，南非在约翰内斯堡举行了为期三天的桑顿会议，重点探讨南非经济转型至低碳经济形态问题。在实践中，南非举办了继2006年德国"绿色"世界杯以来的"低碳"世界杯，提出了减排的十大妙招，以此来关注并支持低碳经济的发展。同时，南非的企业积极推动低碳经济发展。低碳的概念在南非公众中也得到深化。

【专题】

中国低碳发展路线图

中国既是全球主要的碳排放国，也是减排力度最大的国家。作为2012年一次能源消费量最高的国家，中国的煤产量占全球总产量的近一半，二氧化碳排放量占全球总量的1/4。并且，2008年以后，中国贡献了全球80%的新增二氧化碳排放。

在国际社会应对气候变化并削减碳排放达成共识、中国自身能源安全日趋严峻以及国内由于化石能源造成的空气污染等环境压力日趋严重的形势下，中国政府制定了强有力的减排目标，计划将2020年的碳强度（单位GDP二氧化碳排放量）降低至2005年水平的55%～60%。

一、中国低碳发展的挑战

中国节能减排所取得的成绩举世瞩目，"十一五"期间制定了20%的能源强度（单位GDP能源消费量）削减目标，并且为实现这一目标而关停了大量低效率电厂和技术落后的重工业企业。"十一五"期间累计削减了7.5亿t煤和15亿t二氧化碳，相当于全球2010年碳排放总量的5%。"十二五"期间制定了16%的能源强度削减目标和17%的碳强度削减目标，并将子目标分配到各个省和直辖市。"十一五"和"十二五"的减排措施累计可削减14亿t煤和超过30亿t二氧化碳，相当于美国年碳排放总量的60%。

但是，中国在如何保持经济稳定增长的同时降低排放和改善环境方面仍面临诸多挑战。例如，全球经济危机后，中国经济增长越发依赖基础设施建设和房地产投资，导致经济结构的"高碳化"。2005—2011年，中国不变价格GDP增长了87%，但火力发电量增长了90%，钢铁产量增长了135%，水泥增长了96%，汽车产量增长了223%。2008年中央政府实施的四万亿元经济刺激计划中，85%的资本流入铁路、公路、机场等大型基础设施建设中，造成中国重工业产品产量激增。当前主要重工业产品中，中国粗钢产量占全球的45%，水泥产量占全球的60%，铝产量占全球的44%，焦炭占全球的64%，煤产量占全球的50%，并且几乎所有的这些重工业产品都被中国国内消费。

以强度为基准的节能减排指标有可能造成指标达标上的漏洞。能源强度和碳强度指标作为中国当前最主要的减排指标，其目标实现可以通过发展低碳技术降低排放，或者扩大生产规模从而产生产量边际效益实现，而后一种方式实际上将增加碳排放总量。当前中国地方政府主要是通过追加投资、扩大生产规模等方式实现能源强度和碳强度达标。这在强度指标达标的同时，能耗和碳排放量也会显著增加，形成能源强度和碳排放强度降低但排放总量增加的"反弹效应"。

与此同时，大量高能耗、高污染企业从沿海转移到急需经济建设但环境意识和管理水平相对薄弱的中西部地区，加剧中国区域发展不平衡。例如，作为能源基地的内蒙古，其人均碳排放量接近20t二氧化碳/人，已超过发达国家平均水平，而内蒙古自身20%的排放是由于供应外省电力需求造成的。内蒙古自身生产的2/3的金属制品，一半的化学产品和约40%的水泥被销往沿海发达地区。与之相比，北京和上海各自电力消费的70%和33%来源于外省，相当于转移了5000万t和3800万t二氧化碳排放。如果将这些碳排放划归于电力和产品的消费地，那么北京和上海等发达地区都没有达到其承诺的减排指标。

中国当前不成熟的能源市场和电网体系降低了中国整体能源效率，"市场煤"和"计划电"的价格冲突导致很多发电厂产能闲置。由于国家电网建设和地方电力产能发展的不协调而造成地方电力无法并入电网的"窝电"等现象，导致整体发电效率低下。内蒙古1/3的电力产能因为"窝电"而被浪费。2010年，中国实际仅生产出其6万亿kW·h的发电产能中约一半的电力。

二、中国的低碳跨越式发展策略

当前中国节能减排面临的诸多挑战产生的根本原因是中国快速发展所带来的巨大能源需求,而中国强有力的政策实施体制可以使中国应对这些挑战,促进能源体系转型,并成为全球低碳发展的领导者。为此,笔者提出了中国实现"低碳跨越式发展"的五点策略:

1. 积极发展资源回收利用和可再生能源

通过回收金属废弃物等可以避免在金属开采和初级加工冶炼过程中的大部分能耗,降低金属冶炼加工业总能耗的90%。正处于快速工业化过程中的中国具有资源回收利用的巨大潜能,仅2008年一年,中国已回收利用7000万t废钢。通过积极发展"城市矿山"(在城市中集中收集废弃金属)和区域产业生态系统等循环经济模式,中国有望在2050年实现80%的钢铁产能由回收钢铁替代。

目前中国在可再生能源领域处于世界领先地位。2012年,中国在可再生能源领域投资680亿美元,占全球的1/5。2011年,中国已安装的可再生能源产能(300GW)达美国的2倍,风电和水电发电量分别为700亿kW·h和7200亿kW·h,均居世界第一。但当前中国可再生能源存在由于市场缺乏拓展和配套设施建设不足而导致的产能"成长性"过剩问题。例如,当前中国光伏产能(2012年40GW)已超过全球市场总需求,光伏电池产量(2012年23GW)占全球产量的60%,但仅有10%的光伏电池被用于中国自身。因此,中国亟须拓展国内市场、加强电网建设以消化可再生能源产能。

事实上,中国具有发展可再生能源的巨大优势,仅仅是风力发电,其潜力就有望满足中国在2030年的全部电力需求。在20年内建设640GW的风电产能(需要投资总计9000亿美元),可以降低同期全中国30%的碳排放。回收利用对人类健康影响极大的"地沟油"并制成生物柴油,仅2010年的生物柴油产量就可以削减9000万t二氧化碳,相当于发达国家自1997年签订《京都议定书》以来削减排放总和的15%。

同时,运用新技术改进传统能源的使用,可为发展新能源提供缓冲。由于中国巨大的能源需求和工业体系,无法在短期内一步到位实现全面的可再生能源替代,而传统的煤、石油等能源具有价格和产量上的优势。因此,通过新技术改进传统能源可大幅度降低对环境的影响,并为未来新能源的大规模运用赢得经济和技术上的准备时间。例如,将煤气化可以极大降低煤燃烧产生的二氧化硫、氮氧化物等污染物。通过开发煤层气和建设天然气管道,中国可实现天然气消费年均两位数的增长速度,并在2020年达到2500亿m^3,从而大幅度降低碳排放和空气污染物排放。除传统能源外,核能在高度的安全和技术保障之下,也可以在很大程度上促进中国能源体系转型。目前中国在运行的核电站供给了全国约1%的电力需求,规划的核电规模在2020年将达到世界第一的80GW,并有望在2030年将规模扩大到200GW,在2040年将规模扩大到400GW。

2. 改进中国节能减排指标评价体系

当前,中国以能源强度(单位产值能耗)和碳强度(单位产值碳排放)为节能减排绩效评价标准。地方政府采取扩大生产和投资的方式实现达标,表面上为节能减排,实际上仍然是追求GDP增长。笔者认为,应该将节能减排指标和经济指标"脱钩",对经济指标和环境指标分别考察并分开评价。具体做法是用以实物量为基础的单位产品能耗或单位产品碳排放指标（如每吨钢能耗）代替能源强度和碳强度指标，这样可以衡量真实的产业技术水平，并在极大程度上避免统计上的作假和误差。

同时，除了进行能源消费和碳排放强度控制以外，也应予以一定程度上的能源消费和碳排放总量控制。政府已制订了到2015年原煤消费上限39亿t的总量控制计划，相应的碳排放总量控制计划也应予以实施。为减少"拉闸限电"等措施造成的社会经济成本，在总量控制的同时还应该辅助以能源税等经济杠杆，对达标和超出总量的情况分别采取奖励补偿和赏罚措施，从而调动相应企业达标的积极性，减少减排的社会经济成本。

运用"碳收支"指标（综合考虑碳排放源和碳吸收汇）代替当前的碳排放量来衡量区域的碳排放现状，可综合评价排放状况和减排效果。中国植树造林吸收了1980—2000年约1/3的碳排放量和2000—2007年15%的碳排放量，使用"碳收支"作为计量标准可以鼓励进一步植树造林、废弃物管理等增加碳吸收汇的手段。

3. 平衡区域能源供求关系

中国的主要能源产地集中于山西、内蒙古等内陆地区，而沿海地区为主要的能源消费地，内蒙古等地区成为能源输出的主要基地并承担着较重的环境压力。为此，在指标分配上，相对于将当前减排指标分配到区域的模式，笔者建议更多地使用行业指标，由此可分析具体行业的排放水平，结合前文中提到的实物量碳强度指标考察区域间产业的技术效率差异，并且针对技术水平较为落后的地区部门进行集中治理。同时，应从消费端而不是生产端去计量能源消费和碳排放量，将发电产生的排放计入电力消费地，从而让富裕地区承担由于自身消费而产生的减排成本。对于跨省区的大型企业，应综合其所跨区域的产业链排放，避免这类企业将污染较重的产业链上游生产制造业置于环境标准较低的内陆落后地区从而逃避环境保护和减排责任。同时，建立区域间排放转移的补偿机制，减少落后地区经济发展和环境保护的双重压力。在较不发达的中西部地区，应大幅度提高环境标准并严格执行。

4. 发展低碳市场机制

建立健全的能源价格市场，可以协调能源供求关系。同时，政府逐渐减少市场直接干预，可以将更大的力度作用于对市场监督的完善。作为市场化手段的主要形式，中国在《京都议定书》规定的国际碳交易体系下已开展超过2000个清洁发展机制（CDM）项目，累计减排6亿t二氧化碳。在《京都议定书》面临到期、后续国际谈判开展困难的情况下，中国积极发展国内碳排放交易系统，目前在五省八市实行的碳交易试点可覆盖15亿t二氧化碳排放。国内首个碳排放市场已于2013年6月在深圳正式启动，并在首个交易日交易了2万t二氧化碳配额。全国范围的碳排放交易系统将在2016年全面开展，有望每年通过碳交易削减10亿t二氧化碳。碳排放交易市场健康运转的关键在于真实、可核证的碳排放配额和透明、公平的碳排放价格体系。中国政府应该加强碳排放数据的编制、核证，建立公平、透明的市场规则，并对碳价格进行适度干预，以保证全国碳排放市场的顺利运行。

中国也需要积极尝试多种市场手段。由于5%的富裕人口消费了25%的总电力，政府2012年推行了居民阶梯电价机制，单位电价将随电力消费量上升而升高。这一机制应该更广泛地推行到其他消费领域（如对大排量汽车开征额外环境税，或者对居民购买多辆汽车开征额外税）并与可再生能源或低排放产品消费的补偿措施（如对电动汽车的补贴）相结合。

5. 实施区域大气污染物和碳排放协同减排

细颗粒物（PM2.5）污染物、二氧化硫、氮氧化物和臭氧等大气污染物造成中国本国严峻的大气污染和环境问题，其中二氧化碳是影响全球气候变化的最主要温室气体。而大气污染物及碳排放的产生根源都是大量化石能源的消费。为此，通过促进能源转型和发展低碳技术，从排放源进行碳排放和污染物排放的协同减排成为有效的多赢策略。中国2013年已部署大气污染防治10条措施，包括淘汰落后产能和低效锅炉设备，限制高污染行业，大力推行清洁生产，强化节能环保指标约束，建立减排市场机制，健全节能减排法律法规、树立全社会减排行动准则等措施，并计划在2013—2017年投资1.7万亿元人民币进行大气污染物综合防治。相关措施的有序实施有望实现大气污染物和碳排放的同时降低。

从管理体系的角度，在中央政府的领导下，政府对主管能源电力及节能减排工作的部门进行了精简和权责明晰，国家电力监管委员会并入能源局。同时，环保部、发展和改革委员会及地方政府部门的管理权责需要进一步明晰，从而协调有序地服务于节能减排和能源发展。

在强有力的实施保障下，技术、市场及政策的综合运用可以促成中国实现节能减排，并引领世界低碳发展。

（资料来源：刘竹，等：《中国低碳发展路线图》，中国科学报，2013年，8月19日，第8版。）

复习思考题

1. 什么是低碳经济？
2. 谈谈你对哥本哈根会议的结果及影响的理解。
3. 低碳经济对世界经济有什么影响？

参考文献

[1] 庄贵阳. 低碳经济：气候变化背景下中国的发展之路 [M]. 北京：气象出版社，2007.
[2] 陈志恒. 日本构建低碳社会行动及其主要进展 [J]. 现代日本经济，2009（5）.
[3] 中华人民共和国国务院新闻办公室. 中国应对气候变化的政策与行动英文版. [M]. 北京：外文出版社，2008.
[4] 金乐琴. 中国如何理智应对低碳经济的潮流 [J]. 经济学家，2009（3）.
[5] 任力. 低碳经济与中国经济可持续发展 [J]. 社会科学家，2009（2）.
[6] 谭飞燕. 低碳经济背景下中国对外直接投资模式转型研究 [D]. 长沙：湖南大学，2011.
[7] 郑义，戴永务，刘燕娜. 低碳贸易竞争力指数的构建及中国实证 [J]. 国际贸易问题，2015（1）.
[8] 严成樑，李涛，兰伟. 金融发展、创新与二氧化碳排放 [J]. 金融研究，2016（1）.

第十五章

中等收入陷阱

本章学习目标

1. 了解中等收入陷阱的概念、特征及形成原因等。
2. 了解不同国家应对中等收入陷阱的国际经验。

◆【导入案例】

为何这些国家陷入"中等收入陷阱"走不出来?

早在 2007 年的时候,巴西的人均 GDP 已经达到了 7313 美元,但是到了 2016 年,巴西的人均 GDP 仅为 8649 美元,9 年的时间,巴西的收入水平只增加了一点点,如果算上通货膨胀,9 年前 7313 美元的购买能力比现在 8649 美元反而更强,可以说巴西经济这 9 年一直深陷中等收入陷阱之中,直到今天,依然无法从中挣脱出来。

10 年前,墨西哥的人均 GDP 达到了 8767 美元,到了 2016 年却下降为 8201 美元,10 年来人民的生活质量一样是不增反减。贫富差距巨大、社会治安动乱、经济结构单一、政府改革无能,这些都成为死死拖住墨西哥在中等收入陷阱中不能自拔的原因。

作为矿业大国,南非曾经凭借着丰富的资源成为非洲第二大的经济体,但是在这 10 年之间,人均 GDP 却增长缓慢。2006 年为 5631 美元,2016 是 5273 美元。另外全国有 1/4 的人失业,并且出现了大规模的人才外流,据南非统计局估计,自 1994 年以来约 100 万~160 万名技术、专业和总经理职位外流,每个移民造成 10 名非技术人员失去工作。

苏联解体 24 年后,俄罗斯人又变回了穷人。2015 年,俄罗斯国内生产总值(GDP)增速为 -3.7%;2015 年,俄罗斯通货膨胀率为 13%,2016 年 1 月达 15%;2015 年,俄罗斯人均工资为 3.3 万卢布(约合 2800 元人民币),历史上首次低于中国。2000 年普京竞选的时候,曾经洒下激动的泪水,他信誓旦旦地说:"给我 20 年,还你一个奇迹般的俄罗斯。"如今给普京的时间还剩下 4 年,不知道他将如何让俄罗斯经济起死回生,创造一个奇迹。

中等收入陷阱成为这些国家难以逾越的鸿沟,那么究竟什么是中等收入陷阱?又如何避免陷入中等收入陷阱?世界上又有哪些国家成功跨越中等收入陷阱?

(资料来源:由搜狐网相关资料整理而得,http://www.sohu.com/a/82995892_205938,有改动;部分数据来源于世界银行数据库,统计口径为当前美元。)

第一节 "中等收入陷阱"的界定

从世界经济发展的历程看，英国和美国用了大约 13 年实现了从中上等收入到高收入的跨越；日本和"亚洲四小龙"等国家和地区只用了 10 年左右的时间，其中韩国仅用了 7 年；而拉丁美洲一些国家在长达 30 年时间里都没有越过"中等收入陷阱"。

一、中等收入陷阱概念的提出⊖

世界银行采用人均国民总收入指标对各经济体的发展水平进行分类。国民总收入（GNI）是一个经济体的国内生产总值（GDP）和来自国外的净收入（劳动报酬和财产收入）之和。世界银行采用市场汇率的三年移动平均值将本币价值换算为美元的方法，即所谓"图谱法"，来计算 GNI 和人均 GNI，并依此对经济体进行分类。

基于分析的需要，世界银行将经济体划分为低收入、中等收入和高收入三类，并于每年 7 月 1 日根据上年人均 GNI 的估算修改对世界各经济体的分类。根据 2011 年 7 月的标准，低收入为年人均 GNI 在 1005 美元及以下，中等收入为 1006~12275 美元，高收入为 12276 美元及以上。其中，在中等收入标准中，又划分为中低收入和中高收入两类。前者的标准为 1006~3975 美元，后者为 3976~12275 美元。低收入和中等收入经济体通常又合称为发展中经济体。

根据这个标准，在世界银行目前统计的 215 个经济体中，低收入组有 35 个，中等收入组有 110 个，高收入组有 70 个。在中等收入组中，中低收入经济体有 56 个，中高收入经济体有 54 个。

尽管发展中经济体的经济增长速度远远快于高收入经济体（过去 10 年发展中经济体年平均增速达到 6.8%，而高收入经济体仅为 1.8%），但经济体之间的贫富差距依然巨大。2010 年，所有高收入经济体的人均 GNI 为 38658 美元，而中等收入经济体为 3764 美元，低收入经济体为 510 美元。

跻身"高收入俱乐部"的 70 个经济体，大致可分为六类：①欧美发达国家；②由欧美发达国家托管或有密切联系及有特殊条件的一些岛屿，如关岛、格陵兰岛、开曼群岛、法属波利尼西亚等；③石油资源丰富的国家，包括沙特阿拉伯、阿拉伯联合酋长国、科威特、文莱；④中东欧转型国家，包括波兰、匈牙利、捷克、斯洛伐克、爱沙尼亚、斯洛文尼亚；⑤一些成功的东亚经济体，包括日本、韩国、中国香港、中国澳门、新加坡（中国台湾未纳入统计）；⑥以色列。

按照世界银行的地区分类，低收入经济体大多集中在撒哈拉以南的非洲地区；而中等收入经济体主要分布在四个地区，即拉丁美洲与加勒比地区、欧洲与中亚地区（主要是苏联时期的东欧国家）、东亚与太平洋地区、中东与北非地区。

世界银行研究发现，第二次世界大战结束以来，许多发展中经济体经历了一定时期的快速增长，但相当多经济体在达到中等收入水平后，增长率就显著放缓，从而长期徘徊在"高收入俱乐部"的门槛之外。最典型的例子是以阿根廷为代表的一些拉美国家。统计数据显示，阿根廷于 1962 年，智利于 1971 年，乌拉圭于 1973 年，墨西哥于 1974 年，巴西于 1975 年，哥伦比亚于 1979 年就已经达到中等收入水平，但至今仍未能跻身高收入经济体。

⊖ 孔泾源：《中等收入陷阱的国际背景、成因举证与中国对策》，改革，2011 年 10 月。

在世界其他地区也有类似的情况。例如，马来西亚和叙利亚分别于 1977 年和 1978 年达到中等收入水平，但至今仍属中等收入经济体，其中叙利亚甚至一度重回低收入经济体行列。

2007 年，世界银行对上述现象进行了总结，提出了"中等收入陷阱"的概念。根据有文献可查的记录，"中等收入陷阱"（Middle Income Trap）这个概念最早出现在世界银行为总结亚洲金融危机 10 年来东亚经济表现的一份研究报告中。这篇报告题为《东亚复兴：关于经济增长的观点》，是由时任世界银行首席经济学家印德米尔特·吉尔和世界银行经济顾问霍米·卡拉斯共同主编并于 2007 年出版，报告对东亚经济当前所处的发展阶段以及能否避免"中等收入陷阱"问题进行了阐述。报告指出，所有在跨越低收入阶段时的政策和发展战略，在该国进入中等收入阶段之后基本都不适用了。因此，对于进入中等收入阶段的国家来说，它们必须有新的发展战略和新的策略促使其成功跨越。因而中等收入阶段成为一个独特的发展阶段。

在过去的 30 余年间，陷入"中等收入陷阱"的国家不在少数，这从对 71 个在 1980 年属于中等收入行列的国家的统计可以看出来。在这 71 个国家当中，46 个在 1980 年属于中低收入国家，到 2009 年，其中 22 个仍然属于中低收入组，12 个降为低收入组，剩下的 12 个升入中高收入组；另外 25 个在 1980 年属于中高收入国家，到 2009 年，其中 15 个仍然属于中高收入组，2 个降为中低收入组，剩下的 8 个升入高收入组。如果以 1980—2009 这 29 年间停留在同一收入组别或降级到下一收入组别为标准，那么，1980 年属于中等收入的 71 个国家当中，61 个，即 87% 处在"中等收入陷阱"之中。

2010 年世界银行又进一步对其进行阐述：几十年来，拉美和中东地区的很多经济体深陷"中等收入陷阱"而不能自拔；面对不断上升的工资成本，这些国家作为商品生产者始终挣扎在大规模和低成本的生产性竞争之中，不能提升价值链和开拓以知识创新产品与服务为主的高成长市场。

为什么把拉丁美洲国家看成"中等收入陷阱"的典型？主要有两个原因：①拉丁美洲是"中等收入国家"最集中的地区；②拉丁美洲国家滞留"中等收入陷阱"的时间长。拉丁美洲主要国家在相继进入"中等收入国家"行列之后，逐渐出现经济增长动力不足、经济发展起伏大、长期低水平徘徊、贫富差距拉大、社会矛盾加剧、对外依存度上升等问题，迟迟未能跨越到发达国家行列。拉丁美洲国家平均滞留"中等收入陷阱"时间长达 38 年之久，其中阿根廷时间最长，已达 50 年，墨西哥 38 年，巴西 37 年，哥伦比亚 33 年。因此，世界银行等机构常常把拉丁美洲国家视作"中等收入陷阱"的典型，有的学者索性称之为"拉美陷阱"。

世界银行在提出"中等收入陷阱"概念之后，这一问题在国际上产生了不小的反响。许多财经媒体开始大量引用这一概念，并把"中等收入陷阱"看作发展经济学的一个重要方面，认为它是低收入国家迈向高收入国家经济发展进程中必然面临的一个问题。

与此同时，也有许多不赞成使用"中等收入陷阱"这个概念的观点。主要论述有：一是认为"陷阱"这个用词不恰当。因为这个词容易使人联想到人为"下套"，而一个经济体怎么会被人为地设下陷阱呢？二是认为并无现成的经济理论，可以像贫困陷阱或贫困恶性循环理论那样，符合逻辑地刻画中等收入陷阱的相关现象。三是认为中等收入陷阱缺乏经验依据。有人指出，在 21 世纪的过去 10 余年中，并不存在中等收入国家增长绩效明显逊于高收入国家和低收入国家的情况。四是质疑这个概念对中国的针对性。是否"中等收入陷阱"

最恰当地描述了中国面临的挑战，是否有助于找到解决问题的出路？

关于我国如何认识和应对"中等收入陷阱"问题，在2013年，习近平总书记在会见21世纪理事会北京会议外方代表时表示，中国不会落入所谓"中等收入陷阱"。这充分展示了中国跨越"中等收入陷阱"的信心和决心。在2014年北京APEC领导人同工商咨询理事会代表对话时，习总书记如是说：对中国而言，"中等收入陷阱"是肯定要过去的，关键是什么时候迈过去、迈过去后如何更好向前发展。习总书记的明确判断，既再次表达了我们对跨越"中等收入陷阱"的信心，又为我国跨越"中等收入陷阱"指明了方向，提出了要求，已成为制定我国"十三五"规划纲要的重要指导思想。可以说，今后五年是我国迎接中等收入陷阱历史性考验和挑战最为关键的五年，必须采取果断措施，加快经济发展转型升级，从根本上摆脱"中等收入陷阱"的潜在威胁。

二、陷入"中等收入陷阱"经济体的共同特征

如果撇开那些完全依靠石油出口的富裕国家，按照世界银行的标准，在欧美发达国家之外，迄今为止，跨越中等收入行列的经济体，显而易见的似乎只有日本、韩国、新加坡，以及中国的台湾、香港和澳门地区。而那些曾经与欧洲国家处于同等发展水平的拉丁美洲国家，以及较早就跻身中等收入行列的亚洲国家，却一直未能成为高收入国家的一员。即使有些拉丁美洲国家人均收入一度越过了中等收入到高收入组的交界线，却终究仍回归到中等收入水平上。陷入"中等收入陷阱"的经济体，其经济社会发展呈现一些共同的特征，归纳起来主要是：

1. 经济增长不稳定

陷入"中等收入陷阱"的经济体，经济增长往往出现较大的起伏，即便在短期内取得高增长，也难以持续。这一特征在拉丁美洲国家尤其突出。1950—1980年，巴西、阿根廷和墨西哥的GDP年均增速分别为6.8%、3.4%和6.5%，而在1981—2000这20年间，则分别降至2.2%、1.7%和2.7%。1970—1980年，印度尼西亚、菲律宾GDP的年均增速分别为8%和6.6%，而在1981—1990年，则分别降至5.5%和1.6%。

2. 金融体系脆弱

以东南亚国家为例，在1997年东南亚金融危机发生前，泰国、马来西亚、菲律宾等经济体长期过分依赖外资流入推动经济发展，向国外借款过多；金融市场开放的自由化程度与固定汇率制度安排失当，人为维持的汇率高估使本币币值与实体经济和外汇供求严重脱节；监管法律法规不完善，中央银行对金融市场风险缺乏足够的宏观调控能力和有效的监督机制；大量资金投向了房地产业和证券业，泡沫经济现象严重。金融体系的漏洞形成了巨大的套利空间，引发国际投机资本的恶意攻击和打压，直至爆发大规模的金融震荡。拉丁美洲国家的历次金融危机和经济危机的爆发，也往往与外债负担沉重、本币币值高估、通货膨胀严重等因素紧密相关。

⊖ 李方旺：《加大供给侧结构性改革，促进创新驱动发展，成功跨越"中等收入陷阱"》，经济研究参考，2017年第4期。

⊖ 孔泾源：《中等收入陷阱的国际背景、成因举证与中国对策》，改革，2011年10月。

3. 收入差距过大

拉丁美洲是世界上收入水平差距最大的地区，最富有的20%人口的平均收入是最贫穷的20%人口平均收入的20倍。使用基尼系数来衡量，拉丁美洲各国的基尼系数都在0.45以上，其中阿根廷为0.53，智利为0.54，巴西和玻利维亚更是高达0.61。这些数据都远远高于经济合作与发展组织国家0.35的平均水平。陷入"中等收入陷阱"的其他地区的经济体也同样面临收入差距过大的问题。收入差距过大，不仅造成国内居民消费不足，而且会引发社会矛盾激化，不利于经济社会可持续发展。马来西亚在20世纪80年代中期基尼系数就在0.45左右，到20世纪90年代后始终保持在接近0.5的水平上。

4. 公共服务短缺

以拉丁美洲国家为例，为了赢得民众支持，拉丁美洲国家的政府在社会保障、社会救济、医疗卫生、教育、扶贫、就业、工资和税收等领域都制定了有关的社会政策，有些国家甚至通过颁布法律法规来确保社会政策的稳定性。但是，由于政府财力不够、利益集团掣肘、管理能力不足等诸多原因，很多社会政策实施效果不佳，公共服务短缺现象普遍存在，一般民众，特别是弱势群体受益更少。

5. 创新能力不足

进入中等收入阶段的经济体，原有的低成本优势逐步丧失，在低端市场难以与低收入国家竞争，但在中高端市场则由于研发能力和人力资本条件制约，又难以与高收入国家抗衡。在这种上下挤压的环境中，很容易失去其增长的动力。印度尼西亚、马来西亚等东南亚国家在1997年东南亚金融危机后再也没能恢复到危机前的高增长，就与经济增长缺乏技术创新动力有直接关系。

此外，陷入"中等收入陷阱"的经济体还存在贫困集中、就业困难、城市化失序、腐败严重、信仰缺失、社会动荡等诸多问题。这些问题在各经济体中的表现和严重程度不尽相同。

三、"中等收入陷阱"的形成原因[一]

鉴于拉丁美洲和东南亚国家陷入"中等收入陷阱"的现实，一些学者从这些国家的发展历程出发，对陷入"中等收入陷阱"的主要原因进行了讨论。由于视角不同，学者们的意见存在着较大的分歧：

1. 社会建设滞后论

这种观点认为导致发展中国家陷入"中等收入陷阱"而不能自拔的主要原因在于社会建设滞后。许多现在正苦苦挣扎于"中等收入陷阱"的泥潭而无法自拔的国家，如拉丁美洲的巴西、阿根廷、墨西哥等国以及亚洲的马来西亚等国，它们的经验在很大程度上说明了社会建设的滞后将会导致发展中国家步入"中等收入陷阱"。虽然这些国家在20世纪70年代均进入了中等收入国家的行列，但现在这些国家仍然挣扎在人均GDP 3000～5000美元的发展阶段。主要原因就在于这些国家长期以来只注重增长速度和经济建设，而忽视社会建设。社会建设滞后最显著的特征就是收入差距过大，中间阶层"夹心化"，在城市化进程中形成新的二元结构，以及教育和人力资本投入不足，造成产业结构失衡和粗放型经济增长。

[一] 资料来源：http://www.aisixiang.com/data/53953.html。

2. 转型失败论

这种观点认为经济发展模式转型和政治转型的失败都将导致发展中国家步入"中等收入陷阱"。经济发展模式转型主要是指产业升级，以及消费者需求结构的转变。实现升级的必要前提条件是国民收入的中产化。经济发展模式转型失败将会导致消费不足，进而无法实现消费需求和产业结构升级。而所谓的民主政治转型，则是指许多发展中国家在经济起飞阶段都始于威权政府阶段，而经济持续增长进入中等收入行列后，国民利益诉求比较强烈，由于没有及时发展出独立的法律体系和透明的政府机构，就会导致"街头民主"诉求无序膨胀，从而出现"民主乱象"，其结果可能就是落入"中等收入陷阱"。

3. 社会流动性不足论

这种观点认为发展中国家步入"中等收入陷阱"在于社会流动性不足。有学者认为，决定一国 GDP 长期增长的一个重要因素是社会流动性。并且，相比其他任何结构性变量，如通货膨胀、投资比例、进出口比例等，社会流动性与"中等收入陷阱"有着更为显著的相关关系。同时也有学者认为，事实上政府规模过大、劳动收入比例低和收入分配不均，都只是静态的不平等，这并不是最可怕的。最可怕的是社会流动性低、社会利益结构被固化，从而造成动态的不平等，必将导致长期经济增长的停滞。因此，避免"中等收入陷阱"的关键，不是人们通常关注的某些结构性因素，而是保持合理的高社会流动性。

4. 发展模式缺陷论

这种观点认为，一些在突破低收入陷阱时的成功模式具有与生俱来的缺陷，这些缺陷会导致发展中国家陷入"中等收入陷阱"。学者通过对超越"贫困陷阱"的经济发展模式，在一国后续经济发展中的"锁定"机制的分析认为，从经济"起飞"到实现早期的经济增长，需要的是提高储蓄率和资本积累。在经济增长的早期阶段，增加资本投资就可以促进经济的快速增长。但如果在进入中等收入阶段以后还继续依靠资本投资驱动经济发展的话，就会带来一系列不良后果，造成经济发展的不可持续性。

5. 比较优势困境论

还有学者从"比较优势理论的困境"这一角度证明了这种发展模式会导致发展中国家陷入"中等收入陷阱"而无法自拔。一些发展中国家在发展初期主要是按照"比较优势理论"发展经济，如利用劳动力、土地等自然资源禀赋进行进口替代和加强出口等。但是，这样将使得发展中国家陷入技术"引进——落后——再引进——再落后"的恶性循环，核心技术多为发达国家掌控，发展中国家成为技术的追随者；同时，发展中国家的产业链出现木桶效应⊖，整体竞争力难以提升，抑制产业升级换代与经济发展方式转变。在这样一种机制下，发展中国家将步入"中等收入陷阱"而无法自拔。

四、"中等收入陷阱"的实质 ⊜

关于"中等收入陷阱"的实质，主要有三种不同的看法：

⊖ 木桶效应是指一只木桶想盛满水，必须每块木板都一样平齐且无破损。如果这只木桶的木板中有一块不齐或者某块木板下面有破洞，这只木桶就无法盛满水。所以一只木桶能盛多少水，并不取决于最长的那块木板，而取决于最短的那块木板，故也称短板效应。

⊜ 资料来源：http：//www.aisixiang.com/data/53953.html。

(1)认为"中等收入陷阱"实质上是关于经济增长的问题。例如,世界银行的《东亚经济发展报告》中将"中等收入陷阱"明确定义为"进一步的经济增长被原有的增长机制锁定,人均国民收入难以突破10000美元的上限,一国很容易进入经济增长阶段的停滞徘徊期"。因此,"中等收入陷阱"的实质其实是形象地描述一些中等收入国家经济增长长期停滞不前的问题。有学者认为"中等收入陷阱"是经济增长的"负效应",是由于生产要素成本上升、投入边际报酬递减、劳动密集型比较优势不断减少等经济增长因素变化,导致经济增长失去新的动力。

(2)认为"中等收入陷阱"是关于经济发展的问题。有学者指出,"中等收入陷阱"是指一些国家或地区在人均收入达到世界中等水平后,经济发展仍然过分依赖外在因素,不能顺利实现发展方式的转变,导致新的增长动力,特别是内生动力不足,经济因此停滞徘徊。有学者认为,所谓"中等收入陷阱",不过是在经济发展的不同阶段,要求结合外部环境(如贸易环境)采取适当的发展战略,以实现经济的可持续发展。也有学者认为,"中等收入陷阱"的含义之一是当人均收入达到一定水平时,由于收入分配不公等现象引起社会动荡,造成经济发展停滞、长期徘徊不前。

(3)认为社会经济发展有自身的规律,不存在所谓的"中等收入陷阱"。持这种观点的学者认为,"中等收入陷阱"概念含糊不清,如世界银行在提出这个问题时,对于哪些原因造成中等收入国家经济增长停滞时,经常使用"可能"的字眼。有学者认为"中等收入陷阱"是一个伪命题,是人们对"现代化陷阱"的一种错觉。所谓"现代化陷阱",就是把经济增长当作发展,以破坏自然环境和摧残劳动力为代价,开展现代化的达标运动。其实,任何国家的社会平均收入水平都必然要经历一个或长或短的中等收入阶段。有学者指出,这不是什么"陷阱",而是经济社会发展的正常规律。推动全社会整体收入水平冲上一个新台阶的制度变迁、技术革命,都需要相当长的时间积聚能量。

第二节 应对"中等收入陷阱"的国际经验

根据世界银行2012年的最新数据,1960年中等收入国家和地区共有101个,到2008年,其中只有13个进入高收入经济体:赤道几内亚、希腊、中国香港、爱尔兰、以色列、日本、毛里求斯、葡萄牙、波多黎各、韩国、新加坡、西班牙和中国台湾。未能成功跨越中等收入陷阱的经济体主要集中于亚洲、拉丁美洲。

世界上成功跨越"中等收入陷阱"的例子非常少,大多数东亚和拉丁美洲国家至今仍被困于"中等收入陷阱"不能自拔。日本、韩国、新加坡以及中国的台湾、香港等是国际公认的实现了成功跨越"陷阱"的国家和地区;阿根廷、巴西、墨西哥、马来西亚、印度尼西亚、菲律宾、泰国、南非等国家就一直在中等收入国家行列徘徊。本节将对日本、韩国、巴西、墨西哥、阿根廷、马来西亚等国家的经验与教训进行分析。

一、日本的成功经验[一]

日本是从低收入国家进入中等收入国家而后顺利进入高收入国家行列的典型经济体。第

[一] 马晓河:《中等收入陷阱的国际观照和中国策略》,改革,2011年11月。

二次世界大战结束后，日本面临着国民财富损毁45%、国内经济严重衰落的局面。然而，在此后的30多年里，日本经济先是得到迅速恢复，接着又实现了连续20多年的经济高速增长。1945—1951年，日本经济年均增长率为9.9%；1951—1955年，年均增长率为8.7%；1955—1972年，年均增长率达到9.7%，其中1955—1960年年均增长率为8.5%，1960—1965年年均增长率为9.8%，1966—1970年年均增加率为11.6%；1970—1980年，年均增长率为4.5%。经济的快速增长，使得日本人均国民收入迅速增长。1947年，日本人均国民收入仅为89美元，1950年为113美元，1955年为209美元，1960年为431美元，1965年为890美元，1970年上升到1940美元，到1980年，日本人均国民生产总值达到10440美元，1988年，日本人均国民生产总值高达23570美元，超过美国人均21620美元的水平。

日本经济之所以能顺利实现转型，一跃进入发达国家行列，有四个重要原因：①产业结构及时顺利地实现了高度化，使经济增长由粗放型向集约型转化；②需求结构实现了从投资率上升到消费率上升的转换；③社会结构实现了成功转型，中产阶级人群占社会人口比重和城市人口比重都超过70%；④政治结构转换有力地支持了日本向高收入国家迈进。

1. 日本的产业结构演变对收入转型起到关键作用

第二次世界大战后的30多年里，日本产业结构转换的明显特点是：农业在国民产值结构中的比重持续下降，在人均国民收入大约1000美元时，农业的比重下降到10%以下；工业的比重先上升后下降，在人均国民收入大约2000美元时比重达到最高（此时第二产业接近47%），此后连续下降；服务业比重不断上升，在人均收入达到2000美元以后又出现了加快上升趋势。

从工业结构看，"二战"后日本首先通过大力发展食品、纺织、服装、鞋帽等劳动密集型产业促进工业发展。1945—1955年，日本的纺织工业生产指数增长了10.4倍，而钢铁冶炼、机械制造、化学工业、石油及煤制品分别增长了2.3倍、73.6%、3.8倍、5.8倍。20世纪50年代中期以后，日本工业结构的重心逐渐由轻工业向重化工业转化。1955—1960年，日本的纺织工业只增长了62.4%，而钢铁冶炼、机械制造、化学工业、石油及煤制品分别增长了1.21倍、3.44倍、96.3%、1.71倍。进入20世纪60年代，日本工业结构又出现了高加工度化的趋势，汽车工业、家电工业的崛起与迅速增长推动了工业的发展。进入20世纪70年代，带动工业发展的是精密机械、电气机械、一般机械和运输机械等。20世纪80年代后，促进日本工业结构转变的主要力量是技术密集化和高附加值化，造船工业、电气及电子工业、汽车工业、民用电气机械工业等通过机器人、数控机床和微电子技术的利用获得了迅速发展。

日本的产业结构转换是成功的。根据有关资料，1950—1962年，日本全要素生产率的提高对经济增长的贡献率为67%；1965—1985年，日本经济增长约32%归因于技术变化，55%归因于资本投入的增加，13%归因于劳动投入的增加；而美国经济增长约20%归因于技术变化，45%归因于资本投入的增加，35%归因于劳动投入的增加。

2. 产业结构演变是与需求结构相联系的

在"岩武景气"的1945—1955年，日本社会压低民间消费需求，大力增加投资，特别是设备投资，把尽可能多的资源包括过剩劳动力投向生产，发展出口经济。但进入20世纪50年代后期，日本经济发展暴露出明显的问题：经济增长过度依赖投资带动，工厂运用新技术生产的电视机、电冰箱、空调等卖不出去，同时社会失业人口增加，劳资关系紧张并出现了长时间的罢工。1960 年，日本宣布启动为期 10 年的"国民收入倍增计划"。其主要目标是：将国民生产总值增加一倍，实现完全就业，大幅度提高国民生活水平，缩小农业与非农业、大企业与小企业、地区之间以及收入阶层之间存在的生活和收入差距，使国民经济和国民生活均衡发展。此后，日本国民收入不仅有了大幅度的增长，而且阶层间的收入差距明显缩小，城乡间的收入差距基本得到消除。

收入差距的缩小以及城乡差距的消除，大大有利于中产阶级的形成和成长，中产阶级扩大了消费需求，稳定了社会。据有关调查，1972 年日本人中认为自己属于"中间阶层"的占到 73%，城市化率也在 1970 年达到 72.1%。可见，在 20 世纪 70 年代，日本社会已是中产阶级占大多数的"橄榄"型社会结构。进入 20 世纪 90 年代，日本人均 GDP 已经远远超过 2 万美元，此时政府更是号召要"从生产大国转变为生活大国"。从统计资料分析，日本在收入转型过程中，经历了投资率先升后降、消费率先降后升的过程。1952 年日本的投资率为 21.3%，1966 年上升到 32.6%，1970 年进一步上升到 39%。进入 20 世纪 70 年代以后，日本投资率不断下降，1973 年投资率下降到 38.2%，1980 年为 32.2%，1993 年为 29.9%，2006 年进一步降到 23%。与此相对应，日本的消费率 1950 年为 77%，1966 年下降到 65.9%，1970 年进一步降到 59.7%，此后开始上升，1973 年为 61.8%，1980 年为 68%，2006 年达到 75%。由此可以看出，日本投资率从升到降、消费率由降到升的拐点发生在 20 世纪 70 年代初期，工业比重由升转降也恰恰出现在这一时期。此时日本人均国内生产总值在 2000 美元左右（相当于 2010 年的 10760 美元），中产阶级社会已经形成。

3. 政治结构转换有利于日本向高收入国家迈进

日本的政治结构转换成本较小，也有利于日本向高收入国家迈进。第二次世界大战后，日本建立了以立法、司法、行政三权分立为基础的议会内阁制度。天皇无权参与国政，只是国家象征。国会是最高权力和立法机构，内阁是最高行政机关。在国会中，众、参议员由选区选民选举产生，首相由国会议员选举产生。日本政治结构的另一个特点是，尽管它是多党制国家，但 1955—2009 年，自民党一直执政（在 1993—1995 年短暂失败），是自民党带领日本人民由低收入国家成功跨进发达国家行列。其成功的主要原因：一是一党多派，形成党内互相监督制约；二是党内轮替执政，形成了权力的有效接应；三是社会监督，在野党和社会共同对执政党进行监督。

二、韩国的成功经验[一]

韩国在 20 世纪 50 年代还是一个相当落后的国家，1953 年人均 GDP 仅为 67 美元，1963 年上升到 163 美元，10 年仅增加不足 100 美元。此后，韩国实行了符合本国国情的经济发展战略和社会转型战略，不断提升政府治理水平，实现了 30 多年的经济高速增长。1995 年，韩国人均 GDP 超过 10000 美元，成功从中等收入国家行列跻身高收入国家行列。2011 年，韩国经济总量位居世界第 15 位，亚洲第 4 位，人均 GDP 达到 2.4 万美元。韩国之所以能顺利跨越"中等收入陷阱"，得益于以下三个方面的措施：

1. 实施符合国情的经济发展战略

20 世纪 60~70 年代，韩国抓住美国、日本等国将劳动密集型产业转移到发展中国家的

[一] 资料来源：http：//www.21fd.cn/a/guanshijie/2012072349041.html。

机遇,发挥本国劳动力资源优势,实施出口导向型发展战略,由此创造了"汉江奇迹",成为"亚洲四小龙"之一。但进入20世纪80年代以后,世界经济格局发生重大变化,西方国家受能源危机的影响,转向奉行贸易保护主义,极大地冲击了韩国出口导向型经济。同时,西方国家开始了新一轮技术革命,大力推进产业结构转型升级。韩国政府意识到,必须及时转变发展方式,从出口导向的劳动密集型经济转向创新经济。其中非常有特色的做法集中体现在:

(1)重视顶层设计。韩国在20世纪80年代初确立了"科技立国"战略,力图通过利用先进技术改造提升传统产业,发展知识密集型产业。1985年,韩国颁布《产业发展法》,重点强调市场在产业发展和经济运行中的作用,极大地释放了市场力量,为产业优化升级创造了良好的外部环境。进入20世纪90年代后,韩国进一步深化"科技立国"战略,加大对本国高新技术产业的支持力度,并逐步从模仿创新转向自主创新。1998年,韩国提出"设计韩国"战略,大力发展文化创意产业,从制造国家转变为设计创新国家。在顶层设计的指引下,韩国的自主创新能力大幅度提升,三星、LG等成为全球著名品牌即是例证。

(2)加大研发投入。政府对研发的投入是衡量一国重视科技程度的标志之一。20世纪80年代以来,韩国逐年加大对研究与开发(R&D)的投入力度,研发投入规模每年增长10%以上。2008年韩国研发支出占GDP比重达到3.3%,超过日本、美国、德国等发达国家。美国国家科学基金会(NSB)理事会公布的《2012年科学和工程学指标》中,韩国是"世界研发支出七大国"之一,投入总规模列世界第六位,仅次于美国、中国、日本、德国、法国。韩国每千人中的研发人员达到4.8人,而陷入"中等收入陷阱"的阿根廷仅有1.1人,韩国是后者的4.4倍(2006年)。韩国将创新视为跨越"中等收入陷阱"的决定性因素,高度重视顶层设计、加大财力投入与有效的激励,通过提升技术进步在经济增长中的贡献,实现由低成本优势向创新优势的转型。

2. 确保各阶层对发展成果的共享

韩国跨越"中等收入陷阱"之路的同时,也是一条包容性发展之路。韩国包容性发展的典型做法体现在以下四方面:

(1)推进"新村运动"。20世纪70年代初期,韩国经济已经开始起飞,但城乡差距依然较大,农民生活依旧处于温饱边缘。1970年,韩国80%的农民住茅草屋、点油灯、吃两顿饭,一半以上的农村不通汽车。同年4月,时任总统朴正熙提出开展"新村运动",政府提供钢铁和水泥,引导农民参与农村的经济社会建设,改善农村生产、农民生活环境。"新村运动"改善了韩国农村基础设施,带动了农业发展,提高了农民收入,改变了农村、农民的精神面貌;同时,避免了农民短时间内大量涌入城市带来"城市病",对缩小城乡差距、促进城乡融合发挥了重要作用。

(2)重视教育。中等收入国家处于从要素驱动向创新驱动转型的关键时期,教育及人力资本的提升是不可或缺的一环。韩国认为,人才是国家最宝贵的资源,教育是提升人力资本的唯一途径。为此,韩国一直将教育作为政府的重要工作。韩国在20世纪60年代普及小学教育,70年代普及初中教育,80年代普及高中教育,90年代普及大学教育,现在四年制大学已经超过200所,大学入学率超过80%。1950年韩国教育经费占GDP比重仅为2%,1984年教育经费占GDP比重高达14%,目前教育经费占GDP比重保持在7%左右。同时,政府鼓励社会力量参与办学,尤其是鼓励私立中等、高等教育的发展,政府在对这类学校除进行税收减免之外,还给予一定的补贴。为推进教育服务的均等化,韩国大学优先录取农村的高中毕业生,为农村学生提供免费宿舍和奖学金,提升农村人力资本,有效防止了贫困的代际转移。

(3) 注重缩小收入差距。韩国通过推进税收改革缩小收入差距。在20世纪70年代中后期实行比较彻底的综合个人所得税制,对储蓄与投资所得单独设计了税率。为照顾低收入人群和弱势群体,韩国多次提高个人所得税的免征额,不断降低税率,减少征收档次,减轻低收入者的税收负担。对高收入者则提高其税率,增加对持有不动产的征税,实行累进的综合土地税,加重对土地征收的财产税等,打击不动产投机,尽量缩小由不动产带来的贫富差距。

(4) 完善就业及社会保障体系。韩国通过吸纳更多的劳动力就业来增加普通民众的收入,减少绝对贫困,让更多的人分享经济发展带来的成果。韩国工人就业受到多部法律保护,如《均等就业法》(1987)、《促进残疾人就业法案》(1990)、《基本就业政策法》(1995)、《职业培训振兴法》(1997) 等。这些法律有效保护了工人的权益。进入20世纪80年代后,韩国建立健全社会保障体系,实施全民医疗保险、最低工资制和国民年金制度三大社会福利政策。到1995年,进一步建立健全了雇佣保险、年金保险、健康保险和产灾保险四大社会保险,在一定程度上解除了民众的后顾之忧。21世纪初期,韩国社会保障体系实现了对全体国民的全覆盖。

随着上述包容性措施的实施,韩国民众收入稳步增加,城乡居民和不同阶层的收入差距显著缩小,基尼系数从20世纪70年代的0.39下降到90年代末的0.31,至今仍然维持较低水平。韩国同时也顺利完成了社会结构的转型,城镇化率在20世纪90年代达到70%以上,中产阶层和城市人口成为社会的主体。

3. 稳步提高政府治理水平

良好的政府治理是跨越"中等收入陷阱"的基础。各国跨越"中等收入陷阱"的经验及教训表明,政府应发挥积极作用,通过合理的公共政策引导经济、社会、生态协调发展。从某种程度上来说,没有政府的积极参与及强力引导,"中等收入陷阱"是难以成功跨越的。韩国一直推进政府转型,为跨越"中等收入陷阱"奠定良好的治理基础。

一方面,较好地处理政府与市场的关系。韩国早期实行政府主导的市场经济模式,强调政府在推动经济发展方面发挥主导作用。进入20世纪80年代后,韩国逐步意识到政府并不比市场高明,应发挥市场在资源配置中的基础作用,于是从法律层面强调市场的作用,转变政府职能,厘清了政府与市场的边界,减少政府对产业的干预。政府从"主导"变为"引导",减少"越位"与"错位",明确提出将技术开发的主体从政府转向企业,由企业自主决定创新方向而非政府大包大揽。

另一方面,不断推进政府自身改革,建设透明政府。时任韩国总统金泳三颁布《公务员伦理法》,带头进行财产公示,推行官员财产公示制度,部分包括法院院长、国会议员、军队领导在内的高管因此受到惩处。现在,财产公示已成为韩国公职人员的"例行公事"。韩国通过将政府行为的细节展现在阳光下,避免了被利益集团所绑架,遏制了腐败,改善了政府与民众的关系,提高了政府整体运作效率,造就了一个更加廉价、高效、透明、有力的服务型政府。

三、巴西的启示

2011 年 12 月 26 日，英国智库经济与商业研究中心公布最新年度全球经济体排名，巴西的经济规模首次超过英国，成为全球第六大经济体。全球前十名的经济体为：美国、中国、日本、德国、法国、巴西、英国、意大利、俄罗斯、印度。巴西将成为一个迅速崛起的世界大国，似乎已成为人们的共识。根据世界银行最新的统计数据，2011 年巴西人均 GDP 达到 12594 美元，排名世界第 53 位。根据这个数据，再过三四年，巴西将跨出"中等收入陷阱"，进入高收入国家的行列。

巴西跨出"中等收入陷阱"要用多长时间？1975 年，巴西的人均 GDP 达到 1144 美元，迈进中等收入国家行列。这样算来，到目前，巴西陷入中等收入陷阱的时间已有 39 年。相比之下，与巴西差不多同时迈入中等收入国家的韩国，仅用了 18 年的时间（1977—1995 年）便跨出了中等收入陷阱。为什么巴西陷入"中等收入陷阱"的时间如此之长？

1. 巴西陷入"中等收入陷阱"的根本原因

进入中等收入水平后，巴西是如何陷入"中等收入陷阱"的？20 世纪 70 年代中期巴西进入中等收入水平之后，经济和社会发展中存在着一系列的矛盾：国有企业效益低下，经济对外资依赖性大，收入分配不均影响国内市场扩大和社会稳定，政治专制导致社会矛盾激化等。

当时要想避免陷入"中等收入陷阱"，一个关键的挑战是以可持续的方式保持经济高速增长。现在回顾来看，要实现这一目标，对巴西来说，正确的选择应该是：经济上，改变长期以来推行的以国家干预、高度保护为支柱的进口替代工业化模式，完善市场机制；社会政策上，改善收入分配，扩大内需，缓和社会矛盾；政治上，扩大参与，实行政治民主化。总体而言，当时巴西政府在经济和社会政策上是失败的，但在政治改革方面取得了成功。

1974 年，巴西军政府在政治上实行"减压"和开放，开启了军政府"还政于民"的进程，同时认识到改善收入分配的必要性。在政府看来，要实现这两个目标，前提是维持较高的经济增长速度。为此，1975 年，政府通过了"第二个国家发展计划：1975—1979 年"。该计划确立了年平均增长率 10% 的发展目标。这一目标将通过从耐用消费品生产向中间工业产品和资本品生产的转变来实现，并通过经济的高速增长，来改变收入的分配状况。在当时的形势下，选择推行经济持续高速增长的战略意味着外债的迅速增加。如果不从国外借贷，巴西不可能支付其石油进口，也不可能继续支付其工业生产，特别是"第二个国家发展计划"所确立的大的投资项目所必需的巨大进口投入。因此，巴西政府推行的是"负债增长"战略。这样，1973 年以后，巴西外债迅速增加。随着国际利率的上升，外债负担逐渐成为巴西经济的严重问题，到 1979 年，外债负担占了全部出口值的 63% 以上。

1979 年，第二次石油危机爆发，油价上升，巴西国际收支恶化。国际利率上升，取得新的贷款越来越困难，"负债增长"战略难以为继，巴西被迫实行经济紧缩政策，限制货币发行量，减少对国有企业贷款，由此导致 1981—1983 年的经济衰退。1982 年墨西哥债务危机爆发后，巴西不得不于 1983 年接受国际货币基金组织的建议，推行经济稳定政策。这样，和其他拉丁美洲国家一样，20 世纪 80 年代成为巴西"失去的 10 年"，经济增长和社会进步

○ 董经胜：《巴西怎样陷入和摆脱"中等收入陷阱"》，中国民商，2013 年第 7 期。

化为泡影，更遑论跨出"中等收入陷阱"了。

总体而言，20世纪70年代中期到90年代初，巴西政府的经济和社会政策是不成功的，选择"负债增长"战略贻误了发展模式的调整，这也是巴西陷入"中等收入陷阱"的根本原因。但是，这一时期在政治上，从1974年开始，军政府推行稳步的、渐进的政治开放政策，并最终于1985年实现了军人"还政于民"的民主化进程，重新初步建立了民主制的政治体制。根据西方学者的研究成果，巴西的民主化是一种"通过交易的转型"。政府内的强硬派和改革派、反对派内的温和派和激进派，各种力量不断博弈。最终，改革派和温和派占了上风，强硬派和激进派被边缘化，保证了改革的渐进推进与和平变革。这为以后巴西朝着摆脱"中等收入陷阱"的方向前进创造了最基本的前提。因为如果没有政治民主化，就不可能有真正意义上的社会公正，就不可能实现经济的可持续增长，当然也就不可能真正摆脱"中等收入陷阱"。政治民主成为社会公正、经济可持续发展的前提。

2. 巴西经济发展战略的调整与改革

在20世纪80年代的危机之后，巴西进入了一个调整与改革的时期。在此期间，虽然发生过金融危机，但巴西经济逐步走出20世纪80年代的阴影，从1993年起开始复苏。进入21世纪后，巴西的发展更加引人注目：2007年位列世界第十大经济体，2009年跃升至第八，2011年取代英国成为第六。究其原因，除了得益于其丰富的自然资源和能源矿藏，更与巴西政府的内外政策密切相关。

特别是在卢拉执政期间，巴西政府重视经济转型，转变对外贸易结构。巴西的出口产品已不限于钢材、咖啡等低端产品，还包括航天、国防等高技术、高附加值产品。例如，巴西支线飞机占世界支线飞机市场的75%。巴西支线飞机不仅向中国出口，而且与中国合资，在哈尔滨生产支线飞机。巴西从20世纪70~80年代起就开始发展乙醇（酒精）等绿色能源产业，清洁燃料的技术和产量领先世界。相比纯粹的汽油，乙醇燃料更加清洁，污染也更小，深受巴西人的青睐。在巴西，公交车、垃圾车等公共服务的车辆都是以乙醇作为燃料的。

在社会政策方面，卢拉政府重点推出以"零饥饿计划"和"家庭救助金计划"为主的一系列收入分配改革政策。2003年1月卢拉开始执政后，把消灭饥饿和贫困作为优先目标，就职当天就宣布了"零饥饿计划"，成立了社会发展和反饥饿部，承诺要让所有巴西人都能吃上一日三餐。"零饥饿计划"不仅限于向贫困家庭发放基本食品，而且还鼓励发展家庭农业，为贫困地区创造就业机会，加强教育投入，改善贫困地区的饮水和卫生条件。其目的是使贫困家庭通过政府的救助提高自身脱贫能力，融入社会发展进程。2003年10月，巴西政府将过去由多个部门发放的助学金、基本食品、燃气补贴、最低保障金等整合为"家庭救助金计划"，以便统一管理、提高效率、增加透明度。享受"家庭救助金计划"的家庭必须持身份和收入证明在当地政府登记，而且每两年重新登记一次。政府发给符合条件的家庭一张银行卡，每月定期打入救助金。持卡人可以到银行提取现金，也可以到任何超市和商店购物。这种方式把联邦政府的社会救助金直接发到救助对象手中，避免了被地方官员贪污挪用的可能性。

20世纪90年代以来，巴西政府的社会支出相当于GDP的20%左右，在拉丁美洲国家中排名第二，仅次于古巴。其社会支出项目主要用于医疗、社会救助、食品和营养、住房、卫生、就业、教育、农村发展等领域。巴西改善收入分配的政策效果非常明显。据世界银行统计，2002—2010 年，巴西的贫困人口减少了 50.64%，只用了八年时间就完成了联合国"千年计划"提出的 25 年内将贫困人口减少一半的目标。贫富差距方面，目前，巴西贫富差距水平为 1960 年以来最小。此外，据统计，2010 年巴西居民消费增长率超过 10%，创下了近几年来的新高。

但是，巴西经济的脆弱性依然存在，社会问题的解决也需要进一步努力，政治民主还需要进一步加强。从总体上来看，进入 21 世纪以来，巴西发展战略的大方向是正确的。朝着这个方向走下去，巴西真正跨出"中等收入陷阱"指日可待。

3. 启示

（1）必须根据国内外形势的变化及时地调整发展模式，实现经济的可持续增长。巴西在 20 世纪 70 年代中期达到中等收入水平后，在一系列的挑战面前，走上了"负债增长"的道路，延缓了发展模式的调整，由此陷入了"中等收入陷阱"。这与韩国的经验形成了鲜明的对比。韩国之所以能够较快地跨出"中等收入陷阱"，很大程度上在于根据形势的变化及时调整发展模式。经过及时调整发展战略，韩国多次克服危机，成功跨越了"中等收入陷阱"。

（2）必须处理好增长与分配的关系，缩小贫富差距，实现社会公正。世界银行东亚与太平洋地区高级经济学家米兰·布拉姆巴特指出："高度的不平等有可能会阻碍增长，因为无法获得信贷的穷人也许不能利用投资机会，也有可能成为政局和社会不稳的根源，阻碍投资和增长。"要改善收入分配，涉及方方面面，包括改革税收制度、壮大工会组织的独立性和力量、普及教育等，还有一个特别值得重视的方面，那就是农村土地制度的改革。

韩国之所以较顺利地跨出了"中等收入陷阱"，一个重要的有利条件是，韩国进行了比较彻底的土地改革，确立了小农制的土地占有和生产模式。进入 20 世纪后，在现代化的发达国家中，尽管"农业经营的规模已经扩大，但占统治地位的仍然是家庭农场"。在现代化比较成功的东亚国家与地区，包括日本、韩国和我国台湾地区，其农业迄今仍以家庭自耕农为主。相比之下，巴西的大地产制度一直难以改变，土地占有高度集中，由此导致"无地农民运动"（MST）等农民组织的活跃。较为平等的收入分配，是"亚洲四小龙"成功的经验；土地占有过度集中，是拉丁美洲国家迟迟难以跨出"中等收入陷阱"的重要因素。

（3）必须建立民主政治体制，扩大政治参与，化解社会矛盾，维持社会稳定。如上所述，巴西的"经济奇迹"出现在威权主义统治时期。绝大多数成功进入高收入水平的国家的发展历史证明，在经济增长的初期，在低收入向中等收入过渡的阶段，威权政治在稳定政治和社会秩序，排除利益集团的干扰，促进经济增长方面具有一定的积极作用。但是，在经济增长达到一定的水平，在从中等收入向高收入迈进的过程中，威权体制已经不再适应经济发展的需要，反而成为经济和社会发展的严重障碍。只有建立民主体制，才能保证经济健康地、可持续地增长，从而进入高收入国家的行列。

四、墨西哥的启示

在经历了初级资源产品和农产品出口阶段后，20 世纪 30 ~ 70 年代中期，拉丁美洲国家普遍采取了进口替代战略。在这一时期，特别是 20 世纪 60 ~ 70 年代，墨西哥经济快速增长

○ 资料来源：www.chinareform.org.cn/society/income/Experience/201208/t20120823_ 149086.htm。

并实现经济起飞,其经济快速增长主要是由制造业所带动的。1950—1980 年,墨西哥制造业年均增长 7% 以上,高于同期 GDP 6% 的年均增速。墨西哥在 20 世纪 60 年代末人均 GDP 就已达到中等收入水平,并且已初步建立起较为完备的工业体系。但此后其经济发展未能实现持续增长,而是陷入长期的停滞甚至衰退之中,即落入"中等收入陷阱"。

进口替代时期,在保护政策之下,墨西哥工业品缺乏国际竞争力,出口不断下降,而进口设备和中间产品持续增加,造成经常项目赤字不断攀升,于是开始大规模举债,经济体系日益脆弱。第一次石油危机之后,在石油价格飙升、外债利息增加和初级产品降价的多重冲击下,墨西哥终于在 1982 年爆发了债务危机。由于进口被大幅削减,墨西哥进口替代战略难以为继,导致债务危机演变成日益严重的经济危机,经济和人均收入经历了长达 10 多年的停滞。1970—1980 年,墨西哥 GDP 和人均 GDP 年均增幅分别为 6.5% 和 3.5%,到 1981—1990 年,则下降为 1.9% 和 -0.2%。经济问题还导致了贫富分化加剧等诸多社会问题。1984 年墨西哥收入前 20% 的富裕家庭的收入占总收入的比重为 49.5%,而到 1994 年则上升为 57.5%,同时,20% 贫困家庭的收入占比从 4.8% 下降为 3.2%。

1. 墨西哥陷入"中等收入陷阱"的原因

发展中国家的工业化可以划分为"简单增长"和"艰难增长"两个阶段。在工业化前期,低成本劳动力从农业转向工商业,凭借低要素价格和资源即可推动经济增长,即为简单增长阶段。但随着要素和资源供求格局发生变化,原有优势不再而新的优势尚未形成,于是就出现了艰难增长,即"中等收入陷阱"。挑战的关键不在于经济增长率,而在于收入水平能否持续提高。可以通过扩张内部需求弥补出口下降,提供持续的经济增长动力。

超越艰难增长阶段,要求产业实现价值链提升,鼓励创新。在简单增长阶段就应同时实现三个目标:保障经济快速增长;在经济发展过程中逐步完善制度框架;努力解决不平等和收入差距。墨西哥在高速发展阶段仅仅实现了第一个目标,最终的结果是既不能和低成本国家竞争,也不能和高收入国家竞争。

2. 墨西哥的应对措施及效果

(1) 墨西哥的新自由主义经济改革。为了恢复和发展经济,墨西哥逐步改变进口替代战略,以更为开放和自由的经济体制为重点,在新自由主义经济学的影响和框架下,启动了经济改革,制定了一系列的改革措施。主要包括:

1) 经济体制的市场化。改变以往借助汇率、关税等保护国内制造业的政策。在基础设施、金融、交通、石油、通信等领域实施大规模的私有化;修订《反垄断法》,放宽准入并大幅提高垄断的代价,强迫大企业参与竞争;构建市场化的劳动力和人才市场,促进自由流动。

2) 实现贸易自由化,发展外向型经济。逐步放开资本项目,消除外汇管制,取消对外国投资及其他各种资本流动的限制;大力发展出口加工贸易;于 1994 年参与组建北美自由贸易区(NAFTA),充分发挥对美国和加拿大的比较优势。

3) 加快金融体系改革。墨西哥政府意识到稳定和活跃的金融体系是发展经济的重要保障。20 世纪 80 年代末到 90 年代初,逐步实施银行业的私有化和企业重组,逐步放开经营项目(如个人业务);逐步将中央银行从政府职能部门中分离,明确其保持宏观金融稳定的职能,使其成为具有政策独立真正意义的宏观调控机构;制定合适的资本充足率、存贷比等指标,规范信息和信用体系,提高金融透明度,对个人业务等实施审慎、合规的监管,严格控制"影子银行"的规模。

4）实施税收制度改革。借助税收杠杆实现对经济和收入分配的调节。具体措施是：逐步降低关税水平，促进贸易自由化；降低或取消出口税，降低对个人或企业征收的最高税率，取消某些特别税，同时加征增值税；对个人所得税制定新的累进税和所得税征收标准，减少低收入群体的税收负担。

5）完善社会保障体系。20世纪90年代特别是2000年以来，墨西哥加大了对社会保障、教育、医疗等领域的投入。具体措施是：增加对最贫困群体的补贴，并使其在基本的医疗和教育服务方面被覆盖；政府提供的医疗和教育服务，重点区域从农村贫困人口延伸到城市贫困人口，并逐步增加公共财政投入；加强了保障性住房的政策设计，规定缴纳公积金超过300个星期，即可申请补贴性住房及优惠贷款。

（2）对墨西哥经济改革的评价。墨西哥政府所采取的各项经济改革措施，在很大程度上消除了进口替代时期的体制弊端，特别是在引入市场和竞争、提高资源配置效率和经济活力以及保障社会稳定等方面发挥了重要作用。经过改革，墨西哥经济失衡的格局得到改善，经济增长率和人均收入开始回升。1982—1996年，墨西哥人均GDP年均增幅为－0.46%，而1997—2008年回升到2.13%。

尽管如此，墨西哥依然面临一些突出问题，深化改革和完善制度仍然是未来的主要任务。主要表现在：

1）制造业比重和对经济、就业的带动作用有所降低。1980—1996年，墨西哥进口占GDP的比重由17.1%上升到29.1%。然而，墨西哥制造业，特别是技术密集型制造业比重却出现下降，存在"去工业化"现象。而且对于出口加工而言增加值较低，且以美元计价，汇率变化的影响不大。这导致制造业增长和国内经济发展相互脱节。1965年以来，墨西哥制造业的变化更多地体现在品种结构上，而不是产业结构和价值链上。

2）国际分工格局变化趋势对墨西哥日益不利。在"华盛顿共识"的影响下，墨西哥及拉丁美洲国家的技术密集型产业比重有所下降，竞争优势日益集中在资源领域，经济风险日益加大。由于加快引进外资和技术，墨西哥国内企业创新的动力和能力有所减弱，对国外技术的依赖程度不断提高。

3）尽管墨西哥建立了相对独立的中央银行，但中央银行强调对通货膨胀的控制，货币政策和其他经济政策之间并未形成良好的协同和配合关系，严重导致了近年来墨西哥投资率的不断降低，引发了本国财政收入状况恶化。

4）社会矛盾虽有所缓和，但贫富严重分化的状况没有得到根本解决。由于外资的冲击，国内企业普遍经营不佳，制造业对就业的贡献持续降低，土地、资本等要素严重掌握在少数人手中，收入按要素分配的格局无法改变。由于以上问题没有得到有效解决，墨西哥贫富分化也不能得到根本解决，社会治安问题日益突出。

总之，墨西哥经济改革推动经济增长率有所回升，但长期积累的深层次矛盾并未从根本上解决，同时又出现了一些新的经济和社会问题。当然，经济改革的效果要从更长时期加以观察和评估，并且取决于能否进一步完善市场制度、深化经济改革。

3. 启示

（1）适时推进经济体制的市场化。无论是实施进口替代还是出口导向战略，随着产业、市场体系的不断发展，相对于政府而言，市场配置资源的边际效率都会提高。这就要求政府能在适当的基础和条件下，实现"主动转型"。适时调整金融压制、贸易保护、行业垄断等政策，在稳定宏观经济和提供公共服务的前提下，逐步提高经济的市场化和自由化程度。然而，实现这一跨越所必需的那些政策和制度变化在技术、政治和社会方面更复杂、更具有挑战性。因此，面对这样的竞争形势，政府主导的体制已成为主要障碍。

（2）构建适宜创新和创业的制度环境。在从中等收入向高收入国家转变的过程中，必须转变原有的经济发展模式和实现经济驱动要素的转换，特别是要从依靠低成本转向依靠创新。要打破行业、区域的垄断，引入竞争机制，形成统一市场，并将充分竞争和保护产权特别是知识产权，作为促进创新和资源优化配置的支撑点。同时，要注重人力资本的积累，提高劳动者的素质和技能，增加专业技术人员的比重。这也是提升社会结构、缩小收入差距和扩大消费需求的根本途径。

（3）构建现代金融体系并完善监管。在经历了20世纪90年代初期的过度发展之后，墨西哥在银行业引入竞争和民间资本，在产品设计、信息公开、风险提示和控制等方面加强监管，这些措施都取得了较好的效果。特别是建立独立于政府部门的中央银行，对稳定宏观经济和金融秩序起到了关键作用。在考虑实际情况和国情的基础上，应加快建立现代金融体系，完善金融监管和货币政策，避免金融领域系统性风险加大。

（4）政策制定要着眼全局利益和长期利益。在经济增速放缓、社会矛盾相对突出的时期，容易出现极端的"民粹主义"倾向，这也是墨西哥等拉丁美洲国家落入"中等收入陷阱"的教训之一。在此基础上，政策的制定和实施往往容易为取悦民众和多数人的利益而出现短期化。基于极端"民粹主义"的政策大多是不可持续的。在制定经济社会政策时，应注意避免出现利益短期化的倾向。

（5）增强各阶层对经济增长的参与和分享。公平是经济社会发展的重要基础。墨西哥的发展实践表明，不仅需要从完善社会保障体系等方面加强结果上的相对公平，更重要的是，要不断增强社会流动性，形成公平竞争的市场环境，关注起点公平。这样才有利于各阶层参与改革，分享经济增长的成果。这需要政府一方面通过改革消除垄断和寻租，增强经济活力，扩大中等收入群体比重；另一方面借助再分配政策保证弱势群体的基本生活水平稳步提高，为进一步改革和经济持续发展构建良好基础。

五、阿根廷的教训[一]

拥有优越地理条件和丰富自然资源的阿根廷，在20世纪初曾是全球前十的经济强国，20世纪70年代初就已经达到中等收入水平。但是，经过三四十年的跌宕起伏，迄今其人均GDP仍未突破10000美元，跌入"中等收入陷阱"。究其原因，主要是未能处理好以下主要关系：

1. 政府与市场的关系

政府与市场的关系之争是经济学理论界永恒的主题。基于"市场失灵"的政府干预理论和基于"政府失灵"的自由市场经济成为几乎截然相反的价值取向，而在政府经济管理实践中，绝大多数国家都采取了政府和市场兼而有之、互为补充的方式，不同点只在于"市场多一点，还是政府多一点"。20世纪的阿根廷在政府与市场的关系处理上则呈现出非

[一] 王茹：《阿根廷为何难跨越"中等收入陷阱"》，学习时报，2012年7月。

此即彼的极端主义特征。

第二次世界大战至 20 世纪 80 年代，阿根廷军政府选择了国家直接干预经济的道路，以进口替代工业化发展模式实现了 30 年左右的稳定增长。但政府高度干预为经济发展带来了内生性缺陷，如农业的没落、地区和产业二元矛盾突出、创新能力低下、腐败滋生等。阿根廷经济发展陷入困局，军人政权难以为继，民主体制得以恢复。面对"政府失灵"带来的种种弊端，阿根廷由国家干预主义的极端转向了彻底自由主义的极端，政府作用和执行能力在强大的新自由主义思潮的冲击下被弱化，大规模私有化、贸易自由化、放松规制成为新的潮流。但集权经济下成长起来的市场成熟度很低，政府管制彻底放松而市场自身调节机制和市场秩序尚未有效建立，导致了财政负担加大、外国资本垄断市场、金融风险凸显、分配不公更趋严重、经常账户赤字加大和国际收支恶化等一系列严重后果。同时，长期受到保护的民族企业多数还处于发展的幼稚期，难以抵御贸然开放带来的外国企业和外国产品的剧烈冲击，大批民族企业破产或被兼并，民族经济发展陷入停滞，至今没有真正复苏。

2. 经济与社会的关系

阿根廷政府没能妥善处理好经济发展与社会发展的关系，在政策目标选择上未能有效兼顾，导致了经济发展和社会发展的恶性循环，即社会发展较公平的时期忽略了经济发展目标，为了解决经济发展问题又忽视了社会发展的失衡，而社会发展失衡反过来又加剧了经济动荡，两相交织、循环恶化引发了严重的经济和社会危机。

衡量经济发展成果的最重要的一项指标就是社会发展水平是否提高，人民生活是否改善。阿根廷在经济上长期徘徊于中等收入阶段，1970—2009 的 40 年间，有 15 年实际人均 GDP 平减指数出现负增长，且平均 5 年发生一次经济危机，经济发展道路曲折。同时，社会发展严重滞后，贫困化程度很高，收入分配失衡，中央与地方权力倾轧严重，政党利益冲突激烈，官吏腐败严重，贪污索贿盛行。

其中有三点值得特别注意：①社会阶层固化，出现"蜕化的流动"现象。与完全丧失社会阶层流动性不同的是，阿根廷始终存在着一个代与代之间或同代内的结构性向上、向下流动的过程。但由于收入普遍减少和工作的不稳定性，这些因技能水平、知识水平提高而获得较高职位的人的收益和福利也都有所减少，因此按收入水平所处的社会阶层出现了固化甚至降低，于是出现了所谓"蜕化的流动"。②中产阶级萎缩。阿根廷有一大批原先是中产阶级但已贫困化的群体——新穷人。1980—1990 年，劳工阶层的收入缩水了大约 40%，1998—2001 年，劳工收入又损失了 20% 左右，且迄今仍在剧烈波动。这使得数以万计的中产阶级家庭收入缩水，甚至跌至"贫困线"以下，中产阶级人数急剧萎缩，中产阶层在社会结构中急剧"下沉"。③腐败问题。在透明国际的"清廉指数"排行榜中，阿根廷除了 1995 年差强人意的得分（5.24 分）之外，其他年份的得分从未超过 3.5 分，2003 年和 2004 年为历史最低点（2.5 分），尽管近几年情况略有好转，但仍未达到 3 分。关于改革与稳定的关系，从世界近代史来看，那些选择了逐步、渐进式改革的国家，大多能以较小的代价实现社会变革，发展比较平稳；而没有进行理智思考、没有合理平衡各阶层利益关系就匆匆展开激进变革的国家，常会出现大的折腾和倒退。正是由于未能理性总结和合理继承既往的经验和成果，贸然采取"休克疗法"给社会带来巨大冲击，从一个极端走向另一个极端，使得阿根廷缺乏社会环境的稳定性和政策的连续性，经济社会的发展也因此面临着一系列长期性、结构性难题。

激进改革带来的最大的不稳定问题是失业、贫困化和收入分配失衡,以及由此产生的政府信用危机。人民收入水平的降低在20世纪70年代是因为军政府上台后,中产阶层的各领域专业人员收入下降、直接福利和间接福利缩水;80年代是因为恶性通货膨胀影响;90年代是因为初期的高失业率;21世纪初则因为经济危机和兑换危机。尤其是公用事业私有化造成的大量失业:私有化后,公用事业部门的员工减少了大约75%,从1987—1990年的22.3万个岗位,减少至1997年7.3万个岗位,裁员人数超过15万人,城市失业率从1989年的7.6%升至1995年的17.4%。"调整公共开支"把重负转嫁给工薪阶层,医疗、教育和其他服务被大量削减。收入两极分化极其严重,1997年全国最富有的10%的人口得到国民收入的37.1%,最贫穷的10%的人口只得到1.6%,贫困化程度最高时覆盖到全国2/3的人口。2002年之后,劳动力市场的情况开始好转,但实际工资没有相应恢复,依然低于2001年的水平,甚至自2004年起,收入两端的工资差距又进一步加大。领导人频繁更迭、人民生活长期得不到改善,使得阿根廷陷入了民众对政府的信任危机,政府既无信用也无财力在公众中树立信心以力挽危局。这种不信任随着制度的演进不断固化并加强。

3. 内部与外部的关系

阿根廷在经济上可谓内外交困,其为解决内部问题而引入外部力量,但外部力量的介入带来了更为致命的冲击。阿根廷在处理内部与外部关系上主要存在着三个方面的问题:

(1)对外大量举债以弥补国内巨大的财政赤字,最终造成国家债务破产和信用破产。庞大的公务员队伍、复杂的中央地方财政关系、不合理的税收制度和大量逃税漏税、沉重的债务负担带来巨大的财政赤字,阿根廷政府只好用巨额的外部贷款填补越来越大的财政窟窿。在整个20世纪80年代,每年还本付息占出口的比重超过了50%,外债总额占出口总额的比重在1987年达到717%的历史高点。大量的外债与其偿付能力完全不匹配。2001年经济危机爆发后,阿根廷政府不得不宣布暂时停止支付1321亿美元的政府债务,国家信用严重受挫,进一步加剧资本外逃,使经济形势雪上加霜。

(2)采取联系美元的汇率制度以控制通货膨胀,但却束缚住了政府调控经济的手脚。进入20世纪90年代后,为了应对通货膨胀率居高不下、汇率频繁波动的局面,阿根廷政府实施了货币局汇率制度,把本国货币与美元等值挂钩,并禁止在没有美元相等储量的情况下增发货币,从而控制住了野马脱缰式的货币(比索)发行。通货膨胀率从1989年的3079.5%,降到1994年的1.6%。然而,联系美元汇率制度的实施是要以充足的外汇储备为基础的,而阿根廷出口创汇能力低下、连年财政赤字,僵硬的汇率制度过度限制了政府利用汇率和货币政策等手段进行宏观调控的能力,导致债务大量增加,外汇储备消耗殆尽,联系美元汇率制度崩溃,货币急剧贬值,以美元计价的外债迅速攀升,投资者信心丧失,大量外资抽逃,形成了恶性循环。

(3)对外资彻底开放和贸易自由化,导致国家的经济命脉落入外国资本手中。梅内姆政府执政后大力推行贸易自由化政策,大幅降低进口关税和数量限制,对出口税收的减免、津贴以及其他鼓励措施也中止实施,外国资本和企业蜂拥而至,击垮和兼并了大量阿根廷民族企业,对民族工业造成沉重打击。更为严重的是,阿根廷从实体经济到虚拟经济的彻底开放使外资控制了整个银行体系和金融体系,控制了国民经济基础部门和服务业,控制了除核电站以外的石油、煤炭、水力和热力发电等全部能源的生产及分配,并控制了矿业和大量的土地资源,国家的经济主权基本丧失。

六、马来西亚的教训

马来西亚曾是东亚地区经济表现最好的国家之一,马来西亚的经济发展甚至要比韩国更早一些。20世纪70年代,马来西亚通过利用廉价的劳动力资源吸引外资和技术发展劳动密集型产业,迅速走向工业化。1977年马来西亚的人均GNI就已经达到1030美元,跨入中等收入国家行列;而同期韩国人均GNI为930美元,属于低收入国家。1995年马来西亚人均GNI为4010美元,经济发展进入中等偏上水平,开始面临"中等收入陷阱"的挑战。由于收入分配结构失衡、金融体系脆弱等因素,20世纪90年代末以来,马来西亚经济增长缓慢。1998—2010年,马来西亚经济增长率只有2.07%。21世纪初,马来西亚进行了经济结构调整,但只实现了经济的温和增长。2000年马来西亚人均GNI为3420美元,只有同期韩国人均GNI的34.5%;2010年马来西亚人均GNI为7760美元,位于中等偏上收入水平,仍然徘徊于中等收入国家行列,而此时已迈入高收入国家行列的韩国人均GNI高达19890美元,远远超过马来西亚。

1. 收入分配结构失衡导致社会有效消费需求不足,致使国内经济转型乏力

从世界各国工业化进程来看,一国经济起飞阶段,经济增长主要依靠投资拉动,当经济发展进入中等偏上收入阶段之后,投资对经济的拉动作用下降,经济增长需要寻找新的驱动力,扩大内需成为支持经济增长新的突破口。因此,投资率经历了先升后降的过程,整个变化过程类似马鞍形曲线;而消费率则经历了先降后升的演变过程,呈现出倒马鞍形曲线。例如,1970—1990年,韩国投资率从25.4%上升至37.5%左右,居民消费率从94.6%下降至75.4%以下;1990—2010年,韩国投资率从37.5%下降到29.2%左右,居民消费率从75.4%上升到83.5%左右。从总体上看,"亚洲四小龙"在由中等收入经济体行列向高收入经济体行列迈进的过程中,都伴随着投资率的下降和消费率的上升。在这个过程中,居民消费率普遍达到70%以上。而2000—2010年马来西亚居民消费率仅维持在60%左右,仍未达到"亚洲四小龙"跨越"中等收入陷阱"前的消费率水平。此外,马来西亚的居民消费结构也不尽合理。马来西亚食品消费支出占居民消费支出的比重高达20%左右,而日本和韩国食品消费支出占居民消费支出的比重仅为13%左右。与日本、韩国的消费结构相比,马来西亚明显是一个生存型的消费结构。

马来西亚经济增长未能成功从投资主导转向消费主导,很大程度是因为其收入分配结构失衡,国民收入增长缓慢,居民间贫富差距不断扩大。根据世界银行的统计,2009年马来西亚的基尼系数为0.462,已经超过0.4的国际警戒线,是亚洲财富分配最不均衡的国家之一。马来西亚15%的最富有阶层掌握了80%的社会财富,而85%的社会大众仅仅掌握了20%的社会财富。15%的最富有阶层的人均收入为36784美元,而85%的社会大众的人均收入仅为1623美元,两个阶层的收入相差22.7倍。2009年,仍有2.3%的马来西亚人生活在每天2美元的贫困线之下,3.8%的人口生活在国家贫困线之下,8.2%的农村人口生活在农村贫困线以下。这种社会分配不公的现象容易激发社会矛盾和社会冲突,是社会不稳定的根源,威胁着马来西亚经济平稳快速增长。近年来,马来西亚国民收入分配结构有向高收入群体倾斜的趋势,中低收入群体收入占总收入的比重不断下降。根据世界银行统计,2004—

⊖ 郭惠琳:《马来西亚陷入"中等收入陷阱"的原因和政策应对》,亚大经济,2012年第5期。

2009年马来西亚20%低收入群体的收入占总收入的比重由6.5%下降至4.5%，60%中间收入群体的收入占总收入的比重由48.8%下降至44.0%，而20%高收入群体的收入占总收入的比重由44.8%上升至51.5%。与高收入者相比，中低收入者的边际消费倾向高。中低收入者的大部分收入用于消费，所以高收入群体收入水平上升所带来的消费增加不足以弥补中低收入群体收入水平下降所带来的消费下降，结果导致马来西亚的中产阶级难以发展壮大，社会有效消费需求不足，马来西亚经济增长和经济结构转型缺乏驱动力。

2. 人力资源发展滞后和自主创新能力不足制约国内产业结构升级

马来西亚曾依靠廉价的劳动力资源吸引外国资本和先进技术发展劳动密集型产业，从而迅速走向工业化。随着马来西亚经济发展，马来西亚国民收入水平得以提高，劳动力成本也随之上涨。在与中国、越南等低生产成本国家的竞争中，马来西亚发展劳动密集型产业的比较优势逐渐消失，其产业的国际竞争力也随之下降。由于欧美发达国家经济不景气，对劳动密集型产品的进口需求持续下降，马来西亚劳动密集型企业发展越来越困难。面对低成本国家的竞争和欧美国家的需求疲软，马来西亚的劳动密集型产业发展遇到了空前的挑战。由此，马来西亚进入了从以劳动密集型产业为主导向以知识技术密集型工业为主导的产业结构调整阶段。

由于马来西亚的大部分企业主要从事劳动密集型生产，长期被锁定于加工制造等全球产业价值链的低端环节，在技术研发和品牌服务等高附加值环节缺乏比较优势，使得发展知识技术密集型行业和产业结构转型升级面临重重困难。马来西亚产业结构转型升级面临的主要问题有：

(1) 马来西亚人才外流现象严重；现行教育体制僵化过时；国内高端技术人才严重缺失。根据世界银行的统计，2011年居住和工作在国外的马来西亚人约为150万，占马来西亚总人口的5.3%。这些移民中的绝大多数都是接受过高等教育的技术工人和专业人才，因而造成了非常严重的人才流失。虽然马来西亚对教育领域进行了大量投入，但马来西亚的教育体制僵化过时，被马来西亚企业界批评为教育内容严重脱离生产实际，产学脱钩严重，无论从质量上还是数量上都无法为市场提供所需要的技术人才和专业人员。马来西亚现有的人力资本已经到了极其短缺的地步。2006年马来西亚每100万人中从事研发活动的研究人员和技术人员数量分别为372人和44人，远远低于日本和韩国研发人员的比例。同期日本和韩国每100万人中从事研发活动的研究员和技术员数量分别为5416人、584人和4187人、587人。2010年马来西亚美国电子工业（MAEI）称，2009年下半年到2010年的第一季度马来西亚中小型企业面临着工程师和技术员严重短缺的境况，并且呼吁政府允许继续雇用外籍员工来弥补劳动力的短缺。2010年马来西亚政府公开承认马来西亚拥有严重的人力资本赤字。

(2) 马来西亚研发投入不足，企业自主创新动力匮乏，研发能力薄弱。根据《世界竞争力年鉴》，2009年马来西亚研发经费投入（R&D投入）约为11亿美元，只占马来西亚国内生产总值的0.64%，远远低于其他亚洲新兴工业化国家的R&D投入。2009年马来西亚获得美国专利和商标局（USPTO）授予的专利数仅为181件，同期新加坡和韩国获得的专利数分别为493件和9566件。可以看出，马来西亚企业自主创新能力薄弱，企业的技术自给率很低。马来西亚的高新技术多半是由外资和合资公司掌握，本土企业维持经营多是依靠资源红利、人口红利和政策红利，而不是依靠技术和研发水平的提高。高端技术人才缺失和低下的研发能力严重损害了马来西亚移动产业价值链的动力,严重影响了马来西亚的经济结构升级转换。

总体来说,马来西亚如今在低端产业和初级产品生产加工方面,面临着中国、越南等低成本国家的竞争,受到了这些新兴发展中国家劳动密集型行业的低端挤出效应。在高端产业和高附加值产品生产上,马来西亚又难以在人力资本、产品质量、技术研发上和发达国家竞争。经济结构转型升级的瓶颈严重阻碍了马来西亚经济的进一步增长,是马来西亚深陷"中等收入陷阱"最主要的原因。

3. 体制改革滞后和腐败问题制约马来西亚经济增长

第二次世界大战后马来西亚的政治进程可以分成三个阶段:第二次世界大战后到新经济政策实施前(1971年);新经济政策实施(1971年)到改革运动兴起(1999年);改革运动兴起(1999年)至今。第二次世界大战后到1999年是马来西亚威权政体的形成阶段,1999年改革运动的兴起标志着马来西亚威权政治开始面临转型压力。马来西亚曾通过威权政体实现经济高速增长,完成国民经济起飞。但当经济发展到中等偏上收入水平之后,马来西亚仍继续沿用政府主导的经济增长模式,这严重阻碍了马来西亚的经济发展。同时,马来西亚的政治文化深受族群主义和种族文化的影响。这种族群主义对马来西亚经济增长的消极影响十分明显。因为这一主义追求自身族群利益,并适时凌驾于其他族群之上,这严重破坏了马来西亚的社会民主和社会安定。

由于马来西亚国内对权力缺乏坚强有效的监督机制,权力泛化滥用现象严重。腐败掠夺和破坏马来西亚的公共财富,使马来西亚公众利益直接遭受损失。在国际透明组织公布的2011年全球腐败印象指数排名中,马来西亚腐败印象指数(CPI)为4.3,世界排名第60位。这是自1995年以来马来西亚贪污指数最差的一次。据全球金融诚信组织统计,2000—2009年,马来西亚人均外流赃款为5320美元。同时,在马来西亚,权力作为要素流入市场,造成不公平竞争,恶化了马来西亚的整体经济环境,严重妨碍了马来西亚私人资本的增长。根据世界银行统计,2001—2010年马来西亚私人部门固定资本形成总值占国民生产总值的比重仅为10%左右。其中,2010年马来西亚私人部门固定资本形成总值占GDP的比重为10.3%,是1997年东南亚金融危机爆发前私人部门投资水平的1/3,也是亚洲私人部门投资最低的国家之一。

4. 工业化发展和城市化发展失衡,城市化问题凸显

马来西亚城市人口增长速度已经远远超过马来西亚工业化和经济发展速度,造成马来西亚过度城市化。20世纪80年代以来,马来西亚城市化进入高速发展阶段。1990年,马来西亚城市人口为906万,占马来西亚总人口的比重为49.8%;2000年,马来西亚城市人口为1451万,占马来西亚总人口的比重为62.0%,城市化水平比1990年提高了12.2个百分点;到了2010年,马来西亚城市人口高达2051万,占马来西亚总人口的比重为72.2%,城市化水平比2000年提高了10.2个百分点。据亚洲开发银行(ADB)预测,2030年马来西亚城市化水平将达到77.6%。过度城市化导致马来西亚城市化缺乏必要的物质基础和经济支撑,城市化过程中的就业问题、社会保障问题、收入问题以及住房问题凸显。此外,过度城市化会导致城市发展与工业发展争夺资源,反过来制约了马来西亚工业化进程。

【专题】

美国为什么没陷入"中等收入陷阱"

自19世纪60年代中期内战结束之后,美国经历了工业、运输业、通信业的高速发展,到1890年,其经济规模超过了称霸100多年的英国而雄踞世界顶峰。

马克·吐温将这个时期称为"镀金时代"(Gilded Age)。

到1910年,美国进行了建国以后历史上的第十三次人口统计。统计发现,居住在10万人以上的市镇的人口第一次超过了农村人口。也就是说,这个原来的农业国家已经正式跨进了工业社会。也就在这前后,亨利·福特的工厂开始采用现代流水线。这种生产模式很快被推广开来,成为现代工厂生产的象征,也成为卓别林在电影《摩登时代》(Modern Times)中表达的主题。

1. "镀金时代"与"摩登时代"

"镀金时代"与"摩登时代"的美国,其资本积累的速度与劳工市场的结构与今天的中国颇有些相似之处。

一是快速的财富积累。南北战争之后,美国经历了所谓"二次工业革命",钢铁、机械、石油、银行、电力、铁路、电报电话等现代社会的基础行业在很短的时间内得到突飞猛进的发展,从根本上改变了人类的生活方式和社会组织。

这一时期产生了一批工业和金融业巨头,如洛克菲勒、卡内基、摩根、福特等。他们多数是白手起家,在法律与政府结构还没有能够适应新的经济模式的时候,他们聚敛了前人闻所未闻的财富。

二是移民劳工。北美新大陆长期处在劳工短缺的状态,从而大规模地从欧洲吸引移民。19世纪中期以后的"土豆黑死病"在爱尔兰造成的饥荒、沙皇俄国排斥犹太人以及压迫波兰人、巴尔干半岛的民族冲突、北欧地区长期的土地贫瘠等,导致大量的外国移民奔赴北美洲。移民工人的状态与中国今天的农民工有点相像——中间有大量单身的年轻人,同一处地方来的人聚集在同一工厂工作,相互之间说着家乡的语言,工余之时彼此诉说对故土与亲人的思念。

当初的美国劳工中有阿巴拉契亚山脉煤矿中的斯堪的纳维亚人、芝加哥铁路车厢厂的波兰人、纽约成衣工厂的犹太女工、北卡罗来纳棉纺厂的黑人后代等。工人们经常要在极其恶劣的条件下每天工作十几个小时,一天只有几十美分到两美元的工资。尽管工资水平很低,但仍然是欧洲工人收入的2~4倍,因此大批移民源源不断地到来,这又进一步压低了劳动力市场的价格。

2. 转型的动荡

在这个社会与经济转型的时代里面,美国与世界上其他经济开始起飞的地区一样,经历了种种社会动荡。

高度的贫富分化导致了人们不满情绪的激增,各种从欧洲传入的革命思潮——包括社会主义、共产主义、无政府主义——开始盛行;恶劣的劳动条件与低工资推动了工潮频频发生，甚至经常出现暴力与流血冲突；大城市的移民聚居区出现"国中之国"，成为不法犯罪的滋生地；以基督教新教徒为主的农村人口与有各种宗教流派——特别是大量天主教教徒——的城市移民人口之间格格不入，从而出现了普遍的排挤移民的浪潮。这也在移民中引起了强烈反弹。

20世纪初期，无政府主义者与社会主义者联合发起了一个名叫"世界产业工人组织"（Wobblies）的团体，在1923年的鼎盛时期有10万会员，号称能即时动员出30万工人的力量。

尽管后来出现了1929年的经济危机以及随之而来的"大萧条"，美国经济起飞后的社会动荡并没有导致革命或者动乱的发生，并且能够在一个多世纪里保持世界经济霸主的地位。这中间自然有这个国家特殊的因素。

经常被人们提到的，就是美国西部广阔的新边疆为人们提供的众多机会，是这个社会重要的保险阀门。另外，美国在地理上远离旧大陆是非之地，两次世界大战其本土均没有受到打击，在其他国家饱受战争创伤的时候，美国却得到了工业、科学、技术发展的机会。

不过，美国内部的制度因素恐怕是这个国家得以实现稳定发展、没有陷入今天人们所说的"中等收入陷阱"的更重要的原因。其中，最重要并且能够为中国当今的发展提供一些借鉴意义的包括这样的几个因素：有法律制约的自由企业、在国家统一基础上的地区竞争、移民社区的本土化、劳工权利和工资上涨带动的国内市场发展。

3. 制度的力量

美国的自由企业制度摆脱了旧大陆的各种桎梏，给了来自世界各地的平民们以创办企业的机会。当时需要开办企业的手续非常简单，运作也没有太多的规则，实行的基本上是自由放任政策。然而，由于立法机构由民众选举，媒体对政府与企业的运作进行长期的监督，一旦人们发现立法中存在漏洞并且对公众利益造成损害，那么立法机构面对压力就必须修改相关的法律与法规，行政部门也会采取相应的措施。例如，洛克菲勒的标准石油公司在19世纪末不断被指责恶意竞争以实现垄断，最后在1909年被美国司法部告上了法庭。两年后，最高法院做出裁决，同意司法部的指控，并且要求标准石油公司分割成为34家公司。

根据美国的宪法，联邦政府在经济上只有规范州与州之间贸易的权力，所以公司法绝大部分由各州自己制定。美国50个州各自有自己的法律，这样就避免了"大一统"所造成的种种缺乏灵活性的僵硬设置，在地区之间形成了竞争。不过，联邦政府在铁路和公路交通上投入了非常大的力量。特别是在铁路运输方面，联邦政府立法将大量土地无偿给予铁路公司，促进了私人铁路公司在20年时间内建成了全国性的铁路网络。

大批的移民工人能够在很短时间内归化为美国人，在本地安家立业，而不是总在客居他乡，是美国工业发展与社会稳定的决定性因素。1848年欧洲革命、1849年后爱尔兰的"土豆黑死病"以及其他各种动荡与危机，导致了大批移民离开欧洲。之后的几十年中，来到美国的德国人有500多万，英国人有350万，爱尔兰人有450万，意大利人有200多万。许多欧洲小国家，如挪威、瑞典，有1/3至一半的人口移民到了美国。

美国的制度以及文化传统使得移民在这里生根要比别处容易得多。以爱尔兰人为例,他们绝大多数是天主教教徒,其价值观念与生活方式与多为英国移民后裔的新教徒有相当大的差别,因此在初来乍到时受到非常多的歧视。当时美国的人口统计中,爱尔兰人单为一项,不入"白人"之列。但是,由于他们都是有平等投票权的美国公民,通过教堂等组织使自己的社区变得非常有力量。在纽约、波士顿这些爱尔兰人大批聚居的大城市中,甚至不少第一代移民也能通过选举进入政府。

移民工人迅速本土化,对于改善劳工权益、缓解社会冲突起了非常关键的作用。他们很快就发现,自己在这里享有充分的公民权,并且能够通过投票、立法、组织、游说等方式来改善处境。19世纪后期美国工会运动的诞生与成长,往往以移民社团作为组织的基础。自20世纪初,在劳工运动的推动下,联邦政府进行了大量维护劳工权益的立法,包括8h工作制、保护女工与童工等。1913年,威尔逊总统在内阁中设立了劳工部。美国历史上第一位劳工部长威廉·威尔逊是在苏格兰出生的移民,也是宾夕法尼亚州的矿工领袖,并且被选为该地区的国会议员。

进入20世纪,美国工人的工资远远高于欧洲,到20世纪20年代中期,大约是中南欧国家的3~4倍。除了劳工运动的努力之外,雇主也开始认识到提高工人工资对于整个市场经济前景的重要性。汽车大王福特1914年决定,在一夜之间将工人的工资提高一倍,从2.5美元提高到5美元。当时他就指出,只有这样才能使他的工人最终也成为他的消费者。福特的做法带动了整个行业工资的上涨,并迎来了20世纪20年代汽车消费市场的突飞猛进。

目前,中国的社会稳定与经济转型正面临着严峻挑战,美国的一些历史经验也许能对中国有所启示。

(资料来源:龚小夏,《美国为什么没陷入"中等收入陷阱"》,中国周刊,2010年第8期。)

【专题】

供给侧改革助推跨越中等收入阶段

我国经济发展进入新常态,经济结构和增长动力发生重要转变,增长速度由高速转为中高速。于是,关于中国经济是否会"硬着陆"、落入"中等收入陷阱"的议论多了起来。这个问题应放在长期增长框架下并在国际比较中加以分析。

1. 中国已不可能落入拉美式"中等收入陷阱"

第二次世界大战以后,先后有许多经济体进入工业化历史进程,但只有少数经济体跨过中等收入阶段进入高收入社会。从中可以观察到两种不同类型的经济增长速度回落。

一种是经历了一段时间的高速增长,在人均国民总收入不超过六七千国际元(购买力平价指标)时增长速度回落,陷入增长缓慢、停滞乃至倒退的困境。这些经济体大多实施进口替代战略,抑制市场力量的发展,借用大量外债,出现了严重的两极分化。有的迫于民粹主义的压力,实行难以承受的高福利政策,最终导致高增长难以为继。典型代表是部分拉美国家。

另一种是经历了一个更长时期（通常是二三十年以上）的高速增长，在人均国民总收入达到11000国际元时增长速度出现回落，由高速增长转为中速增长，并跻身于高收入阶段，其典型代表是日本、韩国、中国台湾和中国香港、新加坡等东亚经济体。这些经济体具有较好的市场基础，同时也有发展导向的"强政府"，实施出口导向战略，形成了具备较强国际竞争力的产业。

我国改革开放以来经历了30多年的高速增长，近年来增长速度有所放缓。2014年我国人均国民总收入大体上相当于11000国际元，增长模式和轨迹与东亚经济体显示的增长规律较为相似。从长期增长框架来看，我国已经成功利用了工业化时期高速增长的潜力；当前经济增长条件出现了一系列重要变化，构成经济发展的新困难，经济合乎规律地由高速增长转为中高速增长。应该认识到，我国现在达到的发展水平远高于当年拉美国家落入"中等收入陷阱"时的发展水平，已经不可能落入拉美式"中等收入陷阱"。只要经济能够实现由数量追赶向质量追赶的平稳转型，就能够成功跨越中等收入阶段，进入高收入阶段。

2. 中国经济正在进入更具创造性和可持续性的中高速增长平台

中国经济由高速增长转为中高速增长，是一个"转型再平衡"的过程。从需求侧来看，以往长时期带动高增长的低成本出口、大规模开发建设、排浪式消费等主要需求发生深刻变化和调整。在供给侧，由于重化工业调整相对较慢，部分行业出现了严重的产能过剩，企业亏损扩大。但从今年一季度情况来看，在供给侧结构性改革的作用下，部分工业品价格有所回升，工业企业效益由降转升。如果去产能到位，工业品出厂价格和工业企业利润增速回升，供给侧也有望调整到位。随着供需两侧达到新的平衡，我国经济将进一步释放增长潜力，进入更具创造性和可持续性的中高速增长平台。

中高速增长期依然是追赶期。目前我国人均国民总收入约为8000美元，与发达国家人均四五万美元相比仍有较大差距。如果说以往高速增长期主要是数量追赶，今后将更多地表现为质量追赶。在这一阶段，创新活动比重将有所增大，但大多数还是追赶型的，仍然需要重视向先行者学习，并要由过去的"铺摊子"转向"上台阶"。与数量追赶相比，质量追赶对发展条件、体制和政策环境都有更高要求，需要解决好以下三个突出问题。

（1）纠正资源错配。目前，行业之间生产率的差距依然较大，这表明要素流动不畅、配置欠佳。其根源在于市场机制不健全，要素的市场化流动和定价受阻。通过深化改革纠正资源错配，不仅可以使传统行业继续释放出可观的需求，而且能够降低成本、增加收益，提高生产率，化解潜在风险。

（2）激励产业升级。产业升级既包括发展新兴产业，也包括在已有产业中采用新装备、新技术，同时还表现为在产业价值链上的提升，比如由低端制造提升到高端制造，更加注重设计、研发、品牌等。产业升级将带来专业化分工协作关系的深化、产业集中度的适当提高；将更多地开发和利用中高级生产要素，全面提升人力资本质量；将通过制度和文化建设全面推动精致生产。

（3）营造创新环境。营造创新环境主要是形成有利于市场发挥作用的体制和政策条件，使创新要素在更充分的市场竞争中流动，聚集到创新更容易成功的地方，全面提高创新效率。

3. 通过供给侧结构性改革为跨越中等收入阶段创造有利条件

推进供给侧结构性改革,尤其是聚焦于生产要素的流动重组和优化配置,将为我国加快质量追赶、跨越中等收入阶段创造必要的制度和政策条件。目前,应将以下几个方面作为优先领域加以推进。

(1) 放宽准入门槛,深化垄断行业改革。近年来的商事制度改革,在小微企业准入便利化方面取得了一些进展。现在更需要突破的是基础产业和服务业领域改革,包括石油天然气、电力、电信、铁路、金融、医疗、教育、文化体育等。这些垄断行业的投资似乎已经不少了,但其实仍然非常需要有活力的新投资加入,以大幅提高投资效率,应进一步放宽这些领域的准入条件。

(2) 促进城乡之间要素流动和优化配置。推动城市发展从以往的孤岛型转变为网络型,带动大城市之间大量小城市和小城镇发展,加强互联互通,推进基本公共服务均等化,带动人口居住和产业布局优化调整,将引出可观的基础设施和房地产投资机会。为此,应下决心打破城乡之间要素流动、交易、优化配置的不合理体制和政策限制。

(3) 在尊重创新规律基础上营造创新环境。创新与模仿具有实质性差异。在模仿阶段,政府职能主要体现为指定技术路线、做好规划。在创新阶段,政府职能则主要体现在保护产权,稳定企业家和科研人员的预期,为创新活动提供有效激励;深化各项改革,促进创新要素流动、聚集和优化配置,提高人力资本质量,为创新提供金融支持等。同时,还应使改进创新环境成为地方竞争的新元素,推动形成创新型城市和区域创新中心。

(4) 抵制经济泡沫的干扰,引导资源流向提高要素生产率的领域。制造业仍然是国家竞争力的核心所在。服务业中发展潜力最大的生产性服务业,是直接为制造业转型升级服务的。必须牢固确立"制造立国、实体经济为本"的理念和政策导向。对于房地产和金融市场等极易形成经济泡沫的行业,必须高度警惕,及时抑制各种形态经济泡沫的泛起,防止出现大量资源脱实向虚和经济活动的大幅波动,把资源尽可能引导到提高要素生产率的领域。

(5) 调动人的积极性,完善干部队伍激励机制。在推进供给侧结构性改革过程中,干部队伍的精神状态至关重要。应乘势前进,持续优化政治生态,在"关后门""堵歪门"的同时"开前门",探索符合国情和现代治理要求的长效机制。应给基层更大的试验空间,在把握方向、守住底线的前提下,同一改革可以以几种不同方案同时试验,相互比较、补充、完善。基层试验可以为创新型人才提供施展才能的舞台,也有利于少走弯路,降低制度和政策创新的成本。

(资料来源:刘世锦:《供给侧改革助推跨越中等收入阶段》,人民日报,2016年6月12日。)

复习思考题

1. 陷入"中等收入陷阱"的经济体有哪些共同特征?
2. 试总结应对"中等收入陷阱"的国际经验。
3. 你认为中国会陷入"中等收入陷阱"吗?我国应如何避免陷入"中等收入陷阱"?

参 考 文 献

[1] 马岩. 我国面对中等收入陷阱的调整及对策 [J]. 经济学动态, 2009 (7).
[2] 李培林, 张翼. 中国中产阶级的规模、认同和社会态度 [J]. 社会, 2008 (28).
[3] 汤敏, 余建托, 等. 迈克尔·斯宾谈中国经济转型 [J]. 中国发展研究基金会研究参考, 2010 (8).
[4] 宋佳武. 谨防"中等收入陷阱" [J]. 中国发展观察, 2010 (9).
[5] 蔡昉. 中国经济如何跨越"低中等收入陷阱"? [J]. 中国社会科学院研究生院学报, 2008 (1).
[6] 蔡洪滨. 中国经济转型与社会流动性 [J]. 比较, 2011 (2).
[7] 青木昌彦, 吴敬琏. 从威权到民主: 可持续发展的政治经济学 [M]. 北京: 中信出版社, 2008.
[8] 郑秉文. "中等收入陷阱"与中国发展道路——基于国际经验教训的视角 [J]. 中国人口科学, 2011 (1).
[9] 楼继伟. 中国经济的未来 15 年: 风险、动力和政策挑战 [J]. 比较, 2010 (6).
[10] 林重庚, 迈克尔·斯宾塞. 中国经济中长期发展和转型: 国际视角的思考与建议 [M]. 余江, 等译. 北京: 中信出版社, 2011.
[11] 速水佑次郎, 神门善久. 发展经济学——从贫困到富裕 [M]. 李周, 译. 北京: 社会科学文献出版社, 2009.
[12] 印德尔米特·吉尔, 霍米·卡拉斯, 等. 东亚复兴: 关于经济增长的观点 [M]. 黄志强, 译. 北京: 中信出版社, 2008.
[13] 华生, 汲铮. 中等收入陷阱还是中等收入阶段 [J]. 经济学动态, 2015 (7).
[14] Kjetil Storesletten, Fabrizio Zilibotti. 中国的崛起和超越 [J]. 经济学 (季刊), 2016 (15).

第十六章

第三次工业革命

本章学习目标

1. 了解第三次工业革命的实质、原因及发展进程预期。
2. 理解第三次工业革命的特征与影响。

◆【导入案例】

中国制造 2025

"世界强国的兴衰史和中华民族的奋斗史一再证明，没有强大的制造业，就没有国家和民族的强盛。"这是写在国务院 2015 年印发的《中国制造 2025》里的开篇的话。从蒸汽时代到电气时代再到计算机时代，从第一次工业革命到第三次工业革命，科技革命对制造业的历次重塑改变的不只是人们的生产生活方式，还有国家命运和世界格局。

2009 年 12 月美国政府公布了《重振美国制造业框架》，开启了"再工业化"的序幕，随之而来的是"工业互联网"计划的全面铺开。2013 年 4 月，德国推出"工业 4.0"，"将制造业向智能化转型"。2015 年，中国也拿出了自己的方案：《中国制造 2025》——中国实施制造强国战略第一个十年的行动纲领印发。

从制定到执行，兼收并蓄，广泛吸纳国内和国际各方意见，是《中国制造 2025》行动纲领最显著的特点之一。

以德国为例，"中国制造 2025"与德国"工业 4.0"的合作对接渊源已久。2013 年 4 月，德国政府正式推出"工业 4.0"战略。2015 年 5 月，国务院正式印发《中国制造 2025》，部署全面推进实施制造强国战略。2015 年 10 月，中德两国宣布，将推进"中国制造 2025"和德国"工业 4.0"战略对接，共同推动新工业革命和业态。

对此，国家发改委对外经济研究所国际合作室主任张建平认为，"德国的制造理念和制造品质在全球是有目共睹的，德国的技术和中国的市场如果能够对接起来，将产生非常大的合作优势。"不仅如此，张建平还表示："德国的技术和中国的资本之间也有非常好的对接优势。"

工业和信息化部副部长辛国斌指出："国外机构的意见建议对我们还是很有参考价值的。无论是《中国制造 2025》的制定还是组织实施过程，我们始终秉承公开、透明、开放的原则。制定过程中，我们问计于内外资企业，许多跨国公司也积极做出响应，为我们制定《中国制造 2025》贡献了智慧。"

从诞生伊始，《中国制造 2025》的目标就在于把中国打造成世界制造强国。为此，我们制定了"三步走"实现制造强国的战略目标。第一步，力争用十年时间，到 2025 年，让中国迈入制造强国行列。第二步，到 2035 年，中国制造业整体达到世界制造强国阵营中等水平。第三步，新中国成立一百年时，制造业大国地位更加巩固，综合实力进入世界制造强国前列。

制造业的核心在于创新，狠抓关键核心技术的攻关成为中国接下来的重点任务。辛国斌说："我们知道，'中国制造 2025'的主攻方向是智能制造，所以我们也要突破智能制造方面的一些短板和瓶颈，要把这些工作解决好。"因此，下一步中国将以提高质量和效益为中心，以推进供给侧结构性改革为主线，重点在七个方面深入实施《中国制造 2025》。

（资料来源：http://qichedianzi.juhangye.com/201705/news_18156731.html。）

工业革命总是与科技革命相伴而生。第一次工业革命创造了"蒸汽时代"，第二次工业革命将人类带入"电气时代"，如今种种迹象表明，第三次工业革命正在展开。工业革命是经济起飞和加速发展的重要标志。生产材料、制造工艺以及生产辅助技术等一系列重大关联技术的群体突破，促成经济活动效率大幅跃迁，使整个生产体系提升到一个全新的水平。第三次工业革命的到来，将给世界经济带来重大的变化。

第一节　第三次工业革命的兴起

一、第一次工业革命

工业革命首先出现于工场手工业新兴的棉纺织业。1733 年，机械师凯伊（Kay）发明了飞梭，大大提高了织布速度，棉纱顿时供不应求。1765 年，织工哈格里夫斯（Hargreaves）发明了"珍妮纺纱机"，大幅度增加了棉纱产量。"珍妮纺纱机"的出现，首先在棉纺织业中引发了发明机器、进行技术革新的连锁反应，揭开了工业革命的序幕。此后，在棉纺织业中出现了骡机、水力织布机等机器。不久，在采煤、冶金等许多工业部门，也都陆续出现了机器生产。

随着机器生产的增多，原有的动力，如畜力、水力和风力等已经无法满足需要。在英国伯明翰，1785 年，瓦特（Watt）制成的改良型蒸汽机投入使用，提供了更加便利的动力，并得到迅速推广，大大推动了机器的普及和发展。人类社会由此进入"蒸汽时代"。

18 世纪 60 年代，珍妮纺纱机（1765 年）的发明和应用是工业革命开始的标志。蒸汽机是第一次工业革命的主要标志。瓦特改良的蒸汽机将人类带入了"蒸汽时代"。英国是工业革命的发源地。1840 年前后，英国的大机器生产已基本取代了工场手工业生产，工业革命基本完成，英国成为世界第一个工业国家。

第一次工业革命产生的影响主要有：①第一次工业革命使生产力大大提高，市场上的商品越来越丰富，巩固了资产阶级的统治地位；②英国率先完成工业革命，成为世界上第一个工业国家，机器生产代替了手工劳动，科学技术发挥了越来越大的作用，工厂取代了手工工场，彻底改变了传统生产方式，促进了美、俄、德、意的革命和改革，拉开了欧美国家实现工业化及现代化的进程，使资本主义世界体系初步形成；③在工业社会中，日益分裂出两大对立阶级——工业资产阶级和工业无产阶级，19世纪30~40年代，工人运动兴起；④开始了城市化的进程，先进的生产方式和技术传播到各地，冲击着旧制度、旧思想，改变了人们的生活观念；⑤加快了整体世界的最终形成，东方从属于西方，殖民侵略导致民族解放运动高涨。

二、第二次工业革命

19世纪最后30年到20世纪初，由于科学技术的进步和工业生产的高涨，被称为近代历史上的第二次工业革命。科学技术的突出发展主要表现在三个方面：电力的广泛应用、内燃机和新交通工具的创制、新通信手段的发明。世界由"蒸汽时代"进入"电气时代"。

第二次工业革命以电力的广泛应用为显著特点。从19世纪六七十年代开始，出现了一系列电气发明。1866年德国人西门子（Siemens）制成发电机，1870年比利时人格拉姆（Gelam）发明电动机，电力开始用于带动机器，成为补充和取代蒸汽动力的新能源。电力工业和电器制造业迅速发展起来，人类跨入了电气时代。

19世纪早期，人们发现了电磁感应现象，根据这一现象，对电做了深入的研究。在进一步完善电学理论的同时，科学家们开始研制发电机。1866年，德国科学家西门子制成一部发电机，后来几经改进，逐渐完善，到19世纪70年代，实际可用的发电机问世。电动机的发明，实现了电能和机械能的互换。随后，电灯、电车、电钻、电焊机等电气产品如雨后春笋般涌现出来。

第二次工业革命的另一重大成就是内燃机的创制和使用。19世纪七八十年代，以煤气和汽油为燃料的内燃机相继诞生，20世纪90年代柴油机创制成功。内燃机的发明解决了交通工具的发动机问题。1885年，德国人卡尔·本茨（Karl Benz）成功地制造了第一辆由内燃机驱动的汽车。内燃机车、远洋轮船、飞机等均得到迅速发展。内燃机的发明，还推动了石油开采业的发展和石油化工工业的产生。

第二次工业革命期间，电信事业的发展尤为迅速。继有线电报出现之后，电话、无线电报相继问世，为快速地传递信息提供了方便。

在这一时期里，一些发达资本主义国家的工业总产值超过了农业总产值；工业重心由轻纺工业转为重工业，出现了电气、化学、石油等新兴工业部门。19世纪70年代以后，发电机、电动机相继发明，远距离输电技术出现，电气工业迅速发展起来，电力在生产和生活中得到广泛的应用。内燃机的出现及19世纪90年代以后的广泛应用，为汽车和飞机工业的发展提供了可能，也推动了石油工业的发展。化学工业是这一时期新出现的工业部门。从19世纪80年代起，人们开始从煤炭中提炼氨、苯、人造燃料等化学产品，塑料、绝缘物质、人造纤维、无烟火药也相继发明并投入生产和使用。原有的工业部门，如冶金、造船、机器制造以及交通运输、电信等部门的技术革新也加速进行。

第二次工业革命的影响主要是：①新能源的大规模应用，如电力、煤炭等。这些新能源直接促进了重工业的大踏步前进，使大型工厂能够方便、廉价地获得持续有效的动力供应，进而使大规模的工业生产成为可能，并为之后的经济垄断奠定了基础。②内燃机的发明解决了长期困扰人类的动力不足的问题。内燃机的发明又促进了发动机的出现，发动机的发明又解决了交通工具的问题，推动了汽车、远洋轮船、飞机的迅速发展，使人类的足迹遍布全世界，也让各个地区的文化，贸易交流更加便利。③通信工具的发明。自从 19 世纪 70 年代美国人贝尔（Bell）发明了电话之后，人与人之间的交流就不再局限于面对面的谈话。④化工业的迅猛发展。炸药的发明大大促进了军工业的进步，并最终导致第一次世界大战的爆发。从煤炭中提取的各种化合物、塑料、人造纤维先后被投入实际生活。

同第一次工业革命相比，第二次工业革命的特点是：自然科学开始同工业生产紧密结合起来，科技发展促进了技术革新，进而推动了生产力的发展，科学技术成为推动生产力发展的直接动力；第二次工业革命几乎在几个先进国家同时进行，其规模更大、范围更广、发展更迅速；在一些后起的国家，两次工业革命同时发生，能充分利用其成果，加速经济的发展。

三、第三次工业革命

1. 第三次工业革命的提出

早在 20 世纪 70 年代初，美国就开始探讨第三次工业革命。一些学者较早分析了第三次工业革命对员工、收入和研发等微观层面的影响。赫尔夫戈特（Helfgott）分析了新技术对工人在企业中地位的影响。他认为，正风靡美国产业的新技术，推动着工作场所的转型，团队中的工人变得更加重要和自治，身负更多责任。格林伍德（Greenwood）认为，从 20 世纪 70 年代初开始，信息技术的发展推动着经济体系进入第三次工业革命，而信息技术的快速变革会在初期降低生产率，扩大收入差距。莫维利（Mowery）分析了技术革命对产业研发结构带来的影响。他认为，自 1985 年起，美国的产业研发结构由大企业主导的封闭式创新走向以中小企业为主的开放式创新，非制造业企业成为研发投资的重要来源[⊖]。

然而，"第三次工业革命"概念的真正兴起和全球化传播，则与全球可持续发展所面临的压力息息相关。具体来说：①至 20 世纪 80 年代，石油和其他化石能源的日渐枯竭，以及随之而来的全球气候变化给人类的持续生存带来了危机。②化石燃料驱动的原有工业经济模式，不再能支撑全球的可持续发展，需要寻求一种使人类进入"后碳"时代的新模式。③欧盟的推动和媒体的传播。2000 年起，欧盟就开始积极推行低碳政策，以加速向可持续发展时代的转型。经济学家杰里米·里夫金（Jeremy Rifkin）全面分析了第三次工业革命的全球性影响。他提出，互联网、绿色电力和 3D 打印技术正引导世界进入第三次工业革命时代[⊖]。

目前，关于第三次工业革命较有代表性的论述有两种，一种以杰里米·里夫金为代表，另一种以保罗·麦基里（Paul Markillie）为代表。具体如下：

美国经济学家杰里米·里夫金 2011 年在其专著《第三次工业革命》中表示，历史上的工业革命均是通信技术与能源技术的结合，进而引发重大的经济转型。19 世纪蒸汽机的使用，促使报刊、杂志、书籍等通信手段及相关产业大量出现，提高了公众的受教育程度，使人类能够对以煤炭为能源的蒸汽机以及工厂进行系统管理和操作，产生了第一次工业革命。20 世纪出现的电话、无线电通信和电视等通信技术催生了全新的信息网络，其与燃油内燃机的结合引发了第二次工业革命，使人类进入到石油经济和汽车时代。互联网技术与可再生能源的结合，将使全球出现第三次工业革命。当前，全球经济危机的本质是以化石燃料及相

⊖⊖ 芮明杰：《第三次工业革命的起源、实质与启示》，文汇报，2012 年 9 月 17 日。

关技术为基础的第二次工业革命已无法再支撑世界经济的发展，而以新能源与互联网技术为特征的第三次工业革命是摆脱经济危机的必由之路。他认为，第三次工业革命已经开始，而且迫在眉睫。第三次工业革命有五大支柱：①向可再生能源转型；②将每一大洲的建筑转化为微型发电厂，以便就地收集可再生能源；③在每一栋建筑物以及基础设施中使用氢和其他存储技术，以存储间歇式能源；④利用互联网技术将每一大洲的电力网转化为能源共享网络，调剂余缺，合理配置使用；⑤运输工具转向插电式以及燃料电池动力车，所需电源来自上述电网。

保罗·麦基里 2012 年在英国《经济学人》杂志上发表《第三次工业革命》一文。他认为，工业革命主要体现在生产方式的革命。发生在 18 世纪后期英国的以蒸汽机技术为标志的第一次工业革命，使得机器生产取代了作坊式的手工制作，典型行业是纺织业；第二次工业革命发生在 20 世纪初，开创了规模化生产的时代，典型案例是福特汽车的大规模流水生产线；当前正在经历的第三次工业革命，其核心是数字化制造，新软件、新工艺、机器人和网络服务正在逐步普及，大量个性化生产、分散式就近生产将成为重要特征，大规模流水线的生产方式将终结。

总的来看，第三次工业革命有以上两种路径，它们各有特点，但殊途同归，即人类目前的生产生活方式将发生根本性的变革。

2. 第三次工业革命的实质[①]

关于"第三次工业革命"，不能简单地理解为由 3D 打印、计算机模拟等个别新的制造技术和设备的出现与应用引起的整个工业系统的突变。其实质是一次内涵丰富、多层次的，已经发生突破但仍处于演进中的工业系统变革。

"第三次工业革命"的突破性表现已形成了一个"多维、立体"的新生产制造技术体系及技术经济范式。这个体系的底层是高效能运算、超级宽带、激光黏结、新材料等"通用技术"，中层是以人工智能、数字制造、工业机器人为代表的制造技术和工具，高层是应用了前述新通用技术和制造技术的大规模生产系统、柔性制造系统和可重构生产系统。这个体系的有效运行形成了全球化生产、个性化制造、社会化制造等新的技术经济范式。

"第三次工业革命"的演进性表现在这场变革中还处于"梯度、渐次"推进过程中。例如，高效能运算、虚拟设计与制造是近期跨国公司加速推进、应用的先进制造技术；3D 打印技术的发展处于由传统日用消费品、医疗器械向汽车、航空等新领域快速渗透的阶段；而可重构生产系统是以美国为代表的先进工业国家为迎接全球制造和个性制造，为解决大规模定制系统无法很好解决产品成本和产品多样性、产品性能之间冲突，所作的战略性技术准备，目前仍处于科学研究和概念设计的阶段。

国外的科学家、未来学家和媒体之所以在今天大肆宣扬"第三次工业革命"的概念，并不是因为"通用技术"刚刚出现，事实上，这些基础制造技术的发明和工业应用大多已经经历了几十年的时间；而是由于经过了长期的科学探索和技术积累，这些基础技术的技术成熟度和经济成本已经达到了使其在制造领域进行较大规模应用和推广的水平。其中，作为现代制造技术系统中最底层技术的信息技术的快速进步使得信息存储、传输和处理成本呈几

[①] 黄群慧、贺俊：《"第三次工业革命"：科学认识与战略思考》，http://theory.gmw.cn/2012-12/14/content_6013038.htm。

何级数下降是主要原因。例如，1992年，1M数据的平均传输成本为222美元，但到2010年，已大幅下降到0.13美元。

目前，以美国、德国等制造业强国为代表的国家最为关注第三次工业革命。他们集中资源、加大力度进行高效能运算技术的突破和平台建设。美国竞争力委员会提出将高效能运算定义为"改变全球制造业游戏规则的机器"，并建议通过政府企业的积极合作来推进美国"计算资源"的协调和整合，将美国的前沿计算能力转化为制造业竞争力。之所以将高效能运算作为美国先进制造技术的突破口，一方面是因为高效能运算与美国的信息技术优势衔接，另一方面，高效能运算可以大大提高新产品的开发能力，从而提高美国制造业的竞争力。目前，美国、德国和日本等国已纷纷出台计划和政策，加大对高效能运算的研发和应用支持。

3. 第三次工业革命产生的原因①

（1）它是人类社会解决能源枯竭和严重生态问题的根本出路。第二次工业革命是以大规模使用化石能源为基础的，但化石能源是不可再生资源，经过多年开发利用不仅面临着枯竭，而且已经造成严重的生态问题。因此，新技术革命浪潮应运而生，其核心之一就是要解决资源和能源枯竭及其生态问题。所以，有学者甚至认为这次技术革命浪潮是以绿色技术革命为主要特征的。正是站在这样一个战略制高点上，西方发达国家高度重视可再生能源产业发展，正在加快新能源技术的研发和应用，在替代传统能源上已初见成效。

（2）它是信息技术革命和人工智能等科技发展的必然结果。从工业化进程来看，每一次工业革命都是使用机械生产替代人的劳动，降低生产成本，第三次工业革命也不例外。但与前两次比较，第三次工业革命有一个重大区别，就是用机器替代脑力劳动，并在更大程度上替代体力劳动。在过去的30多年里，信息技术革命日益向智能化迈进，机器人在制造业、农业、物流、服务和家务劳动等领域的广泛使用，不断把人们从体力劳动中解放出来。可以预见，随着人工智能等科技革命发展，人类社会将走向智能化。

（3）它是新材料和纳米等技术革命广泛扩散应用的现实后果。纳米科技是20世纪80年代末诞生并正在崛起的新科技，其基本含义是在纳米尺寸范围内认识和改造自然，并根据需要，通过直接操作和安排原子与分子制造出新的物质。目前，超导、生物医用、光电子等新材料层出不穷，纳米技术方兴未艾，这不仅使原有的劳动对象发生了质变，而且大大增加了新的劳动对象。特别是纳米技术通过3D打印，采用"添加式制造"方式，能将工业生产所需的原材料降低到传统生产方式的1/10，大幅度提高物质资源的利用效率。

4. 第三次工业革命的发展进程预期

真正的工业革命可能在2030年左右到来。其原因是②：

（1）信息技术仍具有很大的发展空间。随着云计算、物联网、数字制造以及信息技术与其他产业的融合发展，信息技术将进一步改变人们的生产方式和生活方式。专家估计，信息技术的发展至少还有10年以上。正如2002年美国《时代》周刊指出的那样："我们现在正处在信息经济时代的中期，从开始到完成，它大约将持续75～80年，到21世纪20年代晚期结束。接着人们将迎来下一个经济时代——生物经济时代。"

---

① 贾根良：《第三次工业革命带来了什么》，求是，2013年第6期。
② 王昌林：《对第三次工业革命几个问题的认识》，全球化，2013年第5期。

（2）新能源技术的大规模产业化在 2020 年以后。专家估计，风电的成本到 2020 年为 0.4~0.8 元/kW·h，2030 年为 0.3~0.6 元/kW·h。2020 年太阳能发电成本将低于 1 元 kW·h。国际上有关机构的预测普遍认为，到 2020 年新能源占能源消费的比重为 20% 左右，到 2030 年将超过 30%，2050 年将超过 50%。

（3）生物技术的大规模产业化估计将出现在 2030 年以后。近年来，基因测序、蛋白质组学、再生医学等生命科学和技术发展取得了一系列重大突破，但现在看来，要破解生命的奥秘还有很长的路要走，比想象的难度要大。生物技术发展将会带来生物安全、伦理等一系列问题，给人类自身发展带来重大挑战。因此，生物技术的大规模产业化还需要一个漫长的过程。

第二节 第三次工业革命的特征与影响

与第一次工业革命和第二次工业革命一样，第三次工业革命是一个长达六七十年甚至上百年的创造性"毁灭"过程。它在诱发一系列技术创新浪潮的同时，将引起生产方式和组织结构的深刻变革，从而使国家竞争力的基础和全球产业竞争格局发生彻底重构，对世界发展产生革命性影响。

一、第三次工业革命的特征[⊖]

1. 可重构制造系统的大规模定制生产

第三次工业革命的技术发展呈现出如下特点：①新材料复合化、纳米化；②生产制造快速成型；③生产系统数字化、智能化。这些均得益于关键技术的突破。第三次工业革命的生产方式也出现相应的重大转变：既突破福特模式下低成本的大规模生产，也区别于高成本的个性化定制，生产企业在差异化产品和生产成本之间寻求着有效平衡。

（1）大规模生产转向大规模定制。现有大规模生产方式追求的是生产成本的最低化，通过细化的劳动分工和规范化的作业流程，生产大量标准化产品，以获取规模效益。这一生产方式难以满足客户多元化的需求。区别于大规模生产，大规模定制的基本思路是，在生产过程中强化产品内部结构的标准化，增加顾客可感知的外部结构的多样性。基于模块化和标准化的方法，将不同系列产品所涉及的零部件进行统一，使原有大规模制造中基于成品的批量生产转化为基于零部件的批量生产，辅之以多样化的外部构造，从而实现以低成本满足个性化需求的生产方式。

（2）刚性制造系统转向可重构制造系统。传统的刚性制造系统由专用自动化生产设备组成，系统设计在运行后配置固定，因而适应的是单一产品的生产。柔性制造系统适合生产小批量、多品种的产品，整个系统投资巨大，生产成本相对较高，由于不同设备厂商控制软件间的不兼容，系统的集成和操作也存在困难。第三次工业革命中，以可重构制造系统为代表的新型制造系统将适应大规模定制生产。这类制造系统以重排、重复利用和更新系统组态或子系统的方式，实现快速调试以及制造，具有很强的包容性、灵活性以及突出的生产能力。目前，大众公司的横置发动机模块化平台就有类似构想。该平台将大量的汽车零部件实

⊖ 徐梦周、贺俊：《第三次工业革命的特征及影响》，政策瞭望，2012 年 10 月。

现标准化，令它们可以在不同品牌、级别的车型中实现共享，从而极大地降低车型开发费用、周期以及生产环节的制造成本。

（3）工厂化生产转向社会化生产。前两次工业革命所产生的都是基于工厂范围的集中型生产方式，特别是第二次工业革命，更是将此方式发挥得淋漓尽致，涌现出众多规模庞大的生产企业及厂房。第三次工业革命中，信息技术的飞跃发展使大量物质流被成功虚拟化而转化为信息流。因此，除了必要的实物生产资料和产品外，生产组织中的各环节可被无限细分，从而使生产方式呈现出社会化生产的重要特征。借助丰富的产品设计程序和模板，搭配社区网络媒体的扩散效应以及用户之间的互动机制，创新者转变为制造者的成本迅速降低。

2. 产业组织网络化和产业集群虚拟化

生产组织方式的变迁是伴随着生产技术的变迁而发生的。第一次工业革命将分散的家庭作坊、手工工场转向纵向一体化的工厂模式，第二次工业革命出现了许多大型企业集团，并因规模经济形成了产业垄断。第三次工业革命中，为适应全新的生产方式，无论是产业内部还是产业之间，都呈现出组织方式的新趋势。

（1）产业组织网络化。在以知识为基础的经济和市场中，企业之间以网络方式跨越边界与环境的紧密联系，已成为最经常、最普遍的现象。一方面，企业将原来在企业内部纵向链条上的生产过程分离出去，或者说从价值链体系的某些阶段撤离出来，转而依靠外部供应商来供应所需的产品、支持服务或者职能活动，形成纵向分离；另一方面，原有的竞争对手，或者不同产业的企业，都因为技术、产品或业务的横向联系，形成新型竞争协同的网络关系。企业外部边界模糊，使得组织与外部市场联系在一起，把整个组织的触角伸到市场的各个角落。与网络化相对应的是企业内部组织结构的扁平化：精简结构层次，淡化组织中的等级制度，使结构富有弹性，从而有利于信息的传递。

（2）产业边界模糊化。如今，制造业和服务业之间的关系变得越来越密切。首先，制造业企业可以通过在线获取生产所需要的各类协作服务，使生产要素的配置成本降到最低；在销售过程中，可以借助网络使最新产品在短时间内行销全球。更为重要的是，今后制造业企业所提供的产品中，服务价值的比重将超过实体价值的比重，即不再是简单的产品销售，还提供与该产品配套的包括信息系统、配套软件、操作程序以及维护服务等在内的一个完整的服务系统。与此同时，数字化发展也带来了原有服务业部门的重构。例如，许多服务产品原本难以储存、生产和消费需要同时进行，或者生产者与消费者需要实体接触等，都会因为信息技术而有所突破，服务业产品化的趋势日益明显。可以说，今后制造业和服务业之间不再是简单的分工关系，更多地表现为"你中有我、我中有你"的融合趋势，两者之间的组织边界也因此渐趋模糊。

（3）产业集群虚拟化。基于特定地理范围的产业集群是重要的产业组织模式，它极大地影响着产业的空间布局及竞争优势。而今后借助于发达的信息、通信手段以及网络平台，产业集群的集聚范围、内容和形式会快速变化，传统的地理集群的空间局限正在被逐渐突破，并形成网络意义上的集聚，即产业集群发展的虚拟化。利用网络经济所创造的先进信息技术支撑系统，各类产品服务在虚拟环境下得以实现。相比传统意义上的产业集群，虚拟产业集群中的企业对市场和技术变化的反应更为敏感，可以在较短时间内以较低成本整合各种资源，具有很强的开放性与灵活度。这一新的资源配置方式会在很大程度上影响产业内部组织形式，众多中小企业和个体私营户能够借助虚拟产业集群突破资源困境，以低制造成本快速推出新产品而获得成长。

3. 产业发展差异化竞争的基石

技术基础、生产方式以及组织模式的更替，使得第三次工业革命中的产业发展呈现出差异化竞争的基石。

(1) 对客户需求的快速响应成为竞争焦点。一种新产品从构思、设计、试制到商业性投产，在19世纪大约经历70年，在20世纪两次世界大战之间则缩短为40年，第二次世界大战后至20世纪60年代缩短为20年，20世纪70年代以后又进一步缩短为5~10年，而到现在只需2~3年甚至更短的时间。这种态势必然导致市场竞争焦点的快速转移。当差异化和低成本制造方式得以共同实现时，能否快速响应客户需求，极大地影响着企业的生存能力。在这个过程中，区分不同类型的消费者成为必要。在此基础上，根据不同需求推行快速交货，保证高质量、低成本和重环保的市场供应，便成为影响竞争优势的关键性因素。

(2) 知识型员工成为核心竞争资源。任何一次工业革命都是对劳动力的解放，与此同时，又提高了对劳动力素质的要求。第一次工业革命要求劳动力掌握机器操作；第二次工业革命要求劳动力高效率生产；而在第三次工业革命中，除了某些生产任务因太过精巧、机器人无法操作而需转包给拥有廉价劳动力的国家外，大部分生产工作将由机器人承担完成。可以预见，从事制造行业的劳动力人数将大幅减少，而剩余的劳动力则需要成为机器维护员、软件设计者，通过操纵智能软件管理机器人完成生产任务。在这种生产方式下，生产人员需要很高的知识水平和技能。对客户需求的快速回应，也要求劳动力有良好的设计能力与创意。因此，知识型员工将成为企业核心的竞争资源。

(3) 设计制造的区域分工转向一体化。在第一次工业革命中，蒸汽机的发明让企业不必因为依赖水力而将工厂建在接近水源的区域。在第二次工业革命中，实行大规模生产的企业为降低劳动力成本、广泛利用稀缺自然资源而开展区域间的分工，形成了以跨国代工为特点的全球价值链。在第三次工业革命中，机器人的普及将使劳动力占比不断减少，而且随着3D打印机的大范围应用，原有一些以组装为重点、强调廉价劳动力的生产区域将会因此失去竞争优势。相反，为了贴近客户，即时回应需求，设计人员和生产人员将会趋向集中在同一区域，实现零距离互动，从而彻底改变现有的产业区域分工与布局。

(4) 知识产权保护成为产业生态良性发展的必要条件。知识产权是影响产业竞争力的核心要素。第三次工业革命强化了计算机软件等数字化作品在生产设计与制造中的重要性，从而改变了各种知识和信息的存储地。在网络环境下，各种数字化作品具有容易复制、传输方便和形态多样的特点。不同于生产设备等物化的知识产权，这类知识产权的创作行为、涉及的社会关系、权利内容等都更为复杂多样。这对于确定知识产权所有人和有关权属方面是一个挑战。在这一背景下，对各类侵权行为的确认以及对各类知识产品的保护将变得更加困难。也正因如此，知识产权问题对产业生态的影响力加大，有效保护知识产权成为影响产业发展态势的关键条件。

二、第三次工业革命的影响

"第三次工业革命"之所以可以称为"工业革命"，而非一般的"科技革命"，是因为其影响不仅仅囿于科技的范畴，而且是在产业或经济的层面使得市场竞争的资源基础、产业竞争范式以及国家间的产业竞争格局发生了深刻变革。

1. 重塑国际产业分工格局

现代制造降低了工业对简单劳动的依赖，同时赋予产品更加丰富的竞争要素。因此，制造业的加工制造能力将使其在产业价值链上的战略地位变得与研发和营销同等重要，甚至超越其他的价值创造环节，过去描述价值链各环节价值创造能力差异的"微笑曲线"有可能变成"沉默曲线"甚至"悲伤曲线"。发达国家不仅可以通过发展工业机器人、高端数控机床、柔性制造系统等现代装备制造业控制新的产业制高点，而且可以通过运用现代制造技术和制造系统装备传统产业来提高传统产业的生产效率，通过装备新兴产业来强化新兴技术的工程化和产业化能力，同时，由于现代制造系统与服务业的深度融合（典型的如开放的软件社区和工业设计社区），发达国家在高端服务业中形成的领先优势也可能被进一步强化。"第三次工业革命"不仅会削弱发展中国家的传统比较优势，而且有利于发达国家形成新的竞争优势。

终端产品的竞争优势来源不再是同质产品的低价格竞争，而是通过更灵活、更经济的新制造装备生产更具个性化的、附加值更高的产品，发展中国家通过低要素成本大规模生产同质产品的既有比较优势将可能丧失。如果发展中国家的低要素成本优势不能在未来的"大规模定制"中重新占据一席之地，将失去生产高附加值终端产品的竞争优势。如果后发国家不能充分利用现代制造技术创造的技术和市场机会，"第三次工业革命"将使不利于发展中国家的"中心—外围"世界分工体系进一步固化，传统"雁阵理论"所预言的后发国家产业赶超路径可能被封堵。随着现代制造技术和制造系统的大规模应用，发达工业国家不仅可以在产品创新和品牌方面抑制后发国家，甚至能够利用具有更高生产效率的制造直击后发国家的初始优势。后发国家的工业赶超将面临来自发达国家的全方位抑制。

2. 重塑世界经济地理

随着国家间比较优势和产业结构的变化，世界经济地理格局也必将随之改变。①当发达国家重新获得生产制造环节的比较优势，曾经为寻求更低成本要素而从发达国家转出的生产活动有可能重新回流至发达国家，制造业重心向发达国家偏移。②由于发达国家拥有技术、资本和市场等先发优势，将更有可能成为新型装备、新材料的主要提供商。在此趋势下，发达国家有可能成为未来全球高附加值终端产品、主要新型装备产品和新材料的主要生产国和控制国，其实体经济进一步增强。③由于与第二产业的融合度更高，发达国家在高端服务业领域内的领先优势将得到进一步加强。

3. 改变国家间竞争方式

现代制造技术发展对产业组织结构的影响可能是二元的。一方面，由于前沿制造技术的开发和应用仍然需要大规模的研发投入和前期投入，因此，只有那些具有多元的产品线和足够高市场份额的大企业，才有动力率先投入和使用先进制造技术和制造系统；与此同时，设计、开发和制造的一体化也会在一定程度上逆转过去几十年发生的由外包导致的全球价值链逆向分离趋势，制造与研发的协同效应可能加强一体化大企业的竞争优势，从而推进生产性资源的集中。另一方面，新兴制造技术也可能提高小型化、分散化经营的经济性。例如，以3D打印机为代表的个性化制造和网络开放社区的发展，将大大促进以个人和家庭为单位的"微制造"和"个人创业"等极端分散组织方式的发展。

○ 黄群慧、贺俊：《"第三次工业革命"与中国经济发展战略调整》，中国工业经济，2013年第1期。
○ 吕铁、贺俊、黄阳华：《如何应对第三次工业革命的影响》，中国经济时报，2012年7月26日。
○ 黄群慧、贺俊：《"第三次工业革命"与中国经济发展战略调整》，中国工业经济，2013年第1期。

产业组织结构多元化的背后，是产业组织形式的生态化。虽然通常情况下平台企业掌握产业竞争的关键资源，但平台自身的竞争力常常是脆弱的，而且往往是多个企业共同支撑一个平台，或者同一个产品涉及多个平台，因此，很难识别决定产业长期竞争力的核心资源的"位置"在哪里。不是某个核心技术或某个企业决定产业的竞争力，而是整个系统的质量决定产业的生命力。现代制造技术则使得一国的整个创新生态系统的适应性和动态能力，以及本国企业在全球创新生态中的"位置"成为获得产业长期竞争力的关键。可见，"第三次工业革命"将促进国家间的产业竞争范式由企业间竞争和供应链间竞争向生态系统间的竞争转变。

4. 重塑产业之间的关系⊖

（1）从二、三产业关系来看，由于制造业的生产制造主要由高效率、高智能的新型装备完成，与制造业相关的生产性服务业将成为制造业的主要业态。制造业企业的主要业务将是研发、设计、IT、物流和市场营销等制造业和服务业的深度融合。更为重要的是，为了及时对市场需求迅速做出反应，要求制造业和服务业进行更为深度地融合，包括空间上更为集中，以及二、三产业的界线模糊化。

（2）从就业结构上讲，一方面，由于生产环节大量使用新型装备替代劳动力，使得制造业环节的劳动力需求绝对减少；另一方面，随着服务业活动成为制造业的主要活动，制造业的主要就业群体将是为制造业提供服务支持的专业人士，这就使得二、三产业的相对就业结构朝着服务业就业人口比重增长方面发展。在这样的产业发展趋势下，低技能的生产工人对产业发展的重要性下降，高技能的专业服务提供者的重要性进一步增加。这对各国的教育、人才培育和就业结构将产生极为深远的影响。

5. 改变企业核心竞争力的基础⊖

（1）制造的战略功能被重新定义。在传统的创新系统中，制造仅仅是"实现"创新的一个环节。而随着全过程数字制造技术的成熟，"设计、开发和制造"的一体化产品发展将使传统的"线性"创新过程变为一体化的"并行"创新过程。制造直接成为创新的一部分，现场像实验室一样成为创新的场所，制造资产成为企业创新系统的一部分。

（2）制造企业的关键人力资源基础将由操作型员工和技能型员工向知识型员工转变。在"第三次工业革命"的制造范式下，劳动者的核心人力资源不再是大规模生产模式下的简单的机械操作能力，也不仅仅是传统大规模定制范式和精益生产方式所要求的掌握了多种机械工作原理、熟悉机械操作诀窍的能力，而是兼具能够准确理解市场需求和产品架构并能直接参与产品设计和生产的创造能力与执行能力。这种具有稀缺性和差异性的创造性劳动，不仅是经营成本，更是企业竞争的战略性资产。

【专题】

美国的"再工业化"战略

自工业化以来，制造业一直是美国经济的支柱。第二次世界大战后，美国制造业在与

⊖ 吕铁、贺俊、黄阳华：《如何应对第三次工业革命的影响》，中国经济时报，2012 年 7 月 26 日。
⊖ 黄群慧、贺俊：《"第三次工业革命"与中国经济发展战略调整》，中国工业经济，2013 年第 1 期。

日本、德国等国的竞争中，经历了"绝对强大——渐次衰落——重塑优势"的过程。其间，美国各界对制造业的地位和作用达成了共识，即无论什么时代，制造业都是创造财富、提供就业机会、促进创新的重要生产部门。但从20世纪80年代起，美国却走了一段制造业日趋"空心化"的弯路。以发达的资本市场为主体的虚拟经济逐渐占据主导地位，实体经济不断萎缩，甚至重要制造业日趋"空心化"，失业率上升。直到2008年金融危机爆发，才惊醒了美国政府和有识之士，美国政府开始重振制造业。

一、"去工业化"

20世纪初以来，美国曾经长期占有世界制造业的最大份额，到20世纪50年代前后，美国制造业产值占全球制造业的比重高达50%左右。然而，从20世纪60年代开始，伴随着全球产业转移的发展，欧美国家开始了"去工业化"进程，进入20世纪80年代，生产"外包"成为大趋势，美国转向以服务业为主的产业结构，其制造业产业"空心化"现象日益凸显。受此影响，美国制造业在全球制造业总产值中的份额日趋下降，1990年下降至21.5%，到2009年跌破20%，2010年所占份额为19.4%，略低于中国的19.8%，从而丧失了百年来世界制造业产值头号大国的地位。

二、对工业化的重新认识

1. 发达国家的再工业化背景[1]

再工业化概念的提出始于20世纪60年代人们对传统工业部门的地位和效益提出质疑的背景下，但是，由于当时发达国家正处于"去工业化"浪潮而未受重视。2008年全球金融危机之后，发达国家开始反思"去工业化"的战略，纷纷开始制订重归实体经济的再工业化计划。再工业化概念的演变具体如表16-1所示。

表16-1 再工业化概念的演变

年 份	提出者	对再工业化的定义
1968	韦伯斯特（Webster）	刺激经济增长的政策，通过政府帮助实现旧工业部门复兴的现代化
1980	艾齐厄尼（Etzioni）	加大基础设施投资，加速固定资产更新换代，提供能够提高能源效率的新设备等
1984	詹姆斯·米勒（James Miller）	指出"再工业化"作为一种积极的产业政策选择，通过市场机制推动产业调整和升级，以重振美国经济的竞争力
1985	罗尔·罗茨韦尔（Roy Rothwell）	把再工业化定义为产业的结构转型面向高附加值、知识密集要素和产品，以及服务于新市场以新技术创新为主的产业等
20世纪90年代		经济全球化以及新兴工业化国家崛起，促使发达国家通过工业部门的调整重塑竞争优势，加快高新技术改造传统产业、发展新兴产业成为再工业化的主要政策手段
2006		再工业化被描述成一个污染控制和扶持具有可持续再生能力企业发展的计划
2008		挤出虚拟经济泡沫，寻找新经济增长点，强化实体经济，特别是制造部门的基础地位

---

[1] 周春山、刘毅：《发达国家的再工业化及对我国的影响》，世界地理研究，2013年3月。

再工业化概念演变经历了四个阶段，具体如下：

20世纪60年代，发达国家进入后工业化时期，人们开始反思传统工业，提出要提高传统工业的效率，鼓励新型制造业。在这个阶段，再工业化主要是呼吁提高效率，复兴旧工业部门。

20世纪70年代，石油危机导致工业成本上升，经济增长明显放缓，发达国家进入了对工业部门的调整时期。以提高能源效率为特点的再工业化成为发达国家的主要政策工具。

20世纪80年代，在发达国家产业结构"软化"的过程中，制造业的国际竞争力遭到削弱。部分学者认为，像美国这样的国家在工业化后出现投资不足和过度消费，是债务推动型的经济模式损害了国家生产力，建议进行再工业化，重建经济的根本基础，加大基础设施投资。

2008年金融危机后，发达国家再次出现再工业化倾向。这次再工业化的出发点是在挤出虚拟经济泡沫的同时，寻找新的经济增长点，强化实体经济的基础地位。

金融危机后，发达国家纷纷出台再工业化的政策，发出了回归实体经济的强烈信号，掀起了再工业化的浪潮。当前再工业化的内容可以总结为四个方面：①重新认识制造业价值；②直接扶持战略新兴产业；③加大教育和研发投入；④积极解决资源环境问题。为了实现再工业化的战略意图，保证实体经济的快速回归并抢占世界经济和科技发展的制高点，发达国家近年来动作频繁，先后制订了一系列的发展计划。

2. 美国"再工业化"战略的提出

2008年金融危机后，过度依赖以金融业、房地产业为代表的虚拟经济，使美国在此次危机中受到了沉重打击，市场大幅萎缩，以先进制造业为代表的实体经济的作用重新凸显出来，受到了美国各界的重点关注。先进制造业包含精益生产、准时生产、清洁生产、柔性制造、敏捷制造、计算机集成制造、虚拟制造和绿色制造等众多先进模式，不仅能推动产业结构转型升级和产业发展，更重要的是能带来生产方式的深刻变革，提高经济抵抗金融风险的能力，从而扭转美国当时严重的虚拟经济与实体经济"倒挂"现象。

为了发展先进制造业，美国已开始推行"再工业化"战略，力图重振本土工业，寻找能够支撑未来经济增长的高端产业，通过产业升级化解高成本压力，实现经济复苏。2009年11月，时任美国总统奥巴马指出，美国经济要转向出口和制造业推动的成长模式，从而揭开了美国再工业化的序幕。

20世纪80年代，美国曾针对崛起的日本采取过与今天类似的制造业振兴举措，但最后美国还是放弃了对日本工业精细化的仿效，转而采取两项战略举措：一是通过逼迫日元升值，恶化日本的国内外环境，使日本轻率地采取放松金融刺激地产的做法，终致深陷泡沫泥沼，错失了产业由高端制造业向高科技升级的机遇；二是在美国国内利用纳斯达克高风险市场促进高科技发展，而非由耗能型工业体系向节能型工业体系转化。结果，日本的崛起被抑制，美国却从此走向新经济，在竞争中抢得先机。

但是，从性质来看，当时奥巴马政府提出的"再工业化"战略绝不是简单的回归，而是超出了"再工业化"的范畴，向新的产业革命迈进。

3. 美国实施"再工业化"的原因

（1）为应对美国"二战"后少有的持续高失业率而不得不采取生产保护主义政策。国际金融危机爆发，美国失业率迅速上升，一度达到10%以上，而美国"二战"后最坏的时期，如20世纪70年代也只有7%左右。五年出口翻番目标的提出、美元主动性大幅贬值、再工业化等，都具有围绕这一问题而采取的应急性措施的特征。

（2）政治压力使然。美国的一些政治家及学者将其高失业率与中国制造业上升挂钩，加之美国经济低迷，在压力之下出台的政策，难言都是立足长远。

（3）美国经济全球化的周期性复归。欧美跨国公司持续数年的全球化战略，反映到其国内便是"去工业化"。凡事过犹不及，美国的保守主义与激进主义、"加强管制"与"放松管制"更替均是如此。因此，"再工业化"的价值也许会更多地体现在"对'去工业化'过度的一种纠正"之上。

（4）为缓解贸易赤字而采取一种产业保护主义政策。

4. 美国"再工业化"战略的目标

金融危机之后，美国经济一片狼藉，奥巴马政府痛定思痛，竭力寻找引领美国经济走出困境的突破口，最终把目光聚焦到"再工业化"。从一开始，奥巴马政府就是把"再工业化"作为一种国家战略来策划和实施的。第一任内，奥巴马政府就先后推出"买美国货"、《制造业促进法案》、"五年出口翻番目标"以及"促进就业措施"等一系列政策措施及战略部署。从表面上看，奥巴马政府是在扶持国内的制造业复苏，吸引美国制造业从国外回归。然而，"再工业化"战略的实质是要推动美国制造业的脱胎换骨，要催生一种新的生产方式，造就类似于信息革命那样的大趋势，掀起新的工业革命。

奥巴马政府实施的"再工业化"战略，中期目标是要重振美国制造业、创造就业、推动美国经济走出低谷等；而远期目标则是要在世界经济领域掀起一场"战略大反攻"，以"再工业化"作为抢占世界高端制造业的战略跳板，促使主导"新型制造业"的先进技术和设备在环保、能源、交通乃至所有经济领域遍地开花，以达到巩固并长期维持其世界第一经济超级大国地位的战略目标。奥巴马政府期望，"再工业化"战略能延续美国经济霸主地位。

为了实现美国制造业强势回归，美国制造业协会曾对"再工业化"提出四大目标：①从现在到未来，美国要成为世界上最优越的制造中心和吸引国外直接投资的地方；②拓展全球市场，未来美国制造商的市场要扩大到95%的国外顾客；③美国制造商要拥有符合21世纪经济需求的劳动力；④未来美国制造商要成为世界制造业的创新主导者。

从上述目标来看，奥巴马的"再工业化"说法以及欧美国家已出台的系列法规和政策表明，欧美发达国家这次"再工业化"的目标可能有以下几个关键：①能不能够继续保持在制造业价值链上的高端位置和全球控制者的地位，继续成为工业强国，这是欧美国家"再工业化"的本质；②能否再次通过"再工业化"，推动国内经济结构和产业结构的合理化配置；③能不能继续运用新的技术信息、互联网的优势对传统劳动密集型制造业重新定义、整合发展，并通过技术创新提高劳动效率，降低单位劳动成本，使提高了技术含量的劳动密集型制造业重返欧美国家；④能否持续推动科技创新、技术创新，创造新的产业。

5. 美国实施"再工业化"战略的政策措施

为了保障"再工业化"战略的顺利实施，美国推出了一些相互配合的政策和措施，如大力发展新兴产业、鼓励科技创新、支持中小企业发展等，力图加快传统产业的更新换代和科技进步，以推动美国经济走向复苏。

(1) 大力发展新兴产业。自金融危机爆发以来，美国政府不断加大对新兴产业的支持力度。2009年2月，奥巴马签署《2009年美国复苏和再投资法案》，推出了总额为7870亿美元的经济刺激方案。其中，基本建设和科研、教育、可再生能源及节能项目、智能电网、医疗信息化、环境保护等成为投资的重点。美国高度重视发展清洁能源和低碳技术，主张依靠科学技术开辟能源独立的新路径，在18年内把能源经济标准提高一倍，在2030年之前将石油消费降低35%。金融危机后，美国政府尤其重视新能源装备制造业的发展。美国能源部选择了部分新能源制造企业予以资助，扩大规模，拉动就业。美国还加快发展世界上最先进、最现代化的信息基础设施，以实现对医疗信息化、智能电网、教育和宽带的支持……美国正推动一场以新能源为主导的新兴产业革命，其核心目标即为长期的经济增长和繁荣打下坚实基础，保证在21世纪能够继续保持全球竞争优势。

(2) 鼓励科技创新。金融危机发生后，美国并没有因此大幅度减少研发投入。美国国会公布的《2009年美国复苏和再投资法案》的草案包含增加133亿美元科技投入，其中研究和开发99亿美元，研究和开发设施设备34亿美元。这笔支出将主要流向美国竞争力计划重点支持的美国国家科学基金会、能源部科学办公室和国家标准技术研究院三个机构和国立卫生研究院。这三个机构增加的经费主要用于研究和开发，兑现奥巴马在总统竞选中承诺的实施美国竞争力计划，在7~10年内实现这三个机构物质科学和工程经费翻番的目标。

美国对具有国家战略价值的新兴产业投入了巨资，借助税收补贴等手段，利用杠杆效应撬动社会资本在这些领域的投资。美国还采取了一系列措施，如设立民用空间项目计划、组建公私合营企业、探索清洁煤技术的商业化模式、鼓励私人投资进入宽带服务领域等，意在推动民间参与科技开发和利用，以保持美国的创新活力和经济增长。

(3) 扶持中小企业发展。在美国，中小企业占有相当大的比重，约占企业总数的99.7%，占所有企业收入的40%，在整个经济发展中起到重要的作用。同时，美国政府把中小企业作为再工业化的主要载体之一，对中小企业寄予厚望。2009年3月，奥巴马宣布计划从7870亿美元经济刺激方案中划拨部分款项（约7.3亿美元）解决小企业贷款难的问题。2009年10月，奥巴马宣布一项支持小企业发展的新计划，以帮助小企业渡过信贷紧缩难关。2009年12月，奥巴马政府计划将7000亿美元问题资产救助计划的剩余资金用于扶持小企业，旨在遏制高失业率带来的政治和经济不良后果；还准备要求国会对问题资产救助计划进行修正，放宽将施加给小企业贷款机构的薪资限制及其他限制。美国政府还多次敦促美国银行为那些有可能增加就业机会的小企业提供更多贷款。

6. 美国"再工业化"战略对全球制造业格局的影响

发达国家以重振制造业为核心内容的"再工业化"，并不是简单的制造业回归，而是对制造业产业链的重构，是制造业的升级和以发展新兴产业为核心的结构转型。如果说工业化是发达国家崛起与富强的基础，那么"再工业化"则是向新的产业革命迈进。一个亘古不变的规律是，产业革命决定一个国家的财富与竞争力，决定一个国家的经济发展未来。发达国家的"再工业化"战略必然影响到全球产业，尤其是制造业活动的空间分布，以及各国经济结构调整。实际上，新一轮制造业争夺战涉及各国的政策取向、制度设计、科技研发、生产经营环境、劳动力素质、基础设施等诸多方面，竞争是全方位的。

目前，发达国家在新材料、新能源、生物技术和新一代信息技术方面仍占据显著优势。例如，美国在页岩油气开采技术、快速成型制造技术、复杂触摸屏技术等领域明显处于领先地位。发达国家的"再工业化"主要是对制造业产业链的重构，重点是对高附加值环节的再造。

随着推动新工业革命先导技术的产业化进入快速发展期，高成本国家通过更灵活、更经济的新制造装备，生产更具个性化、含更高附加值的产品，会使得未来在制造领域的实力对比将重新向发达国家倾斜。而发展中国家在制造业产出方面追赶发达国家的速度将较第一个10年显著放慢。这会影响到全球产业的地域布局，进而导致全球产业格局出现大重组。

7. 美国"再工业化"战略的效果

从制造业创造就业来看，就业机会增加。奥巴马在其连任后的国情咨文中称，美国的制造业在10多年流失就业机会后，过去3年已开始扭转这一颓势。据统计，自2010年2月以来，制造业已为美国人创造了53万个就业计划，实现连续31个月增长，创过去近25年以来最佳表现，其中多为高新尖端技术就业机会。奥巴马还自豪地宣布："卡特彼勒公司正在把工作机会从日本迁回美国；福特公司正在把就业机会从墨西哥转回美国；今年，苹果公司也将在美国本土重新开始生产Mac计算机。"

从外贸的角度看，奥巴马的出口翻番战略虽困难重重，但也在艰难前行。荷兰国际集团发表的研究报告显示，美国出口额在国内生产总值中所占的比例，已从1995年的9%，上升至今天的13.5%，且这一势头有进一步加快的迹象。

从制造业在美国经济中所占比重的变化来看，所占比重在提升。哈佛大学的研究结果表明：1950年，美国制造业占其GDP的比重为27%，为美国总就业提供31%的贡献；到2010年，这两个比重分别下降至12%和9%；今天，制造业的比例已回升至15%，制造业的就业机会更是随着苹果公司等高端企业的回迁而显得前景明朗。

8. 美国"再工业化"战略对中国工业的挑战

（1）中国制造业竞争力可能大幅度弱化。改革开放以来，中国成为名副其实的"制造大国"，劳动力成本低廉曾是中国得天独厚的优势，也是中国制造业产品在国际上有一席之地和相当竞争力的关键。然而，中美的劳动力成本正在发生此长彼消的变化。制造业回归美国成为企业的重要选择，而中国制造业如果没有了劳动力成本优势，转型升级将成为"中国制造"的唯一选择。

（2）中国出口制造业可能受到巨大冲击，加工贸易有可能衰落。欧美发达国家的"去工业化"曾将大量制造生产环节外包到中国沿海地区。当前经过新技术改造的生产方式对要素需求降低，为美国"再工业化"创造了条件。新技术革命提高了生产效率，促使传统制造业回流美国，进而对中国的出口制造业形成巨大冲击。

（3）美国等发达国家继续作为新一轮产业全球分工体系中的控制者，而中国的制造业依然被控制。目前中国制造业在整个国际产业分工体系中始终处于附加值低、利润薄的阶段，而发达国家则处于价值链高端，而且通过关键技术、产业标准、产品标准等控制了产业的价值链、制造业供应链。"再工业化"是建立在新一轮技术革命基础之上的，美国等发达国家的信息渠道通畅、分销网络广泛合理，市场环境好、交易便捷，而且发达国家民众总体富裕，更具备个性化消费的条件。

（4）中国与美国等发达国家在创新竞争力方面尚有一定差距。美国以市场为导向引导企业进行创新活动，这样既可以迅速实现产业化，又便于产生经济效益，美国政府的职能则是为企业创新活动创造必要条件。相比之下，中国政府虽然也高度重视自主创新，但在市场导向、制度安排与激励机制设计、知识产权保护等具体政策方面依然有所欠缺。

（资料来源：根据互联网资料整理。）

【专题】

美国页岩气革命

自从理查德·尼克松1973年承诺要实现能源独立以来，历届美国总统都会把这个目标挂在嘴边。然而事实却是，能源进口的比例越来越大，美国离这个目标也越来越远。如今，距尼克松提出能源独立已过去40余年，在能源独立这个目标就快成为一个"空头支票"的时候，美国迎来了席卷全球的"页岩气革命"。

页岩气是从页岩层中开采出来的天然气，成分以甲烷为主，是一种重要的非常规天然气资源。页岩气的形成和富集有着自身独特的特点，往往分布在盆地内厚度较大、分布较广的页岩烃源岩地层中。与常规天然气相比，页岩气藏具有自生自储的特点。页岩既是烃源岩，又是储层，不受构造控制，是无圈闭、无清晰的气水界面。页岩气埋藏深度范围大，埋深从200m到深于3000m。大部分产气页岩分布范围广、厚度大，且普遍含气。这使得页岩气井能够长期以稳定的速率产气，具有开采寿命长和生产周期长的优点。

世界上对页岩气资源的研究和勘探开发最早始于美国。依靠成熟的开发生产技术以及完善的管网设施，美国的页岩气成本仅仅略高于常规气，这使得美国成为世界上唯一实现页岩气大规模商业性开采的国家。美国的页岩气干气产量从2000年的0.39万亿ft^3提高到2012年的850万亿ft^3。页岩气在美国天然气产量中的比例已由2%上升至37%。如今，美国已经超越俄罗斯，成为全球最大的天然气生产国。

页岩气革命的爆发并非偶然。主要原因有：①油气开采技术出现两大创新——水力压裂法和水平钻井技术；②愿意承担巨大财务风险的小公司积极进行开采；③持有矿产权的私人所有者愿意出售页岩；④华尔街金融机构愿意提供资金；⑤美国已有大型的管道网络和众多钻井设备；⑥美国页岩气资源大多为私人所有，即使存在环境方面的担忧，私人所有者也往往会因个人利益而支持开采。有数据显示，继2012年在勘探和开采上的支出达到6000亿美元之后，2013年油气行业此项开支将达到近6500亿美元。

美国的页岩气革命将带来以下影响：

1. 改变美国对进口能源的依赖

过去美国是天然气进口国，主要进口来源是墨西哥湾地区。就在几年前，美国还在建造天然气终端，为天然气进口做着各种努力。可今天这些已经成为过去，出口天然气已经成了美国更为关注的问题。国际货币基金组织（IMF）曾表示，因页岩气的额外供应已中止了美国大规模进口液化天然气的计划，IMF预计美国将成为一个天然气出口国。IMF在文件中指出，油价和气价之间正在逐步脱钩，这种发展在美国尤为明显。这种脱钩将随着非常规天然气产量，尤其是世界最大油气进口国和消费国美国的页岩气产量的大幅增加而进一步扩大。不少业内人士都认为，美国在今后的一段时期可能变成一个"重要的天然气出口国"。

2009年，美国以6240亿 m^3 的产量首次超过俄罗斯，成为世界第一天然气生产国。产量地位的更替使美国天然气消费长期依赖进口的局面发生逆转：美国不仅不再需要进口液化天然气，而且用自身液化天然气快速替代柴油。在页岩气开发中意外收获的大量页岩油，也使美国对中东石油的需求直线下降。美国专家兴奋地认为，有了页岩气，美国在100年内无后顾之忧。

2. 改变美国的能源产业格局

莱斯大学环境经济学家彼得·雷金纳德·哈特利认为，美国的能源产业格局会出现"戏剧性的连锁反应"。较低的天然气价格肯定会带来变化，使用天然气发电将会凸显利用煤炭、核电和可再生能源等其他能源的成本高昂。一些行业，如钢铁、造纸和农产品加工等，会使用天然气而不是其他燃料。天然气的下游产业会固守本土或者迁回本土。更多的大型车辆和车辆运营商将转向以天然气为动力能源。低廉的液化天然气价格也会使得塑料和石化产品企业提高使用这种燃料的比例。

3. 提升美国制造业的国际竞争力

由于页岩气是一种重要的基础能源，同时也是一种重要的工业原料，大量廉价的页岩气投放市场，导致美国的原油、煤炭等价格走低，进而导致国内企业生产成本下降，部分产业受此影响，在全球范围内已颇具竞争力。低廉的生产要素价格抵消了德国和日本企业生产效率高的竞争优势，也抵消了中国和印度劳动力成本低的竞争优势。有关数据表明：美国天然气批发价格仅相当于0.4元/m^3，同期，德国进口俄罗斯的气价约合1.9元/m^3，日本进口的成本高达3.4元/m^3。美国平均工业气价为0.666元/m^3，若使用分布式能源系统发电，每立方米燃气至少可发电4kW·h并得到同等热值的工业蒸汽。每千瓦时电能的燃料成本不到0.17元，不及中国东南沿海燃煤电厂的一半，而工业蒸汽几乎没有能源成本。

4. 将使世界经济受益

普华永道事务所公布的一项研究报告显示，尽管德国对存在争议的页岩气开发压裂技术持保留态度，但是，全球范围内的页岩气、油的开发将使包括德国在内的世界经济普遍受益。报告称，页岩气、油的开发将使国际油价呈长期下调走势。受此影响，至2035年，世界经济总量将比原先预期多增长2.7万亿美元。使用压裂技术开采的页岩层石油可占石油总供应量的12%。美国、中国等拥有丰富页岩气、油资源的国家加入开采行列后,国际油价将下调。日本、德国等工业化国家将成为受益最大的国家,印度、巴西等新兴市场国家也将从中受益,而输家将是俄罗斯和中东各石油出口国。报告称,压裂技术的运用使美国出现了新的能源开发热:现在美国每桶石油的价格已比欧洲低出20美元,石油开采量比原先增长了19%,石油进口出现下降;天然气价格已降至数年前的一半以下。越来越多的能源密集型企业在美国安家落户。

目前,世界许多国家正在效仿美国发展页岩气,以期降低对中东、北非地区和俄罗斯进口天然气的依赖。加拿大是继美国之后世界上第二个对页岩气进行勘探开发的国家,除自给自足外,还增加了对欧洲和亚太地区的供应,使北美地区成为世界能源新的增长点。与此同时,中国、波兰、德国、奥地利、匈牙利、西班牙、印度等国家也开始进行页岩气的勘探开发,但尚处于探明资源潜力、储备相应技术的起步阶段。

(资料来源:根据互联网资料整理。)

【专题】

新的制造方式——3D打印

3D打印的学名是"快速成型技术",也称为"增材制造技术",是一种不再需要传统的刀具、夹具和机床,就可以根据零件或物体的三维模型数据,通过成型设备,以材料累加的方式制成实物模型的技术。这项技术的神奇之处在于其彻底颠覆了人们对传统制造业的固有思维,使制造业主流的制造模式从削减式制造转变为叠加式制造。这一变化本质上是制造业数字化带来的㊀。

3D打印机是3D打印的核心装备。它是集机械、控制及计算机技术等为一体的复杂机电一体化系统,主要由高精度机械系统、数控系统、喷射系统和成型环境等子系统组成。此外,新型打印材料、打印工艺、设计与控制软件等也是3D打印技术体系的重要组成部分㊁。

3D打印技术自诞生之日,便被人们定义为"一项颠覆传统生产方式的革命性技术""继蒸汽机、计算机、互联网后最伟大的发明"。

目前,3D打印机不仅仅能打印出锤子、雕像等日常用品,还能打印出汽车、房子、手枪、飞机等。2011年8月,英国南安普顿大学设计并试飞了世界上第一架"打印飞机",飞行时速达100km,其材质、质地、紧密程度超乎想象。同年9月,世界上第一辆"打印汽车"在加拿大亮相,单缸发动机制动功率5.88kW,最高时速可达112km。据报道,2013年10月,美国Solid Concepts公司已经通过3D打印机制造了世界上第一支真正意义上的枪支,火力和兵工厂里生产的自动手枪一样。最新的第四代3D打印机还能打印

㊀ 丁博强:《3D打印:推动第三次工业革命?》,上海信息化,2013年第2期。
㊁ 王雪莹:《3D打印技术与产业的发展及前景分析》,中国高新技术企业,2012年第26期。

珠宝、牙齿和血管，对人类的影响力变得越来越大。2012年7月，美国宇航局声称正在研究"未来3D打印宇宙飞船"，此外还正在测试一种太空3D打印机，供宇航员在太空打印所需物品。这让人们隐隐感觉，3D打印时代即将来临。

很显然，与传统的制造相比，3D打印的制作工序、个性化需求及人力成本具有颠覆性变革意义。从操作工序上来说，传统的制造工艺是对原材料进行剪裁、拼接后连接而成；而3D打印是通过软件设计，一层一层堆积材料把产品做出来。3D打印通过将材料层层电解沉积的方法直接制造复杂的塑料、金属和合金元件，而不是像以前那样对材料切割、锻打、弯曲，不再通过烦琐的工序制作许多不同的元件去组装，可以不用传统的大规模机床来制造小型的部件。从生产模式上来说，过去是生产线规模化生产；今后则可能更多的是个性化的定制生产。产品上市时间缩短，同时不再需要库存大量零部件，也不需要大量生产。3D打印能够适应越来越苛刻的个性化消费需求。传统的大批量制造生产几乎能够提供任何人们最基本的吃、穿、住、行、玩等消费产品，但这些产品都是标准化的，在个性化方面已经无法满足人们日益增长的需求；手工生产的个性化产品虽然地道、品质精良、内涵丰富，但是手工制造耗时巨大。而3D打印技术既可以满足人们对个性化产品的追求，例如对于市面上买不到某件产品，3D打印机或许可以满足，还可以大大提高产品的生产效率。从生产成本上来说，3D打印无需机械加工或任何模具，就能直接从计算机图形数据中生成任何形状的零件，从而极大地缩短产品的研制周期，大幅减少材料浪费，提高生产效率和降低生产成本。它还可以制造出传统生产技术无法制造的外形。3D打印能够极大地解放劳动力。一个技术工人可以看管数台打印机，就像纺织工人看管织布机一样，可以节省大量的劳动力，而劳动效率却有数倍甚至数十倍的提高。正因为具备上述特点，3D打印被认为是先进制造技术和生产方式变革的产物○。

因此可以看出，与传统大规模生产比较，3D打印的优势是：①变化无需花费（打印不同产品和相同产品的花费一样）；②复杂性无需花费（打印一个普通塑料块和打印一个复杂工艺品的成本一样）；③灵活性无需花费（只需要修改指令编码）。其弊端是不能创造规模经济，制造1000个产品和制造1个产品，成本相差不大。传统大规模生产具有重复制造和标准化的特点，可使单位成本降低。但是其存在的问题是：①前期工具投入多；②产品越复杂，成本越高；③更改多，成本就会更高。

以制造大黄鸭为例（见图16-1）：如果采用大规模生产，第一只大黄鸭的成本可能高达1万美元，但随后制造的每一只都会分摊这笔一次性的开支；如果采用3D打印制作大黄鸭，每只的成本都是20美元，但是随着产量加大，不会产生规模效益。目前，数字制造在小批量定制化、多样化生产上胜出，而大批量生产还是需要采取传统的生产模式○。

○ 克里斯·安德森：《创客 新工业革命》，萧潇，译，中信出版社，2012版，第101页。
○ 蔡恩泽：《3D打印颠覆传统制造业》，中国中小企业，2012年第11期。

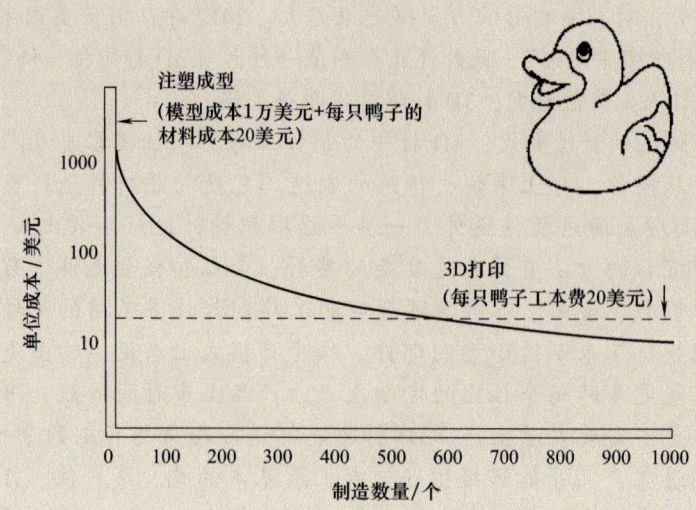

图 16-1　制造大黄鸭的两种方法

3D 打印已经出现并融入到人们生活中，引发了"创客运动"。创客的起源是"DIY"（"Do It Yourself"的缩写，即自己动手做），人类凭借头脑和工具把创意变成现实，摆脱了对生产资料系统（重资产）的依赖，形成人人可以参与的虚拟化制造业。"创客运动"中，人们把创意变为现实主要分三个阶段：①使用数字桌面工具设计新产品，制作出模型样品，以 G 编码表示；②在开源社区中分享设计成果、进行合作；③使用桌面工具自行制造，也就是用 3D 打印机打印出来。目前，全球有数千个可以分享生产设备的创客空间，并且正在以惊人的速度与增加。每年约有 10 万人聚集到圣马特奥的"创客博览会"分享成果，借鉴经验。随着蓬勃发展的"创客运动"和 3D 打印技术的不断完善，3D 打印必然会越来越多地渗透到人们的日常生活中，并且在更多的领域发挥作用。

（资料来源：克里斯·安德森，《创客 新工业革命》，中信出版社，2012 年版，根据书中内容整理而得。）

【专题】

互联网技术

20 世纪末，以计算机为载体的信息技术革命在全球范围内掀起了一阵基础技术革命的狂风，与随之而来的互联网技术共同助推了第三次产业革命的到来。随着计算机技术的飞速发展和互联网在全球的迅速普及，可以自信地说，互联网革命在不远的将来就会发生，它将会对国家的政治、经济、社会和人民生活产生全面而深远的影响。

1. 什么是互联网技术

互联网的先驱们当时并不知道他们正在创造什么。互联网通信最初起源于一次计算机崩溃和没有任何意义的测试信息。1969 年，人们第一次尝试通过连接两台计算机的电线传送信息包。当时并不像 1844 年塞缪尔·莫尔斯（Samuel Morse）宣布第一条电报信息"上帝啊，你创造了何等的奇迹！"发布成功时那样掌声雷动。那是在 10 月 29 日，加州大学洛杉矶分校工程专业学生查理·克莱恩（Charley Kline）向计算机键入"L—O—G"字母时。计算机死机了（他当时正准备键入"L—O—G—I—N"来打开一个他编制的文件传输程序）。程序员们快速修复了故障，然后重启计算机，这次"login"程序成功运行，计算机之间的文件共享便开始了。

两年后，即 1971 年，电子邮件出现了。当然，它的出现同样也没有受到人们丝毫的欢呼称赞，也没有人像模仿 1876 年亚历山大·格拉汉姆·贝尔（Alexander Graham Bell）发明电话时喊出的第一句话"沃特森先生，快来帮我啊"的语调那样对电子邮件的出现津津乐道。取而代之的是，美国国防部承包商的一位工程师雷·汤姆林森（Ray Tomlinson）从一台计算机向距离不到 5ft①远的另一台计算机发出了一条毫无意义的测试信息。他后来回忆起这个插曲，在自己的网站上写道："测试信息根本无法记住，因此，我全忘记了。"他怀疑自己当时键入的是"QWERTYUIOP"，即标准键盘的第一行字母。事实上，汤姆林森为人所熟知的是，他选择了"@"作为电子地址的定位标识。

虽然出身卑微，但这样一个极具"社会破坏性"的技术出现了。虽然没有人宣布它的出现，但互联网的缔造者们创造了这样一个技术：它能使社会、经济和政治力量变得更加强大、更加广阔，推动人们在网络操作系统面向网络化的个人主义方向不断发展，互联网做到了这一点。它使人们得以更加有效地独立行动，更加容易地在巨大而分散的网络中发挥作用。它赋权了个人，授予他们工具来拓展其力所能及的范围，让他们能够创造媒体、搜索重要信息、发出声音、组成服务自身需要的团体、与强关系和弱关系建立联系等。互联网也有助于人们利用更多的渠道来传达和接收信息，有助于使用者改变自身社交网络的规模和形态，甚至改变了社交网络中人们的沟通方式②。

2. "互联网+"与传统行业的变革

"互联网+"是互联网技术渗透和扩散的历史过程。2014 年 4 月 21 日出版的《人民日报》（第九版"视点"）刊载了马化腾对互联网的观点与看法，他称"互联网+"是一个趋势，加的是传统的各行各业。2015 年 3 月 5 日，李克强总理在十二届全国人大三次会议上的政府工作报告中提出制订"互联网+"计划，强调"推动移动互联网、云计算、大数据、物联网等与现代制造业结合，促进电子商务、工业互联网和互联网金融健康发展，引导互联网企业拓展国际市场。"自此，"互联网+"作为一项国家战略，走进大众视野，为未来国家各领域的发展指明了方向③。

"互联网+"的本质是信息互联和信息能源的开发。当今，信息已经成为全社会发展最重要的基础性要素和战略资源。"互联网+"将突破"+互联网"时利用互联网主要实

---

① 1ft＝0.3048m。
② 里斯·安德森、巴里·威尔曼：《超越孤独：移动互联时代的生存之道》，杨伯溆，高崇，等译，中国传媒大学出版社，2015 版，第 51-52 页。
③ 黄楚新，王丹：《"互联网+"意味着什么——对"互联网+"的深层认识》，新闻与写作，2015 年第 5 期，第 5-9 页。

现信息沟通和传播功能的限制，打破信息在不同企业、不同产业、不同部门、不同地域自由流动的界限。随着信息网络技术在国民经济各领域的不断渗透和扩散，各产业部门界限被打破，连接信息的深度与广度不断扩大，实现人、设备、服务、场景的连接，无缝连接、连接一切、连接未来，重构新的商业生态系统。

具体来说，"互联网+"推动互联网技术、平台和应用从第三产业（零售、金融、交通等）向农业和工业领域渗透与扩散，信息网络技术对经济社会的影响由导入期向展开期迈进，逐步进入协同发展阶段。信息网络技术将不同领域技术联结在一起并产生新技术、新产品、新服务，从而成为经济与社会发展的主导性技术。利用信息网络技术，通过互联网技术平台，把互联网和包括传统行业在内的各行各业结合起来，互联网连接思想、连接人体、连接物体、连接环境。大数据的潜力得到充分释放，可将资源、要素、技术与市场整合。人类社会将进入一种新的社会经济发展形态——互联网经济。

3. 互联网经济

（1）"互联网+农业"。农业是第一产业，是国民经济的基础。互联网与农业的跨界融合源于1999年北大荒集团投资农博网，但由于农业的行业特殊性，"互联网+农业"发展相对缓慢。目前，互联网与农业的跨界融合主要体现在以下几个方面：首先，数字技术直接应用于农业生产。土壤、气候等因素对农业生产至关重要，通过对收集的农业数据进行大数据分析，可得到某特定农业生产区域的播种、施肥、收割等相关的解决方案。其次，农业咨询服务类、信息门户网站的建设。信息时代，涉农企业与农民对相关资讯的需求更加强烈，农业信息与咨询网站能为它们提供政策、市场、价格趋势等全方位的信息。艾格农业、天下粮仓等咨询网站能够对农业数据进行专业分析，为涉农企业、农民等提供所需的查询、咨询等服务；农博网、安徽农网等商业类或政府类信息门户网能够为政府、企业和农民提供各种农业信息，并实时互动交流。最后，农产品电子商务平台的快速发展。农产品销售是农业健康发展的关键环节，电商平台为农产品的营销提供了广阔市场，蔬菜、水果等借助网络可以直接从原产地到达消费者手中，消除了以往多层中间环节，减少了损耗。例如，沱沱工社、菜管家等垂直类生鲜电商平台整合了农产品生产、仓储、物流等配套服务，使农产品销售环节简单化、信息透明化，为生产者、消费者带来便利。

（2）"互联网+工业"。2015年德国汉诺威IT展览（CeBIT2015）上，德国"工业4.0"与中国元素的碰撞成为最大看点，参会的中国企业达760家，阿里巴巴、华为、海尔等中国企业充分展示了中国创造的最新水平。"互联网+"与"工业4.0"，变革传统的制造方式，重新建立"互联网+工业"的行业规则，这是一种"自下而上"的生产模式创新，将提高制造业的效率和水平，不但节约时间与成本，还将充分挖掘和培育新兴市场的潜力与机会。

目前，"互联网+工业"的发展现状是传统制造业企业和互联网企业相互渗透，传统制造业企业借助互联网实现智能化，新兴互联网企业则依托技术优势，不断瓜分传统制造业的市场。以海尔为代表的传统制造企业，顺势推出互联网工厂计划，新创的无人工厂、交互式生产等模式已获得业界认可。目前海尔新的生产模式已经实现标准化、模块化、自动化，并向数字化、智能化方向推进，而且海尔积极探索个性化定制，以满足用户"任性要求，个性设计"的诉求。以小米、乐视为代表的互联网企业则积极抢占电视等传统制造业市场，利用企业早先搭建的技术体系、营销模式，通过价值链重构、扁平化、快速响应市场等方式来创造新的消费模式，并逐步形成产业化趋势。

（3）"互联网+生活服务、零售业"。生活服务业范围广泛，给"互联网+"的渗透与发展带来广阔的空间与市场。目前，"互联网+生活服务业"融合的最典型表现即为O2O。O2O 是移动互联网时代，企业通过线上虚拟数字世界和线下现实物理世界互动协作的一种新商务模式。传统的餐饮、娱乐、家居、家装、洗衣洗车等行业的相关经营活动都在线下实体店完成，而如今 O2O 模式的引入，诞生了诸如大众点评、美团外卖、饿了么、龙居网、爱洗车等网络平台及移动客户端。O2O 模式下，传统的中介被剔除，企业直接面对消费者，用户在客户端以时间、地点、价格等为条件寻找最合适的服务提供方，线上预订、线下体验，高效率、低成本地解决需求。而对传统的实体店来说，借助 O2O 平台，节省了人力与店面成本，并借助网络平台带来更多流量及利润。传统零售业也在积极探索 O2O，京东商城、苏宁易购、1 号店等企业以不同的形式开展线下体验线上购买的活动，未来线上支付线下体验将成为大众化的消费方式。

（4）"互联网+交通、旅游业"。在现有的人口、道路、车辆等条件下，拥堵现象时有发生，这给人们出行带来了诸多困扰，"互联网+"的出现及时有效的缓解了这一问题。"互联网+"应用于交通业，推出诸多基于 GPS 的交通应用 APP。实时公交 APP，可以帮助实时查询公交汽车的到站情况，防止长时间等待与误点现象的发生；滴滴打车 APP，实现了乘客与出租车司机的一次双赢，既减短了乘客等车时间，又降低了出租车空车率；易到用车和 PP 租车等专车服务 APP 的推出，掀起了互联网时代交通领域的大革命，有效推动了汽车资源的共享，提高了资源利用率。而在旅游服务行业，携程、途牛旅游网、去哪儿网等在线旅游企业以不同的模式将旅游服务推向网络化、无中介化。其引入的评分、分享等机制，也使得在线旅游的体验更加完善。

（5）"互联网+医疗行业"。在现有的医疗环境下，"看病难"已成为普遍现象。"互联网+"与医疗行业融合，推出多种网络平台与移动应用，有效缓和了这一矛盾。当前，挂号、看病甚至结算都需要长时间等待，挂号网等服务平台将挂号由线下转到线上，大大缩短了看病预约时间；而丁香园、春雨医生等轻问诊型应用则消除了部分用户就诊难的困扰。专业化的移动医疗垂直化产品将成为"互联网+医疗"的发展方向，可穿戴监测设备取得重大突破。具有代表性的 iHealth Align 血糖仪、Withings Activite Pop 智能手表等都是健康数据管理融合移动互联网的成功典范。同时，随着互联网时代健康实时管理的兴起，传统的医疗模式将迎来深刻变革，以医患实时问诊、互动为代表的新医疗社群模式将逐步取代传统的以医院为中心的就诊模式。"互联网+医疗"将打通医药产业服务链，促进医疗移动平台化、信息透明化，为政府解决"看病难"问题助力。

（6）"互联网+教育行业"。传统的教育教学面向整体、面向大众，不能充分考虑每位学生的实际情况，难以满足多样化、个性化的需求，"互联网+"为教育人性化提供了重要契机，其为每位学生量身打造最适合自己的学习方案，充分尊重每位学生，赋予每位学生自主选择权、决定权。2014 年，K12 在线教育、在线外语培训等快速发展，推动中国在线教育市场规模化增长。掌握着大量高黏性、高价值人群的传统教育机构如新东方、有道词典等，因受互联网冲击，也开始向在线教育转型，推出诸如口语大师等产品和服务，并通数据挖掘技术,将用户需要进行多层次深入分析,从而实现差别化、个性化服务与推荐。在线教育企业不断推出风格迥异的移动终端,方便用户在各种环境利用碎片时间进行沉浸式学习,从而提高时间利用率,打破传统教育对环境、时间要求高的瓶颈。

"互联网+"不是否定和颠覆传统发展方式,而是将互联网融进传统产业的发展进程,找到产业全面转型升级的关键入口,促使传统产业焕发新的活力与生命力,走出一条互联网创新驱动高效发展的新路子。中国经济业已进入"新常态",全面深化改革正在有序进行,"互联网+"行动计划的及时推出将助力中国经济再一次腾飞,推动"中国梦"早日实现⊖。

(资料来源:克里斯·安德森、巴里·威尔曼:《超越孤独:移动互联时代的生存之道》,中国传媒大学出版社,2015 版,根据书中内容整理而得。)

复习思考题

1. 试比较第三次工业革命与前两次工业革命的区别。
2. 第三次工业革命对世界经济有什么影响?
3. 如何理解美国的"再工业化"战略?

参考文献

[1] 徐梦周,贺俊. 第三次工业革命的特征及影响 [J]. 政策瞭望,2012 (10).
[2] 黄群慧,贺俊. "第三次工业革命"与中国经济发展战略调整 [J]. 中国工业经济,2013 (1).
[3] 闫海潮. 第三次工业革命的特点及其对中国的启示 [J]. 毛泽东邓小平理论研究,2013 (3).
[4] 赵景来. 第三次工业革命与新经济模式若干问题研究述略 [J]. 国家行政学院学报,2013 (4).
[5] 贾根良. 第三次工业革命与新型工业化道路的新思维——来自演化经济学和经济史的视角 [J]. 中国人民大学学报,2013 (2).
[6] 蔡春林,姚远. 美国推进第三次工业革命的战略及对中国借鉴 [J]. 国际贸易,2012 (9).
[7] 吕铁,贺俊,黄阳华. 如何应对第三次工业革命的影响 [N]. 中国经济时报,2012-07-26.
[8] 芮明杰. 第三次工业革命的起源、实质与启示 [N]. 文汇报,2012-09-17.
[9] 杰里米·里夫金,张体伟,孙豫宁. 人类正迎来第三次工业革命 [N]. 社会科学报,2012-06-14.
[10] 金碚. 论经济全球化3.0时代——兼论"一带一路"的互通观念 [J]. 中国工业经济,2016 (1).
[11] 罗珉,李亮宇. 互联网时代的商业模式创新:价值创造视角 [J]. 中国工业经济,2015 (1).

⊖ 刘斌:《"互联网+"的发展现状及对中国经济的影响研究》,中国集体经济,2015 年第 24 期。